目 录 学

柯 平 著

U0262709

科学出版社

北 京

内 容 简 介

目录学是读书求知的入门之学，是科学与文化的指南。本书一改历来目录学著作大量介绍古今书目或重点叙述目录学史的体例，从继承中华文化遗产和弘扬目录学优秀传统出发，突出了文化与学术、方法与理论、现代与古典紧密结合的特色。书中除理论知识外，对目录学方法进行了详尽的介绍，包括导读、书评、标题、类序、综述，以及二次文献编纂、参考工具书编纂、书目情报与数字目录学等方法，具有实用性、可操作性和知识性的特点。

本书既可广泛应用于文化、教育与科学领域，也可应用于编辑出版、图书情报与档案管理、搜索引擎与信息产业等部门；也可作为大学语言文学类专业、历史与文献学类专业、编辑出版与图书情报类专业、信息管理类专业的参考资料，亦可作为高等院校相关专业师生学习用书，以及高级中学教师的教学参考用书。

图书在版编目（CIP）数据

目录学／柯平著 . —北京：科学出版社，2022.9
ISBN 978-7-03-073130-2

Ⅰ. ①目⋯　Ⅱ. ①柯⋯　Ⅲ. ①目录学　Ⅳ. ①G257

中国版本图书馆 CIP 数据核字（2022）第 168786 号

责任编辑：刘　超／责任校对：张亚丹
责任印制：吴兆东／封面设计：无极书装

科学出版社 出版
北京东黄城根北街 16 号
邮政编码：100717
http://www.sciencep.com
北京中石油彩色印刷有限责任公司 印刷
科学出版社发行　各地新华书店经销

*

2022 年 9 月第 一 版　开本：720×1000　1/16
2022 年 9 月第一次印刷　印张：26 1/2
字数：520 000
定价：198.00 元
（如有印装质量问题，我社负责调换）

前　言

　　两千五百多年前，世界上一位伟大的圣贤——孔子在中国诞生。在山东曲阜，有一座山并不高，却十分有名，这就是尼山，据说孔子就诞生于此。孔子的祖先原是宋国的贵族，到了其曾祖父孔防叔时，因畏华氏之逼，才来鲁国定居。孔子的父亲叔梁纥曾做过鲁陬邑宰。鲁襄公二十二年（公元前551年）孔子出生于鲁国昌平乡的陬邑，生而首上圩顶，故名丘，字仲尼。宋国是殷商后裔居所，鲁为周公旧封，宋鲁为文化国，给孔子学术上以很大的影响。孔子生于春秋后期，深感礼崩乐坏，创立儒学。其时，私学兴，孔子开办私学，以诗书礼乐教，有弟子三千，身通六艺者有七十二人。孔子周游列国十四年，以图政治理想。公元前484年，孔子从卫国返回鲁国，此时已六十八岁。孔子晚年，全力整理人类早期的文献，删《诗》《书》，定《礼》《乐》，赞《易》，修《春秋》。经孔子整理的文献，历代奉为经典。孔子述而不作，为诗书作序，使中华早期文献得以梳理、集萃与传播，这是中国目录学史的滥觞，也是对中国学术文化的杰出贡献。余嘉锡在《目录学发微》中写道："目录之学，由来尚矣；诗书之序，即其萌芽。"

　　与孔子同时代的西方思想家苏格拉底（公元前469年—公元前399年）晚于孔子80余年出生，他和他的学生柏拉图，以及柏拉图的学生亚里士多德并称为"古希腊三贤"，奠定了西方哲学的基础。虽然他没有像孔子那样整理人类早期的文献，却有"知识即美德，愚昧是万恶之源"的认知，与孔子一样强调知识和教育的重要性。在古希腊，目录学一词产生于公元前5世纪。同中国目录学一样，西方目录学也是孕育于文化与文明的土壤之中。

　　公元前1世纪末，中国产生了具有重要学术价值的目录学著作《别录》和《七略》，刘向、刘歆父子为目录学建立了以"校雠"为核心的文献分类体系和文献整理方法论。但在西方，无论是亚历山大时期的各科学者著作目录，还是公元2世纪的个人著作目录，都只有简单的分类，与《别录》高水平的学术提要及《七略》严密的二级分类体系，特别是"《七略》作为体例比较完善的目录学著作，还通过它的大小序，很好发挥了辨章学术、考镜源流的作用"（许殿才，2006）相比，仍有相当大的差距。范文澜说：西汉有《史记》《七略》两大著作，在史学史上是辉煌的成就（范文澜，1964）。王重民说刘向所创的叙录"使我国的书目提要在很早时期达到了很高的水平""《七略》具有系统的、严密的学术思想体系和很高的水平"（王重民，1984）。

公元 12 世纪，西方目录学尚处在一个缓慢发展期，更无理论建树。此时，中国目录学到了全面繁荣昌盛的阶段，官私目录都有极高水平，官修目录《中兴馆阁书目》不仅收录数量超过《崇文总目》，而且有提要；私家目录《郡斋读书志》《遂初堂书目》及后来的《直斋书录解题》堪称私家目录的杰出范例，特别是以郑樵的《通志·校雠略》为标志，形成了以辨章学术为特色的目录学理论。更为突出的是在分类方面，既有趋于成熟的四部分类体系，又有众多的分类创新，如《通志·艺文略》建立的总 12 大类、82 小类、442 种的三级分类体系，"郑樵实际上已经进入那种完整体系的大门""我国图书分类学自从刘向、刘歆奠定基础以后，便有长足和迅速的发展。若说我国目录工作在整个封建社会时期都是走在了世界的前面，其主要原因应该归功于分类学"（王重民，1984）。

今天，我们说目录学是一门古老的学问，是因为目录学在古代中国称之为校雠学，有着悠久的发展历史。西方目录学一词起源于古希腊，在 18 世纪中叶的法国，目录学还被认为是古文书家的科学，是历史学的一个分支。1762 年，《法国科学院词典》（第四版）认为目录学是属于目录学家或目录编纂者的一门科学，目录学家（bibliographer）是对那些解译古代手稿的人和精通所有有关图书的各项知识——不管是印刷的还是手抄式——的人们的称呼。在拿破仑统治下的法兰西第一帝国时期，目录学被认为是一门同时论及图书馆学、藏书学、图书生产的各个技术环节、书目理论，甚至还有古文书学、图书馆史和文献评论等众多领域的学问。

目录学是辨章学术之学。梁启超说："故合世界史通观之，上世史时代之学术思想，我中华第一也；中世史时代之学术思想，我中华第一也"（刘梦溪，1996）。学术文化起于何时，如何发展？由此赋予了目录学历史使命。春秋战国时期，中国学术文化进入一个百家争鸣的繁荣时期，以儒家、道家为首的诸子百家兴起。儒家为孔子所创，后来由孟子、荀子相传。道家有老子、庄子等代表人物。《史记·老子韩非列传》载："孔子适周，将问礼于老子。老子曰：'子所言者，其与人骨皆已朽矣，独其言在耳。且君子得其时则驾，不得其时则蓬累而行。吾闻之，良贾深藏若虚，君子盛德，容貌若愚。去子之骄气与多欲，态色与淫志，是皆无益于子之身。吾所以告子，若是而已。'孔子去，谓弟子曰：'鸟，吾知其能飞；鱼，吾知其能游；兽，吾知其能走。走者可以为罔，游者可以为纶，飞者可以为矰，至于龙吾不能知，其乘风云而上天。吾今日见老子，其犹龙邪！'"又载："老子者，楚苦县厉乡曲仁里人也，姓李氏，名耳，字聃，周守藏室之史也。"历来不通目录学的读书人，读了这样的片言只语，一定会对于孔子与老子这两位圣贤见面深信不疑。《辞海》（2009）"孔子"条称孔子学无常师，相传曾问礼于老聃，学乐于苌弘，学琴于师襄。《辞海》（2009 年）"老子"条称老子为春秋时思想家、道家的创始人。因为史书对老子没有确切的记载，后世存有两说：一说老子即老聃，姓李名耳，字伯阳，楚国苦县（今河南鹿邑东）厉乡曲仁里人（一说为安徽涡阳人）。按照此说，孔子曾向他问礼，老子做过周朝管理藏书的史官即"守藏室之史"，所以很多人便将老子看作第一位国家图书馆或档案馆馆长。另一说老子即太史儋，或老莱子。《史记》中的孔子问礼于老子一说源于《庄子·天道》："孔子西藏书于周室，子路谋曰：'由闻周之征藏史有老聃者，免而归居。夫子欲藏书，则试往因焉。'孔子曰：'善'，往见老聃而老聃不许。"为什么此说入了史书，这与司马迁父子尊信黄老之术有关。所以范文澜（2010）的《中国通史简编》说："李耳生在孔子死后一百多年，当然不会是孔子的老师，道家伪造老子教训孔子的话，这等于道士说释迦是老子的儿子，又说老子是释迦的丈夫。梁武帝说老子、周公、孔子都是释迦的学生。《清净法行经》说孔子是儒童菩萨，颜渊是净光菩萨，老子是摩诃迦叶，三人受释迦命来东方传道。我们止能说这都是为了抬高自己，不惜捏造事实。"目录学正是"辨章学术，考镜源流"，发挥学术史的功能。所以，刘纪泽《目录学概论》说："目录学者，学术之史也。"

目录学是人类智慧之学。目录学与知识相关。人类创造了知识、形成了文化和文明，人类在历史长河中不断创造与传播知识，也在不断管理与利用知识，文献是人类知识与智慧的结晶，历代经籍与目录，开物成务，启迪思想与智慧。古希腊文化与文明虽已成为历史，但人们始终没有忘记亚历山大文献与目录积累的作用。托勒密王朝建立了博物院和大学，这里集聚了早期的文献，吸引了来自各地的学者，开展了讲学和研究，欧几里得等著名学者都来到这里，形成一股冲向亚历山大的强大的知识巨流。学者的知识交流、写作和研究汇聚起来，人类对于新知识的探索形成了科学，增长了智慧。目录学如同"缪斯之母"，拥有人类的全部知识与智慧。人类就是在这样的知识与智慧、文化与文明、思想与科学等各种力量相互作用中，不断获得进步和发展。

目录学是社会致用之学。目录学关系个人的工作、学习与生活，个人职业发展离不开对职业知识的追求、工作能力的提高和核心竞争力的提升，从阅读中学习文化知识和专业知识，从学习中提高个人素质，目录学有助于提升个人修养、丰富生活，增加人生的幸福感。目录学关系组织和各行各业的发展，社会组织在社会分工中承担着独特的角色和使命，有的社会组织专门从事文献生产与传播，有的社会组织专门从事文献的管理与利用，每一个社会组织都能够产生内生信息与知识资源，形成文献集合体，各行各业的知识与文献汇聚起来，形成行业书目情报系统，为组织与行业发展提供知识保障，促进知识创新。目录学关系政治、经济、文化、教育、科技以及社会进步的方方面面，目录学具有鲜明的实用性和广泛的适用性。

面对新时代，面向未来，我们说，目录学是一门发展中的科学。一方面，目录学要继承优秀的学术文化传统，继续发挥"学中第一紧要事"的作用，将辨章学术、考镜源流的目录学思想发扬光大，让目录学知识得以传承和传播；另一方面，目录学要不断适应新的环境，迎接新的挑战，特别是在现代技术对目录工作与目录学的影响下，不断创新目录学理论与方法，产生目录学新的生长点，形成目录学的学科竞争力，扩大目录学的社会作用与影响力，使目录学成为科学之林中始终走在前列、助力和指引学科发展的基础学科。

目　　录

第 1 章　目录学概述

校雠之义，盖自刘向父子部次条别，将以辨章学术，考镜源流，非深明于道术精微、群言得失之故者，不足与此。

——章学诚

目录学在 2000 多年的发展历史中，形成了辨章学术、考镜源流的核心思想，丰富的理论与方法，以及校雠图书、类别学术、传播文化的优良传统。什么是目录？什么是目录学？这是作为一门科学的目录学的基本问题，也是人们认识目录学的基础。

1.1　目录学的功用

彭斐章等著《目录学》认为：“目录学是一门智慧之学，智慧是以扎实的知识为前提的……目录学是开启人类智慧之门的钥匙”（彭斐章等，2003）。印度的 Kumar 指出：“目录学是一门关于‘人类思想记录’的人文科学，同时它广泛应用的基本方法具有‘分析和系统’的科学性质。目录学应当成为图书馆工作的基础，因此，它被确切地称作图书馆事业的心脏”（Kumar G and Kumar K，1990）。

由此可知，目录学是具有学术性和致用性的一门科学，其基本功用在于读书治学和文化发展。

1.1.1　读书治学

1.1.1.1　目录学是读书治学的门径

读书治学，宜得门径，得门而入，事半功倍。

目录学是读书治学的入门之学。清代著名学者王鸣盛在《十七史商榷》中写道：“目录之学，学中第一紧要事，必从此问途，方能得其门而入，然此事非苦学精究，质之良师，未易明也”，又说：“凡读书，最切要者目录学。目

— 1 —

明，方可读书；不明，终是乱读。"

目录学是读书的入门之学。中国古代图书，经史子集，汗牛充栋。历代史书，有"四大史体"即编年体、纪传体、纪事本末体和典志体。王鸣盛读史，作《十七史商榷》。所谓"十七史"是指宋代以前的十七部正史，是在"前四史"基础上，增房玄龄《晋书》、南朝（梁）沈约《宋书》、南朝（梁）萧子显《南齐书》、姚思廉《梁书》与《陈书》、北朝（北齐）魏收《魏书》、李百药《北齐书》、令狐德棻《周书》、李延寿《南史》和《北史》、唐魏征《隋书》以及宋欧阳修《新唐书》及《新五代史》。据《宋史·文天祥传》记载，文天祥被俘后，元丞相博罗问文天祥：自古至今兴废多少？文天祥答曰："一部十七史从何说起。"

在宋代"十七史"说之前，早期的史书有六家即《尚书》《春秋》《左传》《国语》《史记》《汉书》；唐初有"三史"之说即西汉司马迁《史记》、东汉班固《汉书》和南朝（宋）范晔《后汉书》；以后又有西晋陈寿《三国志》列人，称为"前四史"，尤以《后汉书》《三国志》最称"良史"。

宋以后，明有"二十一史"。至清，《四库全书总目·史部·正史》认定从《史记》《汉书》直到《元史》《明史》共 24 部纪传体史书为"正史"。民国之际，《新元史》（1921 年）列入"正史"，合为二十五史；1931 年《清史稿》列入正史，是为二十六史。

《史记》为"二十四史"之首，被鲁迅誉为"史家之绝唱，无韵之离骚。"

二十四史中有反映南北朝的"八书""二史"、反映唐代历史的新旧唐书、反映五代史的新旧五代史等。所谓"八书"指晋以后南方四朝宋、齐、梁、陈以及北方四朝魏、齐、周、隋的八部史书，"二史"指反映南北朝史的《南史》和《北史》。

二十四史详细记载了有史以来各朝代的历史事件、历史人物、典章制度等，涉及政治、经济、军事、法律制度、社会生活、文学艺术、科学技术等各个方面，为人们提供了中华民族数千年的丰富的史料和知识库。中华书局早在 20 世纪 50 年代即根据毛泽东同志的指示，并在教育部和中国科学院哲学社会科学部的支持下，在全国范围内调集郑天挺、唐长孺、王仲荦等数十名史学家到北京中华书局，全力以赴整理《二十四史》。至 1966 年，先后出版了前四史（《史记》《汉书》《后汉书》《三国志》），有 6 部史书已经点校付型和基本定稿，其余各史已做了大量的点校或准备工作，因"文化大革命"整理工作被迫停顿。1971 年，毛泽东同志又批准整理出版《二十四史》及《清史稿》的请示报告，并由周恩来同志亲自布置这一文件的传达落实工作。周恩来同志明确指示：《二十四史》和《清史稿》除已有标点者外，其余各史由中华书局负责组织，请人标点，由顾颉刚总其成。在中央领导的关心和支持下，整理出版工作顺利进行。从1958年开始整理，至1978《宋史》出版，历时20年，《二十四史》全部出齐，共计3249卷，约4000万字。

目录学是治学的入门之学。主持整理《二十四史》的著名史学家顾颉刚，他的治学就是从目录学入门的。他从小到苏州的书市上看书，渐渐地对书目产生了兴趣，为的是看了书目就可以知道哪一方面有他所需要的书。当时上海商务印书馆每月出版一本"图书目录"，他每期必看，报纸上刊登的各家书店出版的新书目录，他不但仔细看，还把它剪下来，保存了许久。他不但看当时的读书目录，还常看以前的书目，其中有三部书是作为他经常的参考资料：第一部是《四库全书总目提要》，第二部是《汇刻书目》，第三部是张之洞的《书目答问》。他说："由于我经常翻阅这些书目，也就学会了需要什么书时就到那儿去找。"当时苏州城里虽没有图书馆，但他却从这三部书目中知道了许多书。书目成为他的老师。1916年春，由于生病不能回北京大学学习，顾颉刚在家自修，他根据《书目答问》末尾的"皇朝著述诸家姓名略"编成一部《清代著述考》。1920年夏，他在北京大学毕业，留校任助教，并担任图书馆编目工作，练就了脚踏实地做学问的基本功。

1925年4月22日，胡适在《读书》一文中有一段回忆谈顾颉刚从文献入手钻研学术：

我记得前几年我曾劝顾颉刚先生标点姚际恒的《古今伪书考》，当初我知道他的生活困难，希望他标点一部书付印，卖几个钱。那部书是很薄的一本，我以为他一两个星期就可以标点完了。那知顾先生一去半年，还不曾交卷。原来他于每条引的书，都去翻查原书，仔细校对，注明出处，注明原书卷第，注明删节之处。他动手半年之后，来对我说，《古今伪书考》不必付印了，他现在要编辑一部疑古的丛书，叫作"辨伪丛刊"。我很赞成他这个计划，让他去动手。他动手了一两年之后，更进步了，又超过那"辨伪丛刊"的计划了，他要自己创作了。他前年以来，对于中国古史，做了许多辨伪的文字；他眼前的成绩早已超过崔述了，更不要说姚际恒了，顾先生将来在中国史学界的贡献一定不可限量。

果不出胡适所料，顾颉刚后来在古史研究上有许多突破，出版了《古史辨》，成为史学大家。1966年，他向何启君讲历史时，还特别称赞《汉书·艺文志》和《隋书·经籍志》。他认为，《汉书》较之《史记》有发展。《汉书》"十志"中"《艺文志》，这个部分，写得好，记叙我国古时各学术、学科、学派的源流，尤其重要的是记载了西汉宫廷藏书目录，从这当中知道战国以后的大量书籍的书名"，又说："《隋书》的'志'里，最有价值的是《经籍志》。这是《汉书》的《艺文志》的继续，要知道古代有多少书，看《汉书》的《艺文志》及

《隋书》的《经籍志》便可以知道从战国到隋朝的书籍"（顾颉刚和何启君，1983）。他生前爱好藏书，自备自用，图书达六万册。

四川大学历史系教授缪钺说过："一个人要想做学问，先练基本功是必要的。对于一个想研治文史的人来说，基本功就是关于文学、声韵、训诂、校勘、目录学的基本知识。"少年时代，父亲就告诉他，目录学是治学的门径，教他先看《书目答问》，然后再看《四库全书总目提要》。因此，他将这两部书常置案头，以供翻检。在一个暑假中，他曾按照《书目答问》的体例，将家中藏书编了一个书目，父亲很是高兴，为书目写了序。缪钺经常翻阅《四库全书总目提要》，了解许多古书作者的身世、书的版本、内容体例及其长短得失。如果没有这些基本功，很难在史学研究领域中取得成就。

1.1.1.2　目录学是知识管理的工具

读书是为了获取知识，也是人生的修养。培根（Francis Bacon）说过："读史使人明智，读诗使人灵秀，数学使人周密，科学使人深刻，伦理学使人庄重，逻辑修辞之学使人善辩：凡有所学，皆成性格"（弗朗西斯·培根《论读书》——王佐良译）。

俄国作家、历史学家卡拉姆辛认为：人类的文明史可划分为两个主要时期，即文字和印刷术的发明时期——其他一切都是它们的延伸；读书和写字，为人类开创了一个新世纪，在当今理性高度发展的时代，尤其是这样。面对浩如烟海的文献，读者如不以书目为"舟楫"和"指南"，会望洋兴叹。

掌握目录学，也就是掌握获取知识的工具，正如俄罗斯诗人、文献学家布留索夫在《论目录学对于科学的意义》中所说："有人说，学问与其说是知识的储蓄，倒不如说是善于在书海中找到需要的知识的本领，这话是对的。"因此，目录学是学习知识的门径，是传播知识的工具。

古希腊时，哲学家柏拉图（Plato）将知识分为辩证法、物理知识和伦理学说三大类，亚里士多德（Aristotle）将知识分为理论的、实际的、应用的三类。中世纪，出现了知识的"三艺"（语法、逻辑、修辞）和"四学"（quadrivium）（美术、几何、天文和音乐）之分。17 世纪，培根在《论学术的尊严与进展》（*De Digaitate et Augmentis Scientiarum*，1623 年）和《智力球描述》（*Descriptio Globe Intellectualis*，1612 年）中第一次对近代知识进行了科学分类，认为人的学问起源于理解力的三种官能即记忆、想象和理性，相应地将知识分为历史、诗歌和哲学。William Yorrey Harris 的路易斯公立图书馆图书分类法和 Melvil Dewey 1873 年完成的十进分类法，都是受了培根分类的影响。

19 世纪知识发展促进了知识分类与文献分类。19 世纪法国社会学之父奥古斯特·孔德（August Comte）在培根"智力球"启发之下将科学分为 7 种：数学、天文学、物理学、化学、生物学、社会学为 6 种基本的科学，而道德科学是知识阶梯的顶点。他从 15 个公理化的陈述中推导出科学知识的等级制度，"社会学客观地变得依赖于生物学，正如我们的大脑存在显然以我们纯粹肉体的生命为基础一样。这两个步骤使我们继续行进到作为生物学正常基础的化学概念，由于我们容许生命力取决于物质化合的普遍定律。由于物质普遍的特性必定总是对不同实物的特殊的质施加影响，因而化学本身又客观地从属于物理学。类似地，当我们认识到我们地上环境的存在继续持久地隶属于作为一个天体的我们行星的状况时，物理学变得从属于天文学。最后，由于天体的几何现象和力学现象明显地依赖于数、广延和运动的普适定律，因而天文学从属于数学"①。

英国哲学家赫伯特·斯宾塞（Herbert Spencer）1852 年发表《进化的假说》，1864 年发表《科学的分类》（*The Classification of the Sciences*），将科学分为抽象的科学（abstract science）和具体的科学（concrete science）。

目录学是知识组织与管理的手段。根据美国国家教育学会的测算，从公元纪年到 1750 年人类知识仅增加了一倍，到 150 年后的 1900 年人类知识总量又增加一倍。1950 年以来，每 10 年科学知识的总和翻两番；而全世界科研人员和工程师的数量，1800 年只有 1000 人，1850 年只有 1 万人，1900 年也只有 10 万人，到 1950 年达到 100 万人，20 世纪 70 年代达到 1000 万人。另据联合国教科文组织（UNESCO）1976 年在巴黎出版的《统计年鉴》，20 世纪 60 年代的文献增长率为 9.5%，1971 年达到 10.6%②。20 世纪 60 年代以来的科技发明创造成果比过去历史上两千年总和还多，而世界图书累计种数自 7~8 世纪至 19 世纪末为 1133 万种，至 1949 年约为 2183 万种，到 1986 年达 3883 万种，至 20 世纪末增长到约 5000 万种。随着知识量和文献量的激增，如何对知识和文献进行有效的管理越来越显得重要。只有运用目录学的理论和方法才能解决这一问题。

1.1.1.3　目录学是科学研究的指南

达尔文（Darwin）1837 年返回英格兰。为收集在驯化和自然条件下以任何方式影响动植物变异的所有事实，他于 1837 年 7 月开始记录第一本笔记，他以真正的培根原则工作，在没有任何理论的情况下，通过问卷调查、与技艺高超的饲养员和园林工人谈话、广泛阅读资料，大规模地收集事实，尤其是关于被驯化

---

① 〔英〕皮尔逊 . 1998. 科学的规范 [M]. 李醒民译 . 北京：华夏出版社.
② 〔法〕C. 甘沙，〔法〕M. 梅努 . 1987. 情报与文献科学技术概论 [M]. 焦俊武等，译 . 北京：科学技术文献出版社.

的产物的事实。当他看到他阅读和摘录过的各类论著的目录时，其中包括整个系列的杂志和学报，他为自己的勤奋惊讶不已。达尔文由于细读了马尔萨斯（Malthus）的《人口论》而获得了灵感。19 年后，他终于获得成功。他谈到关于自然选择是物种起源的秘密的关键这一灵感时说："在此时此地，我终于获得了据以工作的理论；但是，我如此渴望避免偏见，致使我决定在一段时间内甚至不写最简短的概要。1842 年 6 月（即灵感之后四年），我首次容许我自己满足于用铅笔就我的理论写了一个 35 页的十分简短的摘要；1844 年夏天，这个概要被扩充为 230 页，我清楚地把它抄写出来，现在还保存着。"① 最后，达尔文手稿的摘要与华莱士（Wallace）的文章在 1858 年一起发表，《物种起源》在 1859 年出版。

　　科学研究和发展与知识、文献有密切关系。由于科学研究的连续性和继承性特点，决定了它对文献的依赖性。任何研究，都要以前人的研究为基础，通过文献调研，充分占有资料，对这些文献资料进行分析，形成学术史梳理和研究进展回顾，掌握前沿动态，以决定研究的起点。目录学对科学研究与发展具有显著作用。因此，目录学被称为科学研究的指南。

1.1.2　文化发展

1.1.2.1　目录学是宝贵的文化遗产

　　中国是四大文明古国之一，文化遗产极为丰富。著名史学家谢国桢曾在北平图书馆从事过编目工作，他说："我国自有文字以来，一直到现在，四千年来史迹留存接连不断，这是世界上所罕见的，也是值得自豪的"（谢国桢，1985）。

　　先秦时期，中国就有世界上最发达的文化，产生了儒、道、墨、法各个学术流派和孔子、老子等一大批思想家，产生了以《论语》《楚辞》《春秋》等为代表的哲学、文学、史学、艺术等各门科学和丰富的民族文化。中华民族向来有奋发向上、自强不息的精神，创造了人类无数文化遗产，当时，"西伯拘而演《周易》；仲尼厄而作《春秋》；屈原放逐，乃赋《离骚》；左丘失明，厥有《国语》；孙子膑脚，《兵法》修列；不韦迁蜀，世传《吕览》；韩非囚秦，《说难》《孤愤》；《诗》三百篇，大抵贤圣发愤之所为作也"（班固《汉书·司马迁传》）。这些既是先辈百折不挠的范例，也是世界上最伟大的创作。

　　古人诗乐舞合一，形成了礼乐文化。《国语·周语》有："声以和乐，律以

---

① 〔英〕皮尔逊.1998.科学的规范 ［M］.李醒民译.北京：华夏出版社.

平声。金石以动之，丝竹以行之，诗以道之，歌以咏之，匏以宣之，瓦以赞之，草木以节之。"《左传》有："诗以言志。"《尚书》有："诗言志，歌永言，声依水，律和声，八音克谐，无相夺伦，神人以和。"《毛诗正义》有："诗者，志之所之也，在心为志，发言为诗。情动于中而形于言，言之不足故嗟叹之，嗟叹之不足故永歌之，永歌之不足，不知手之舞之，足之蹈之也。"

《诗》是孔子整理的六经之一。孔子以《诗》教人，"不学《诗》，无以言"（《论语·季氏》），"《诗》三百，一言以蔽之，思无邪"（《论语·为政》），"其为人也，温柔敦厚，《诗》教也……故《诗》之失，愚"（《礼记·经解篇》）。所以《四库全书总目》说"圣人觉世牗民，大抵因事以寓教。《诗》寓于风谣，《礼》寓于节文，《尚书》《春秋》寓于史，而《易》则寓于卜筮"。

《诗》305 篇，包括《国风》160 篇、《小雅》74 篇、《大雅》31 篇、《周颂》31 篇、《鲁颂》4 篇、《商颂》5 篇。《国风》按国编列，以抒情为主，基本上是周东迁以后，王朝和列国的作品。《雅》《颂》以咏事为主，除《鲁颂》《商颂》为春秋时作品外，基本上都是宗周作品。《诗》中的各篇，均有意义。孔子说"《关雎》，乐而不淫，哀而不伤"（《论语·八佾》）。

"关关雎鸠，在河之洲。窈窕淑女，君子好逑"。这首脍炙人口的《关雎》是《诗》的首篇，历来引起文化界的重视、解读与讨论，有"中国第一诗"之称。而对它的翻译，也成为中国文化走向世界的一个范例。以这首诗的前四句翻译为例。

英国翻译家 Arthur Waley 译为："'Fair, fart,' cry the ospreys, On the island in the river, Lovely is this noble lady, Fit bride for our lord."

Cyrill Birch 译为："Guanguan cry the ospreys, on the islet in the river. So delicate the virtuous maiden, a fit mate for our Prince."（"Fit," that is to say, "fit"; "mate," that is to say, "seeking".）

杨宪益戴乃迭夫妇译为："Merrily the ospreys cry, On the islet in the stream, Gentle and graceful is the girl, A fit wife for the gentleman"。

辜正坤认为《关雎》全名暗示着全诗的主旨，并译为英文："Hark! The ospreys merrily call, On the islet off the river shore, The girl is lovely and slenderly tall, Whom the gentleman would adore"。

许渊冲的翻译是 "By riverside are cooing, A pair of turtledoves, A good young man is wooing, A fair maiden he loves."（"Cooing" is the soft sound made by the gentle birds and "wooing" is winning over by saying or doing nice things.）并解释为什么要这样翻译："综观《诗经》全部篇名，多是在第一句中选两个字，'关关雎鸠'只是在全句中选用了第一字和第三字，正如《诗经》第二篇《葛覃》是

在'葛之覃兮'四个字中选用了两个字一样，只是全诗起兴之句，不是全诗主旨"（许渊冲，2015）。许渊冲讲到的这个篇名问题正是目录学的方法，运用目录学的方法可以更准确地理解中国文化。

公元 1 世纪，中国已是世界强国。公元 2 年的全国人口约为 5959 万人，占当时世界人口总数 2.3 亿人的 25.9%。西汉有两部世界伟大的著作，一是史学巨著《史记》，另一部是目录学著作《七略》。范文澜说《七略》"它不只是目录学、校勘学的开端，更重要的还在于它是一部极可贵的古代文化史"（范文澜，1964，2010）。

《七略》创造了六略 38 种的分类体系。其诗赋略分为屈原之赋、陆贾之赋、孙卿之赋、杂赋、歌诗五类。《七略》已佚，幸得《汉书·艺文志》予以保存。

其诗赋略序如下：

传曰："不歌而诵谓之赋，登高能赋可以为大夫。"言感物造耑，材知深美，可与图事，故可以为列大夫也。古者诸侯、卿、大夫交接邻国，以微言相感，当揖让之时，必称诗以谕其志。盖以别贤不肖而观盛衰焉。故孔子曰"不学《诗》，无以言"也。春秋之后，周道寖坏，聘问歌咏不行于列国，学《诗》之士逸在布衣，而贤人失志之赋作矣。大儒孙卿及楚臣屈原离谗忧国，皆作赋以风，咸有恻隐古诗之义。其后宋玉、唐勒；汉兴，枚乘、司马相如，下及杨子云，竟为侈丽闳衍之词，没其风喻之义。是以杨子悔之，曰："诗人之赋丽以则，辞人之赋丽以淫。如孔氏之门人用赋也，则贾谊登堂、相如入室矣。如其不用何！"自孝武立乐府而采歌谣，于是有代赵之讴、秦楚之风，皆感于哀乐，缘事而发，亦可以观风俗，知薄厚云。序诗赋为五种。

由这一篇目录学文献，完全可以了解中国早期的诗赋文化的概貌。

目录学在文化遗产中占有突出的位置。徐家麟说："我国固有的目录学，自有其久远精粹的历史。这可说是先哲宝贵的遗产之一"（钱亚新，1948）。

目录学一方面作为人类文化与文明的结晶，始终伴随着文化与文明的发展而发展，只要目录学存在，即便某种文化与文明泯灭仍可藉目录而窥见一斑，一国的目录学就是一国的文化史，世界的目录学就是世界的文化史。另一方面目录学在文化传承和促进文明进步方面发挥重要作用，无论是新旧文化的衔接，还是本土文化与外来文化的交融，目录学成为文化交流的桥梁与工具。

中国古典目录学是世界文化的瑰宝。在西方文化重视技术性与工具性而导致主体性、人文性缺失的状态下，中国古典目录学的思想传统具有重大的历史价值和现实意义。二者可以相互借鉴、融通，这不仅仅具有目录学史方面的意义，也具有人类文明史方面的意义。

1.1.2.2　目录学是国学的基础

国学的范畴很大，十三经占重要地位。汉朝立官学只有五经，汉末魏晋之际，加入《论语》《孝经》，成为七经。以后，《春秋》和《礼》各一分为三，前者衍为《左传》《公羊传》《谷梁传》，后者衍为《周礼》《仪礼》《礼记》，变成十一经。唐代在十一经之外，又加上《尔雅》，成十二经。到宋代，将《孟子》列入，成为十三经。

中国是有着悠久教育传统的国家。夏商时已有官学，西周分国学与乡学两种，春秋战国私学兴，汉武帝设太学、学、校、庠、序五级，晋武帝在太学之外增立国子学，北魏时增立四门学，至隋设国子学、太学、四门学、书学、算学五学，唐又在五学之外增律学。

五四运动、新文化运动深入人心，提倡科学和整理国故并行发展。

1922年，北京大学成立研究所国学门。1925年，清华大学成立国学研究院，因为有王国维、梁启超、赵元任、陈寅恪这四位著名的导师，一时名声大噪。

清华四导师之一的梁启超，8岁学为文，9岁能缀千言，17岁中举，早年跟随康有为发起戊戌变法，宣传西学，1896年发表《西学书目表》，主张"国家欲自强，以多译西书为本，学子欲自立，以多读西书为功"。后转为学术研究，涉史学、目录学等众多学问。梁启超倡导复兴国学。在《治国学的两条大路》一文中将国学分为"文献的学问"即史学和"德性的学问"即哲学。梁启超说"要治目录学，顶好就研究《艺文志》《经籍志》等"。

1925年2月，姚名达在清华大学国学院刚开办时，考入该校成为梁启超的研究生。1929年，姚名达在清华大学任教时即从事目录学著述，著有《目录学》《中国目录学史》《中国目录学年表》。抗日战争爆发后的1938年，他应胡先啸的邀请回到故乡江西，任中正大学史学系教授。1942年日寇侵入江西，姚名达奋身参加战地服务团，为杀敌战士服务。在新淦遇敌，壮烈牺牲，年仅39岁。

国学推荐书目是在"整理国故"的口号下产生的，目的在于引导青年读古书。1923年，胡适首先在《晨报副刊》发表《一个最低限度的国学书目》推荐图书165种（工具书15种、思想史72种、文学史78种），后精简成《实在的最低限度的书目》推荐图书39种，云：只为普通青年欲得一点系统的国学知识者设想，并不为已有国学根底者设想；故用历史的线索为国学天然的系统，而其书目顺序，也就是下手的法门。梁启超对胡适书目不收史部书等有批评意见，同年应《清华周刊》之约，编定《国学入门书要目及其读法》推荐图书139种，包括修养应用及思想史关系书类39种、政治史及其他文献学书类21种、韵文书类42种、小学书及文法书类7种、随时涉猎书类30种。每类列数十种要籍，每书说明简要内容与读法。附录最低限度的必读书25种，并说"皆须一读，若藏此未读，真不能认为中国学人矣"。在此基础上，梁启超又编撰了《要籍解题及其读法》。

当时，名家开国学书目成一时风气。章太炎1924年在《华国月刊》第二期发表《中学国文书目》推荐图书39种。此外，还有李笠的《国学用书撰要》、支伟成的《国学用书类述》、陈伯英的《国学书目举要》、曹功济的《国学用书举要》、上海医学书局的《国学书目提要》、杨济沧的《治国学门径书》、陈钟凡的《治国学书目》、吕思勉的《经史解题》、钱基博的《四书解题及其读法》和《古籍举要》、钟泰的《国学书目举要》、徐敬修的《国学常识书目》等。

1.1.2.3 目录学是文化传播的工具

任何一种文化在发展过程中不仅仅形成自己的独特的体系即文化系统，而且其文化特质也会随着社会交往而广泛地向外散播，从而形成了文化扩散。文化通过各种传播途径或工具，为其他社会所借鉴和吸收，从而形成文化交流现象。

文化的发达一定会反映在文献和目录学上。以数学为例，在殷墟出土的商代甲骨文献中，已出现了数字的具体记录，包括从一至十以及百、千、万，最大的数是三万，由此可知中国很早就有了十进制，而其他文明古国较晚才有计数法且非十进制，如古巴比伦人用六十进位，中美洲的玛雅人用二十进位，印度直到公元6世纪还用特殊的记号表示二十、三十、四十等十的倍数，7世纪才有采用十进位制的证明。中国是世界上最早有十进制的国家，马克思曾将十进位值制计数法的发明称为"最妙的发明之一"，李约瑟高度评价说："如果没有这种十进位制，就几乎不可能出现我们现在这个统一化的世界了"①。

公元656年，唐高宗李治令李淳风等人编纂了十部数学著作，即《周髀算经》《九章算术》《海岛算经》《孙子算经》《夏侯阳算经》《缀术》《张丘建算经》《五曹算经》《五经算术》《缉古算经》，总称《算经十书》，作为国子监中算学馆的教科书。文献体现了汉唐千余年间中国数学在世界的水平，以至于宋元时期数学发展到黄金时代，出现了秦九韶、李冶、杨辉、朱世杰四位世界级大数学家，其成果早欧洲同类成果五百到八百余年。明代程大位《算法统宗》促进了珠算的普及。明末传教士利玛窦（Matteo Ricci，1552—1610）和徐光启合作，翻译了欧几里得的《几何原本》的前六卷，从此开启了翻译西方数学著作的帷幕。

---

① 〔英〕李约瑟. 1978. 中国科学技术史（第三卷）[M].《中国科学技术史》翻译小组译. 北京：科学出版社.

文献和目录学是文化传播的重要载体。在西方图书东传和中华经籍西传中，目录学发挥重要的中介作用。元至正二年（1342年）王士点、商企翁编撰《秘书监志》，卷七"回回书籍"条内记录了至元十年（1273年）曾入藏的阿拉伯文数学书籍38部。明末常熟赵琦美的《脉望馆书目》"暑"字号"子类"八下，设有"太西人著述"小类，登录了《几何原本》《泰西水法》等7种西方传教士译著的书籍。

中国"四书"对外传播：明万历二十一年（1593年），利玛窦将"四书"译为拉丁文，寄回本国。康熙五十年（1711年），布拉格大学图书馆出版卫方济用拉丁文翻译的"四书"及《孝经》《幼学》，并于1783~1786年译为法文（季羡林，2006）。

有关介绍中国的文献在国际上产生了较大影响。1353年马黎诺里自东方归，1768年发表《波希米亚史》，书中描述中国为"灿烂光荣的世界，非笔所能书，口能所言"（龚鹏程，2006）。杜亚尔德（J. B du Halde）的《中华帝国志》1734年出版后，1736年出现英译本，1747年出现德译本，1774年又有了俄译本。

1915年，西方意象派领袖人物埃兹拉·庞德（Ezra Pound）收入15首李白和王维短诗的小册子《汉诗译卷》（Cathay）在英美掀起了翻译中国诗、仿作中国诗的热潮。此后五六年间，芝加哥《诗刊》发表的中国诗的评论和仿作，占所有外来诗歌之首，美国各刊物上有关外国诗评和介绍中，中国在12个主要国家和地区之间居第二位。

在1929年6月召开的首次国际图书馆及目录学大会上，来自中国的代表——武昌文华图书科主任沈祖荣向大会展示了中国的汉晋书简、印本书籍、抄本、拓本等展品，还撰写《中国之索引体系》（*Indexing System in China*）一文进行会议交流。此后，中国的文化、文献随着目录学学术活动在国际上广泛传播。

1.2　目录学的内容与任务

目录学是科学之林的一门重要学问。目录学的基本问题，首先要解决学科对象、学科内容、学科任务等问题。

1.2.1　目录学的对象

关于目录学对象与定义，历来众说纷纭，归纳起来，主要有四种不同的观点。

1.2.1.1　以图书为对象的目录学

中国目录学，古称"校雠"。清章学诚《校雠通义》叙曰："校雠之义，盖自刘向父子部次条别，将以辨章学术，考镜源流，非深明于道术精微，群言得失之故者，不足与此。后世部次甲乙，纪录经史者，代有其人；而求能推阐大义，条别学术异同，使人由委溯源，以想见于坟籍之初者，千百之中，不十一焉。"

姚名达《中国目录学史》指出："目录学者，将群书部次甲乙，条别异同，推阐大义，疏通伦类，将以辨章学术，考镜源流，欲人即类求书，因书究学之专门学术也。"

容肇祖《中国目录学引论》参考 T. H. Horne 在 "*Introduction to the Study of Bibliography*"（London，1814 年版）中的定义，指出"中国目录学简言之为研究中国书的学问，详言之，则研究中国书的（一）材料，即构造成书的；（二）内容，即著作家所论述的；（三）版本，刻本写本皆在研究之列；（四）分类，及其分类的历史"，明确提出目录学的对象就是书籍。

1782 年，J. F. Née de la Rochelle 把目录学定义为"著述的知识及其因素的描述"，类似于"著述史"（literary history）和"图书信息"（notitia librorum）。到 18 世纪末，目录学已成为包括图书各个方面的一门科学。1932 年，《法国科学院词典》第八版认为，目录学是有关各个学科的图书出版的知识，是关于图书的版本、价值和珍本的知识。

1968 年，《图书馆学与情报学百科全书》指出："目录学是关于图书的学问。"

《不列颠百科全书》（*Encyclopedia Britannica*，1966）的目录学词条为：

Bibliography, is the anglicized form of the Greek bibliographia, which means "the writing of books" in the literal sense; the Greek bibliographos was a copyist of manuscripts. The word has passed through various meanings and still covers too many activities to be very exact in definition. However, in modern times the word bibliography is ordinarily associated with two sets of activities: (1) enumerative (or systematic) bibliography, the listing according to some system or reference scheme of books that have a formal relationship; and (2) analytical (or critical) bibliography, the examination of books as tangible objects with a view to the recovery of the details of the physical process of their manufacture, and the analysis of the effect of this process on the physical characteristics of any specific copy of a book.

1977 年，《不列颠百科全书》指出："目录学是描述图书的技术或科学。"

1977 年，《美国百科全书》（*Encyclopedia Americana*）指出目录学这个词来表示记录出版物的科学或技术：

Bibliography, bib-le-ogre-fe, is the name applied to the science, art, or most typical product of the art of recording published material. As a science, bibliography is the organized body of knowledge that treats of books in all aspects, whether as mere physical objects or as vehicles of ideas. As an art, bibliography consists of the techniques for ascertaining, organizing and presenting information about books. As the typical product of the art, a bibliography is a systematic listing, for a particular purpose, of books that share common characteristics。

目录学词条的撰写者弗纳·W. 克拉普（Verner W. Clapp）从科学方面，将目录学作为图书各方面的全部知识集合体，包括图书的物质载体和思想传达；而从技术方面，将目录学视为确定、组织和揭示图书信息的技术。

图书学家 M. H. 库法耶夫（М. Н. Куфаев）认为"目录学是关于图书的独立知识，它研究和著录图书，就如同历史学研究和著录古迹或地理学记述各个国家与民族一样"。在苏联，长期用 Библиография 表示书目和目录学。20 世纪 50 年代末苏联目录学理论大讨论，创造了"目录学"（Библиографовение）新词，实现了书目和目录学在术语概念上的分离。

1978 年，《苏联大百科全书》（Большая советская энциклопедия）第 3 版指出："目录学是科学和实践活动的一个部门，它的任务是为一定的社会目的报道和积极宣传出版物，这门科学研究书目产品、书目的历史和理论、书目活动的组织和方法，所以称之为目录学。"

长期以来，目录学以图书为研究对象，但随着社会发展和技术进步，图书已发生了巨大的改革，而且"图书"的概念已无法反映书目工作所处理的材料范畴，因此，目录学的工作对象早已从图书发展到了文献。

1.2.1.2　以目录为对象的目录学

汪国垣《目录学研究》综合目录家之目录、史家之目录、藏书家之目录、读书家之目录四说，提出目录学的界义："目录者，综合群籍，类居部次，取便稽考是也。目录学者，则非仅类居部次。又在确能辨别源流，详究义例，本学术条贯之旨，启后世著录之规。方足以当。此目录学之界义也。"

20 世纪初，历史学家朗格卢瓦（Charles V. Langlois）指出："目录学的对象是目录，它的任务是提供一种尽快地、尽可能地获取有关参考文献来源的手段。"

苏联目录学家艾亨戈列茨（А. Д. Эйхенголец）认为："目录学是编制和研究出版物的索引、目录、评述的方式方法的一个知识部门。"

法国目录学家 Louise Noëlle Malclés 说："目录学要搜集、著录和分类印刷出版的文献，为脑力劳动创造工具，这些工具可以称之为文献目录或书目"①。

1.2.1.3　以目录工作为对象的目录学

北京大学、武汉大学1982年合编出版的《目录学概论》认为"目录学作为一门科学，应当研究规律。它是目录工作的概括和总结，是反映目录工作实践活动发展变化的一般规律的科学"，同时阐述了目录学的对象的矛盾说，即应该研究科学地揭示和有效地报道文献与人们对它特定需要之间的矛盾。

1993年出版的《中国大百科全书》图书馆学情报学档案学卷将目录学定义为"目录学（bibliography），研究目录工作形成和发展一般规律的科学"。

1.2.1.4　以书目情报为对象的目录学

当代目录学的最大特点就是以书目情报适应新的信息环境，这就改变了一个时期目录学将范畴狭义到"目录"或"书目"的局限性。

科尔舒诺夫（О. П. Коршунов）主编的《普通目录学教程》（1981年版）认为目录学用于指一门关于图书的科学（或者辅助学科），将目录学基本对象定义为"研究书目情报的结构和性质，及其编纂与传递给读者的规律性的学科"（科尔舒诺夫主编，彭斐章等译，1987年出版），其内容由书目活动的理论、历史、组织和方法四个基本部分组成。

柯平（1998）在《文献目录学》中将书目情报作为目录学的基础，提出："文献目录学是为解决揭示与报道文献信息与读者对文献信息需求的矛盾，研究书目情报产生、发展及其运动规律的一门科学。"

在1986年中央广播电视大学《目录学》教材基础上进行修订的高校图书馆学核心课教材《目录学》于2003年出版，将目录学定义为"目录学是研究目录工作形成和发展的一般规律（即研究书目情报运动规律）的科学"，这一教材突出的特点，是将书目情报作为目录学的学科基点，确立了书目情报在现代目录学中的地位。

以上四种观点，关于目录学的对象和定位的认识存在差异，主要分歧在于是从广义上还是从狭义上看待目录学，是继承文献传统还是从现代信息出发看待目录学，是兼顾国外还是仅从中国现实出发看待目录学。目录学的定位如果仅仅是狭义的或现实的，必须局限于图书馆或某一机构领域内，与图书馆分类编目无异，目录学的发展就会越走越窄。因此，既不能抛弃目录学一直以来的文献传

---

① 〔法〕马尔克雷. 1980. 目录学的目的和定义 [J]. 肖东发，译. 吉林省图书馆学会会刊，(4)：84-88.

统，也不能不着眼于现代目录学的情报信息职能。

基于此，本书将目录学定义为：目录学是以文献与书目情报为对象，研究文献与书目情报产生、发展及其运动规律的一门科学。

1.2.2 目录学的内容

目录学的内容是由目录学的对象决定的。目录学作为一门发展中的学科，其内容主要包括以下 6 个方面。

1.2.2.1 目录学基础理论

（1）理论基础

目录学坚持以马克思主义的辩证唯物主义与历史唯物主义这一科学方法论为指导。以马克思主义哲学与文化学说以及列宁的目录学思想为主要理论基础，同时，借鉴与吸收现代信息理论、系统科学理论以及以 Jesse H. Shera 为代表的"社会认识论"（social epistemology）、以 B. C. Brookes 为代表的"知识基础论"和以 А. И. Михайлов 为代表的科学交流理论，形成目录学理论基础体系。

（2）研究对象

关于目录学研究对象的讨论形成了图书说、目录说、图书目录说、关系说和矛盾说等观点。综合各家观点，目录学的研究对象是文献与书目情报，这既是传统图书说、目录说的进一步发展，也是对于关系说和矛盾说新的综合。

（3）目录学概念、术语及其规范化

目录学术语是目录学最基本的构成要素，是目录学研究成果的准确表达，是目录学理论与实践研究的一种工具。将术语学原理应用于目录学，围绕文献、书目与目录、二次文献、书目工作、书目事业、书目情报、数字目录等基本概念展开研究，通过术语规范与管理，形成目录学术语体系。

（4）学科性质

目录学是一门独立的科学。目录学既要将它的理论和方法渗透到其他学科领域，也要吸收其他学科的最新成果和先进方法来丰富自己。目录学的渗透、交叉与综合利用是科学的普遍现象，不能因此改变目录学的性质。目录学并不是综合运用多学科理论和方法去进行系统的综合性研究，既不是综合性学科也不是横断科学。从揭示和报道文献这一社会现象，以及书目活动这一特定社会活动现象的规律性看，目录学仍然属于社会科学范畴。

（5）学科地位

目录学不仅与文化，还与政治、经济、教育、科学、社会等都有密切的关系，在科学和社会领域都发挥重要作用，体现出学术价值、学科地位、社会影响。

（6）学科关系

目录学不是一门孤立的学科，它与许多学科有着各种各样的联系，形成多层次的相关学科。目录学与学术史关系密切，目录学的辨章学术、考镜源流是通过提供学术文献的手段来完成的，而学术史研究学术发展和源流是通过研究学术文献达到目的的。目录学与校雠学、版本学有历史渊源，它们在厘定篇章、比勘文字、探求版刻源流、鉴别版本优劣、部次群书、条别异同、推阐大义、考镜源流中相互为用、互相促进、共同发展。目录学与图书馆学、情报学、档案学有着血缘关系。书目工作横跨图书馆、情报所、档案馆等部门，决定着目录学成为图书馆学、情报学、档案学共同的基础。一方面，目录学同它们在内容上相交叉，产生交叉学科或共同理论，如档案目录学、计量书目学。另一方面，目录学同它们在方法上互相借鉴，以促进本学科的发展。这些学科由于学科本质的一致，将形成一门概括性的体系范畴的上位类学科。

1. 2. 2. 2　目录学基本原理

（1）书目情报原理

20 世纪 80 年代末，随着苏联《目录学普通教程》的翻译，书目情报概念、结构等的研究发展成一种理论，被认为是目录学的逻辑起点和最基本的理论。柯平（1996）《书目情报系统理论研究》首次提出了文本书目情报，揭示了书目情报系统的发展原理。《文献目录学》系统阐述了书目情报概念与范畴、书目情报结构与功能、书目情报传播等基本原理（柯平，1998）。彭斐章、乔好勤、陈传夫编著的《目录学（修订版）》将书目情报生产的原理、书目情报传递的原理、书目情报的利用原理作为目录学的应用原理（彭斐章等，2003）。

（2）书目交流原理

1952 年，芝加哥大学图书馆学院的 M. E. Egan 和 J. H. Shera 在 *Library*

Journal 上发表《目录学的一种理论基础》一文，提出了书目交流（bibliographic communication）理论，研究书目交流系统结构及在文献交流系统中的地位。他们认为书目是思想和情报的一个传递系统，类似于物质商品运输的铁路系统，认为书目交流包括3个方面：①各个学术领域或群体内进行的交流；②若干学术领域或群体之间专家的交流；③学术团体与各种行业、经营、教育、大众团体之间的交流。1995年王新才在《武汉大学学报》发表《论目录学是研究文献与读者间书目情报传通的科学》，之后解释为"传通"即"交流"。

（3）书目控制论

书目控制论是运用控制论原理，形成的关于文献的控制和关于文献流的控制的基本原理。关于文献的控制即微观控制，Wilson（1968）从哲学的角度提出了两种力量的书目控制，即描述性（descriptive）控制和探索性（exploitative）控制，认为只要有较好的控制工具，对文献主题内容的全部控制是能够并且是应该做到的。关于文献流的控制即宏观控制，主要有两类：一类是书目情报源控制，包括文献的生产控制和文献的传播控制；另一类是书目情报流控制，包括整序控制和选择控制。

（4）书目计量学

书目计量学以统计学为基础，通过研究文献的集中与分散规律、各种词汇属于在文献中出现的规律、文献作者数量与所写论文数量的分布规律、文献随时间增长和老化规律、文献的相互引用规律、文献流通利用规律、用户行为规律等内容，揭示文献的生产量、生产速度、生产质量等及其影响因素与原因。

1923年，E. W. Hulme在《统计目录学与现代文明增长的关系》中首次提出"统计书目学"（statistical bibliography），其相关方法在文献分布、著者分布、藏书老化率、期刊引证统计等方面得到不断充实和完善。1969年，Alan Pritchard在《是统计书目学还是书目计量学?》一文中正式提出"书目计量学"（bibliometrics）这一术语，将其定义为"应用数学和统计学方法，借由计算与分析文字资讯的不同层面来显现文字资讯的处理过程，以及某一学科发展的性质与趋势"。书目计量学已形成布拉德福、齐普夫、洛特卡三大定律和引文分析法。

（5）比较目录学

比较目录学（comparative bibliography）是运用比较的方法，研究不同地区、不同时期目录学和书目工作，包括跨国界、跨文化的研究。1935年，程伯群在《比较图书馆学》一书中专有一编"书志目录学"，对书史、印刷史、目录学概论、校勘方法、金石拓片、版本、图书馆史诸方面进行了比较。同年，张鸿书的《比较图书馆》一文（《文华图书馆学专科学校季刊》七卷一期）就东西方目录进行了比较。1944 年，张遵俭发表《中西目录学要论》（《东方杂志》44 卷 10 号）一文对中外目录学进行了简要的比较，准确而有效地运用了比较方法。比较目录学，研究两个或两个以上的目录学理论或书目工作实践问题，找到其异同点及其本质。

1.2.2.3　目录学发展史

目录学发展史包括目录学的起源与发展、目录学的传统与继承、目录学的流派与观点、目录学的著作和成就、历代的书目及得失、目录学家及其思想等。

目录学发展史的研究内容非常丰富，主要包括：探讨和论述历史上有关校雠的措施和所开展的文献整理及编目事业；探讨目录工作的发展历史，文献与目录方法的继承与发展，概括和总结其经验；探讨目录学理论的发展史和目录学方法的发展史；探讨目录学思想史，研究著名目录学家和目录学著作；研究中国古代和近现代社会的文化、政治、经济等背景对目录学的影响；研究目录学的发展规律，研究目录学的发展趋势。

目录学发展受到各种因素的影响，既有外部因素，也有内部因素；有直接的影响因素，也有间接的影响因素；有社会因素如政治和思想意识形态因素，也有文化和教育因素，还有科学与技术因素，以及经济因素等。各种因素在不同的国家、不同的时代，对目录学的影响程度不同。

目录学发展起决定作用的是内部因素。表现为目录学领域中文献、知识与读者需求之间的矛盾，这一矛盾激化引起了目录学的变革，目录学领域的矛盾运动是目录学发展的动力。目录学的发展动力是一个合力，就是外部因素和内部因素有机的结合。

1.2.2.4　文献与文本研究

文献研究包括文献的认识与鉴别，根据文献的来源、流传、外表及内容特征、版本源流、社会评论等认识和鉴别文献，为更科学地利用文献提供依据；文献的揭示与组织，通过著录、分类、提要、文摘、辑录、评论、综述等方法，使文献的内容表征化，方便读者选择利用，同时通过对文献的整合和编排，形成便于读者利用的文献报道系统。此外，还要研究文献的类型、定量分析、利用规律等。

目录学不仅要研究各种文献的特征，也要研究文献的内容，深入到文本（text）研究，这里的文本指书面的一个语义完整的单位，如一首诗、一段对话、一封信等，比具有载体特征的文献概念要大。在语言学上，文本作为大于句子的语言单位，与话语（discourse）相关。西方分析目录学在文本研究上积累了一系列方法。以莎士比亚印刷文本研究为例，1920 年 6 月 3 日，《泰晤士报文学增刊》发表了 Thomas Sarchell 题为"第一对开本的拼写"（*The Spelling of the First Folio*）的一封信，他针对 1623 年莎士比亚第一对开本的拼写异文，提出了极有见地的假设："如果伊丽莎白时代排字工的拼写是遵照他们各自的习惯倾向的话，那么我们就应当发现，每个排字工所排稿子的份额，都对应着一系列拼写异文。"接着，他以第一对开本《麦克白》（*Macbeth*）部分的拼写异文比对，发现除一些异文无可归类外，其他异文形成了整齐的阵营，除第一幕外，文本可分为两半，上半部分：do 和 go 末尾有"e"（"doe""goe"），here 中有双"e"（"heere"），词末倾向于选择"ie"而不是"y"（"merrie""plentie"）；而在下半部分：do 和 go 末尾没有"e"，here 中不是双"e"，词末倾向于选择"y"而不是"ie"。Sarchell 意识到，这种歧异并不必然像两个排字工，因为它们也可能反映是两个抄写工的习惯倾向。由此，Sarchell 提出了针对 1700 年以前印刷图书的文本分析方法，他列出了三个关键拼写异文——"do"/"doe"，"go"/"goe"，"heere"/"here"①。这一方法成为分析目录学的基本方法。

1.2.2.5 目录学方法论

目录学是实践性强的一门学科。目录学方法论既有针对文献生产与传播实践的方法论，也有针对书目工作实践的方法论，包括书目类型及其编撰、索引类型及其编撰、文摘类型及其编撰、信息汇编类型及其编撰、其他工具文献及其编撰等。

1.2.2.6 书目事业发展

书目事业发展包括：书目活动的组织与管理，书目控制，书目工作的合作与资源共享；书目情报系统，书目情报服务的组织与管理，书目情报服务的现代化及产业化；书目工作标准化、书目数据库，以及书目工作现代化；目录工作的社会环境，相关政策；目录学教育与人才培养等。

1.2.3 目录学的体系

目录学的体系是目录学的基础理论问题中的一个基本而又重要的领域。理论

---

① 〔美〕坦瑟勒·G. 托马斯. 2014. 分析书志学纲要 [M]. 苏杰译. 杭州：浙江大学出版社.

体系指的是在某一原则指导下的各种相互联系的理论要素的整体。随着新技术革命以及情报学的影响，目录学一方面渗透到其他学科领域，另一方面广泛吸收各门学科的最新成果。除了传统的内容外，增加了书目工作组织管理、现代化书目工作、书目情报服务等新的内容。

目录学在发展中形成了多种体系结构。

1.2.3.1　中国目录学与外国目录学

中国目录学是在中国学术文化传统中建立起来的目录学，坚持以马克思主义理论为指导，建立具有中国特色的目录学理论体系与书目事业。

1899 年，福开森（John Ferguson）在英国爱丁堡目录学会作《目录学论略》（*Some aspects of bibliography*）讲演时说：

本会所研究的题目是印本书，它的原始、性质和历史。目录学（Bibliography）这个名词，就广义方面讲，是指"书的记载"（Writing about the book），和书的内容，至少初是不相关涉的，书的内容是好，是坏，或是平庸，都与目录学家无关。假使我们可以这样说的话，他不是书伦学家 Book- ethicist，而是书种学家 Book-ethnologist。目录学家应当研究书的版次，特点，出版地，印刷人，印刷时代，字体，图解，版之大小，校勘，装订，藏者，分类，收入何丛书，及见于何目录，他所注意是书的客观的对象，而不是书的内容的道理。目录学是记述书籍的科学，或艺术，或科学艺术兼备的学术。①

进而他明确指出目录学有两种不同的用法：一个是指书的专门记述（technical book description），另外一个是指列举关于讨论一种题目的书，不一定也含义有记述这些书的意义。还讨论了三种目录学著作即图书馆目录（catalogue）、普通目录（bibliography）和学术史（history of science，literature，etc.）。

Horne 曾在《目录学研究绪论》中作了初步的划分。他认为目录学是关于书的知识，可分为 4 个方面：①材料，即书籍所构成的；②内容，即各著作家所论述的；③各种书籍的不同版本知识稀罕的宝贵的及真正价值的程度；④分类系统中所应在的位置，采用以陈列于图书馆中的。这种划分不像法国目录学范围那样庞大，几乎等同于图书学的范畴，其中的书目方法也仅仅是列举目录。后来在 Henry Bradshaw（1831—1886）的方法论中诞生了新的技术——评论目录，这一方法就是对书的物质特征进行研究，完整有效地揭示书的历史和制作。这样 Horne 的体系就进化为列举目录和评论目录组成的体系。

---

① 〔英〕福开森. 1934. 目录学论略 [J]. 耿靖民，译. 文华图书馆学专科学校季刊，6（1）：353-372.

19 世纪，Fr. Ad. Ebert（1791—1834）创立了德国目录学体系。他提出目录学由两大部分组成：一是"纯粹的"目录学，指文字出版物的总汇，其任务是揭示报道全部历史时期或某一个历史阶段或某一个地区或某一个知识部门出版物的状况。二是应用目录学，指在一定的观点指导下根据图书收集者的需要和爱好来处理图书。这一体系的出发点就是把图书看成是精神文化成果（精神财富）和物质成果（物质财富）两方面，这一体系对德国目录学的发展有着深刻的影响。

19 世纪初期《美国百科全书》初版发表了目录学的定义："在现代意义上，目录学表示图书的知识及有关课题。"目录学有两大分支：其一是关于图书的内容，称为"知识目录学"（intellectual bibliography）；其二是论述图书的外部特征、版本历史等，称为"材料目录学"（material bibliography）。

20 世纪初，目录学学科体系进一步分化。1917 年，英国默里把目录学区分为普通目录学和实用目录学。1928 年，H. B. van Horsen 和 F. K. Walter 把目录学分为四组：历史的（historical）、藏书的（bibliothecal）、列举的（enumerative）、应用的（pratical）。

20 世纪初期的分析目录学研究活跃，主要围绕莎士比亚著作文本展开研究，重点讨论四开本的性质与权威及其与最初的对开印本的关系。Alfred William Pollard、Ronald Brunlees McKerrow 和 Sir Walter Wilson Greg 三位目录学家在莎士比亚分析目录学研究以推动英国文学研究方面做出了突出贡献。

到 20 世纪中叶，目录学形成由两大分支组成的体系。1954 年，A. Esdaile 把目录学分为：一是分析或评论目录学，指就不同的版本分析比较某一著作内容及编辑情形；二是历史目录学，指图书馆资料的目录，将著者、书名、出版地、出版者、出版年代等款目按一定的原理和方法列举排列。1967 年，Shoemaker 指出：目录学两个主要的区分是研究图书形式的分析目录学（analytical bibliography）和研究图书内容的列举或系统目录学（enumerative or systematic bibliography）。但这两大分支在英美有不同的术语表示。《不列颠百科全书》① 称为列举或系统目录学（enumerative or systematic bibliography）和分析或评论目录学（analytical or critical bibliography），而《美国百科全书》则称为系统目录学（systematic bibliography）和分析目录学（Analytical bibliography）。

Robert B. Harmon（1998）认为目录学的原理有分析和列举两个方面，并将目录学的体系分为两大学科。

---

① 〔美〕美国不列颠百科全书公司. 2011. 不列颠简明百科全书（修订版）〔M〕. 中国大百科全书出版社，编译. 北京：中国大百科全书出版社.

一是分析目录学或评论目录学（analytical or critical bibliography），以作为物质存在或材料对象的书写材料为研究对象，目的在于达到精密、准确地鉴别和描述，包括三个分支学科：文本目录学（textual bibliography）、历史目录学（historical bibliography）和描述目录学（descriptive bibliography）。

二是列举目录学或系统目录学（enumerative or systematic bibliography），以作为精神存在的书写材料为研究对象，目的在于将有关的图书或其他文献的信息汇集成一个逻辑且有用的系列。列举目录学的主要类型包括：国际书目（general or universal bibliographies）、国家书目（national bibliography）、书商书目（trade bibliography）；专题书目（subject bibliography）、著者书目（author bibliographies）、选择书目（selective or elective bibliography）、藏书家书目（bibliophilic bibliographies）、专门目录（specialized catalogs）、书目之书目（bibliographies of bibliographies）、文献指南（guides to the literature）。

1.2.3.2　古典目录学与现代目录学

古典目录学以图书为对象，以校勘、目录、版本研究为主体，涉及文献编纂、古籍整理、工具书等，旨在部次条别，推阐大义，辨章学术，考镜源流，使学者即类求书，因书究学。

古典目录学是在中国封建社会这一特定历史时期，在传统学术文化中生长起来的。古典目录学以校雠目录工作为基础，中国古代的校雠目录工作包括历代的求书校书活动、典籍管理和官修目录编纂。古典目录学正是将丰富的实践经验总结，上升到校雠理论和藏书理论，形成以校雠为中心、以目录著作为成果的图书事业。

古典目录学也称为校雠学，范希曾（1929）说："校雠学者，治书之学也。比勘篇章文字同异而求其正，钩稽作述指要以见其凡，综合群书而明其类之学也。故细辨乎一字之微，广极关古今内外载籍之浩瀚。其事以校勘始，以分类终。明其体用，得其觓理，斯称'校雠学'。合众本以校一书，撮指意而为叙录，录流派而别部居，乃校雠不易之步次。自刘向迄纪昀，莫之或违。故必尽此三事，而后校雠之业始成。然全材今昔所难，世或得一察以自好，于是校雠之学，散而为校勘之学、版本之学、目录流略之学。"

古典目录学是从最初的图书整理与研究中不断积累，产生目录学的方法，形成目录学的理论。古典目录学的发展分为三个时期，在不同的历史阶段呈现出不同的形态：一是萌芽与形成时期。从文字与文献的产生到汉朝的这一段时期，以刘向、刘歆编撰《别录》和《七略》为界。二是发展分化时期。从西汉末年至宋元时期。目录的学术型范式，由文献而学术，形成了古典目录学的努力方向。

三是鼎盛与总结时期。明清各类目录如私家目录、专科目录等大量出现，官修目录出现了集大成的《四库全书总目》。理论上有明代的胡应麟、祁承爜等上承郑樵，下启章学诚。清代章学诚在《校雠通义》中提出了"辨章学术，考镜源流"，成为古典目录学思想的经典。经一批著名学者如章学诚、金榜、王鸣盛、姚振宗等的大力倡导，目录学一度成了"显学"。徐有富在《目录学与学术史》导言中说："《清史稿·艺文志》著录目录一百三十八部，《清史稿艺文志补编》著录目录九十六部，《清史稿艺文志拾遗》著录目录七百六十一部，三者加在一起共著录清代目录九百九十五部，这一统计数据清楚地说明了目录学为清代显学。"

现代目录学的传统始于 19 世纪，福开森称之为"记述书籍的科学或艺术，或科学艺术兼备的学术"。① 到了 20 世纪，现代目录学思想刚刚确立，便受到科技革命的冲击。将信息理论引入目录学，具有划时代的意义。

现代目录学以现代科学理论为基础，信息理论不仅确立了目录学的理论基础，而且影响着目录学的学科性质从社会科学向交叉科学转变。信息理论使目录学与图书馆学、情报学更紧密地联系在一起，越来越多的人认识到它们的共同点，要求建立"大科学"作为其母体。

现代目录学研究现代文献和书目情报，解决目录工作和目录事业的重要问题，包括理论研究、应用研究和发展研究。

1.2.3.3　普通目录学和专科目录学

普通目录学包括目录学基础理论与目录学技术方法；文献揭示、书目、索引、文摘、参考工具的理论与技术；书目情报系统与服务；目录学研究法；书目控制论、文献计量学、比较目录学、数字目录学等等。

专科目录学，又称专科文献目录学，是研究各学科文献书目工作规律的分支学科，包括马列著作目录学、社会科学目录学、科技目录学及某一专门学科目录学等等。

马列著作目录学是专门研究马克思列宁主义经典作家文献及其目录成果的专科目录学。马列著作目录学的基本目标是以马列主义文化学说作为目录学理论基础，全面系统整理与研究马列主义经典作家文献，促进马列主义文献的传播与利用。该学科的研究内容包括：马列主义经典作家原著的研究；马列著作的翻译与出版研究；马列著作在世界不同国家和不同语言间的传播研究；马列主义经典作

---

① 〔英〕福开森. 1934. 目录学论略 [J]. 耿靖民，译. 文华图书馆学专科学校季刊，6（1）：353-372.

家文献目录编纂与出版研究；马列著作研究文献的收集与整理；马列主义文献数据库研究等等。

社会科学目录学是关于社会科学文献及其目录研究的目录学分支学科。社科目录学的学科范畴是以社会现象为研究对象的社会科学，包括经济学、政治学、社会学、社会和文化人类学、社会心理学、社会和经济地理学；也包括教育的有关领域，即研究学习的社会环境以及学校与社会秩序之间的关系。

社会科学目录学包括历史目录学、文学目录学、哲学目录学、经济目录学、法学目录学等，已产生了许多重要成果。历史目录学是社科目录学中较早产生的一个分支。郑鹤声 1933 年的《中国史部目录学》是第一部历史目录学著作。这一领域比较重要的成果，既有系统性的理论著作如王重民的《历史书籍目录学》，陈秉才、王锦贵的《中国历史书籍目录学》和王锦贵的《中国历史文献目录学》等，也有学术性的史籍举要，如王树民的《史部要籍解题》、柴德赓的《史籍举要》和张舜徽的《中国史学名著题解》等。社科目录学其他分支学科借鉴历史目录学的原理和方法，逐渐形成知识体系，产生重要成果。1986 年谢灼华的《中国文学目录学》标志着文学目录学正式确立。

科技目录学是关于科学和技术文献及其目录研究的目录学分支学科。科技目录学的学科范畴包括自然科学和技术科学，前者研究自然界的物质状态、结构、性质和运动的规律，包括数学、物理学、化学、天文学、气象学、海洋学、地质学等基础科学及其他应用科学。后者包括传统的工程学科、农业科学以及关于空间、计算机和自动化等现代学科的一门科学。苏联加斯特菲尔等编著的《自然科学目录学》，从理论上阐述了自然科学目录学的对象、功能和原则，概述了自然科学目录学的基本特征和发展阶段。

专科目录学以某一学科文献和书目情报为研究对象，需要深入的科学研究。例如，王毓瑚的《中国农学书录》经 1957 年中华书局和 1964 年农业出版社两度出版，在国内外颇具影响，是农学目录学的重要著作，刘尚恒（2004）据天津图书馆和安徽师大图书馆馆藏对这一目录进行补正，补 11 种，正 1 种，如补《栽桑问答》一卷，"此书《书录》未录。未题撰人，亦无序跋，内容凡十八项，依次为桑种、土宜、栽秧、疏密、高矮、修扎、培壅、桑宜、采叶、剪条、治虫、种桑、移栽、接桑、屬条、火桑、器具、桑利。每项下少则一问一答，多则三问三答。其问答结合本地特点，如：'问桑地之宜，沿江与浙东有异否?' '栽桑浅深，沿江与浙东有异否?' 该书有光绪间安徽石台县署刻本。安徽师大图书馆藏"。以此为基础，后人对该书作者及当时的作用与影响做进一步考证研究，将丰富农学目录学的内容。

1.2.3.4　大众目录学和数字目录学

与传统目录学以学术为标志不同，大众目录学就是面向社会与大众的新目录学。其突出的特点在于目录学方法的应用和目录学知识的普及，充分发挥目录学的社会职能。大众目录学更加重视研究目录学的社会需求，根据发展变化提供书目情报服务。大众目录学更加关注公众阅读与信息资源的公共获取问题，指导阅读推广，促进全民阅读。大众目录学更加强调公众素养的提高，承担起国民素养培养的任务，以提高公众的文化素养、科学素养与信息素养，帮助人们在知识的海洋中，判别、取舍真正有价值的知识，提高公众的知识获取能力。

数字目录学是研究数字环境下的数字资源与网络书目情报工作，解决数字资源的组织与开发利用等问题，为发展信息资源管理和信息服务提供支持的一门目录学新兴学科。数字目录学以数字资源为对象，是针对网络环境下数字资源无限增长，对数字资源进行控制。主要有以下方面：数字资源的长久保存与记录问题；数字资源鉴定问题；网络环境下的数字污染问题；流媒体和视音频资源的控制；数字资源质量评价等。数字目录学的三个主要研究领域是数字资源系统的目录学研究、数字参考咨询的目录学研究和数字化学习指导的目录学研究。

目录学是如此博大精深，以至于任何一本书都无法包罗它的全部内容。因此，本书仅仅是目录学的概论。

1.2.4　目录学的任务

时代赋予目录学使命，不同时代的目录学有不同的任务。基于目录学的现状与发展，综合来看，目录学主要有以下任务。

1.2.4.1　文献与知识、信息的有序化

公元 10 世纪，波斯的 Abdul Kassem Ismael 有藏书 11 万 7 千册（此时的巴黎仅有 500 册藏书），他每次外出旅行，都要用四百头骆驼把所有的书驮着，每头骆驼都经过训练，按字母顺序行进，使书籍的分类保持完好①。

古代目录学主要解决文献与知识的有序化问题。当时的分类方法既是文献有序化的方法，也是知识有序化的方法。

现代目录学面对的是文献、知识、信息更加复杂的环境，这也增大了有序化

---

① 〔新西兰〕费希尔.2009. 阅读的历史［M］. 李瑞林等，译. 北京：商务印书馆.

的难度。

1982 年，奈斯比特（John Naisbitt）的《大趋势》① 这样描述信息时代的信息激增：

美国每天出版六千到七千篇科学文章。

科学与技术信息目前以每年增加 30% 的速度增长，也就是说，每五年半增加一倍。

由于能量更大的信息系统的出现，以及科学家数量的增加，这个增长率很快将跃至每年 40%。这意味着信息将每二十个月增加一倍。

到 1985 年，信息的数量将比几年之前增加四倍到七倍。

基于这一增长趋势，奈斯比特强调说："我们被信息所淹没，但却渴求知识。如此大量的信息，采取目前的手段显然无法处理。失去控制和无组织的信息在信息社会里不再构成资源，相反，它成为信息工作者的敌人。"

2007 年，温伯格（David Weinberger）的《万物皆无序》这样描述从传统的文献有序化到今天的信息有序化：

美国国会图书馆拥有 1.3 亿件藏品，其中包括 2900 万册书籍，书架总长绵延 530 英里②。1815 年国会图书馆被英军烧毁之后，托马斯·杰斐逊为其捐献了 6487 册藏书；而今天的图书馆在此基础上，每天新增的藏书数量都要高于杰斐逊当时所捐献的这一数量。来到图书馆的书籍会被快速地按主题分入纸板箱，然后再被送到编目员那里；这三四百名编目员一道总共能够涵盖 80 个不同的主题专业，他们会查看每本书，并决定在图书馆的 28.5 万个主题标目中，哪个最合适；而一本书最多可被分配到 10 个主题标目。可见，确保美国的图书不会"混乱无序"，的确是个大工程。……只因为有着几个世纪中积累起来的专业知识和几百个专业人士，国会图书馆才得以保持整齐有序。但是，即便国会图书馆本身都已经成为了衡量大型事物的标准单位（例如美国宇航局说，他们维护下的环境信息能够"装满 300 个国会图书馆"），国会图书馆每天仍旧只能够处理 7000 本新书。《华盛顿邮报》估计网上每天都会新增 700 万个网页；在谷歌上键入"美国历史"（国会图书馆的一个子标目），你会得到 7.5 亿个网页，这一数量是国会图书馆全部藏书的 26 倍。数字信息新世界中，国会图书馆那套精心设计、高度进化的管理流程压根儿行不通；不光是信息数量庞大、变化速度太快，在这个我们正飞速创造的数字新世界里（万维网为起点，但也包括每个与网络连接的企

---

① 〔美〕奈斯比特.1984.大趋势：改变我们生活的十个新方向［M］. 梅艳，译. 北京：中国社会科学出版社.

② 1 英里≈1.609 千米。

业图书馆、数据储存库和媒体播放器），哪有集中分类专家呢。随着我们将信息、思想和知识数字化，如果国会图书馆这些久经考验的做法都行不通，那什么才行得通呢？

温伯格摆出的这个时代的一大难题，正是现代目录学中的数字目录学正在履行的新使命。文献、知识与信息以超常规的增长速度、难以想象的增长量以及无法捕捉的复杂变化，都要求目录学家以新的技术方法和手段进行有序化处理，实施文献、知识与信息的有效控制。

1.2.4.2　文献与知识、信息的揭示

中国古代目录学在揭示文献方面创造了很多方法。白寿彝（1983）在《史学概论》中阐述中国目录学自汉以后，强调部次条别、辨章学术，将宋代目录学分为重视书籍的分类和重视书籍的解题两派，认为这两派都分别发展了《别录》《七略》的某一个方面，评价了《别录》《七略》《汉书·艺文志》《隋书·经籍志》《通志·艺文略》《郡斋读书志》《直斋书录解题》《文献通考·经籍考》《四库全书总目》《书目答问》《校雠通义》等目录学著作的历史贡献，说："文献目录学是研究文献著录的学问，是研究文献要首先接触到的领域。目，指书名、篇名。先秦文献，往往没有书名而以作者名代替书名，如《孟子》《公孙龙子》之类。录，指作者、书名、篇数或卷数、书的存佚、书的内容、流传情况等的记录。从历史的发展看，目录学的内容要比'目录学'这三个字在字面上所能表达的丰富得多。"

数字时代，传统的文献与知识、信息揭示的方法无法适应新的环境和应用场景的需要。MARC 作为文献组织的基本方式，具有稳定而规范的结构和标准，应用广泛且形成了文献组织和检索的定式，但由于其结构的复杂性制约了信息标引速度。一方面，MARC 这一类技术方法通过简约化、增加数字资源编目等方式以适应变化的形势；另一方面，新的揭示方式正在产生，也将与传统方法形成交互，数字时代需要不断创新的文献、知识与信息组织模式。

数字时代的信息结构早已发生重大改变，随着非结构化数据的高速增长以及在数字资源中比例增大，要求数字目录学予以进行动态加工和全方位揭示，以适应海量非结构化数据的移动、修改和读取。2011 年 5 月，麦肯锡公司发布全球研究报告《大数据：创新、竞争和生产力的下一个前沿领域》。大数据时代，如何进行实时数据的加工，如何为实时搜索提供信息揭示，如何解决数字图书馆与智慧图书馆巨大的数据访问压力、数据处理压力和数据交互压力，这些都是摆在目录学家、图书馆学家和信息处理工作者面前的共同难点。

1.2.4.3　读者对文献、知识、信息的需求满足

文献与知识、信息增长与人们特定需要之间的矛盾是目录学的基本矛盾。在早期，文献数量少，人们利用并不困难，矛盾表现为缺乏文献。随着社会发展，文献与读者需要的矛盾进一步发展。人们对此有了深刻的认识。公元 8 世纪，唐代目录学家毋煚说："夫经籍者，开物成务，垂教作程，圣哲之能事，帝王之达典，而去圣已久，开凿遂多。苟不剖判条源，甄明科部，则先贤遗事，有卒代而不闻，大国经书，遂终年而空泯。使学者孤舟泳海，弱羽凭天，衔石填溟，倚仗追日，莫闻名目，岂详家代，不亦劳乎？不亦弊乎？"

及至当代，文献信息与读者需求的矛盾更加严重，矛盾的结果表现为文献激增，信息泛滥，"情报爆炸"，"网络迷雾"，知识碎片化，数据素养缺乏，交流范式改变，科研课题重复，科研时间浪费等方面。

据 Thomas Frey 估算，当今，人们的平均睡眠时间比 80 年前的 8.9 小时减至 6.9 小时，整整少了 2 小时；34% 的人在路上吃午餐，66% 的年轻人同时上网与看电视，43% 的人因为信息泛滥导致无法决策。

目录学就是要通过各种方法解决揭示报道文献与读者对文献需求的矛盾，同时也要解决揭示报道知识、信息与读者对知识、信息需求的矛盾。

据日本国家统计局和美国基金委员会的初步统计，一个科研人员，在一个课题研究中的时间分布是：查阅文献资料占 50.9%，实验工作占 32.1%，写论文占 7.7%。为科学研究迅速准确地提供书目情报，是目录学的基本任务，目的在于节约科研人员的时间，避免科研课题的重复，将科研人员从繁重的文献与信息搜寻劳动中解脱出来，加速科研成果的生长期。

20 世纪末期，信息选择的行业已成为每年营业额十五亿美元的大事业，其中约 80% 的公司允许使用人直接接触资料来源（来源数据库），其余 20% 则提供文献目录，告诉使用者到什么地方去寻找资料①。

大数据时代，数据资源存储分布在不同地域、各种类型的服务器中，用户搜索或浏览请求变为服务器之间的水平结构的横向信息交换，数据访问量前所未有，智能手机、平板电脑、笔记本电脑等众多网络设备都可同时访问数据。在新的环境下，目录学既要解决为读者或用户快速提供准确性和高质量的数据资源，进一步要求目录学提供基于任务的知识选择和配置，同时，还要解决用户利用、数据复用的过程中的方法指导，培养用户的数据意识和数据素养。

---

① 〔美〕奈斯比特. 1984. 大趋势：改变我们生活的十个新方向 [M]. 梅艳，译. 北京：中国社会科学出版社.

第 2 章　认识与选择文献

夏礼，吾能言之，杞不足征也。殷礼吾能言之，宋不足征也。文献不足故也。足，则吾能征之矣。

——孔子

孔子是中国古代伟大的教育家。孔子不仅最早提出了"文献"概念，而且删诗书、定礼乐、赞易、修春秋，开创目录学整理文献、传播文化之始。在《论语·述而》中，孔子说"述而不作，信而好古，窃比于我老彭""我非生而知之者，好古，敏以求之者也"。孔子对待文献和文化的态度成为后世校雠目录学者的基本原则。自古以来，文献、文化、目录就是目录学的核心内容。

2.1　文 献 媒 介

目录学要研究文献，必须从认识文献开始，既要从感性上了解各种形式、丰富多彩的文献，也要从理性上掌握文献的概念与发展特征。

2.1.1　文献的产生与发展

2.1.1.1　文献的概念

"文献"这一术语在英、德、俄语中均有两个概念相应的名词。英语有document 和 literature，分别来自拉丁文 documentum 和 literatura。德语有 dokument 和 literatur，俄语有 документ 和 литература，其他欧洲语言中也有类似的名词。

根据袁翰青（1964）解释，这两组相当于文献的名词在用法上是有区别的，前一组就历史性强的文件而言，既用单数，也用复数，分别指一篇或几篇文献，恒用于社会科学的著作之中。后一组名词是集合名词，无单数和复数之分，多用于科技论文。此外，document 和 literature 还有一点不同：前者包括印刷品以外的文字记录，如碑文、古币图文等，后者一般只包括书刊资料。事实上，术语的使用正在发生变化，在图书情报界，document 的使用较为普遍。

ALA Glossary of Library and Information Science[①] 列举了文献的两种含义：①记录部分或全部的作品或多个作品的物质存在。文献包括图书、图书式数据、印张、图表、手稿、录音、录像、动画和机读数据档。②政府文献的简称，是政府出版物的同义词。

按照霍顿（Forest W. Horton）的观点，馆藏信息有数据（data）、文档（documents）和文献（literature）三种主要类型，信息资源管理使数据和文档产生了相互转化，而知识管理在数据和信息转化为可用文献的效率方面产生了极大影响。文献与文档、数据的不同特征见表 2.1[②]。

表 2.1　文献与文档、数据比较

序号	区别性参数	文献	文档	数据
1	表示方式，测量单位	专题论文、连载期刊	报告、文件、留言、备忘录	事实、数据、符号
2	存储/机器和存储媒介	图书馆、档案馆：装订卷册、记录、幻灯片	文献：缩微胶片、纸件	文档：磁带、穿孔卡、缩微胶片、纸件
3	结构化组合	著作、史记、传记的主体内容	宗卷、卷宗、记事表、信件	资料库、数据库、表、图、图表
4	半衰期测量（稍纵即逝）（价值衰减功能）	年、十年、百年、千年	天、周、月、几年	毫秒、秒、分、时
5	可变性	通常不改变	一般能改变	能轻易改变
6	用途	记录人类的遗迹、成就、发现、冲突	文件管理、法律取证、财务审计	研究、分析、试验、验证
7	生成方式	学位论文、作文、灵感	书写、打字、打印、拍照	观察、试验
8	整理	按作者、标题、主题	按主题、密级	按获取源、方式、位置、条件
9	复制和传播方式	父—子、母—女、研究机构	复印、传真	自动化、无线通信

《文献著录总则》（GB 3792.1—83）和《情报与文献工作词汇——基本术语》（GB 6894—85），将文献定义为"记录有知识的一切载体"。

2019 年由全国科学技术名词审定委员会审定公布的《图书馆·情报与文献

---

① Levine-Clark M，Cater T M. 2013. ALA Glossary of Library and Information Science [M]. 4th ed. Chicago：ALA.

② 〔美〕霍顿. 2013. 信息资源管理：概念和案例 [M]. 安小米等，译. 南京：南京大学出版社.

学名词》将文献定义为：文献 literature，document 记录有知识和信息的一切载体。由 4 个要素组成：所记录的知识和信息、记录知识和信息的符号、用于记录知识和信息的物质载体、记录的方式或手段等。

2.1.1.2　文献的产生

广义的文献包括文书、档案、图书等各种类型。中国文献的产生主要有夏代说和商代说。

夏代说认为，夏代的历法称"夏历"和"夏小正"，夏历以寅月为岁首，不同于殷历和周历，《夏小正》虽是周代流行的古农书，但其中包含有夏代的天象和物候资料；《史记》和《竹书纪年》载有夏代帝王的世系表；《竹书纪年》和《世本》等古书载有世界上最早关于地震和陨石雨的文字记录；《吕氏春秋·先识览》载有"夏之将亡，太史令终古出其图法，执而泣之以谏桀，乃出奔如商"。这些"足以说明夏代有典籍并非无稽之说。应该指出的是，夏代出现的文献典籍还不是正式的图书，它们是正式图书产生以前的文字记录，或者说是档案文书材料"（肖东发和杨虎，2005）。

商代说认为，中国文字发展到殷商时期，已经很进步了，当时记录文字的材料主要是甲骨、青铜器。甲骨文大多是商王朝当时占卜的记录。商代到春秋时期青铜器上的铭文一般是铸成的，商时铭文字数较少，到西周时铭文渐多。《尚书·多士》载："惟殷先人，有册有典。"《隋书·经籍志·序》有："是以大道方行，俯龟象而设卦；后圣有作，仰鸟迹以成文。书契已传，绳木弃而不用；史官既立，经籍于是兴焉。"因此，谢灼华等（1987）认为，广义的典籍（包括图书、文书、档案）起源于商代。

从图书的角度，中国图书产生不晚于商代。但从文献的角度，应当更早一些。《易·系辞》说："上古结绳而治，后世圣人易之以书契。"因此，文献产生不晚于夏代。

2.1.1.3　印刷术产生后的文献

大约在 7 世纪的初唐时期，中国出现了雕版印刷术，其方法是用刀在木板上雕刻成凸出的反写字，上墨后印在纸张上。唐咸通九年（868 年）印制的《金刚经》是世界上现存最早的有刻印时间的图书（其雕版现藏于英国图书馆）。唐宋时期的图书主要是雕版印刷，到南宋时还出现了彩色套印雕版术，每页要刻两张版，标志着中国印刷技术已达到相当高的水平。雕版印刷术在中国发明后，传到日本和朝鲜。意大利人马可·波罗（Marco Polo，1254—1324）的《马可·波罗游记》将雕版印刷术介绍到欧洲。

11 世纪中叶，北宋平民毕昇发明活字印刷术，其方法是用胶泥刻字，每字一印，烧后制成字印，字印排列、镶嵌于铁板之上，经烧烤、压平等工艺制成印版即可印刷。印版上的字印可取下反复使用。活字印刷术发明后，于 15 世纪初传入朝鲜，后传入亚、非等地，此后，中国又相继发明了磁活字、木活字、锡活字、铜活字等印刷方法。

泥活字印刷——清代李瑶制作仿宋泥活字十万多个用于印书。

磁活字印刷——清代发明了磁版印书，刊印时间短且质量较高。

木活字印刷——清代《武英殿聚珍版丛书》两千三百余卷，以木活字印刷。

铜活字印刷——明代不仅创造了饾版、拱花、铜活字印刷术，而且套印技术甚为成熟。明崇祯年间雕印的彩色套印本《十竹斋画谱》就是采用饾版和拱花印刷技术的代表作（藏于中国国家图书馆）。清代《古今图书集成》一万卷，一亿六千万字，就是用铜活字印刷的，耗资巨大。

自从纸张和印刷术发明之后，文献量激增。据历代书目著录、《七录》序附《古今书最》以及胡应麟《经籍会通》，可见中国自汉到清历代官府入藏文献数量情况（表 2.2）。

表 2.2 汉至清国家入藏文献数量

朝代	年份	图书数量	目录著录	其他来源和说明
西汉	约公元前 7—公元前 5 年	603 家，13219 卷	刘歆《七略》	南朝（梁）《古今书最》载：572 家亡，31 家存
东汉	约 76—83 年	596 家，13269 卷	班固《汉书·艺文志》	南朝（梁）《古今书最》载：552 家亡，44 家存
西晋	约 274—281 年	1885 部，20935 卷	荀勖《中经新簿》	南朝（梁）《古今书最》载：1119 部亡，766 部存
东晋	约 346 年后若干年间	305 帙，3014 卷	李充《晋元帝四部书目》	南朝（梁）《古今书最》
南朝宋	431 年	1564 帙，14582 卷	谢灵运、殷淳《宋元嘉八年四部目录》	南朝（梁）《古今书最》
	473 年	2020 帙，15074 卷	王俭《宋元徽元年秘阁四部书目录》	南朝（梁）《古今书最》
南朝齐	483 年	2332 帙，18010 卷	王亮、谢朓《齐永明元年秘阁四部目录》	南朝（梁）《古今书最》
南朝梁	505 年	2968 帙，23106 卷	刘孝标、祖暅《梁天监四年文德正御四部及术数书目录》	南朝（梁）《古今书最》

续表

朝代	年份	图书数量	目录著录	其他来源和说明
隋	583 年	15000 卷		《隋书·牛弘传》
	605—617 年	37000 余卷	柳䜎《隋大业正御书目录》	《玉海》第 52 卷引《北史》
唐	656 年	14466 部，89666 卷	魏徵《隋书·经籍志》	记亡书 4191 部，49467 卷
	719—721 年	2655 部，48169 卷	元行冲《群书目录》	
	713—741 年	82384 卷	欧阳修《新唐书·艺文志》	马端临《文献通考·经籍考》总叙
北宋	1041 年	3445 部，30669 卷	王尧臣、欧阳修等《崇文总目》	
	1117 年	55923 卷	孙觌、倪涛等《秘书总目》	
南宋	1178 年	44486 卷	陈骙《中兴馆阁书目》	著录见在书
元	1342 年	2229 部，24027 册		王士点、商企翁《秘书监志》
	1345 年	9819 部，119972 卷	脱脱等《宋史·艺文志》	
明	1426—1435 年	约 20000 余部，近 100 万卷		《明史·艺文志·序》
	1441 年	7297 种	杨士奇《文渊阁书目》	
清	1789 年	10254 部，172860 卷	永瑢、纪昀《四库全书总目》	

中国的印刷术在 15 世纪以前已经传播到欧洲各地。

15 世纪中叶，德国人古登堡（Gutenberg）用铅、锡等合金制造成字母文字系统的活字，从此，世界印刷术进入一个新时代。Gutenberg 最早开始印书是在德国西南部城市美因茨（Mainz），标有出版日期（1454 年）的最早的印刷品是教皇的"赎罪券"（Indulgence，也称"赫罪符""免罪符"）。1454 年印刷的"赎罪券"是重建梵蒂冈图书馆的那个尼古拉五世发售，目的是筹备对土耳其战争的费用。Gutenberg 印刷的图书最早为 1455 年印制的 Gutenberg Bible，每页 42 行，共印 185—200 份，保存至今有 47 份。

西方早期印刷图书称为"摇篮本"（incunabula，也称为"摇篮版""摇篮刊本""古版书"），拉丁文"cunae"意指"摇篮"，摇篮本的意义是指在铅活字印刷处于摇篮时期刊印的图书，其时间截至 1500 年。据估算，摇篮本在 250 处不同的印刷场所共刊印了 4 万种。其中，从铅活字印刷开始到 1480 年所印约占 21%，1481—1490 年所印约占 29%，1491—1500 年所印约占 50%。各种书的印数，起初为 100—200 部，1480 年以后平均为 400—500 部，个别超过 1000 部，是当时的畅销书。摇篮本的四分之三以上是拉丁文图书。摇篮本按类别统计，宗教书占一半，其余为法律、自然科学、医学、人文主义著作，以及用各国文字出版的通俗书籍。

摇篮本保存至今约有 50 万册，收藏最多的是慕尼黑的巴伐利亚州立图书馆（2 万册），其次为不列颠博物馆（1 万册以上）。法国国家图书馆、奥地利国家图书馆和梵蒂冈图书馆各有 8000 册。最完整的摇篮本目录是普鲁士国家图书馆的 Konrad Haebler（1857—1946）主编的《摇篮本联合目录》（Gesamtkatalog der Wiegendrucke），其收录各国公私藏摇篮本，1925—1940 年编辑出版了 1—8 卷。

2.1.2 文献的类型与形态

2.1.2.1 文献类型的划分

文献类型有多种，按不同的划分标准可分为不同类型的文献。

（1）按编写或出版形式划分

文献按编写或出版形式可分为图书、连续出版物、会议文献、科技报告、标准文献、产品文献、专利文献、学位论文、文书、档案等。

图书（book）是用文字、图画或其他信息符号记录知识，手写或印刷于纸张等载体上，制作成具有一定篇幅的卷册的著作物，如专著（monography）、多卷书（multi-volume book）、丛书（series）、教科书（textbook）、绘本（picture book）等。专著是围绕某一学科或某一专题集中论述的著作。教科书，也称为教材或课本，是按教学大纲编写，供教学使用的图书。绘本也称"图画书"，以图画为主，辅以文字，具有形式活泼、直观形象、通俗易懂特征的图书，狭义的绘本指专门为儿童阅读设计的画本。

连续出版物（serial）是具有统一题名，定期或不定期以连续分册形式计划无限期出版，有卷期或年月标识的出版物，有印刷和非印刷形式。连续出版物的主要类型有：期刊（journal）、报纸（newspaper）、年度出版物（年鉴、年刊等）以及学会会刊、会议录、专著丛书、系列报告等。期刊按出版周期分为周刊、双周刊、月刊、双月刊、旬刊、季刊、半年刊、年刊、双年刊、五年刊等，按特殊性分为增刊、附刊、副刊、特刊、专刊、集刊等。报纸是以报道新闻、刊载评论为主，有固定题名、按日、周或每隔一定时间连续编辑、长期发行的一种连续出版物，具有出版周期短、内容新颖、涉及面广等特征，如日报、晚报、周报等。

会议文献（assembly document）是在正式会议上宣读和交流的论文、报告及其他有关资料，主要表现为学术会议文献，包括会前文献、会中文献和会后文献。

科技报告（scientific and technical report）是科技人员在各种科研过程中产生的，描述相关过程进展及其结果的一种科技文献，具有内容新颖、资料翔实、专业性强等特点。

标准文献（standard document）是由技术标准、管理标准及在标准化过程中产生的，具有标准效力的，类似文件所组成的，一种特定形式的技术文献体系。

产品文献（product sample）是厂商为了向用户宣传和推销其产品而印发的介绍产品情况的文献，通常包括产品说明书、产品数据手册、产品目录等。

专利文献（patent document）是政府专利机构公布或归档的与专利有关的所有文献，以专利说明书（patent specification）为主，包括各种类型的专利说明书、国家专利机构审理的专利申请案及诉讼案的有关文件、各国专利机构出版的专利公报（patent gazette）及各种文摘和索引等二次专利信息文献等。

学位论文（dissertation）是高等学校或研究机构的学生为取得学位，在导师指导下完成的科学研究、科学试验成果的书面报告，包括学士学位论文、硕士学位论文和博士学位论文。

文书（records）是国家机关、社会组织、企事业单位或个人在社会活动中为处理事务、交流信息而使用的各种记录材料，也称为文件，指公文、书信、契约等类型文献，或指文字图籍或文章、书法的总称。文书是档案的前身，一般分为公务文书和私人文书两大类。公务文书通常简称为公文，依其来源分为收文、发文和内部文书；依其行文关系分为上行文、平行文和下行文；依其传播范围分为公布用文书、机密文书和内部文书；依其性质和作用分为法规文书和日常行政管理文书；依其制定机关分为党政团体文书、国家行政机关文书、企业单位文书等；依其文种的应用范围分为通用文书和专用文书。

档案（archives）是国家机构、社会组织及个人从事政治、军事、经济、科学技术、文化、宗教等活动直接形成的具有保存价值的各种形式的历史记录，包括国家机构档案、党派团体档案、企业单位档案、事业单位档案、名人档案等，也包括文书档案、科学技术档案和专门档案。

其他文献如小册子（booklet）指通常不包括封面在内至少有5页且不超过48页的单行出版物。图书和连续出版物以外的其他文献通常称为"非书资料"（non-book material），包括舆图资料、录音资料、电影与录像资料、图像资料、缩微资料、手稿、乐谱、机读资料、立体人工制品与直观教具、配套文献等。

（2）按加工情况划分

文献按加工情况可分为零次文献、一次文献、二次文献、三次文献。

零次文献（zeroth document），也称零次情报，是未经出版发行或未进入社会交流的最原始的文献，它形成一次文献之前，包含有一定数量的、零星的、分散的和无规则的信息，如笔记、实验记录、会议记录、书信、论文手稿等。

一次文献（primary document），也称原始文献，是作者创作或生产的一种文献的基本形式，形成于人们的生产实践和科学研究等过程之中，包括发表或出版的正式一次文献，也包括未发表或非出版的非正式一次文献。

二次文献（secondary document），是根据一次文献加工整理、编写形成的文献。通常对一次文献的内容和形式特征进行描述，按照一定的次序编排起来，多表现为检索工具类文献如书目、索引、文摘等。

三次文献（tertiary document），是按照一定的目的和用户需要，对一次文献、二次文献等各种文献资料进行综合分析、重新编写或加工处理而形成的文献，多表现为参考工具类文献，包括各类综述、各种专题述评、进展报告、书目指南、情报资料汇编等。

零次文献和一次文献属于原生文献，它经过原始创作和生产并固化在一定的载体上。二次文献和三次文献属于再生文献，是对原生文献的一种再创作和再生产形态。

（3）按文献封面颜色赋予的特殊意义划分

文献按封面颜色赋予的特殊意义可分为白皮书、红皮书、蓝皮书、绿皮书、黄皮书等。

白皮书（white book）是政府、议会等公开发表的、以白色封面为标识的有关政治、经济、外交等重大问题的文件。

红皮书（red book）是以红色封面为标识，指一种收有国家公务人员或其他重要人物姓名简历的官方名册，或是对外公开的政府报告。

蓝皮书（blue book）是由专家或专业机构就某一领域、某一专题撰写的、以蓝色封面为标识的年度报告。

绿皮书（green book）是由国家政府发表的、以绿色封面为标识的报告书，通常载有正在酝酿中的、尚未被政府采纳的建议。

黄皮书（yellow book）是由国家政府、议会等公开发表的、以黄色封面为标识的有关政治、外交和财政等重大问题的文件。

（4）按文献内容的学科范围划分

文献内容涉及各门学科，因而按内容的学科范围可分为社科文献、科技文献以及各学科文献。随着学科体系划分的变化，学科文献的类型也随之而变化。

（5）按语种划分

世界上有语言文字的语种都可以形成文献，文献按语种可分为汉语文献、英语文献等，或分为单语种文献、多语文献等。

（6）按形成的历史时期划分

不同历史时期的文献有不同特征，文献按形式的历史时期可分为古代文献、中世纪文献、近代文献、现代文献等，每一个大的历史时期又可细分为具体历史时期的文献。

（7）按载体划分

文献载体多样，按载体可分为莎草文献、泥板文献、甲骨文献、金文文献、石刻文献、简牍文献、纸质文献、视听资料、机读文献等。

视听资料（audio visual materials）也称为视听文献、音像文献、音像资料，是以磁性材料和感光材料为存储介质、通过录音、录像而产生的一种文献，包括视觉资料、录像资料。

以纸张为载体又进一步分为纸质文献和非纸质文献。以印刷为标志可进一步分为印刷型文献和非印刷型文献，印刷型文献除书刊之外，还有单页印刷品和散页印刷品。

非印刷型文献是不按传统的印刷方式而用现代化技术记录、存储人类知识的各种物质载体。

（8）按叙述形式划分

文献按叙述形式可分为文章式文献和非文章式文献。

文章式文献仅仅或主要是一些通过阅读得到的文章式的知识或信息，如书籍、期刊、统计汇编、卡片、行政文件、法律文件、目录、商业性文献、专利说明书等。

非文章式文献可以包含一部分文章，但主要是另一种形式的知识或信息，其知识或信息要经过看、听和操作才能获得，包括图像文献（图像、地图、设计图、曲线图、示意图、招贴、图表、照片、幻灯片等）；声响文献（唱片、录音带等）；声音和图像合成的声像文献（电影片、幻灯片、录像带和录像盘等）；实物性文献（物品、样品、模型、作品和纪念珍品、盲文作品、数字游戏等）；复合文献（书本-唱片、整套教学材料等）及信息处理中使用的磁性文献（可以计算、分类、模拟的各种程序和文档等）。

（9）按文献的传播和使用范围划分

文献按传播和使用范围可分为公开发行文献、非公开发行文献，后者又称内部文献、限制流通文献，即从正常采购途径难以获得的文献，西方多称之为"灰色文献"。

灰色文献（gray literature）是不经过公开出版物流通渠道、发行量小，通常只为一部分特定用户使用的内部资料，如科技报告、学位论文、未出版的会议论文等。

2.1.2.2 文献的载体形态

中国文献，载体极为丰富。早期文献的载体有木石、陶器、皮革、甲骨和金属物。

甲骨文献——曾任国子监祭酒的王懿荣于光绪二十五年（1899年）治病时从来自河南安阳的甲骨上首先发现了甲骨文，此后，当地通过考古发掘及其他途径出土的甲骨达15万片以上，其中国内不计港澳台地区收藏有9万多片，中国台湾和中国香港收藏有3万多片，其他地区收藏有2万多片（胡厚宣，1982）。殷商甲骨卜辞中，同一件事，常常有多片甲骨记载，形成"同文"现象。

泥制文献——是以泥制器物为载体的文献。陶泥文一般不是指彩陶文，而是指见于战国时期陶泥上的文字。彩陶文是新石器时代绘制在彩陶上的花纹、图案以及近似于文字的符号。彩陶文至今仍为谜团，世人多不认识。

金石文献——指金质文献和石刻文献。金质文献是以彝器、乐器、兵器、钱币、印章等青铜器皿为载体的文献，也称为青铜文献。古代商至战国各类铜器上铸刻的铭文统称为金文，也称为"钟鼎文"。金文与甲骨文大致处同一时期，金文比甲骨文圆润浑厚，许多笔画呈块面形状，异体字、合文相对减少，书写行款渐趋稳定。金质文献约从公元前14世纪问世，后来不断改造。这类文献著名的有毛公鼎、盂鼎、散氏盘、虢季白盘等长篇铭文，以及1923年以后在河南新郑、安阳、洛阳，安徽寿县及山西浑源等地陆续发现的规模巨大的铜器群。由于铸制金文相当困难，秦代以后石刻开始盛行。秦始皇统一后刻石记功，"三代而上，惟勒鼎彝，秦人始大其制而用石鼓，始皇欲详其文而用丰碑。自秦迄今，惟用石刻"（郑樵《通志·金石略》）。因而石刻文献也称为石鼓文献。现存最早的石刻文献是秦国石鼓文献。到了汉代，出现了石经、碑、碣和摩崖石刻等。石刻文献中最有代表性的是熹平石经（刻于汉灵帝熹平四年）、正始石经（刻于曹魏正始二年）、开成石经（唐开成二年竣工）。此外，还有五代蜀"广政石经"、北宋"嘉祐石经"、南宋"高宗御书石经"、清代"乾隆石经"等。

简牍文献——"简牍"是竹木书写材料的合称。以竹为材料经过加工的文献称"简"，多根简编连起来称"策"，合称"简策"。其加工过程为：先将竹截成一定长度和宽度，经火烤脱水即"杀青"或"汗青"以防朽蠹。长简二尺四寸左右①，一般用来写重要书籍如儒家经书和政府法令等，以示尊敬；短简八九寸，用来写次要书籍如诸子书等，如王充《论衡·量知篇》"大者为经，小者为传记"。简上字数，少者仅二字，多者达百余字。汉简既有一面写字，也有两面写字，字体在楷隶之间。1972 年，山东临沂银雀山汉墓发掘的汉简有 4400 多枚，一号墓竹简大多是兵书，其中有久已失传的《孙膑兵法》即《齐孙子》，整简每枚长 27.6 厘米（八、九寸），宽 0.5 ~ 0.9 厘米，厚 0.1 ~ 0.2 厘米。二号墓出土竹简《汉武帝元光元年历谱》共 32 枚，基本完整，每枚长 69 厘米（二尺一、二寸），宽 1 厘米，厚 0.2 厘米。简上的字是墨写隶书。

以木为材料经过加工的文献称"牍"，主要用来写信，长度是汉尺一尺②，因而信札称为"尺牍"。外加一块空白的"牍"称为"检"，当做信封，用绳捆好，检上签名称为"署"。检中间有一块微凹的方块称为"函"，因而信件也称作"函"。捆绳在"函"处打结，用泥封上，加盖印章，称为"封"或"泥封"。方形木块称为"方"，一般用来写不到百字的文章。《礼记·中庸》所讲"文武之道，布在方策"，即是指简牍文献。1975 年，湖北云梦睡虎地秦墓出土的素简有 1155 枚。著名的敦煌汉简最初发现于 1900 年，除大部分为汉代文献外，少量为晋代简牍。居延汉简于 1930 年发现在内蒙古额济纳河流域。汉简中不仅有官方文书、私人信札，还有屯田、物价、边塞制度等资料。简牍文献的鼎盛期是公元前 5 世纪至公元 3 世纪，大约 800 年。东晋末桓玄下令正式宣布以纸替代竹木简牍。唐徐坚《初学记》卷 21 引《桓玄伪事》记桓玄于东晋末曾下令说："古无纸，故用简，非主于敬也。今诸用简者，皆以黄纸代之。"

缣帛文献——以缣帛为书写材料的称为缣制文献，也称为"帛书"。帛长一般一丈二尺为一卷，舒卷较易，且轻柔易着墨。缣帛作为一种新的书写材料比简牍要晚，自春秋问世，流行于战国，盛行于两汉。《墨子·鲁问》称"书于竹帛，镂于金石"。简牍不如帛书轻便易用，但比帛书价廉，这两种书写材料各有

---

① 1 尺 ≈ 33.3 厘米，1 寸 ≈ 3.33 厘米。
② 1 汉尺 ≈ 23.1 厘米。

优劣，一直相辅使用，难以替代，后来纸张产生替代了这两种材料。1973 年在长沙马王堆汉墓中出土的帛书约 12 万字，其中有《老子》、《战国策》、兵书、医书等 10 多种，是最完整的古代缣帛文献。

纸本书——纸本书分为写本和印本两大类。不同时代的纸本书用纸在纸质的精细厚薄，颜色的黄、白或灰以及帘纹宽狭等方面有所不同。唐代多用硬黄纸。宋代用藏经纸、罗纹纸和厚棉纸，浙刻本和四川刻本均用白麻纸，福建印书从南宋初所用白纸到后来多用黄纸。元代多用麻纸，宋以后还有用公文纸（公牍纸）和其他册子、信札等旧纸的背面印书。明代用白棉纸，棉纸有厚薄之不同，明晚期则用薄竹纸，明末还出现了开化纸。清初是开化纸、连史纸、毛太纸并用，以开化纸印书最为名贵，乾隆以后则多用连史纸和毛太纸两种。民国以后新印线装古籍，则多用宣纸印制。

写本书分为抄本、校本和稿本三种。抄本是手工在纸上抄写的图书，也称为"钞本"。校本是指手抄书上留有不同的版本校勘文字或者批语，也称为"批校本"。稿本是图书发表或印刷前的底本，又可细分为初稿本、修改稿本、定稿本和清稿本。印本又分为刻本（雕版印刷本）、活字本（铜活字或木活字印刷本）、铅印本、石印本、影印本（石印影印本、铜版影印本、玻璃版影印本）等不同的类型。

2.1.2.3　文献的装帧形态

纸张产生后，图书（也称为"纸本书"）成为文献的主体，其装帧形态主要有以下几种类型。

卷轴装——古代竹书和帛书都有卷轴形制。简册书写完毕，自左向右卷起，首简的篇题向外。1972 年由山东银雀山出土的汉简即呈卷册状。卷轴装起源于帛书卷成一卷，以一根竹竿或木棒为轴，形同今天的画轴。长沙马王堆汉墓出土的帛书有卷在木片上。从先秦至汉代的出土文献及《汉书·艺文志》著录图书篇卷并称可推知，当时竹帛并行，且都有卷轴形制。南北朝时，《七录·序》："孝绪少爱坟籍，长而弗倦。卧病闲居，傍无尘杂。晨光才启，缃囊已散；宵漏既分，绿帙方掩"，这里的"缃囊""绿帙"都是书册卷轴装的雅称。后来纸本书采取同样方式，将轴粘于纸的一端，由左向右卷成一束，这种形制，也称为卷子。卷轴装是写本书的主要形式，其结构由卷、轴、褾、带、签五个部分组成。轴有廉价的竹木，也有珍贵的琉璃、象牙等制成，如隋朝观文殿藏书分为三品，上品红琉璃轴，中品绀色琉璃轴，下品漆轴。卷轴装左为轴，右为褾（卷子首端接上一块质地坚韧的素），褾上系有丝带，一卷用布包裹起来称"帙"，插架是用以标识的称"签"，有牙、骨、玉等制作。如唐集贤院藏书经库用钿白牙轴，黄带，红牙签；史库用钿青牙轴，缥带，绿牙签；子库用雕紫檀轴，紫带，碧玉签；集库用绿牙轴，朱带，白牙签。

梵夹装——《资治通鉴》卷250懿宗成通三年夏四月条云："又于禁中设讲席，自唱经，手录梵夹。"胡三省注："梵夹者，贝叶经也，以板夹之，谓之梵夹。"唐代仿印度佛经即贝叶经的做法，其装订方法是在长如贝叶的纸页上下，连同上下夹板各穿一孔，孔中穿绳。打开时，页不错乱，收卷时，将绳连同夹板一同捆起。

经折装——经折装产生于唐代，由卷轴装演变而来。它是按照一定的大小将卷子来回折叠为方形的折子，再在前后分别施以硬纸作为封面和封底，封面通常是厚纸，或者裱上一层布帛或彩纸。这种装订方法因当时多用于佛经道经，故称为经折装。敦煌遗书中的写本即是这种装订形态。

旋风装——旋风装最早称"旋风叶"，南宋程大昌《演繁露》记载："古书皆卷，至唐始有叶子，今称为册。"《宋史艺文志》有《叶子格》之类，就是用叶子写成的。元王恽《五堂嘉话》卷三载"吴彩鸾龙鳞楷韵……鳞次相积，皆留纸逢"，此即旋风装，形同故宫博物院所藏的唐写本吴彩鸾《切韵》，这部书共有二十五叶，第一叶是单面书写，从第二叶起都是双面写字，每张纸不再黏接成长纸，而是按顺序排逐次向后相错约一厘米，粘在同一张整纸上面，然后再以卷首为中轴卷成卷子，翻开来呈鳞状。此为今存旋风装之实物（柯平，1984）。

蝴蝶装——五代至宋盛行蝴蝶装。蝴蝶装是将一张印页从中折线，将有字的一面朝内对折起来，使字面皆朝里，然后从折叠一方的外边（即书口的外边）以次粘连，达到一定厚度，外面再包一硬纸，即成一册书。其装订特点是每打开一页，可以看到整个版面（即包括上下页），但在翻到另一页时，却必须经过第一页下的背面和第二页上的背面。蝴蝶装中，已初步形成古籍书版行格体例，如版心、书口、书背（书脊）、书根、书头、书衣、书签等。

包背装——包背装大约产生了南宋后期，其做法与蝴蝶装正好相反，它是将一个印页从中折线，将有字的一面朝外对折起来，使字面皆朝外，书口亦当然朝外。然后，再把因折叠而形成两个单页的一方，顺次粘连在书背上，外加书衣，即成包背装。其特点是字是连贯的，但书页是双的。后来，因粘连书页费功费时，多在需要粘连的一侧打两三个小孔，再用纸捻将书页订牢。这种方法已接近后来的线装。

线装——线装最早出现于唐代，从明代中叶开始，线装开始逐步取代包背装。线装的折页方法和版心方向与包背装相同，其不同表现在两个方面，一是线装不单纯靠纸捻和浆糊，而是靠打洞穿线来固定书页，即除了纸捻外，还要按书本的大小宽窄，用锥子打若干个洞眼，有四眼、六眼或八眼，然后再穿上棉线或丝线，有的书只订线，不另穿纸捻。二是线装不用整幅书皮包背，而是把书皮切裁成与书页大小相同的两张纸，分别用作封面和封底。书页用纸捻固定后，盖上封面、封底，打洞穿线，就可以装订成册了。线装有四针眼装、六针眼装或八针眼装两种形制，明至清前期，中间三段线距长度基本相等。清中后期，中间一段开始缩短。为保护书和书角，往往配上绢、绫、锦、绸等材料制作书皮和包角。为便于存取，线装书多配有各种材料制作的函套或木制的书箱。

2.2 文 献 文 化

目录学研究文化，既要从文献的角度看文化，重新认识文献的价值，任何文化都不可能脱离文献而存在；也要从文化的视域看文献，将文献发展置于文化环境中。世界任何一部文化史不可能没有文献的发展史，一部文献发展的历史，其实就是一部文化史的窗口和缩影。

2.2.1 文化与文献

2.2.1.1 文化与文明

文化（culture）一词来源于拉丁语 cultura，是动词"colere"的派生词，原意为人在改造自然中对土壤、土地的耕耘、加工和改良。罗马演说家西塞罗（Marcus Tullius Cicero，公元前106—公元前43）的"智慧文化即哲学"中的智慧文化即指改造、完善人的内在世界。而文明（civilization）一词与拉丁语"civis"（公民）、"civilis"（公民的）、"civitas"（有组织的社会）等词有关。

关于"文化"的概念，历来众说纷纭。1920年以前关于文化的定义只有6个（庄锡昌等，1987），而到1952年 A. L. Kroeber 和 C. Klukhohn 发表《文化——关于概念和定义的评论》时，关于文化的定义列举了161个，他们的结论是"文化是一成套的行为系统，而它的核心是由一套传统观念，尤其是价值系统所构成"（姚蜀平，1988）。在对文化的解释中，经常将文化与文明两个概念混用或等同，也有的加以区分，如"英美系统的学者们，把文化看作行为方式的总体，认为构成行为方式的基础的物质条件乃是文明"而"德国历史哲学家 W. 狄尔泰所说，文化体系是像宗教、艺术、科学等的具有理想的、精神的高度价值的高级境界的东西；与此相反，文明则是属于具体的如技术之类的物质的低级境界的概念"（中共中央党校科社教研室，1982）。

归纳起来，有狭义文化说和广义文化说两类。

狭义文化说如亨廷顿（Samuel Phillips Huntington）从纯主观的角度界定文化为"指一个社会中的价值观、态度、信念、取向以及人们普遍持有的见解。"①

又如《法国大百科全书》1981 年版有："文化是一个社会群体所特有的文明现象的总和""文化是人在社会环境中创造的；文化是一种社会现象，这种现象不能被理解为个别范畴的现象；文化的概念就是多种历史文化的抽象；文化是一种普遍现象"。

再如《不列颠简明百科全书》（2011 年）解释文化为"人类知识、信仰与行为的统合形态，包括语文、意识形态、信仰、习俗、禁忌、法规、制度、工具、技术、艺术品、礼仪、仪式及符号，其发展依人类学习知识及向后代传授之能力而定。文化在人类进化中扮演着决定性的角色，它让人类可以依据自己的目的去适应环境，而不单只是依靠自然选择来完成其适应性"。

广义文化说将文化作为人类文明的总称。

Tylor（1832—1917）1871 年的《原始文化》从民族学角度解释文化或文明，认为"文化是一个'复合体'，它包括知识、信仰、艺术、道德、法律、习俗，以及作为社会成员的人所具有的一切其他规范和习惯"（中共中央党校科社教研室，1982）。美国学者 Carol R. Ember 和 Melvin Ember② 认为"文化就是生活中数不清的各方各面。大多数人类学家认为，文化包含了后天获得的，作为一个特定社会或民族所特有的一切行为、观念和态度"。梁漱溟（1987）将文化界定为"一个民族生活的种种方面"，主要分为三个层面：一是精神生活方面如宗教、哲学、科学、艺术等；二是社会生活方面，如社会组织、伦理习惯、政治制度及经济关系等；三是物质生活方面，如饮食、起居种种享用、人类对于自然界求生存的各种。

功能主义文化人类学家马林诺夫斯基认为文化有物质设备、精神方面的文化、语言和社会组织四个方面，并归纳为物质文化和精神文化，"文化含有二大主要成分——物质的和精神的，即已改造的环境和已变更的人类有机体"。③
Leslie Alvin White（1900—1975）认为文化是一个组织起来的一体化的系统，并将文化分为技术的系统、社会学的系统以及意识形态的系统三个亚系统，意识形态系统由思想、信仰、知识构成，以清晰的言语或其他符号形式表现；社会学的系统由人际关系构成，以个人与集体的行为方式表现；而技术系统是由物质的、机械的、

---

① 〔美〕塞缪尔·亨廷顿，〔美〕劳伦斯·哈里森. 2002. 文化的重要作用 [M]. 北京：新华出版社.

② 〔美〕C. 恩伯，〔美〕M. 恩伯. 1988. 文化的变异：现代文化人类学通论 [M]. 杜杉杉译. 沈阳：辽宁人民出版社.

③ 〔英〕马林诺夫斯基. 1987. 文化论 [M]. 费孝通等，译. 北京：中国民间文学出版社.

物理的和化学的仪器以及使用这些仪器的技术构成,"在重要性上,技术系统不仅是首要的,而且也是基本的,整个人类的生活和文化莫不仰仗于它"①。

按照《辞海》的解释,从广义来说,文化指人类社会历史实践过程中所创造的物质财富和精神财富的总和。从狭义来说,文化指社会的意识形态,以及与之相适应的制度和组织机构。文化是一种历史现象,每一社会都有与之相适应的文化,并随着社会物质生产的发展而发展。作为意识形态的文化,它是一定社会政治和经济的反映,又给予巨大影响和作用于一定社会的政治和经济。

2.2.1.2　文献的历史形态与文明的产生

英国历史学家汤因比(Arnold Joseph Toynbee,1889—1975)在《历史研究》(*A Study of History*)中将 6000 年的人类历史划分为 21 个成熟的文明:埃及、苏美尔、米诺斯、古代中国、安第斯、玛雅、赫梯、巴比伦、古代印度、希腊、伊朗、叙利亚、阿拉伯、中国、印度、朝鲜、西方、拜占庭、俄罗斯、墨西哥、育加丹。其中前 6 个是直接从原始社会产生的第一代文明,后 15 个是从第一代文明派生出来的亲属文明。

季羡林(2006)将有史以来的人类文化归纳为四大体系:中国文化体系(其中包含日本文化,后者有了某些改造与发展);印度文化体系;古希伯来、埃及、巴比伦、亚述以至阿拉伯伊斯兰闪族文化体系;古希腊、罗马以至近现代欧美的印度欧罗巴文化体系,进一步归纳为东方文化体系和西方文化体系两大体系。

2.2.1.3　甲骨文献文化——中国文明的基石

距今 170 万年,元谋人是中国远古历史中所见最早的人类。从旧石器时代、中石器时代到新石器时代,产生了在长城以北代表新石器早期的细石器文化、在黄河流域代表新石器晚期的彩陶与黑陶文化,彩陶文化约在 6000 年前至 3500 年前,黑陶文化约在 3500 年前至 1800 年前。中华文明的开化迹象,确有可证的,当推三皇五帝。三皇指燧人、伏羲、神农(《尚书大传》)②,五帝指黄帝、颛顼、帝喾、尧、舜(《大戴礼记》)。夏是中国奴隶社会的开始,据后人推算,从公元前 2183 年至公元前 1752 年,传 17 主,共 432 年③。从考古材料和经考古材料检

---

① 〔美〕怀特. 1988. 文化科学——人和文化的研究 [M]. 曹锦清等,译. 杭州:浙江人民出版社.

② 三皇有多种说法,如燧人、伏羲、神农,出自《尚书大传》;伏羲、女娲、神农,出自《春秋运斗枢》;伏羲、祝融、神农,出自《风俗通义》;伏羲、神农、黄帝,出自《三字经》;有巢氏、燧人氏、知生氏,出自《庄子》《纲鉴易知录》等.

③ 见傅乐成《中国通史》.

证的文献材料看，距今约 3600 年前的商朝，是第一个可考的朝代。商自成汤灭夏，640 年间（公元前 1751—跟今前 1111），传 31 世，五次迁都，最后一次是公元前 1384 年第十九代王盘庚迁都殷（今河南安阳），在此 270 余年①。

在河南安阳小屯村的殷都废墟发现的殷墟甲骨，也称为殷商甲骨，大多为盘庚迁殷至纣亡王室之间的遗物。1928—1934 年在殷墟陆续九次发掘发现龟甲和兽骨 6513 片，而 1973 年在安阳小屯南发掘的一个窖穴中就有 4795 片。这些文献，标志着商代进入到了信史时代（傅乐成，2010）。今天发现的商代到西周的甲骨文，大约有 4500 个汉字，甲骨卜辞中有记录的贞人名超过 120 个（陈梦家，1956）。

殷商甲骨的制作方法：刮去龟的腹肠成为壳，或刮去骨上的皮肉只存肩胛骨，然后在甲骨反面有规律地钻成一个个圆孔，在孔旁现在凿成菱形凹槽，占卜时由卜人用点燃的树枝在圆孔中央或凹槽旁边灼烫，经过烧烫，甲骨正面相应的部位就显出了字形的裂纹，这种裂纹就是卜兆。卜人根据裂纹的长短、粗细、曲直、横斜来判断吉凶。占卜以后把占卜的时间、卜人名字、卜问的事情，以及占卜的结果、占卜的应验等刻在卜兆的附近，叫作卜辞。上面的文字一般先刻竖画、后刻横画，先刻兆序、兆辞、吉辞、用辞，后刻卜问之事。一条完整的甲骨卜辞由叙辞（或称序辞、述辞、前辞，记占卜的时间、地点和占卜者）、命辞（记要卜问之事）、占辞（记占卜结果）、验辞（占卜之后记下应验的事实）四个部分构成。

殷商甲骨是中国最早的文献，也是商代文化的产物。《诗经·商颂》说"天命玄鸟，降而生商"，郭沫若《殷墟粹编》说"殷人一事必数卜，或卜其正，或卜其反，或卜如此，或卜如彼"。由于殷人敬天，无论是战争征伐、天象年成，还是田猎、农事、疾病、祭祀等大情小事均需占卜，记录的卜辞形成了甲骨文书。殷商甲骨所载，除了卜辞，还有记事的刻辞，内容涉及商代社会的各个领域。郭沫若《甲骨文合集》将甲骨文分为四大类 22 小类。四大类为阶级和国家、社会生产、科学文化、其他。四大类下再细分为 22 小类为：①奴隶和平民，②奴隶主贵族，③官吏，④军队、刑法、监狱，⑤战争，⑥方域，⑦贡纳，⑧农业，⑨渔猎、畜牧，⑩手工业，⑪商业、交通，⑫天文、历法，⑬气象，⑭建筑，⑮疾病，⑯生育，⑰鬼神崇拜，⑱祭祀，⑲吉凶梦幻，⑳卜法，㉑文字，㉒其他。

2.2.1.4 棕叶书文化——印度的哈拉巴文明的核心

公元前 1000 年左右，印度逐渐过渡到奴隶社会。约在公元前 4 世纪出现了

---

① 见傅乐成《中国通史》。

书写文字。最早的书写材料主要是棕叶、布以及金属片，约在 11 世纪以后才用纸张书写。

梵文文献《吠陀》，意为知识广博的宗教书籍，成书约在公元前 4 世纪。印度史上的"吠陀时代"（公元前 15 世纪至公元前 7 世纪）即由此书得名。公元前 6 世纪，佛教在印度产生。印度现存最早的手抄本为棕叶手稿，约为 2 世纪所作。

2.2.1.5 莎草书文化——埃及文明的产物

公元前 3500 年左右，埃及建立奴隶制国家。约公元前 3000 年，象形体文（碑体文）产生。

莎草书（Papyus）也称为"纸草书"，因莎草而得名，这种草产于尼罗河下游及地中海沿岸，用芦管沾上墨汁在经过加工的莎草纸上书写。莎草纸长度十尺至三十尺不等，宽为六至十寸。最优等的莎草纸称为"hieratica"，用于书写重要文件，最劣的一种称为"emporetice"，主要用于包裹物品。莎草书大都出自祭司之手，也有贵族之作。

莎草书的形态为缮写完成的纸卷，末端粘裹在一圆轴上。圆轴为木质，或由金属、象牙制成。整幅纸卷能以轴为中心卷起，保存于一圆筒内，圆筒是由土陶或金属、象牙、皮革制成。卷轴上系一标签、有木质，金属或象牙制成者，上写该卷之标题，间亦有盖主人印章者。此种卷轴或有装饰、或为素色。

从公元前 7 世纪开始，莎草纸卷本从埃及传到希腊，到 5 世纪，莎草纸在希腊使用已很普遍。希腊人把莎草纸叫作"chartres"，逐渐演变成了拉丁文的"charta"、英文的"chart"（图表）和"card"。写了字的莎草纸，希腊人叫作"byblion"或"biblion"，把莎草纸卷本称"kylindros"，罗马人称作"volumen"。现今已知的希腊最早的莎草纸本是公元前 4 世纪的。在埃及、小亚细亚发现的希腊莎草书较多，其原因是古希腊亚历山大王把埃及并入自己的版图。从公元前 333 年以后的希腊文明和宗教繁荣时期开始，莎草书成为希腊文明不可缺少的部分。

从公元前 4 世纪末到公元前 1 世纪为"希腊化文化"时期。埃及文化与希腊文化的结合的最盛期是在亚历山大帝国衰落以后，继起的托勒密一世（公元前 367—公元前 282 年），又在尼罗河流域建立了富强的王国，其首都亚历山大不仅是政治、商业中心，在文化方面也处于重要地位，王国融埃及文化和希腊文化于一体，并使之进一步发展。托勒密一世在亚历山大城皇宫附近最好的地方布鲁丘姆修建了一座富丽堂皇的大厦，用作博物馆、图书馆和学院。亚历山大图书馆始建于公元前 308 年，至托勒密二世（公元前 283—公元前 246 年）时始告建成。

早期莎草纸背面不写字。但当莎草纸缺乏时，背面也用于书写。希腊古典写本很多都是这样，亚里士多德的《雅典法》写本就是两面书写的。

作为记录的材料，莎草纸经历了五千年，它在人类文化活动中所起的作用是不可估量的。

2.2.1.6　羊皮书文化——欧洲文明的象征

羊皮纸（parchment）早在公元前 500 年已有使用，但经过了几个世纪才完全取代了莎草纸。埃及人使用羊皮，直到公元前后 2 世纪才普及开来，后来又传到罗马。公元 4 世纪以前，羊皮纸在欧洲成了最适合的写字材料。

由于羊皮主要产地在佩尔加蒙，因而称之为 "pergamen"，英语羊皮纸称 "parchment"。佩尔加蒙在阿塔罗斯一世和欧墨涅斯二世统治时代，建立了与亚历山大图书馆相媲美的图书馆。为对抗托勒密，菲莱德夫斯决定禁止从埃及进口草纸，因为这个决定，妨碍了该图书馆抄写图书。佩尔加蒙王国的全部图书馆随同整个王国一起在公元 133 年传给了罗马。普鲁塔克记载了一个传说，Antony 把它的二十万卷图书，送给了埃及女王 Cleopatra，成为亚历山大图书馆藏书的一部分。

2.2.1.7　泥版书文化——苏美尔文明的象征

约从公元前 3000 年开始，美索不达米亚平原出现了一些奴隶制国家。当时，苏美尔人创造的图画式文字演变为楔形文字（cuneiform），后来成为西亚及波斯通用的文字。泥版（clay tablet）使用的时间自公元前约 4000 年到公元后数世纪，使用的地区则由波斯到地中海沿岸。

泥版书的形态通常为枕状，两三吋①宽，三四吋长，约一吋厚。亦有大型者，宽至八吋，长至十二吋。其状并非全为长方形，亦有呈圆形、三角形、圆柱形或圆锥形者。刻字的工具为尖端呈四方形或三角形的锥子。最早的泥版是直行刻文，由泥版的右上方刻起，至左下方止。若干世纪后，改变为横行，由左上方起，至右下方止。与现代的书写相同。

目前已知最早的泥版书是尼尼微图书馆遗址出土的《吉尔伽美什》（*Gilgamesh*），形成时间约为公元前 11 世纪，这篇长诗有 3600 行左右，用楔形文字记录在 12 块泥版上。1830 年在尼尼微发现了《圣奈克里王纪年表》（*Annals of Sennacharib*），该泥版呈六边形，长一呎②，厚五吋，现收藏于英国不列颠博物

---

① 吋为英寸旧称，约为 2.54cm。

② 呎为英尺旧称，约为 30.48cm。

馆。1881 年，考古学家在巴格达附近的萨巴尔发现公元前 10 世纪的图书馆，藏有大批泥版文书。迄今发现的泥版文书已达 20 多万件。

在小亚细亚及地中海东岸诸国中，赫梯（公元前 20—公元前 8 世纪，在今土耳其）出现的泥版字典，可能是世界上最早的字典。古巴比伦王国（约公元前 16—公元前 9 世纪）在汉谟拉比（公元前 1792—公元前 1750）执政时达于鼎盛。除刻在石柱上的著名的《汉谟拉比法典》外，载有王室文件、外交文献的泥版文献均有发现。

2.2.1.8　文献与文化的关系

（1）文献是文化符号或文化记录

文化离不开人，运用文化符号学原理，可以把人放在意义的一方，而把考察对象放在符号（现象）的一方，看各种文化现象指示人的何种意义。在社会文化现象中，图书是一种指示意义的符号：书中的文字是符号，文字连贯成语言仍是符号，语言所说的事件还是符号，因为其中意义都是不可直接见闻的，是借文字语言而传达的。按照这种观点，文献是一种文化符号或文化记录。

（2）文献是文化传播的工具

J. H. Shera 指出：没有交流就没有社会，没有一定形式的文字记载和保存文字记载的方式，便没有持续的文化。其"社会认识论"观点把文化看作是一个社会知识和信仰的总和，由物质设备、学术成就和社会组织三个方面维持继续着。这就说明，一方面，文献是文化的结晶，没有一定程度的文化不可能有文献；另一方面，文化物化于文献，没有充分的文献就没有发达的文化。

2.2.2　文献文化现象

文献文化也称为"书文化"，是以文献为载体的一种文化。

程焕文（1994）将"图书文化"界定为："人类在社会发展过程中所创造的，作为精神产品和物质产品的图书的内在关系和外在关系的总和。"王余光（2002）认为，图书文化包含着三个相互关联的子文化：出版文化、藏书文化和阅读文化。《图书馆·情报与文献学名词》将图书文化定义为：图书在其生产、流通、传播、收藏与阅读过程中所呈现出的意识形态与价值内涵等，是人类在其发展过程中所创造的一种以物化了的精神产品为形式，不断反映、复制、放大、传播人类精神成果的文化（图书馆·情报与文献学名词审定委员会，2019）。

由于文献涉及的要素较多，所以文献文化的范畴较广，包括文字符号文化、出版文化、宣教文化、阅读文化、藏书文化、影响文化、文献遗产等。

2.2.2.1 文字符号文化

各民族的语言文字是民族文化的表征。反映在文献上的文字符号也是一种文化。如元朝规定，凡诏令奏章及官府公文一律用蒙古文字，蒙古字比各国字地位高。元顺帝至元三年（1337 年），禁汉人、南人学蒙古、色目文字。此时的文字符号已超出了它本身的意义。

进入全球化数码科技时代以来，继字母词如"X 光""B 超"等大量使用之后，纯字母词广泛流行于口头和书面，如 TOFEL、VCD、DVD、MP3、CT、DNA、PM_{10} 等，给汉字万能观颠覆性地一击。2012 年，120 位专家联名举报第 6 版《现代汉语词典》，称其在正文中收录了"西文字母开头的词语"，等于容许用英文代替汉字，构成了对汉字的最严重破坏和威胁。有专家提议不必按外来词的缩略字母逐字意译，可另造汉字词来指称那些新事物，从而取代字母词的照搬。像曾经的汉语缩略词"非典"来替代字母词 SARS（陶嘉炜，2015）。

2.2.2.2 出版文化

出版文化含出版物文化和编辑出版文化，既包括文献的发表、发布，个人的著作出版和社会有组织的出版，出版物的社会影响等，也包括涉及编辑与出版的相关政策、法律规范，以及编辑出版的业务规范等，还包括编辑过程、出版过程的技术与物质方面，如编辑软件、出版印刷设施设备等。

王余光认为：出版文化是建立在技术形态、物质形态的基础上，以制度为中介所形成的出版价值观念。从而将出版文化从外到内分为物质与技术层面，语言文字、知识层面，制度层面和观念层面等四个层面。出版文化的这四个层面包括丰富的内容。物质与技术层面如出版物的形态与技术；语言文字、知识层面包括客观知识；制度层面包括出版环境、出版法规、出版业体制；观念层面包括出版的价值观念。

出版物文化通常与一个时代的学术文化紧密相关。以西方百科全书为例，18 世纪中叶以后，法国启蒙运动进入高潮，其标志是《百科全书》（全名为《百科全书，或科学、艺术、技艺详解辞典》）的编辑出版。此前，1727 年，英国牛津大学毕业生 E. Chambers 在伦敦出版了《钱伯斯百科全书》，成为出版事业上的一个里程碑。1745 年，英国人 J. Mills 和德国人 Sellius 想把该书译成法文，就找到巴黎出版商 Le Breton，结果因双方在署名、发行等问题上产生分歧而作罢。Le Breton 转而向狄德罗（Denis Diderot，1713—1784）求援，希望他能独立承担翻译《钱伯斯百科全书》的工作。当时狄德罗为养家糊口,接受了这一任务。但狄德罗认为,《钱伯斯百科全书》不够完备,加上已过去了20年,人类思想在各个领域都发生了变化,因此不应单纯地翻译,而应更新和发展。于是狄德罗拟订了由科学家、艺术家、人文学者共同编纂百科全书的计划。他预见通过百科全书的形式,将尚不成系统和未经解释的新思想、新知识聚焦在一起,构成一个整体。从此,在 Le Breton 的支持下,狄德罗开始了主编《百科全书》这一伟大文化工程。1751 年第一卷出版后,立即得到进步舆论的热烈欢迎,却遭到天主教会的攻击,教会立即借故要求政府加以查禁。第二年二月,《百科全书》第二卷刚出版,其出版许可便被吊销。1753 年,法国政府迫于国内外舆论的压力,不得不撤销了禁令,《百科全书》第三卷得以出版。1753—1757 年,每年一卷,订户从原来的两千人扩大到四千人,其影响愈来愈大。就在此时,狄德罗和《百科全书》又遭新的磨难,先是敌对派诽谤狄德罗、达兰贝尔和伏尔泰、卢梭等人秘密组织了一个旨在危害国家和推翻政府的作家集团,企图败坏这些启蒙学者的声誉,接着,《百科全书》编纂者内部由于意见不同发生分裂,1758 年卢梭宣布与《百科全书》决裂,达兰贝尔也迫于压力退出了编辑部,最后,《百科全书》于1759 年遭到总检察长的控告,罪名是发表渎神的言论和敌视宗教,同年三月判决撤销《百科全书》出版的专利权并禁止继续出售、散发和重印。此后八年,《百科全书》被迫停止出版。在此极端困难之中,狄德罗独立支撑,埋头工作,陆续完成《百科全书》第八卷至二十八卷的编辑,从 1765 年起不顾禁令恢复出版,到 1772 年按计划全部出齐。《百科全书》共三十五卷,前二十八卷为辞典正文(包括图片十一卷)。Condorcte(1743—1794)等人续编了补遗五卷和索引二卷,分别于 1776—1777 年和 1780 年出版,前后历时 30 年。

《百科全书》的出版产生了法国的百科全书派。狭义的百科全书派指与狄德罗关系密切而且哲学观点基本相同的同时代哲学家,而广义的百科全书派指参与《百科全书》工作的所有人,包括 18 世纪法国启蒙运动中著名的哲学家、文学家、历史学家、经济学家、科学家等近二百人。狄德罗和百科全书派的思想通过出版物而广泛传播,恩格斯评价说:"为了证明他们的学说可以普遍应用,他们选择了最简便的道路:在他们因以得名的巨著《百科全书》中,他们大胆地把这一学说应用于所有的知识对象。"(《马克思恩格斯全集》第 3 卷)

出版文化的特征表现在:重视特殊商品的价值,如礼品书;重视审美价值,如图书的装帧;重视出版物的形式、包装等,如巾箱本(书型特小)等。

2.2.2.3 宣教文化

文献具有宣传教育的重要作用。《隋书·经籍志·序》云:"夫经籍也者,机神之妙旨，圣哲之能事，所以经天地，纬阴阳，正纪纲，弘道德，显仁足以利物，藏用足以独善。"文献作为一种宣教文化的载体，强调文献的政治标准和思想性，旨在为政治服务，无论是儒佛道之争以及历代校雠活动，还是历代的科举对士子的规定以及书院教科书选择等，都是社会制度的组成部分。文献宣教文化沿着褒扬和抑贬两种方式和路径发展。

褒扬的方式与路径主要有图书宣传、图书广告、书展、图书评论、图书评奖等。

以图书评奖为例，"中国图书奖"创办于1987年，是在中共中央宣传部和新闻出版署直接领导下，由中国图书评论学会具体承办的全国综合性图书奖。"中国图书奖"从1987年至1996年，每年举办一次，评选上一年出版的优秀图书。从第十一届开始，评选改由中共中央宣传部、新闻出版署直接领导，中国出版协会主办，中国图书评论学会承办，每两年举办一次，与每两年举行一次的"国家图书奖"评选交替进行。1991年1月，中共中央宣传部决定举办"五个一工程"奖。2005年，国家出台《全国性文艺新闻出版评奖管理办法》。新闻出版总署将原有的"国家图书奖""全国优秀音像制品奖""全国优秀电子出版物奖"等22个评奖项目整合为"中国出版政府奖"。该奖下设6个子项：图书奖；音像制品、电子出版物、网络出版物奖；毕昇优质印刷复制奖；装帧设计奖；先进出版单位奖；优秀出版人物奖。"中国出版政府奖"于2007年首次评奖。由中国出版工作者协会主办的"中华优秀出版物奖"于2006年首次评奖，该奖项与"五个一工程"奖、"中国出版政府奖"并称为中国出版国家级三大奖。其他如国家图书馆文津图书奖、国家期刊奖、冰心儿童图书奖及一些新闻奖、文学奖均涉及图书评奖，且有广泛影响。

中国图书评奖活动真实地反映了中国出版事业健康发展的局面，客观地呈现了中国出版事业的发展水平；具有鲜明的政治导向，贯彻党对出版事业的指示精神，通过评奖活动，高扬时代的主旋律，对出版界进行正确的引导；鼓励出版社多出好书、多出精品，从而有力地推动了中国图书出版事业的发展。

国际上也有不少图书评奖项目，专门的如美国1950年设立的国家图书奖、1975年设立的专业学术出版奖，英国1979年设立的国家图书奖，其他如普利策奖、国际安徒生奖等奖项都与图书评奖相关。

贬抑的方式与路径主要有批评性的评论、警示纪录片、禁书等。

以禁书为例，禁书作为一种文化制度是特定历史时期的需要，也是一种文献的社会价值反映，表现出强烈的思想性、时代性和社会性。禁书无论以何种方式表现出来，其根本目的在于为某种社会制度和特定的文化服务，与特定时代国家与民族的目标相统一，本质是一种宣教文化。

在中国，汉哀平之世，王莽好符命，光武帝刘秀以图谶兴起，故东汉以后，谶纬之学盛行。南朝宋、梁之际，屡屡遭禁。这些谶纬图书虽然含有宣扬迷信的成分，但其中亦有不少有用的资料，包括一些早期的科技知识。

明英宗正统七年（1442 年），国子监祭酒李时勉言："近有俗儒，假托怪异之事，饰以无根之言。如《剪灯新话》之类，不惟市井轻浮之徒，争相诵习；至于经生儒士，多舍正学不讲，日夜记忆，以资谈论。若不严禁，恐邪说异端，日新月盛，惑乱人心，实非细故。乞敕礼部行文内外衙门及提调学校佥事御史并按察司官巡历去处，凡遇此等书籍，即令焚毁。有印卖及藏习者，问罪如律，庶俾人知正道，不为邪妄所惑"（《英宗实录》卷九十）。

在国际上，书报检查和禁书运动屡见不鲜。西方中世纪罗马教廷公布有禁书目录。1557 年，罗马教廷编制的《教廷禁书目录》（*Index Librorum Prohibitorum*）由教皇保罗四世（Paulus Ⅳ，1476—1559，在位是 1555—1559 年）正式发布。1571 年，教廷设立禁书目录部，由教皇亲自主持，并委任枢机主教一人负责日常事务。1917 年该部被撤销，改由教廷圣职部兼管图书审查事宜。该目录在数百年中多次修订，其 1929 年版列有禁书 5000 多种，其中有马丁·路德、左拉等110 人的全部著作，像帕斯卡的《思想录》、雨果的《悲惨世界》和《巴黎圣母院》、吉本的《罗马帝国衰亡史》等许多世界名著以及笛卡尔、卢梭、伏尔泰、大仲马、法朗士、莫泊桑等人的代表作全部被列入禁书。教徒阅读禁书，定为犯罪。这一禁书目录一直支配着天主教徒的阅读，前后长达 400 多年，到 1960 年才被迫宣布停止执行。19 世纪后期俄罗斯曾出现禁书运动。禁书目录中不只有关系意识形态的书或者人文与社会科学著作，在科学发展史上，科学著作也曾在禁书之列。1819 年，伽利略、哥白尼和开普勒的书还在禁书的索引上，直到1822 年才发布教令，容许教导地球绕太阳运动的书在罗马印刷和出版。

历史上有禁书，也有阅读保卫战。

第二次世界大战期间，当纳粹德国发动学生大量禁毁图书后，美国盲人作家海伦·凯勒（Helen Keller，1880—1968）给全体德国学生写了封慷慨激昂的公开信，表达自己的震惊——她不相信印刷机的诞生地竟然变成了这项发明的后代的火葬场。她批评道："如果你们认为思想可以杀死，那么，你们丝毫没有从历史中吸取教训。过去的暴君经常这样做，然而思想同样在他们的强权中升起，最终战胜了暴君。""你们可以烧毁我的书，烧毁全欧洲最优秀的人写的书，但是，他们的思想已经通过千万种渠道传播出去了，并将继续鼓舞其他人"（曼宁，2017）。

为抗议德国禁毁图书，H. G. 威尔斯与其他作家合作，1934 年春在巴黎建立了"遭到禁毁图书的图书馆"（Library of Burned Books）。美国许多城市举行游行抗议，纽约约有 8 万人，芝加哥有 5 万人，费城有 2 万人参加了游行。

纳粹焚毁图书的目的是消灭思想。1941 年，美国图书馆协会（ALA）获得政府批准，发起全国性的图书捐赠活动，启动了国防图书活动（NDBC）计划。NDBC 后改名为"胜利图书运动"（the Victory Book Campaign，VBC）。到 1942 年 3 月上旬，共募集到 400 万册图书。到 1942 年 4 月，图书捐赠量攀升至 660 万册。

时任美国总统罗斯福在宣布 1942 年 4 月 17 日（星期五）为胜利图书日后不久，发表了一份声明，宣称在为自由而战中，图书起到最核心的作用：

我们大家都知道，书可以被焚毁——然而，我们更知道书不可能被火给消灭。人会死，但图书永存。没有任何人和任何力量能够毁灭记忆。没有任何人和任何力量能够把思想永远禁闭在集中营里。没有任何人和任何力量能够拿走那些表达人们与任何形式的暴政作斗争的书。在这场战争中，我们知道，图书便是武器。

美国政府为军人提供了超过 1.23 亿册军供版图书。美国作家 Molly Guptill Manning 将第二次世界大战期间美国在战争中阅读的故事写成一本书，名为《当图书进入战争》（*When Books Went to War：The Stories that Helped Us Win World War II*）。书后附有《遭纳粹查禁的作家名录》和《军供版图书总目》。

2.2.2.4　阅读文化

1785 年，法国画家弗拉戈纳尔（Jean Honore Fragonard）创作了世界名画《读书的少女》，画中少女是弗拉戈纳尔妻子的妹妹，年仅 14 岁的玛格丽特·热拉尔，因母亲去世前来巴黎投奔姐姐。在这幅画中，少女侧面而坐，端庄且文静，顺着少女的眼神，可以看到，她的阅读如此专注，书中的文字仿佛翩然起舞，握书的右手如兰叶交错，自然迷人，读书少女的优雅神情跃然而出，人与书，与阅读情境巧夺天工，诗意盎然。这幅画被收藏于温特图尔奥斯卡·莱因哈特收藏馆，无论是从艺术的角度欣赏，还是从阅读的角度欣赏，都能给人以阅读的心灵震撼和文化的启迪，这便是阅读的美，是阅读文化的一种体现。

成立于 1947 年的法国玛格南图片社（Magnum Photos）从第二次世界大战开始就积累有摄影记者以阅读为题材的摄影作品，2015 年读库将其百余幅图片辑录成《读》，由新星出版社出版。当人们看到 1941 年英国伦敦老师一手拿书一手拄着拐杖行走、1944 年意大利特卡西诺神甫手里捧着遭空袭后留下的最后一部书等一张张照片时，一定会产生了对阅读历史的回忆和阅读社会性的思考。这些阅读艺术作品是时代的印记，反映了阅读与社会交互的种种情形，彰显阅读艺术的价值。

犹太人有一句谚语："这世上有三样东西是别人抢不走的：一是吃进胃里的食物；二是藏在心中的梦想；三是读进大脑的书。"犹太民族有"书的民族"之称，中世纪，犹太人的生活以读写为中心，家长带着孩童到读书社学习阅读，要举办庆祝仪式，在五旬节（Feast of Shavuot）的这一天，父亲将祈祷巾包裹的孩童带给老师，老师让孩童坐在膝盖上看着一块上面写着希伯来文字母和一段经文的石板，孩童跟着老师朗读每个单词，其间石板上涂上蜂蜜，让孩童舔净，以示他汲取圣言。接着，孩童要读出写在去壳的煮鸡蛋和蛋糕上面的《圣经》诗文，然后做出象征性的动作把鸡蛋和蛋糕吃掉；浓郁而尤为甜美的味道旨在让孩童感知阅读的浓郁与甜美①。为了寻找犹太人阅读的奥秘，北京大学的顾晓光（2017）专门到以色列旅行拍摄关于阅读的照片，并将他十年旅行27个国家和地区关于阅读的100余张照片和文字结集出版，复旦大学的葛剑雄评价说："顾晓光的新著融读书行路于一体，合有形无形于一书，跨越时空，交汇物我，传播知识，陶冶性情，可用于阅读，可携之旅途，开读书行路新篇，实读者行者益友。"

阿根廷裔加拿大作家 Alberto Manguel 花了 7 年的时间写成了一部书——《阅读的历史》（*A History of Reading*），这部书 1996 年在英国由 Harper Collins Publishers 出版。1997 年出版了 Flamingo 出版社版本。1998 年出版了法文版（*Une Histoire de la lecture*），同年获欧洲享誉极高的法国梅迪思斯随笔奖（Prix Medicis）。Manguel 的另一部著作 *Reading Pictures：a History of Love and Hate*（《阅读图片———部爱与恨的历史》），是 *A History of Reading* 的姊妹篇。《阅读的历史》分两个部分，第一部分阅读活动共 10 章，包括阅读活动之谜、默读、记忆之书、学习阅读、迷失的第一篇章、阅读图片、听读、书的形式、个人的阅读、阅读的隐喻。第二部分读者的力量共 10 章，包括阅读的开端、宇宙的主宰、阅读未来、阅读的象征意义、墙内的阅读、偷书、作为读者的作者、作为读者的译者、禁书、书痴等。

王余光等（2007）认为，阅读文化是建立在一定的技术形态和物质形态基础上，受社会意识和环境制度制约而形成的阅读价值观念和阅读文化活动。阅读文化作为一种社会文化系统，其结构可分为三个层面：功能与价值层面，社会意识与时尚层面，环境和教育层面。阅读文化具有时代性、区域性、民族性等特征。

2.2.2.5　藏书文化

中国古代藏书活动内容丰富。清孙庆增《藏书纪要》将藏书活动分 8 个方面：购书、鉴别、钞录、校雠、装订、编目、收藏、曝书。叶德辉《藏书十约》

---

① 〔新西兰〕费希尔. 2009. 阅读的历史 [M]. 李瑞林等译. 北京：商务印书馆.

分为 10 个方面：购置、鉴别、装潢、陈列、抄补、传录、校勘、题跋、收藏、印记。历史藏书，无论是官家藏书、私人藏书，还是书院藏书、寺观藏书，其目的都是为了文化传承，其特点在于重视文献的文化价值。

随着文化的发展，旧的文化总是被新的文化所替代。而文化的遗产——文献成为留给后代的宝贵财富。藏书文化与书之珍有关，古人读书致仕，嗜书如命，这种文化培养人们因爱书而藏书，因藏书更爱书的习惯。

战争与灾难对文献的破坏，使得遗存的文献更为珍贵。

欧洲百年战争和黑死病之后——产生大批爱书家。欧洲百年战争（1338—1453 年，英法间的战争）和黑死病（black death，14 世纪中叶蔓延全欧的鼠疫传染病）的发生，在 14 世纪欧洲史上称为悲惨的时代。从英格兰开始，欧洲人口大约疫死三分之一甚至一半。甚至有全家和整个家族都染疫身亡。由于小农、领主和农场监督都已死去，致使农业陷入瘫痪。手工业行会也没有多少人幸免，贸易活动终止。修道院中几乎没有剩下的修道士。学校关闭，物价昂贵。此时，只有王室、贵族、教会，以及大学还勉强能保存一些书籍。

查理五世（Charls V，1364—1380 年在位）为重建由于百年战争而荒废的法国，在努力建设中央集权国家的同时，保护学术，搜集古籍，并建立一个大图书馆。后来这个图书馆成为法国王室图书馆的基础。

英格兰的 Richard de Bury（1281—1345）的个人文库拥有千余册图书。Bury 是爱德华三世（1312—1377）的宠臣，曾任达拉姆的主教和英格兰大法官。Bury 著有《热爱图书》（Philobiblon，1473 年）是有关图书和图书馆的最早论著之一。

《热爱图书》原著为拉丁文，1473 年首次于德国科伦出版，1856 年后在法、德、英等国多次出版，共出 8 种版本，基本根据 1473 年版本。最早的英译本于 1598—1599 年问世，法译本于 1856 年出版。1888 年出版了最佳的英译本。该书除前言、序言外，共 20 章，各章标题为：智慧瑰宝主要蕴藏在书中，人们对书的忧爱是受益于书，如何看待书的价格，书对教士的抱怨，书对占有者的抱怨，书对托钵僧的抱怨，书对战争的抱怨，大量购入图书的机会，我们偏爱古书但并不谴责对近代书的研究，书的逐步完善化，为什么我们爱文科书籍胜过法学书籍，为什么我们促进编制拉丁文教科书，为什么我们并未完全领略诗人的寓言，谁应是书的特别热爱者，热爱图书的好处，撰写新书、增订旧书值得嘉奖，必须给图书以应有的照管，我们收集大量图书是为了学者的共同利益而非个人享受，向学者出借全部图书的办法，劝告学者以虔诚的祈祷来回报我们。

书中有这样的精彩片断："书时常被高兴地购进而不情愿地售出。人类的太阳所罗门的格言劝告我们：'买进真理，但不要出卖智慧。'对图书的热爱等于对学术的热爱。所有爱上了书的人都蔑视世俗的对名利和财富的追逐，视它们淡泊如水。杰罗姆曾对一位维吉尔派学者说过："一个人不可能兼爱黄金和书"。因此没有人同时拜服于书而侍奉贪欲之神猛玛。"

书中，A. Gellius 记载了柏拉图以高价购买了一本希腊哲学家毕达哥拉斯的哲学谈，其中一章就花了 10 万第纳里（罗马银币），记载此事的目的是让平庸的人们想想有学问的人是多么重书不重财。Gellius 另有一段关于傲慢的塔尔金的记载：一名全不为人知的老妇人求见傲慢的罗马七世皇帝塔尔金，欲出售九册书，声称其中记有神的预卜。但她索取高价，以致皇帝说她是疯子。老妇人大怒，将三册书投入火炉，剩下六册照索原价，又遭拒绝，她便再将三册投入火中，而剩下的三册仍索原价。塔尔金不胜惊讶，终于以购买九册书的价格买了三册书。老妇人突然消失，再未出现。该三册书属著名《西彼德拉占语集》，乃罗马人问卜、聆取神谕的宝书，后三册又系追根溯源的宝中之宝。该女巫以如此大胆的举动教训傲慢的皇帝，无非是作为智慧载体的圣书远远超越凡俗的估价（袁咏秋和李家乔，1988）。

藏书印本是藏主拥有藏书的凭信，由于藏书印反映了藏主与书的关系，以及藏主将人生信念、得书校书的事迹、藏书的心迹、志趣、闲情雅兴等反映在小小的印章之中，使之有丰富的文化内涵。历代藏书印形成了一种藏书的独特文化，传承到今天。对于藏书印可以从四个方面看。

一是从藏书印的物体看，有材料和形体的差异。藏书印用料有石、木、金属、玉、玛瑙等，以石料最为常见，石料又分为鸡血石、巴林石、冻石、青田石、寿山石等。藏书印形体有方、圆、条、器物、几何形等。以方形最为常见，方形又有正方、长方、扁方之不同。

二是从藏书印的形制看，有文种、书体、制作、色彩、体制等方面的不同。藏书印的书体有正、草、隶、篆以及九曲叠文（篆文之变体，其曲或少或多，非必九曲）。藏书印的制作有凸版（形成阳文，又称朱文）、凹版（形成阴文，又称白文）、凹凸版（形成阴阳文，朱白相间），以凸版较普遍。藏书印的色彩除朱、白（凹版形成的白文）以外，还有蓝色、青色、黑色（皆丧居时所用），以朱色较普遍。藏书印的体制分单印和子母印，单印指文字在一方之内，比较普遍；子母印又称连珠印，是由二印乃至三印文字合成。

三是从藏书印的钤捺看，有刊行者钤捺印，有书贾钤捺印，有收藏者购入时钤捺印，有藏书家或其后人收藏时钤捺印，有修补者钤捺印，有题跋落款时钤捺印等。

四是从藏书印的印文看，有姓名字号印、斋室名印、官爵印、行第印、地名印、收藏鉴定印、校读印、记事印、闲章、惜书印、典藏印、杂记印等。藏书家除将姓名、字号、斋室名、官爵、行第、地名镌刻于藏书上，还将其他事迹记于藏书印。收藏鉴定印反映藏主对所藏图书的鉴定、鉴赏等，如清季振宜的"沧苇鉴定印"、吴骞的"兔床经眼"等。校读印反映藏书校勘和阅读之事，如明吴岫的"姑苏吴岫尘外庐读过"，清黄丕烈的"荛圃手校"等。记事印或记藏主得书事，或记藏主理书、捐书事，或记书之版本，或记藏主荣宠之事。如明孙相因得明刻《资治通鉴纲目》书价三十五两而刻藏书印"三十五两"，清韩德钧因同治三年和五年两度避太平天国战事而刻藏书印"甲子丙寅韩德钧钱润文夫妇两度携书避难记"。闲章不作为藏主持信物，只反映藏主逸兴、祈望、癖好等。明清两代，藏书家闲章颇为流行，其印文既有取前人诗词文句、典故、箴言警语的，也有自撰的。如明范钦的"和鸣国家之盛"，清钱谦益的"观书有深意""寿命永昌""忠孝传家"。惜书印表明藏主对书的珍惜，或训诫子孙后代惜书，或训诫读书人、得书人惜书。史载唐代杜兼藏书万卷，每卷后题目"清俸买来手自校，子孙读之知圣道，鬻及借人为不孝"。惜书印文字有长有短，短则几字如清孙庆增的"得者宝之"，长有几十字如明代姚咨的"颜氏家训，借人典籍，皆须爱护，先有缺损，就为补治，此亦士大夫百行一也"，清代杨继振的印文长达一百九十五字，较为少见。典藏印有历代内府藏印、帝王典藏玺印、府县衙署藏书印、书院藏书印等。杂记印常将龙、凤、龟、麒麟、虎、雀、灵芝等动植物镌刻于藏书印上，取吉祥之意；或将藏主所属生肖或藏主人物形象镌刻在藏书印上，如清藏书家陆心源有"存斋四十五岁小像"藏书印。

古代藏书家于印章特别讲究，往往有多个藏书印盖于书上。例如，明代大藏书家毛晋，有姓名字号印"臣晋""毛晋字子晋一名凤苞字子久"；有斋室名印"汲古阁""弦歌草堂"；有记版本的记事印"宋本""甲""元本"；有表达藏主逸兴的闲章"汲古得修绠"出于唐韩愈《秋怀诗》之五"归愚识夷涂，汲古得修绠"，"月明千里故人来"出自唐寅《题草堂话旧图》诗中"新扣柴扉惊鹤梦，月明千里故人来"；有表达对书的祈愿的闲章"在在处处有神物护持"；还有惜书印，印文为"赵文敏公书卷末云，吾家业儒，辛勤置书，以遗子孙，其志何如？后人不读，将至于鬻。颓其家声，不如禽犊。若归他室，当念此言，取非其有，毋宁舍旃"。

藏书印可以反映一部图书的流转情况，使一部书上有多个藏书家的藏书印。如宋版《汉书》《后汉书》从元赵孟頫收藏起，先后经明陆完、顾从德、王世贞、王士骧、潘允端、黄正宾，清钱谦益珍藏，后鬻于四明谢象三。

藏书票是另一种藏书文化。藏书票始源于 15 世纪欧洲，因藉当时文艺复兴运动及德国印刷术而发明。在西方国家中，德国在印刷、版画、藏书票方面，均有深厚的传统。目前世界上最古老的藏书票是德国的木刻画《刺猬》，据说是1470 年时期的作品。另一种"天使藏书票"，传说是 1480 年的作品，属德国人制作，是世界上最早的藏书票之一。

藏书票在德国发明后，很快推广到欧美等地。欧洲一些有名的文学家，如莫泊桑、雨果、福楼拜等，都喜爱使用藏书票。而参与从事藏书票设计制作的知名画家，有杜勒、毕尔兹利、高更、马谛斯和毕加索等人。

在亚洲，日本较早使用藏书票。日本将藏书票称之为"藏书签"或"书票"。18 世纪中叶已有流传。1922 年正式成立"日本书票协会"。

鲁迅（1881—1936）在 20 世纪 30 年代倡导新兴木刻运动，把藏书票从日本引进到中国，得到李桦等一批木刻画家的响应。1934 年，"现代版画会"在广州成立，该会在致力推动木刻版画的同时，成为推动藏书票艺术的先锋。

藏书票上除印上藏书者的名字，及其所喜爱的图案或家族征号之外，通常还印有一个拉丁文"EX-LIBRIS"的字样，该字原为"珍藏"之意，现已成为"藏书票"的国际通用符号。

在藏书文化中，人们以科学和艺术的方法收藏文献，盛称藏书之美，藏书诗由此而来。

藏书诗在西方早有出现。在中世纪的西班牙，600—636 年任职大主教的伊萨多（Isadore）在塞维利亚（Seville）建立了图书馆，以馆藏量多、涉及学科范围广而著称，其中不少是非宗教作品，还根据藏书编纂完成了一部早期的百科全书 *Etymologiae*。其藏书分装 14 个书箱内，约有数百卷之多。特别有趣的是，每一书箱上有一首献给一位作家，其中 7 箱所题是献给基督教作家如 Saints Augustine、Ambrose 和 Jerome，其他各箱则献给文学家、史学家、圣律及俗世法学家。对全部馆藏也冠有一首长诗，其中有这样几句：

Here sacred books with worldly books combine；

If poets please you，read them；they are thine.

My meads are full of thorns，but flowers are there；

If thorns displease，let roses be your share.

Here both the laws in tomes revered behold；

Here what is new is stored，and what is old…

A reader and a talker can't agree；Hence，idle

chatterer；'tis no place for thee！

这首诗被广泛引用，如 J. H. Shera 的《图书馆学导论》（*Introduction to Library Science*，1976 年）、Michael H. Harris 的《西方图书馆史》（*History of Libraries and in the Western World*，1999 年）。

这首诗被译为中文有：

优秀作品与圣典，兼收并蓄在此间；

如若诗人君喜爱，开卷吟诵述君怀。

纵然蜜酒拌荆莽，鲜花朵朵为君放，

如若荆棘刺君手，摘取玫瑰释君忧。

君不见：

条条天理与规律，卷卷书册崇天机。

古往今来兴亡事，尽收于此小斗室。

阅读空谈素殊途，空谈诸君请止步。①

另有翻译为：

圣籍群书莫不备，

若喜诗篇尽取吟。

吾家草地多荆棘，

亦植鲜花杂其间。

若嫌荆棘难适意，

玫瑰娇妍任君选。

圣规俗律皆崇敬，

古籍今著并珍藏。

图书室内禁喧哗，

若喜闲谈慎莫入。②

17 世纪，在莎士比亚（1564—1616）去世后的第一部莎士比亚戏剧集于 1623 年出版，莎士比亚的友人 Ben Jonson 为莎士比亚戏剧集写了献诗《纪念我敬爱的作者威廉·莎士比亚先生，以及他给我们的遗产》（*To the Memory of My Beloved, the Author, Mr. William Shakespeare, and What He Hath Left Us*），这首诗在格律上属“英雄偶句”（heroic coupler），即每一诗行为抑扬五步格，两行押一韵，全诗共八十行，首四行如下：

莎士比亚，不是想给您的名字招嫉妒，

我这样竭力赞扬您的人和书；

说您的作品简直是超凡入圣，

人和诗神怎样夸也不过分。

此诗高度赞美莎士比亚的成就，诗中“时代的灵魂”“他不属于一个时代而属于所有的世纪”等成为常引的名言；“阿文河可爱的天鹅”则成为亮丽的隽语（黄维樑，2013）。

---

① 袁咏秋，李家乔.1988. 外国图书馆学名著选读［M］. 北京：北京大学出版社.

② 〔美〕约翰逊，〔美〕D. 埃尔默. 1985. 西洋图书馆使［M］. 尹定国，译. 台北：学生书局.

在中国，藏书纪事诗是古代藏书活动中产生的一种文化，其中最著名的是叶昌炽的《藏书纪事诗》。光绪十年叶昌炽开始编撰，至光绪十六年成书，历时七年。他仿照厉鹗《南宋杂事诗》、施北研《金源纪事诗》的体例，采取诗和注的形式，每家咏七言绝句一首，诗下采录各条史实原文，作为每首诗的注。

张灯高宴白门楼，费尽黄金与翠裘。

面肆酒坊论称贾，蜡车障壁杂泥縢。

感慨钱曾的藏书非毁即散。

此后，藏书纪事诗成为一种体例，继叶昌炽的《藏书纪事诗》之后有：伦明的《辛亥以来藏书纪事诗》、徐信符的《广东藏书纪事诗》、莫伯骥的《藏书纪事诗补续》、吴则虞的《续藏书纪事诗》等。

在藏书文化中，最值得称道的是中国的藏书楼文化。古代藏书楼设计讲求文化理念，以"人间庋阁足千古，天下藏书只一家"（清代学者姚元）的宁波天一阁为例，该楼系明嘉靖四十年（1561年）兴建。范钦取易经上"天一生水""地六成水"之说，将天一阁设计为两层，上层喻为天，下层比为地。上层不分间，通为一厅，合"天一生水"之意；下层分为六间，以应"地六成水"之说。把阁前池塘叫作"天一池"，把新建的藏书楼称为"天一阁"。

2.2.2.6　影响文化

（1）时间上的影响文化

不同时代的突出人物与著作对不同时代的文化产生影响，从而反映出文化的历史发展与时代性。

影响历史进程的人物与著作，如 1985 年美国《生活》杂志评选出《人类有史以来的二十本最佳书》：《堂吉诃德》《鲁滨逊漂流记》《匹克威克外传》《傲慢与偏见》《德伯家的苔丝》《悲惨世界》《包法利夫人》《约翰·克里斯多夫》《西线无战事》《白鲸》《格列佛游记》《哈克贝利·费恩历险记》《浮士德》《仲夏夜之梦》《奥德赛》《希腊史》《罗马帝国之衰亡》《圣经》《培根论文集》《进化论》。中国出版的有《影响历史进程的 100 本书》（苏浙生编著，上海文汇出版社 1992 年 10 月版）、《文化的力量——影响人类的一百本书》（李小兵主编，团结出版社 1999 年 3 月版）等。

影响一个时期的人物与图书，如《影响二十世纪中国的十种书》（1999 年陕西人民出版社）列出 10 种著作：把中国带入 20 世纪——严复译《天演论》；鼓起辛亥革命的大潮——《民报》；叩响民主与科学的大门——《新青年》；文学革命的第一声春雷——《狂人日记》；黑暗中的新曙光——《共产党宣言》；"红星"永远照耀中国——《西行漫记》;引导 20 世纪中国走向光明的《毛泽东选集》一至四卷;对中国社会主义经济进程产生重大影响的政治读本——《苏联社会主义经济问题》;无私奉献的心碑——《雷锋日记》;引导中华民族迈向 21 世纪的科学指南——《邓小平文选》。其他如《影响中国近代社会的 100 种译作》(邹振环著,中国对外翻译出版公司 1996 年 1 月版)。

这些,以时代为系列列举人物及其名著,体现时代特色的作家与作品,重在表现文化的历史发展与时代性。

(2) 空间上的影响文化

不同地区的突出人物与著作对不同地区的文化产生影响,从而反映出文化的民族性与地域性。

可以从世界的范畴来研究,美国 Robert B. Downs 曾编有《改变世界的书》,书中选择从文艺复兴至 20 世纪中叶出版的 16 本自然科学和社会科学书籍,1986 年,中文节译本名为《改变世界的十六本书》(缨军编译)由上海文艺出版社出版。其后又编出《改变美国的二十五本书》、《自 1492 年以来塑造现代文明的 111 种杰出名著提要》(中译本名为《塑造现代文明的 110 本书》,1990 年由天津人民出版社出版)。《世界图书》1994 年第四期列出"世界十大思想家",有孔子(公元前 551—公元前 479,中国学者)、柏拉图(公元前 427—公元前 347,古希腊哲学家)、亚里士多德(公元前 384—公元前 322,古希腊哲学家)、阿奎那(约 2 世纪,意大利学者)、哥白尼(1473—1543,波兰科学家)、培根(约 1214—约 1292,英国学者)、牛顿(1642—1727,英国科学家)、伏尔泰(1694—1778,法国文学家)、康德(1724—1804,德国哲学家)、达尔文(1809—1882,英国科学家)。《影响世界的 100 本书》(邓蜀生等主编,广西人民出版社 1995 年 9 月版)列出政治学 24 本、历史学 11 本、哲学 15 本、经济学 7 本、文学作品 26 本、科技及工具书 14 本。新华出版社 1997 年推出的《影响世界的著名文献》(汇集古今中外 36 部名著)。范勇等编《文明通鉴》(中国文史出版社 1997 年版)上卷收东方文明经典 100 篇,下卷收西方文明经典 100 篇。

可以从国家的范畴来研究,研究中国文献的如《影响中国的 100 本书》(张秀平、王晓明主编,广西人民出版社 1993 年版)、《中国文明的阶梯:历史上最有影响的三十三本书》(贺立华、汤顺文主编,安徽文艺出版社 1996 年版)、《塑造中华文明的 200 本书》(王余光、宁浩主编,武汉大学出版社 1997 年版)《影响中国历史的三十本书》(王余光主编,武汉大学出版社 1990 年)等。研究外国文献的如1929 年,美国文学评论家、作家 M. Cowley 和 B. Smith 在合著的《改变我们心灵的书》中公布了一批当时美国名人推荐的书目,共有 134 种书被提名,《梦的解析》

等 12 种书得票最多，被认为是对于美国精神影响最为重大的书籍。

2.2.2.7　文献遗产

文献遗产是文化遗产的一个重要类别。文化遗产最明显的组成部分是可接触性遗产，包括不可移动文物和可移动文物，也包括不可接触性遗产，也就是人类的智慧遗产：思想的产物如文学作品、科学和哲学理论、宗教、仪式、音乐，以及体现在技术、口传历史、音乐与舞蹈之中的行为及知识结构。其物化形式就是文献，如书写品、乐谱、图片、计算机数据库等。

联合国教育、科学及文化组织（UNESCO）的遗产除了"世界文化与自然遗产名录"（World Cultural and Natural Heritage，1972 年设立）、"非物质文化遗产名录"（Intangible Cultural Heritage，2003 年设立），还有"世界记忆遗产名录"（Memory of the World，1992 年发起）。

在文献遗产中，世界记忆文献遗产是世界文化的遗存，反映了语言、民族和文化的多样性。UNESCO 于 1992 年发起世界记忆计划，来防止集体记忆的丧失，并且呼吁保护宝贵的文化遗产和馆藏文献，并让它们的价值在世界范围内广泛传播。1997 年起，该计划设立"世界记忆遗产名录"，简称为"世界记忆名录"，也称为"世界文献遗产"（World Documentary Heritage），这是经 UNESCO 世界记忆工程国际咨询委员会确认而纳入的文献遗产项目，分为世界、地区和国家三级，申报文献遗产根据其地域影响力，分别列为不同级别的名录。

"世界记忆名录"每两年评选一次。至 2013 年 6 月，共有 100 个国家的 299 份具有世界意义的文献和文献集合入选了"世界记忆名录"，其中中国有九项，包括《中国传统音乐录音档案》（1997 年入选）、《清朝内阁秘书档》（1999 年入选）、《纳西东巴古籍》（2003 年入选）、《清代大金榜》（2005 年入选）、《清代样式雷图档》（2007 年入选）、《本草纲目》（2011 年入选）、《黄帝内经》（2011 年入选）、《中国西藏元代官方档案》（2013 年入选）、《侨批档案：海外华侨银信》（2013 年入选）。此后，陆续入选的有《南京大屠杀档案》（2015 年入选）、《甲骨文》（2017 年入选）、《近现代苏州丝绸样本档案》（2017 年入选）、《清代澳门地方衙门档案（1693 年至 1886 年）》（2017 年入选）等。

2.2.3　文献文化之厄

在中国目录学史上，有隋牛弘"五厄"论和明胡应麟"十厄"论。胡应麟说："图籍废兴，大概关系国家气运，岂小小哉！"

历史上最大的图书厄运有十次。

一是秦始皇三十四年（公元前 213 年），始皇下令焚书，禁私学，焚《诗》、《书》、百家语等。"秦皇驭宇，吞灭诸侯，任用威力，事不师古，始下焚书之令，行偶语之刑。先王坟籍，扫地皆尽"（《隋书·牛弘传》）。

二是西汉末年，王莽之乱。"王莽之末，长安兵起，宫室图书，并从焚烬"（《隋书·牛弘传》）。公元 25 年，赤眉军攻入长安，杀死更始帝，烧毁宫殿、街道、民房等，经"更始之乱"，西汉百余年搜集整理的 13000 余卷皇家藏书全部焚毁。

三是东汉末年，董卓之乱。"孝献移都，吏民扰乱，图书缣帛，皆取为帷囊。所收而西，裁七十余乘，属西京大乱，一时燔荡"（《隋书·牛弘传》）。东汉初，光武帝刘秀定都洛阳，将长安遗存图书运往洛阳，经光武帝聚书，书增三倍，可装 6000 辆车。东汉末，董卓专权，逼汉献帝从洛阳迁都长安，临行前，恣纵士兵大肆劫掠，致使朝廷在兰台、石室、东观及仁寿阁所藏图书尽遭洗劫。书写图书的缣帛，被用作帷盖、车篷，或用以制滕囊，等到王允收集西运时，只剩下 70 余车。因路途遥远，又被扔弃一半，直到长安发生战乱，所运的这批图书最终未逃脱焚毁的厄运。

四是西晋末年，八王之乱。"刘石凭陵，京华覆灭，朝章国典，从而失坠"（《隋书·牛弘传》）。晋怀帝永嘉五年（311 年），寄居在中国北部的匈奴部族首领刘聪攻陷西晋都城洛阳，大肆烧掠，史称"永嘉之乱"，又称"刘石乱华"，结果是经曹魏和晋武帝时的收集整理的藏书近三万卷遭焚毁。到东晋检校时已十去其九。

五是南朝萧梁时，周师入郢，元帝自焚藏书。"萧绎据有江陵，遣将破平侯景，收文德之书，及公私典籍，重本七万余卷，悉送荆州。故江表图书，因斯尽萃于绎矣。及周师入郢，绎悉焚之于外城，所收十才一二"（《隋书·牛弘传》）。梁元帝萧绎本酷好读书与藏书，元帝平"侯景之乱"后，将幸存的文德殿藏书及公私典藏共 7 万余卷载运江陵，还特地派人到洛阳书肆购书，使江陵藏书多达 14 万卷。公元 554 年，西魏军攻破江陵，在投降前夕，萧绎将亡国迁怒于图书，命舍人高善宝将 14 万余卷图书付之一炬，南朝历年辛苦所得就此殆尽。江陵城破后，魏军于余烬中收拾残遗，仅得 4000 卷。

六是隋大业之乱。炀帝杨广即位后，曾将搜集到的与谶纬有关的图书全部焚毁。隋大业十四年（618 年），杨广在江都被杀，天下大乱，隋官府 37 万卷藏书在战乱中被焚毁，唐著作郎杜宝《大业幸江都记》云："隋炀帝聚书至三十七万卷，皆焚于广陵。其目中盖无一帙传于后代。"

七是唐天宝十四年，安禄山、史思明发动叛乱，天宝十五载（756 年），安禄山入关，玄宗李隆基出奔蜀，洛阳、长安两处官府书籍约 8 万卷损失殆尽，史称"安禄山之乱，尺简不藏"（《新唐书·艺文志》）。

八是唐僖宗广明元年（880年），黄巢率军攻入长安，僖宗李儇出走，长安宫殿、官署连同典籍遭兵火洗劫，安史之乱后政府收集的12库5万多卷图书荡然无存。

九是北宋靖康二年（1127年），金人入汴，将徽宗赵佶、钦宗赵桓父子及宗室、后妃数千人俘虏，金兵大肆勒索搜刮，掠得皇帝藏书、天下州府地图、珍宝玩物、天文仪器、携法驾、仪仗、冠服、礼器、教坊乐工、技艺工匠等一并北去。北宋官藏图书7万余卷被掠一空，这些图书在金兵北运途中多半丧失。宋李心传《建炎以来系年要录》卷四称："秘阁图书，狼藉泥中。有史以来，安禄山陷长安以后破京师者，未有如今日甚。二百年来蓄积，自是一旦扫地！"靖康之耻，不仅公藏尽失，私藏亦损失惨重。如藏书大家晁公武私藏经兵戈后"尺素不存"，叶梦得3万卷藏书"所亡几半"，江浙藏书之家"百不存一"。

十是南宋理宗绍定四年（1231年），都城临安发生火灾，秘书省、玉牒所等处官府藏书全部烧毁。南宋搜集的6万余卷图书在火灾中损失大半，百余年积蓄毁于一旦。南宋末，与元军攻战频繁，德祐二年（1276年），伯颜南下，军入临安，图书礼器，运走一空。

目录学论书厄，"十厄"论之后，陈登原（1900—1974）的《古今典籍聚散考》（1933年）将典籍散佚归为"亡""残""讹""误"四害。全书分政治卷、兵燹卷、收藏卷、人事卷四卷，总结书厄的原因为受厄于独夫之专断（政治劫难）、受厄于兵匪之莅临（战争劫难）、受厄于藏弆者之鲜克有终（自然灾害）和受厄于人事之不臧（人为破坏）即"艺林四劫"。

近人祝文白续"五厄"：一为明李自成之陷北京；二为清钱谦益绛云楼之烈焰；三为清高宗之焚书；四为清咸丰朝之内忧外患；五为民国中日之战役。在此基础上，肖东发和杨虎汇总古今书厄有20次。并总结说："图书的命运与整个社会的政治、经济和文化的关系甚为密切。一般来说，当社会稳定、政治清明、经济繁荣、文化发达时，典籍就生就聚，呈现一派繁荣景象；相反，当社会动荡、政治混乱、经济衰退、文化萎顿时，典籍就流散消亡，厄运就会随之而来。书籍的命运几乎成为时代变迁的晴雨表"（肖东发和杨虎，2005）。

历史上的图书大厄，何止上述各例，还有规模或大或小的图书被焚、被毁、丢失事件或现象，不计其数。这些大厄，不是天灾，便是人祸。

张舜徽认为，古代文献的散亡，绝不是历代兵灾和焚禁这一类"有形的摧毁"所能绝灭的；它的不免散亡，自以"无形的摧毁"所造成的损失为最大。他将"无形的摧毁"分为"无意识的"与"有意识的"两种，前者大半体现于历代统治阶级大规模修书的工作中为多。如唐太宗李世民平定天下后，设馆修书，结果被废弃的经书多于整理了的材料若干倍。自重修《晋书》出，而诸家之书皆废。"封建统治者最毒辣的手段，表现于'有意识地摧毁'，便是用'稽古右文'、'采访遗书'的幌子，来施行查禁图书的政策。每逢改朝换代之后，新的统治者顾虑到前朝野史、笔记、诗文之内，包含了不利于己的思想言论，不趁早禁绝，不独有损新朝的尊严，也无法巩固自己的权位。事实上非进行一次图书大检查不可。但是为了避免后世唾骂，不敢明目张胆地去烧书，只得标立一好听的名目，来愚惑人民，掩饰自己的罪行"（张舜徽，2011）。

这样的例子在清代极为典型。清初"文字狱"明令禁毁一大批"有违碍"的图书。康熙时庄廷鑨案，因补写崇祯朝历史，对满人有攻击之辞，1663 年被归安知县吴之荣告发，廷鑨遭"戮尸"，廷鑨父、弟被杀，刻版的、作序的均被杀，共处死 70 余人，案件牵连了 200 多人。乾隆修《四库全书》期间，共销毁图书 24 次，计 538 种，13862 部，甚至不少被收入《四库全书》的图书，也被做了手脚，并非以它们的本来面目流传，这是书籍传播史上的一次大厄。孙殿起在《清代禁书知见录·自序》说：

乾隆三十九年八月，诏书中曾明言："明季末造，野史甚多，其间毁誉任意，传闻异辞，必有抵触本朝之语，正当及此一番查办，尽行销毁。杜遏邪言，以正人心而厚风俗，断不宜置之不办。"四库馆臣以后并议定查办违碍书目条款：凡宋明人著作中称辽、金、元为敌国者，俱应酌量改正；如有议论偏谬尤甚者，仍行签出拟销；即下至于书中有挖空字面，墨涂字样，缺行空格，亦指为意存违悖，语必干犯，都在撤毁之例。即幸而得存，亦复大加点藏，尽改本来面目。据《禁书总目》《掌故丛编》《文献丛编》《办理四库全书档案》诸书考之，在于销毁之例者，将近三千余种，六七万部以上，种数几与四库现收书相埒。

清道光二十四年（1844 年），浙江杭州设局查禁淫词小说，通令全省各地限期收缴小说禁书，故而编成《禁毁书目》，共收 120 种书，包括《西厢》《水浒》《红楼梦》《拍案惊奇》等。之后，该局又有《禁毁淫书目单》，补充后收到的各种小说，与前目次序略有不同。

同治七年（1868 年），江苏巡抚丁日昌在镇压太平天国之后，开始查禁淫词小说，从文化上进行整饬，理由是"近来书贾射利，往往镂板流传，扬波扇焰，《水浒》《西厢》等书，几于家置一编，人怀一箧。……殊不知忠孝廉节，千百人教之而未见为功，奸盗诈伪之书，一二人导之而立萌其祸，风俗与人心，相为表里。近来兵戈浩劫，未尝非此等逾闲荡检之说，默酿其殃"。其《查禁淫词小说目》分两部分，一部分是小说、戏曲类作品，共有 122 种；另一部分是小本唱片，共 111 种。该禁书目发出一周后，又补发禁书目 34 种，其中有《隋唐》，估计是隋唐演义一类的书。

图书之厄，实质是文化之厄。

在国际上，图书大厄比比皆是。

以第二次世界大战期间的德国为例，Manning 的《当图书进入战争》详细描述了 1933 年 5 月 10 日贝贝尔广场上 4 万名观众围观德国焚书的情境，焚书过程中，有纳粹德国国家宣传部部长约瑟夫·戈培尔演讲，有学生组织者演讲并宣布被焚图书的作者名单，由学生一个接一个传递图书扔进火海。

《当图书进入战争》（2017）这样写道：

随着焚书信息的广泛传播，又发生了 93 场焚书活动，每场活动都吸引了众多观众和媒体的高强度报道。基尔大学的学生搜集了 2000 册他们认为对德意志精神有害的文学类图书，搭起了一个巨大的篝火堆，还邀请公众到现场观摩焚书。在慕尼黑，学生们从大学图书馆搜出一百年来的多卷本图书，在当众焚烧之前，还举行了独特的火炬游行。在慕尼黑的另一场活动中，5000 名小学生一起焚烧马克思主义的文学作品，他们被教育："在观看大火焚烧非德意志的图书时，也燃起对祖国的热爱之情。"在布雷斯劳市，一天之内就销毁了价值 5000 英镑的宣扬异端邪说的图书。

纳粹公布的该焚毁的图书名单，作者包括卡尔·马克思、厄普顿·辛克莱、杰克·伦敦、亨利希·曼、海伦·凯勒、阿尔伯特·爱因斯坦、托马斯·曼和阿尔图尔·施尼茨勒等。

到 1938 年，纳粹查禁 18 类图书，包括 4175 本书，565 位作家的全部著作，这些作家大部分为犹太裔。据统计，德国在第二次世界大战期间毁掉了约 1 亿册图书。

《纽约时报》把德国的焚书行为称为"文学大屠杀"。《时代》周刊将这一事件称为"焚书狂"（bibliocaust）。

不仅如此，在纳粹侵略欧洲各国的过程中，希特勒成立了"国家领袖罗森贝格任务小组"（Einsatzstab Reichsleiter Rosenberg，ERR）这一组织，主要任务是掠夺占领区的图书与艺术品并负责焚毁图书。在东欧，ERR 焚毁的档案馆多达375 所，博物馆达 402 所，学院达 513 所，图书馆达 957 所。纳粹销毁了捷克斯洛伐克和波兰近一半的图书，在苏联销毁了约 5500 万册图书。当法国战败后，德国的第一个行动便是发布"伯恩哈德清单"（Liste Bernhard），明确禁止 140 种图书。1940 年 9 月，纳粹德国公布了一份内容更广泛的书单，1400 种图书遭禁。巴黎的很多图书馆被迫直接闭馆。整个二战期间，在德国以及德占区遭到查禁的作家有 1 万多名。"禁焚图书"在欧洲成了一个梦魇。

2.3 文 献 选 择

清人张潮著有一本随笔集《幽梦影》，其中谈到读书的季节："读经宜冬，其神专也；读史宜夏，其时久也；读诸子宜秋，其致别也；读诸集宜春，其机畅也。"选择图书要适合不同的季节，这虽然仅仅是古人读书的一个看法，并不适合当代，但它说明了任何时候，面对众多文献，需要作出恰当的选择。

2.3.1 文献选择的标准与类型

2.3.1.1 文献选择的标准

选择文献，要有明确的标准，既应有一般的标准，也应有根据不同目的和用途确定的专门标准。

就一般标准而言，文献选择的最基本的标准是价值与使用价值。价值有两个含义：一是事物的用途或积极作用，二是凝结在商品中的一般的、无差别的人类劳动。使用价值指物的有用性，指物能满足人们某种需要的效用。在商品经济条件下，劳动产品成为商品，使用价值成为价值的物质担当者，是商品的基本属性之一。文献既具有事物的一般特征，也具有商品的一般特征，是具有特殊意义的事物和商品。

文献选择主要取决于以下价值。

一是知识价值（精神产品）。知识价值是文献客体的精神价值，其特点是文献通过载体记录和传播知识。

二是商品价值。文献不同于一般物质商品，是一种特殊的商品，既有物质表现，更多的是精神内涵。从文献定价、文献推销等方面可以反映出其商品价值。

三是审美价值。文献是一种特殊艺术品。可从审美的角度看待文献，审美价值是文献客体的物质与精神价值的综合体现，是为满足人们的审美需要产生的。

文献选择的专门标准包括阅读和形式。

阅读：得到美的感受。在阅读过程中，人们通过对文献的理解，获得精神上的享受，感官上的快感，从而满足了人们的审美需要。

形式：视觉美感。人们在吸取文献精神营养，获取美感的同时，也在享受着文献的形式美。

2.3.1.2 文献选择的类型

(1) 阅读选择

阅读选择指以阅读为目的的选择文献。

其一,教学中为学生选择参考文献。在国外,指定参考书是教学的重要方法,教师要指定大量课外必读的补充材料。大学图书馆一般都设有"指定参考书室"(reserve room)。Reserve 制度因馆而异,大多数会有专门职员负责,有的只要读者出示书名或文章篇名(杂志中的某篇文章),有的需要有索书号(call number),有的甚至要说明教授的名字及课程所属的院系等。

其二,推荐阅读的选择。如 1930 年,许寿裳之子世瑛即将进入清华大学中文系学习,请教鲁迅应看些什么,鲁迅拟定《开给许世瑛》书单,列出 12 种图书:《唐诗纪事》《唐才子传》《全上古三代秦汉三国六朝文》《全汉三国晋南北朝诗》《历代名人年谱》《少室山房笔丛》《四库全书简明目录》《世说新语》《唐摭言》《抱朴子外篇》《论衡》《今世说》。成为初学中国古典文学的参考与导读书目。

其三,个人阅读自选。按自己的阅读兴趣随机选择文献。如阅读报刊,选择所读篇目;进图书馆选择阅读;进书店,选择购书阅读。国外出版了由 Peter Boxall 主编 *1001 Books You Must Read Before You Die*(由 Cassell Illustrated 于 2008 年出版),既有 1800 年以前的书,也有 19 世纪以来的图书,还推荐了中国名著《西游记》《红楼梦》等,读者可从中选择图书阅读。

阅读选择的特点:一是面广、量少而精;二是就近选择;三是重视视觉美感。无论是以求知为目的,还是以欣赏为目的,对文献外在形式有较高的期望,注意封面装帧和结构形式,例如,有插图的书、字体较大的书易受阅读者的欢迎。

古书和外文图书,往往有多个译本和不同的版本,差别较大,这是阅读选择中特别要注意的。例如清代张潮著的《幽梦影》,除古籍外,现代有多个译本,如陈书良点评的《幽梦影》2008 年由中国青年出版社出版,韩中华评译的《幽梦影》2017 年由北京理工大学出版社出版,读者可比较不同版本后做出选择。

外国图书的译本,不同的人翻译差别较大。法国作家罗曼·罗兰的《约翰·克里斯朵夫》(*Jean Christophe*)被称为 20 世纪三大奇书之一。罗曼·罗兰的创作以音乐家贝多芬为蓝本,贝多芬通过痛苦争取欢乐的一生,对后人具有鼓舞斗志的作用。该书 1912 年完成,1915 年获诺贝尔文学奖。中国两位著名翻译家傅雷和许渊冲都翻译过这部名著。傅雷译本 1957 年由人民文学出版社出版,许渊冲译本 2006 年由国际文化出版公司出版。这两个译本的译文有许多不同,以全书的第一句为例：

法文原文为：Le grondement du fleuve monte derrière la maison.

英文翻译为：From behind the house rises the murmuring of the river.

傅雷译本为："江声浩荡，自屋后上升。"

许渊冲译本为："江流滚滚，声震屋后。"

为什么会出现这样的情况，这主要是语言本身的特性决定的。据电子计算机统计，英法德俄等西方文字约有 90% 可以对等，所以西方有对等翻译理论；但中文和西方文字只有约 45% 可以对等，所以对等的译论不能应用于中西互译，尤其是文学翻译。如上述译文的第一句，英法文只有 grondement 一个词不完全对等，其余 90% 都是对等的；法文 grondement 意为沉闷的隆隆声，英文相近的词的 roaring（咆哮）和 murmuring（潺潺声，低语声），从上下文看，因为下文中写蒙蒙的雾气，涓涓流下的雨水，所以英文翻译选用了 murmuring 一词。而中文翻译，傅雷译本和许渊冲译本只有"江""声""屋后"四个字相同，其他五个字都不同，只有约 40% 对等。对法文 grondement 一词的翻译，傅雷选用了高于沉闷的隆隆声而低于咆哮的"浩荡"，在气势上胜过原文；许渊冲则从音似入手选用了"滚滚"，后半句最初译为"震动了房屋的后墙"，书出版后又在《罗曼罗兰选集》中改为"声震屋后"，以江流震动屋后，象征音乐家克里斯托夫的成就震动欧洲，颇具深意。因此，许渊冲提出了文学翻译上的新"三似论"，一是形似（不意似）：说美而不美，公式是 1+1<2；二是意似：说美而美，公式是 1+1=2；三是神似：不说美而美，公式是 1+1>2（许渊冲，2015）。

再以原作第 1 卷中描述老祖父的一段翻译比较如下：

原作为：

Les Krafft étaient sans fortune, mais considérés dans la petite ville rhénane, où le vieux s'était établi, il y avait presque un demi-siècle. Ils étaient musiciens de père en fils et connus des musiciens de tout le pays, entre Cologne et Mannheim. Melchior était violon au *Hof. Theater*；et Jean-Michel avait dirigé naguère les concerts du grand-duc. Le viellard fut profondément humilié du mariage de Melchior；il bâtissait de grands espoirs sur son fils；il eût voulu en faire l'homme éminent qu'il n'avait pu être lui-même. Ce coup de tête ruinait ses ambitions. Aussi avait-il tempêté d'abord et couvert de malédictions Melchior et Louisa.

克拉夫脱家虽没有什么财产，但在老人住了五十多年的莱茵流域的小城中是很受尊敬的。他们是父子相传的音乐家，从科隆到曼海姆一带，所有的音乐家都知道他们。曼希沃在宫廷剧场当提琴师；约翰·米希尔从前是大公爵的乐队指挥。老人为曼希沃的婚事大受打击；他原来对儿子抱着极大的希望，想要他成为一个他自己没有能做到的名人。不料儿子一时糊涂，把他的雄心给毁了。他先是大发雷霆，把曼希沃与鲁意莎咒骂了一顿。（傅雷译本）

克拉夫特父子虽然不是有钱人家，但在莱茵河畔的小镇还是大家看得起的人物，老爷爷在镇上成家立业，差不多有半个世纪了。父子两人是世代相传的乐师，是科隆到曼海姆这一带音乐界的知名人士。梅希奥是宫廷剧院的提琴手；约翰·米歇尔从前还在大公爵的宫廷音乐会上当过指挥。老爷爷觉得梅希奥的婚事有辱门庭，辜负了他对儿子的莫大期望，原来他自己没有成名，所以把成名的厚望都寄托在儿子身上。不料儿子一时冲动，却使他的奢望全落了空。因此，他先是大发雷霆，把铺天盖地的咒骂都泼在梅希奥和路易莎身上。（许渊冲译本）

读了这两段由名家翻译的文字，都是一种享受。比较而言，傅雷译本文字美丽优雅，表达准确简练，像钢琴曲一样动人，大气磅礴；而许渊冲译本语言生动活泼、用语灵活贴切，像讲故事一样，颇有亲切感。傅雷译本重视人物表现上的适可而止，有一定含蓄意义，让读者去想象，如"他先是大发雷霆，把曼希沃与鲁意莎咒骂了一顿"这句，在"大发雷霆"之后，用"咒骂了一顿"略作补充；而许渊冲译本更重视人物的性格得以充分表现，有强烈张扬的作用，让读者身临其境，如"因此，他先是大发雷霆，把铺天盖地的咒骂都泼在梅希奥和路易莎身上"这句，用"铺天盖地的咒骂"更加强了"大发雷霆"。

像这样各有特色的名家译本，的确难以选择。但就个人阅读而言，可结合自己的情况选择先读哪个译本。

（2）科研选择

科研选择指以研究为目的在研究过程中选择文献。

其一，科研选题中的文献选择。确定选题要阅读大量的文献，发现问题。查新服务也是一种文献选择过程。

其二，科研写作中的文献选择。搜集资料过程就是文献选择的过程。例如，李时珍写《本草纲目》博览群书 800 多种，马克思写《资本论》40 年研读图书 1500 种，均是从文献选择入手。

其三，科研论证中的文献选择。对项目进行论证，要参考大量文献，通过比较分析，论证该项目所取得的突破。

科研选择的特点一是新颖性和情报价值，如博士、硕士学位论文的参考文献。二是相关需求。三是内容价值准则。科研选择主要考虑内容及其信度，形式是次要的。

（3）书目情报选择

书目情报选择指以传播书目情报为目的选择文献。

其一，为编纂二次文献，对原始文献进行选择。

其二，为编纂三次文献，对二次文献和原始文献进行选择。

书目情报选择的特点：一是系统性与选择性相结合；二是内容与形式兼顾；三是选择明确、规范、一致。

（4）评论选择

评论选择指以评论文献为目的选择文献。包括：

其一，选择图书写书评。

其二，选择报刊或报刊篇目进行评论。

其三，选择某一专题的文献进行文献述评。

评论选择的特点：一是标准严格；二是少而精；三是注意新作。

2.3.2 文献选择的主要途径

2.3.2.1 从书目指南中选择文献

书目指南，也称书目之书目，是著录各种类型的书目、索引、文摘等书目文献而编成的一种书目总录，是揭示报道所有书目文献的一种书目类型。

现存最早的书目指南是周贞亮、李之鼎编的《书目举要》，1920 年南城李氏宜秋馆刊本，收汉至清末现存书目 270 多种。其后有陈钟凡《书目举要补正》和刘纪泽的《书目举要补正》。邵瑞彭、阎树喜等编《书目长编》二卷，著录书目 1300 余种。刘纪泽的《书目考》十二卷，共收书目 1470 种。1955 年梁子涵编的《中国历代书目总录》，收现存中文书目文献 1600 多种。1958 年冯秉文编的《全国图书馆书目汇编》，著录了 1949—1957 年全国各图书馆所编辑的以及当时正在编辑和即将编辑的单行本书目 2300 多种。《津图学刊》从 1984 年起陆续发表《中国书目编年》（1949—1982）。

2.3.2.2 从二次文献中选择文献

从二次文献中选择，直接获取原始文献线索，在书目中根据提要或注释选定文献；在索引中，主要是从篇目索引中选取论文篇目；在文摘杂志中，根据文摘来选定文献。

2.3.2.3 从文后参考文献中选择文献

文后参考文献本身是经过作者挑选的有价值的文献，从中选择文献，一般根据参考文献与被参考文献的关系来判定。

2.3.2.4 从书评及书评杂志中选择文献

书评是选书的一个重要依据。因为书评已经过了书评家的鉴别和挑选，被评图书一般是各学科某一时期的最新核心著作。正如约翰·伍德指出的"由于 80 年代学术书刊的爆炸性增长，书评不仅使人们节省大量时间，而且成了不可或缺的东西"。

书评杂志是图书馆选书的重要工具。根据塞里布赖克的研究，1972—1974 年，美国新泽西、伊利诺伊、密歇根三个州 82 所中型图书馆，在选书特别是有争议图书的过程中，主要依据是美国的六种书评刊物，其利用情况是：

Library Journal——NY：Bowker，1876—. 半月刊，每年 22 期，发行量达 2.6 万份。其书评栏按类编排，有著者和书名索引。还有期刊的评论。1967 年起将每年出现在本刊上的书评汇集在一起，称 Library Journal Book Review，利用率 100%。

Booklist——Chicago：ALA，1905—. 半月刊，是一份历史悠久、质量很高的书评刊物，面向中小型公共图书馆和学校图书馆的选书工作。1956 年将 "*subscription books bulletin*"（预订书通报）并入。1983 年改称 "*reference books bulletin*"，利用率 99%。

New York Times Review of Books——《纽约时报》每周日出版的一个附刊，单独发行，发行量 168 万份，每年发表书评约 2500 篇，利用率 99%。

Publishers Weekly——1871 年由弗雷德里克·利波德创刊，每年评论新书 4000 种，利用率 96%。

Kirkus Reviews——利用率 90%。

Choice——Chicago：ALA，1964—. 是 ALA 下设的大学与研究图书馆协会（ACRL）出版，发行量 5000 册左右。每年 11 期。侧重发表纯学术性著作尤其是大学出版的学术著作的书评。适用于院校图书馆和中等公共图书馆的选书。有专门的工具书、期刊、非印刷型出版物的书评栏目，每年 5 月号有 "outstanding academic books"，利用率 76%。

1975 年美国出版商协会和 ALA 在一项联合研究中指出："出版商和图书馆工作者一致认为，对图书馆选书的影响，任何其他因素都比不上书评。"

除利用国内外的书评报刊外，还可利用以下书评检索工具：

Book Review Digest——NY：Wilson，1905—；

Book Review Index——Detroit：Gale. 1965—；

Current Book Review Citation——NY：Wilson，1976—1983；

A Guide to Book Review Citation：*A Bibliography of Sources*——Columbus：Ohio State Univ. Pr. 1969；

Internationale Bibliographie der Rezensionen Wissenschaftlicher Literatur——Osnabruck：F. Dietrich Uerlag. 1971——。

2.3.2.5　从图书馆藏书选择文献

（1）接受咨询与图书馆教育，了解并熟悉馆藏

大学图书馆一般备有教育读者如何使用图书馆的课程：初级的图书馆入门（library orientation）；高级的图书馆教育（library education）或书目指导（bibliographic instruction），通过这些课程了解并熟悉馆藏。

（2）通过阅览选择文献

读者进入图书馆，阅读的过程首先要选择文献。同时，在阅览室也可以通过浏览书架、翻阅报刊，从浏览和阅读中选择文献。

（3）通过图书馆目录选择文献

从确定选择目标到选择途径到检索点，都是不断地进行选择。

2.3.2.6　个人知见

个人知见分为两种：一种是有目的知见，即有意识地通过咨询、浏览等方法选择所需要的文献；另一种是无目的知见，这种知见具有随机性，也包括无意中的偶然发现，如在机场、车站等候期间逛书店、发现旁边乘客阅读的文献等。

第3章　阅读指导与书评

读书使人充实，讨论使人机智，笔记使人准确。
Reading maketh a full man；conference a ready man；and writing an exact man.

——弗兰西斯·培根

关于阅读，有无数的名人名言。被广泛引用且最令人获得启示的名言首先要提到文艺复兴时期伟大的哲学家弗兰西斯·培根（Francis Bacon）的《论读书》（*Of Studies*）。他的关于阅读的原理与方法充满了哲人的智慧，至今仍然具有阅读学的方法论意义。今天，几乎所有的阅读论著都要从阅读的重要性开始，正如新西兰语言学家 Steven Roger Fischer（2009）在《阅读的历史》（*A History of Reading*）前言所说，"古往今来，不论长幼，谁都无法否认它的重要性。对于古埃及的官员来说，这是'水上之舟'；对于四千年之后心怀志向的尼日利亚小学生来说，这是'投射到幽暗深井里的一缕光'；对于我们大多数人来说，它永远是文明之声。"目录学既然是关于读书的学问，就一定对于社会的阅读、家庭的阅读和个人的阅读发挥应有的作用。阅读指导方法与书评方法是目录学的重要内容。

3.1　阅读社会与阅读推广

阅读不仅仅是个人的，也是社会的，阅读是一个社会现象，也是一个文化现象。为促进阅读社会的形成与发展，阅读推广扮演着重要的角色。

3.1.1　阅读社会

3.1.1.1　阅读的功能

阅读具有知识与信息功能。阅读是人类获取知识与信息的一种特有方式。阅读因人类的知识与信息需求而生，阅读过程正是满足这种需求的过程，阅读早已成为人们获取知识与信息的最重要的手段。传统阅读获得的是纸质文本知识，而数字阅读获得的是数字文本知识和数字媒介信息。

阅读具有交流功能。阅读是阅读主体与阅读客体之间的一种对话与交流。王余光认为：阅读是阅读主体（读者）与文本（可以是一本书，也可以是整个宇宙）相互影响的过程。阅读是人类的一种认知过程。人们通过阅读来探索求知，创造自我。人们在阅读中，会受到文本的影响，这已被人类长期阅读的实践所证实；同时，人们对文本的不同理解，也影响着人们对文本的认识和理解（王余光，2002）。从个体的阅读看，阅读是主体与客体的交流，但从整体的社会阅读看，阅读是人与人、群体与群体之间的交流。

阅读具有创造功能。阅读是在文本的基础上进行的再创造，是另一种创作或写作方式。苏联作家爱伦堡（Илья Григоръенич Эренбург，1891—1967）说："读书是一种创作的过程。当读者阅读长篇小说时，就在完成与作家类似的工作，因为读者能以想象力来充实小说的内容。若要做到这一点，还须依靠读者个人生活的阅历。"

阅读具有文化功能。阅读是一种文化。阅读既是个人的，也是社会的。个人的阅读伴随着人的一生，与人的发展休戚相关，因而打上了人生的烙印。社会的阅读是社会群体的行为，与一个时代的政治、经济、科学、教育乃至社会生活的方方面面相关，不同时代、不同地区、不同群体的阅读呈现了社会化的特征。文化从一个时代向另一个时代传承可以通过阅读来实现；文化从一个地区向另一个地区传播也可以通过阅读来实现。从一定意义上，阅读推动着文化的继承与发展。

阅读具有教育功能。苏联教育家苏霍姆林斯基（Василий Александлрович Сухомлинский，1918—1970）说："我的教育信仰之一，就是无限信仰书籍的教育力量。"

阅读具有政治功能。阅读不能脱离政治环境，阅读对于政治也会发挥一定的支持作用。"读书不仅仅是为了娱乐和消遣。在反击阿道夫·希特勒的'意识形态之战'时，图书也是最为重要的战器"①，这是曼宁（Manning）所说的战争中阅读的特殊作用。在第二次世界大战诺曼底登陆的等待过程中、在太平洋地狱般的战壕里、在医院、在飞行着的轰炸机上……士兵们都在读军供版图书，并给作家寄去洋洋洒洒的读后感，而很多作家都会认真回复每一封来信。

在美国军供版图书中，有一部编号为 968（BB 系列）的中国作家老舍的《骆驼祥子》，英文书名为 Rickshaw Boy，译者为 Evan King，出版于 1945 年 12 月。"整个战争期间，军供版图书为精疲力竭、疲乏困顿的战士提供了精神依托，一再得到印证——那些依赖这些书的人们很少有觉得失望。1944 年夏天到了，协会提供振作士气的图书这一使命变得前所未有的重大。盟国准备发动一场精心策划、等待已久的反攻战"②。的确，第二次世界大战的欧洲，阅读是另一个战场，它有

---

① 〔美〕曼宁. 2017. 当图书进入战争 [M]. 犹家仲，译. 桂林：广西师范大学出版社.
② 同①.

力地抗击了德国的焚书恶行，也为美国军人提供了精神力量。所以，Manning 给他的书取了个副标题"美国利用图书赢得二战的故事"。

阅读图书不仅在战争中发挥作用，在战后仍然发挥作用。美国的亨奇（John B. Hench）2010 年出版的《作为武器的图书：二战时期以全球市场为目标的宣传、出版与较量》（*Books as Weapons：Propaganda，Publishing and the Battle for Global Markets in the Era of World War Ⅱ*）中，有"图书是最持久的宣传工具""用图书解放欧洲"等数章描述了美国出版业如何在战争和战后发挥图书的作用，认为书籍在宣传中扮演的角色与战时相比要重要得多，因为图书作为思想战争的武器，"这一武器是一把双刃剑。每一位宣传者（和书籍历史学家）都知道，书本上的文字既可以用于摧毁也可以用于建构思想，既可以用于攻击也可以用于防御，既可以行邪恶之事也可以推崇高之为。出版的图书可以被热切地接受也可以被无情地抵制"①）。

3.1.1.2　从纸质阅读到数字阅读

阅读从纸质阅读发展到数字阅读源于信息技术的发展和网络世代的兴起。美国数字未来学家 Don Tapscott 的《数字化成长：网络世代的崛起》论述了网络世代（net generation）由广播式学习到互动式学习的 8 种转变：由线性思考转变为电脑媒体的学习；从指导到构建和发现；从以老师为中心到以学习者为中心的教育；从吸收内容到学习如何探索、如何学习；从学校到终身学习；从一体适用到量身定做的学习；从痛苦的学习到快乐的学习；老师从传播者到协助者的角色。

数字阅读（digital reading）是数字化社会基于数字文本知识和数字媒介信息获取的一种阅读活动和文化现象，涉及电子阅读、网络阅读、虚拟阅读、泛在阅读、屏幕阅读、数字媒体阅读等相关概念。数字阅读表现为阅读的数字化，具体包括：一是阅读对象的数字化，也就是阅读的内容是以数字化的方式呈现的，如电子书、网络小说、电子地图、数码照片、博客、网页等；二是阅读方式的数字化，就是阅读的载体、终端不是平面的纸张，而是带屏幕显示的电子设备，如 PC 电脑、PDA、MP3、MP4、笔记本电脑、手机、阅读器等。与传统的纸质出版物相比，数字化电子出版物具有存储量大、检索便捷、便于保存、成本低廉等优点。

数字阅读的基本特征有 5 个方面：一是数字化。主要表现为阅读内容的数字化呈现，阅读载体的数字化工具依赖，以及阅读方式的数字化形态，是数字阅读

---

① 〔美〕亨奇. 2016. 作为武器的图书：二战时期以全球市场为目标的宣传、出版与较量［M］. 蓝胤淇，译. 北京：商务印书馆.

区别于传统阅读的本质特征。二是媒体化。主要表现为多媒体环境、全媒体环境，以及受自媒体时代媒体文化的强烈影响，是数字阅读的时代特征。三是动态化。传统的纸本阅读以"静"为主要特征，阅读对象是静态的纸张、静态的文字和图像及其他静态符号。而数字阅读充分体现"动"感，阅读的对象是动态的屏幕、动态的文字、图像及其他符号，读者可感受到符号的流动。这是数字阅读不同于传统阅读的最鲜明的特征。四是交互化。读者与作者的交流互动在传统阅读中非常困难，但这正是数字阅读的突出优势。数字阅读能够实现读者与作者的双向互动、即时交流，有利于知识自由与知识共享。五是体验化，传统阅读除了阅读环境的改变，无法实现阅读内容与形式的不断变化，而数字阅读通过相关技术设备，实现阅读过程中人的各种体验，将阅读内容融入场景之中，从体验中获得历险、愉悦、成就感等阅读感受。

数字阅读还具有发展性。在数字阅读时代，以电脑阅读、手机阅读、电纸书阅读为主体，新型多样化的阅读载体和工具、平台不断产生，表现为多媒体、立体化、交互性、体验性、多变化阅读等发展趋势，阅读习惯从"阅读"发展为"倾听"（吴志攀，2004），数字阅读将阅读从狭义推向了广义，与学习、信息、知识、创新等的边界越来越模糊。

3.1.1.3 阅读的社会组织

1956 年，当时的国际阅读教学改进协会（ICIRI）与全美补习教育协会（NART）合并整合为国际阅读协会（International Reading Association，IRA），成员由教师、阅读专家、顾问、行政人员、视导员、研究人员、心理学家、图书馆员和家长组成，旨在提升识字率，使每个人拥有阅读的能力，进而促进人们的终身学习。IRA 出版期刊有：《阅读教师》（*The Reading Teacher*，1956 年创刊）：对象是教导 12 岁以下学生的老师；《青少年与成人读写能力期刊》（*Journal of Adolescent & Adult Literacy*，1964 年创刊）：对象是教导年纪较大学习者的老师；《阅读研究季刊》（*Reading Research Quarterly*，1965 年创刊）：出版有贡献的读写研究。还出版有西班牙文期刊"*Lectura y vida*"（1979 年创刊）和电子期刊"*Reading Online*"（1997 年创刊）等。

推动儿童阅读早已引起社会重视。1953 年，由德国记者杰拉·莱普曼发起，在瑞士苏黎世成立了旨在"通过高品质书促进国际理解，维护世界和平"的公益组织——国际儿童读物联盟（International Board on Books for Young People，IBBY）。1967 年，IBBY 将每年的 4 月 2 日定为国际儿童图书节（ICBD），这一天是丹麦儿童文学大师安徒生的生日，从此每年确定一个举办国家和主题。

3.1.2 全民阅读

3.1.2.1 国际上的全民阅读

全民阅读起源于 UNESCO 的推动，1972 年被确定为"国际图书年"，1982 年提出了"走向阅读社会——80 年代的目标"项目。1995 年，国际出版商协会在第 25 届全球大会上提出"世界图书日"的设想，并由西班牙政府将方案提交 UNESCO。1995 年，UNESCO 宣布将每年的 4 月 23 日定为"世界图书与版权日"（world book and copyright day），也称为"世界读书日"，旨在全球范围内倡导阅读，提出让世界上每一个角落的每一个人都能读到书的口号。1616 年 4 月 23 日是西班牙著名作家塞万提斯和英国著名作家莎士比亚的辞世纪念日。莎士比亚曾经说过："生活里没有书籍，就好像没有阳光；智慧里没有书籍，就好像鸟儿没有翅膀。"

1997 年，UNESCO 总干事和埃及文化部长签署了关于发起国际"全民阅读"（reading for all）项目的备忘录。2001 年，UNESCO 又发起"世界图书之都"（world book capital）计划。

UNESCO 的调查表明，以色列人均拥有图书馆和出版社的数量居世界之首。在冰岛人们以阅读消磨时光，2004 年 12 月，只有 24 万人口的冰岛就销售了 40 万册书，平均每个人在一个月里买了近 2 本书，创世界最高纪录。在法国调查显示 2004 年，24% 的法国人读了 12 本书，55% 以上的人读书 1 至 12 本。以人口计算，平均每人读书 11 本。在日本，有近六成的人热爱读书，2005 年，日本读卖新闻社对全国的读书情况做了一次调查，结果显示：每天读书 1 个小时的占 14%，读书半个小时的占 19%，读 20 分钟的占 10%，读 10 分钟的占 9%，不读书的占 27%。在日常生活中，想多读一些书的人有一半以上，占 64%。

3.1.2.2 中国的全民阅读

1997 年 1 月，中共中央宣传部、文化部①、国家教育委员会②、国家科学技术委员会③、广播电影电视部④、新闻出版署⑤、全国总工会、共青团中央、中华

---

① 现为文化旅游部。
② 现为教育部。
③ 现为科学技术部。
④ 现为国家广播电视总局。
⑤ 原国务院直属机构，根据有关规定，国家新联出版署在中共中央宣传部加挂牌子，由中共中央宣传部承担相关职责。

全国妇女联合会等 9 个部委共同发出了《关于在全国组织实施"知识工程"的通知》，提出了实施"倡导全民读书，建设阅读社会"的"知识工程"。2000 年，该小组将每年的 12 月规定为"全民读书月"。2004 年，"全民读书月"活动交由中国图书馆学会负责承办。2006 年 4 月，中共中央宣传部等 11 个部委借 4 月 23 日"世界读书日"之机共同倡导全民阅读。2007 年 4 月 23 日"世界读书日"，中共中央宣传部、中央文明办、新闻出版总署、中华全国总工会、共青团中央等 17 个部门联合发出了开展以"同享知识，共建和谐"为主题的全民阅读活动倡议。2009 年，中共中央宣传部、新闻出版总署联合印发《关于进一步推动做好全民阅读活动的通知》。旨在进一步推动全民阅读活动的开展，在全社会形成"多读书、读好书"的文明风尚。

2009 年 4 月 23 日，时任国务院总理温家宝在国家图书馆参加"世界读书日"活动时说："读书决定一个人的修养和境界，关系一个民族的素质和力量，影响一个国家的前途和命运。一个不读书的人、不读书的民族，是没有希望的""读书可以给人智慧，可以使人勇敢，可以让人温暖"。

2014 年，"全民阅读"首次写入全国人大会议的政府工作报告。到 2022 年，已连续九次写入政府工作报告。政府工作报告中对于全民阅读的提法如下：2014 年"促进基本公共文化服务标准化均等化，发展文化艺术、新闻出版、广播电影电视、档案等事业，繁荣发展哲学社会科学，倡导全民阅读"。2015 年"提供更多优秀文艺作品，倡导全民阅读，建设学习型社会，提高国民素质"。2016 年"深化群众性精神文明创建活动，倡导全民阅读，普及科学知识，弘扬科学精神，提高国民素质和社会文明程度"。2017 年"大力推动全民阅读，加强科学普及"。2018 年"倡导全民阅读，建设学习型社会"。2019 年"倡导全民阅读，推进学习型社会建设"。2020 年"倡导全民健身和全民阅读，使全社会充满活力、向上向善"。2021 年"推进城乡公共文化服务体系一体建设，创新实施文化惠民工程，倡导全民阅读"。2022 年"繁荣新闻出版、广播影视、文学艺术、哲学社会科学和档案等事业。深入推进全民阅读"。

2016 年 12 月，《全民阅读"十三五"时期发展规划》发布，这是中国新闻出版广播电视总局首个针对全民阅读的发展规划。

2017 年 3 月 1 日起施行的《中华人民共和国公共文化服务保障法》第二十七条："各级人民政府应当充分利用公共文化设施，促进优秀公共文化产品的提供和传播，支持开展全民阅读、全民普法、全民健身、全民科普和艺术普及、优秀传统文化传承活动。"

2017 年 6 月，国务院法制办办务会议审议并原则通过了《全民阅读促进条例（草案）》，自 2017 年 6 月起实施。

2018 年 1 月 1 日起实施的《中华人民共和国公共图书馆法》第三条："公共图书馆是社会主义公共文化服务体系的重要组成部分，应当将推动、引导、服务全民阅读作为重要任务"；第三十六条："公共图书馆应当通过开展阅读指导、读书交流、演讲诵读、图书互换共享等活动，推广全民阅读"。

3.1.3　阅读推广

当今世界 85% 的人口（超过 50 亿人）具有读写能力，而在美国，约有 15% 的大学毕业生被认为是功能性文盲①。

阅读推广是阅读推广主体有目的、有组织、有计划地将阅读活动推出去并进一步扩大其影响力的过程与方式。阅读推广主体既包括政府和行政管理机构，也包括图书馆、出版社、新闻媒体、学校、企事业单位及其他各种社会团体。阅读推广的意义在于宣传阅读活动，提升阅读活动的社会影响力。通过阅读推广让更多的人了解阅读活动，参与到阅读活动中来，进而提高公众素质。

阅读推广有明确的推广对象。通常要划分阅读等级，划分阅读等级有很多种方法，要根据不同需要进行筛选，选择适合阅读推广活动的划分方法选择阅读等级，进行阅读推广，以提高阅读推广的效果。按照年龄层次进行划分，有幼儿阅读、少儿阅读、青年阅读、成年阅读和老年阅读等。

阅读推广的方法很多，主要有：宣传单推广，通过印发有关阅读推广的宣传单，向公众和单位发放。宣传礼品推广，通过向大众发放专门为读者精心制作的礼品如阅读书签、明信片等，或向读者赠送"阅读大礼包"、免费赠阅书刊等方式，进行阅读推广。宣传活动推广，通过组织有关的座谈会、报告会等多种形式，进行阅读推广。新闻媒体推广，通过电视新闻采访、报纸新闻报道、网络媒体合作等多种方式而进行的阅读推广。网络推广，主要是为阅读活动建立独立的网页，让期望参加阅读活动的读者通过访问网页而了解活动的相关信息。手机推广，与手机运营商合作，以手机为载体，开展阅读推广活动。

阅读推广受到时代的影响，在读报时代，报纸的影响力大，其阅读推广的重点在内容而不在形式。19 世纪初，报纸在美国大量扩散，许多公共场所都可以随手取阅廉价的报纸。1839 年，Frederick Marryat 惊奇地发现，在 2600 万人口的英国，出版发行的报纸数量约为 370 份，而在 1300 万人口的美国，报纸数量估计在 9000 到 1 万份之间，美国几乎人手一报。查尔斯·狄更斯 1842 年访美时，曾被美国的印刷品深深震撼，因而在 1868 年的小说《马丁·朱述尔维特的生活

---

① 〔新西兰〕费希尔. 2009. 阅读的历史［M］. 李瑞林等，译. 北京：商务印书馆.

与冒险》（*The Life and Adventure of Martin Chuzzlewit*）中，以众多叫喊声沙哑的纽约报童，作为其对美国最深刻的第一印象，"看今早新闻，纽约缝纫工！"一个报童喊道，"看今早新闻，纽约刺客！看纽约家族间谍！看纽约私家窃听者！看纽约内幕报道记者！看纽约无聊日记！看所有的纽约报纸！"到20世纪初期，美国报纸仍让荷兰历史学家 Huizinga（1972）的美国之行震撼，他后来写道："成千上万的人，每天在用早餐、坐地铁、乘火车和电梯时，随意地读着报纸，其实就是在进行一种……仪式。文化的镜子从报纸上照着他们。"

数字时代，阅读的载体复杂多样，读者对于阅读内容和形式有更多的选择机会，阅读与阅读推广在整体上发生了革命性的变化。在技术影响下，碎片化数字阅读和交互式虚拟阅读推广迅速发展；即使是传统的纸质阅读也发生了许多改变，阅读与阅读推广呈现出信息化、数字化、场景化等新的特征。网络世代特别是数字原住民不再像报纸世代、电视世代那样从头到尾顺序逻辑式阅读以及一字一句地"啃书本"式的通读与精读，而是表现了浏览、选读和跳跃式阅读，这种变化下，阅读推广必须针对读者的个性化特征，将不同类型的读者与不同类型的载体进行匹配，如读历史小说与历史条约、读侦探小说与法医学手册，读者与书本内容的有效结合。读者在阅读中更多地表现为提取信息，而且，情景对阅读与阅读推广施加越来越大的影响，阅读被书籍的设计师所安排、引导，包括纸张重量、装订、封面、字体大小及编排等都会影响阅读与阅读推广过程。正如 John Seely Brown 和 Paul Duguid 所说："实际上，人们读一本有形的书是为了读取其中的信息。外围的东西则指导我们如何去获取精华。语境（context）决定了内容"[①]。

3.2　书　与　人

书是阅读的一个客体或对象，阅读作为一个过程将读者与作者紧密地连接在一起，这是人与人、人与媒介、媒介与媒介之间的一种对话与交流，既有同时空的，也有跨时空的。将人的要素放在阅读情景中，阅读中的文字便"活"了起来，阅读中便可以感受到各种角色、各种声音、各种情感以及各种隐含的意义。

3.2.1　认识作者

3.2.1.1　什么是作者

从文献生产的角度，作者与生产方式有关。早期文献生产方式有"作"

① 〔美〕布朗，〔美〕杜奎德. 2003. 信息的社会层面 [M]. 王铁生，葛立成，译. 北京：商务印书馆.

"述""论"三种，《礼记·乐记》："知礼乐之情者，能作。识礼乐之文者，能述。作者之谓圣，述者之谓明。"司马迁《史记·太史公自序》："余所谓述故事，整齐其世传，非所谓作也，而君比之于《春秋》，谬矣"，认为自己所做的属于"述"而非"作"。王充在《论衡·对作篇》中说："或曰'圣人作，贤者述。以贤而作者，非也。《论衡》《政务》，可谓作者。'曰：[非]作也，亦非述也，论也。论者，述之次也。《五经》之兴，可谓作矣。太史公《书》、刘子政《序》、班叔皮《传》，可谓述矣。桓君山《新论》、邹伯奇《检论》，可谓论矣。今观《论衡》《政务》，桓、邹之二论也，非所谓作也。造端更为，前始未有，若仓颉作书，奚仲作车是也。《易》言伏羲作八卦，前是未有八卦，伏羲造之，故曰作也。文王图八，自演为六十四，故曰衍。谓《论衡》之成，犹六十四卦，而又非也"（王充，1974）。王充将自己的《论衡》归为"论"，以别于"作"和"述"。由此，张舜徽将古代文献分为著作、编述和抄纂三大类。著作将一切从感性认识所取得的经验教训，提高到理性认识以后，抽出最基本最精要的结论，而成为一种富有创造性的理论。编述则将过去已有的书籍，重新用新的体例，加以改造、组织的工夫，编为适应于客观需要的本子。抄纂将过去繁多复杂的材料，加以排比、撮录，分门别类地用一种新的体式出现。"三者虽同为书籍，但从内容实质来看，却有高下浅深的不同"（张舜徽，2011）。

从著作权的角度，作者是著作权保护的原始主体。著作权法意义的作者必须具备四个条件：一是必须具有创作能力；二是必须从事创作活动；三是有作品产生；四是符合法律法规的规定。这里的"作品"是指受著作权保护的客体。

根据《中华人民共和国著作权法》（2020年11月11日第十三届全国人民代表大会常务委员会第二十三次会议第三次修正），受著作权保护的作品是指文学、艺术和科学领域内具有独创性并能以一定形式表现的智力成果，具体包括9大类：文字作品，口述作品，音乐、戏剧、曲艺、舞蹈、杂技艺术作品，美术、建筑、摄影作品，视听作品，工程设计图、产品设计图、地图、示意图等图形作品和模型作品，计算机软件，符合作品特征的其他智力成果。

综合来看，文献的作者大体上可分为三大类。

以著述为主的作者：著者、撰者、撰写者、口述者、纂修者、笺注者、注解者、解说者、编著者、主编（主持编写）者、评论者、评点者等。

以翻译为主的作者：译者、编译者、摘译者。

以汇编为主的作者：编者、编制者、编纂者、编辑者、汇辑者、主编（主持汇编）者、整理者等。

3.2.1.2　认识作者的途径

阅读不仅要读"书"，也要读"人"，即了解作者。只有全面深入地熟悉与理解作者的创作，才算是真正的阅读。

阅读一开始了解作者，可从书上所附的作者介绍了解作者。但并非所有图书都有作者介绍。认识作者的有很多方法，最简单最常见的是通过辞书了解作者。

图书的作者如果是历史人物或当代著名人物，都可以查寻人物辞典或相关工具书获得关于作者的资料。除《辞海》外，专门的人物辞书有《中国人名大辞典》（臧励和编）、《中国历史人名大辞典》（张炜之等主编）、《中国近现代人名大辞典》（李盛平主编）、《中国人名大辞典·当代人物卷》（上海辞书出版社出版）、《中华人物辞海·当代文化卷》（中国国际广播出版社出版）、《外国人名辞典》（上海辞书出版社）、《世界科技人名辞典》（广东教育出版社）、*Webster's New Biographical Dictionary*、*Chambers Biographical Dictionary*、*Marquis Who's Who in the World*、*Who's Who* 等。各学科的人物辞书如《中国文学家大辞典》《中国美术家辞典》《世界法学名人词典》《当代经济科学学者辞典》《体育名人辞典》《诺贝尔获奖者辞典》《文学传记词典》《科学家传记大辞典》等。各区域的人物辞书如《世界华侨华人词典》（北京大学出版社出版）、《中国留学生大辞典》（南京大学出版社出版）、《上海中外名人大辞典》（上海翻译出版社出版）、《四川历史文化名人辞典》（四川文艺出版社出版）等。

认识作者，要注意人物别名和同姓名问题。有的作者有字、号、笔名、别名等，可利用陈乃乾编《室名别号索引》、陈德芸编《古今人物别名索引》、陈玉堂《中共党史人物别名录》等。

古代作者多称字号，字往往是名的解释和补充，字与名相表里。如屈原，名平，字原，《离骚》自述"名余曰正则兮，字余曰灵均"，正则就是平，灵均就是原。名和字既有意义相同，也有意义相反。

现代文学作家笔名较多，曾健戎等编《现代文坛笔名录》可供查寻。现举几例如下。

1918 年"鲁迅"——鲁迅（1881—1936）原名周樟寿，后改名周树人，字豫才，1909 年留学日本回国，1918 年 5 月第一次用笔名"鲁迅"在《新青年》杂志上发表他的第一篇白话小说《狂人日记》，自此至 1926 年，陆续创作出版了小说集《呐喊》《彷徨》，散文诗集《野草》，散文集《朝花夕拾》，杂文集《坟》《热风》《华盖集》《华盖续集》等。其中，1921 年 12 月发表的中篇小说《阿 Q 正传》是中国现代文学史上的杰出作品之一。如果要进一步了解他的笔名发表作品的情况，可查找李允经编的《鲁迅笔名索引》（四川人民出版社 1980 年版）。

1919 年"冰心"——冰心（1900—1999）原名谢婉莹，1919 年 9 月以"冰心"笔名发表第一篇小说《两个家庭》。此后写出《斯人独憔悴》《去国》《庄鸿的姊姊》等问题小说，1923 年出版《繁星》《春水》。散文有《往事（一）》

《往事（二）》《冰心散文集》《寄小读者》等。

深阅读或者研究性阅读更要深入了解作者，获得作者更多的资料，如年谱、著述年表或著作者、人物传记资料等，将这些材料进行整理、比较与分析，得出关于作者的系统认识。进一步，将作者与作品联系起来，在阅读的基础上思考新知识、探索新发现，研究新问题。

任何一部书的写作都有一个从创作、成稿到发表的过程。一方面，从作者创作或写作的全过程，了解作者的全部著作，掌握作者的著述族系或知识图谱。例如，被誉为西方经济学"圣经"的《国富论》（*The Wealth of Nations*）的作者包括原作者和翻译者。

《国富论》全称为《国民财富的性质和原因的研究》（*An Inquiry into the Nature and Causes of the Wealth of Nations*），原作者是经济学之父亚当·斯密（Adam Smith，1723—1790）。1776 年初版。这本书出版后被翻译为十几种文字，中文有很多译本。第一个中文译本是翻译家严复的《原富》。郭大力和王亚南译本名为《国民财富的性质和原因的研究》（上下册）由商务印书馆 1972—1974 年第一版，纳入"汉译世界学术名著丛书"。

另一方面，从与作者相关的人物，了解作者的人际交往、学术交往，掌握作者的学术谱系或交往"朋友圈"。

以《围城》为例，如果仅从搜索引擎或网上检索，虽然能找着大量信息，但并不一定都准确。网上有关《围城》和该书作者的介绍很多，如百度百科词条为"围城（钱钟书著长篇讽刺小说）""围城——钱钟书所著长篇小说"等，都将作者写成"钱钟书"。但如果按上述权威的辞书途径，很容易找到有关该书作者的准确信息"钱锺书"。《辞海》（2009）中除介绍他的字号（字默存，号槐聚）和笔名（中书君）外，还介绍了他的主要经历和主要作品，"文学作品有散文集《写在人生边上》、短篇小说集《人、兽、鬼》、长篇小说《围城》。学术著作《谈艺录》、《管锥编》（5 卷），旁征博引，探幽入微，对中西诗论、文论，以及中西文化有深入研究。另有《宋诗选注》在诗评和注释上颇多创见"。按照这些线索，进一步通过更多的工具书和参考资料可以更全面深入地了解作者。

钱锺书（1910—1998）和夫人杨绛的爱情婚姻一生，读书写作一世，皆成学术界的佳话。他们的女儿钱瑗生于 1937 年 5 月，1959 年北京师范大学英语系毕业后留校任教，是一位有名的英语语言文学教授，不幸于 1997 年 3 月病逝。读杨绛著《我们仨》，一定会增加对这个家庭的深入了解和理解。

1938 年 8 月，钱锺书一家在战乱中回到祖国，钱锺书去了西南联大任教。钱锺书在西南联大的学生很多都是著名的学者，他的学生许渊冲在《钱锺书先生百年诞辰纪念文集》中说：

钱先生对我们这代人的影响很大，指引了我们前进的道路。他在联大只有一年，外文系四年级的王佐良学他，去英国牛津读了文学士学位；杨周翰跟踪，学了比较文学，成为国际比较文学会副会长；李赋宁听了他的文学概论，主编了《英国文学史》；许国璋学他写文章，讲究用词，出版了畅销全国的英语读本；三年级的周珏良做过外交部翻译室主任；查良铮（穆旦）翻译了拜伦和雪莱的诗集；二年级的吴纳孙（鹿桥）在美国华盛顿大学任教，出版了回忆联大的《未央歌》；一年级的我出版了唐诗宋词的英法译本；还有工学院的状元张燮，理学院的状元杨振宁……钱先生考试时要我们写作文，论"世界的历史是模式的竞赛"。我看联大的历史也可说是人才的竞起，不少人才受过钱先生的教诲，是他在茫茫大地上留下的绿色踪迹（许渊冲，2015）。

据此，就可以建立起《围城》作者钱锺书的西南联大师承谱系。

从《钱锺书传》中，还可以了解到《围城》初版问世便招致文艺界的种种批评，直到 1981 年，还有人在香港《明报》上说它是"完全失败之作"。自从夏志清《中国现代小说史》给予"是中国近代文学中最有趣的最用心经营的小说，可能是最伟大的一部"高度评价后，其价值逐渐得到公认，并产生巨大影响。了解作者，了解那个时代，再读《围城》，会有更多不同的感受，并激发思考与评论。

3.2.1.3　作者献辞

图书中的献辞页往往不被人注意和重视。当打开一本书阅读中，人们常常去读它的序言或目录，错过了序言和目录之前的献辞页。献辞页是一书真正的首页，是作者最想呈现给读者的心声。当然，并不是所有的图书都有献辞页。献辞页文字很少，主要是表达作者将此书献给谁。在献辞页之后，一般还有"致谢"（acknowledgments）部分，大部分情况下，两者并不重复和对应，两者的作用不同，前者是作者的献书，但并没有直接说明原因；后者是作者的感谢，感谢写作与出版过程中提供帮助和支持的个人与组织，有具体详细的说明。常见的献辞页有三种类型。

第一类是献书给父母。

有的书专门献给父亲，如美国作家、历史学家 Colin Woodard 2012 年出版的《美国历史》（*American Nations：A History of the Eleven Rival Regional Cultures of North America*），作者在献辞页上写道：

For my father,

James Strohn Woodard,

who taught me to read and write

有的书专门献给母亲，例如，1988 年，杨威理著《西方图书馆史》由商务印书馆出版。作者在献辞页上写道：

谨以此书
献给祖国宝岛的一位普通妇女
——我亲爱的母亲

作者杨威理 1925 年生于中国台湾淡水，求学于大连三中、日本仙台第二高等学校、日本仙台东北帝国大学医学部、台湾大学医学院、北京大学法学院经济系等，1948 年到解放区，1949 年任中共中央编译局图书馆馆长。

第二类是献书给家人。

作者献辞家人，包括父母、丈夫或妻子、儿女、兄弟姊妹等。如波士顿 Isabella Stewart Gardner 博物馆的 Diana Seave Greenwald 在 2021 年出版的《数字绘画：数据驱动的十九世纪艺术史》（*Painting By Numbers：Data-Driven Histories of Nineteenth-Century Art*）献辞页上写道 "For my family"。

Wayne A. Wiegand 著《美国公共图书馆史》（*Part of Our Lives：A People's History of the American Public Library*）2015 年出版[1]，作者在献辞页上写道：

献给希尔：
她给了我一个爱的世界
没有她，我永远无法发现这一世界。
2015 年 6 月 19 日
是我们结婚五十周年纪念日

2015 年出版的一部《温柔的正义：美国最高法院大法官奥康纳和金斯伯格如何改变世界》（*Sisters in Law：how Sandra Day O'Connor and Ruth Bader Ginsburg went to the Supreme Court and changed the world*）[2]，作者在献辞页上写道：

献给我的姐姐，朱迪思·R. 科伦，1948 年开始启蒙我阅读，一直陪伴我的成长；

献给我的女儿，费城律师莎拉·夏皮罗，还有我的外孙女西尔维和悉尼，感恩她们生活在一个新世界。

作者 Linda Hirshman 是一名律师及文化历史学家，她曾撰写《胜利：同性恋权利运动奏凯》等多部著作。她在芝加哥法学院获得应用法律博士学位，在芝加哥伊利诺伊大学获得哲学博士学位，在布兰迪斯大学教授哲学和女性研究课程。她的作品曾多次在《纽约时报》《华盛顿邮报》《Slate 杂志》《美国政治新闻网》

---

① 中译本由谢欢、谢天译，国家图书馆出版社 2021 年版。
② 中译本由郭烁译，中国法制出版社 2018 年版。

《新闻周刊》《每日野兽新闻周刊报》《美国沙龙网络杂志》等平台上发表。

第三类是献书给亲朋好友。

作者献辞亲朋好友，不限于家人，包括师长、同事等。如 1996 年 Annie Brookings 著《第三资源：智力资本及其管理》（*Intellectual Capital*）。作者在献辞页上写道：

本书献给支持和鼓励他人取得成功的师长们，尤其是：海伊斯博士、彼德·马雷、约翰·贝尚博士、卡洛琳·莫里斯、安托尼·狄克、我的母亲玛格丽特，以及我的丈夫安德鲁。

在献辞页之后，还有专门的"致谢"部分："我要向所有在我的研究和本书写作过程中给予帮助的人致谢。……最后，我要感谢我的丈夫安德鲁——我现在能帮忙种马铃薯了！"这里，献辞页与"致谢"部分有所关联，重复提到了感谢丈夫。

3.2.1.4　作者与作品

充分认识作者，有利于更好地了解作品。但是仅仅为了阅读一部著作，了解其作者是不够的，还要将作者与作者、作品与作品建立知识网络，才能将认识作者和作品这条线以及一个面向立体化发展。

例如，阅读《柳如是别传》，就要了解其作者、著名的清华四导师之一的陈寅恪（1890—1969），还要了解这部著作的创作过程及相关情况。陈寅恪在国立西南联合大学任教时，一日读报得知有鬻书者，便驱车前往，但所售书皆劣陋之书，无一可取。见鬻书者十分殷勤，便问是否有他物可售，鬻书者拿出一粒红豆，说是旅居常熟白茆港钱氏故园时，拾得园中红豆树所结子一粒，愿奉赠。陈寅恪遂付重金购归，藏于书箧二十年之久。钱谦益与柳如是的故事历来成为美谈，清顺治十八年（1661 年），红豆山庄的红豆树在柳如是嫁给钱谦益二十年后开花结子，柳如是采得一粒为钱谦益八十祝寿，钱谦益感动之下作《红豆诗》十首，并属人和之。自此后百年间，以红豆树为题的诗文不绝。1964 年，陈寅恪作《红豆诗》，序云："昔岁旅居昆明，偶购得常熟白茆港钱氏故园中红豆一粒，因有笺释钱柳因缘诗之意，迄今将二十年，始克属草。"这便是他写作《柳如是别传》的缘起。陈寅恪在中山大学任教写作，1954 年开始撰写《钱柳因缘释证稿》，后才改名为《柳如是别传》，写至 1964 年，此时已 75 岁。其间又遭受眼病痛苦，著此书之不易可想而知。

将《柳如是别传》的相关人物与故事与陈寅恪建立起关联，使作品的相关知识与信息立体化了。在此基础上，进一步了解陈寅恪的学术谱系，了解他的经历和学术思想等情况，以及了解他的其他著作。加上对相关问题的发现与思考，建构起阅读《柳如是别传》的知识簇，这才是真正的阅读。

3.2.2 畅销书阅读

3.2.2.1 什么是畅销书

"畅销书"（best sellers）的前身是"热门书"。1895 年，书商杂志 Bookman 开始编制《热门书目》（*Books in Demand*），它收集美国大都市图书销售情况。"畅销书"一词于 1910 年方为社会所接受。据《韦氏新世界大词典》的解释，畅销书是同类书籍中销售量最高者。由这一定义延伸为三个含义：在何处销售量最高，在任时销售量最高，销售量最高情况维持多久。

3.2.2.2 畅销书的历史

早在 17 世纪，西方畅销书集中在宗教、伦理教育和行为训练方面。

宗教（religion）：1662 年问世的《世界末日的来临》初版 1800 册一年内全部售出，售出册数约占当时新英格兰殖民地人口总数的 3%。目录学家 Charles Evans 指出：在美国开国前一百年间，此书受欢迎的程度，仅次于圣经，而远在其他出版物之上。

行为书（behavior book）：在伦理教育和行为训练方面的畅销书有格里葛医生所写的《一个父亲对女儿们的遗训》以及同时出版的加士德菲伯爵所编《给儿子的信》。

《一个父亲对女儿们的遗训》（*A Father's Legacy to His Daughters*），作者 Dr. John Gregory 是当时名医，并在爱丁堡大学教授物理学。这本书对少女的教训，有许多思想反映出当时的社会风气。书中妙语连珠，如"当一个少女不再因害羞而脸红（blush）时，她丧失了最有效的魅力"；"一个少女不应陷入爱河，那是男性独有的特权"。《给儿子的信》（*Letters to His Son*）由加士德菲伯爵（Lord Chesterfield）所编。书中，接受信函的少年是加士德菲伯爵的私生子，伯爵苦心孤诣，将这一少年教训成一个百分之百的绅士，私生子不幸短命，伯爵随即死亡，私生子遗孀斯丹荷夫人（Mrs. Stanhope）不顾伯爵家族、律师及法院的反对，将私函公开印成专书。

到 18 世纪，畅销书得到发展。

（1）宗教方面的畅销书

英国有两部宗教方面的畅销书。《对未信教者的召唤》（*A Call to the*

Uncoverted）作者是英国传教士 Richard Baxter，此书 30 年内在波士顿一城增版 4 次。其中二版由 John Eliot 译为印第安文，称为剑桥版。《圣徒的最后安息》（*The Saint's Everlasting Rest*）是 Baxter 的成名作，此书在北美未引起热烈反应。

（2）纯儿童文学作品

纯儿童文学作品也开始出现畅销书。《鹅妈妈的故事》（*Mother Goose*）是报人佛力特（Tom Fleet）由于对寺院僧侣的不满，印出此书。初版 1719 年，当时并不太受欢迎。1827 年的蒙罗版（Monroe and Francis edition）开始成为畅销书。《伊索寓言》（*Aesop's Fables*）18 世纪在美国畅销。

（3）少儿读物

少儿读物畅销的有笛福、斯蒂文森、马克·吐温等人的作品。

《鲁滨逊漂流记》（*Robinson Crusoe*）是作者笛福（Daniel Defoe）根据苏格兰水手 Alexander Selkirk 的经历写成。1719 年在伦敦 Heathcot's Intelligence 报连载发表，是第一部在报纸上连载的小说，专书也于同年出版。此书的成功，在于能使读者有一种身历其境的感觉而与书中英雄共享冒险、计划、恐惧和成功的经验。Professor Trent 评其为"最具人性的故事"。此书曾译为各国文字，包括世界语（Esperanto）在内，其最早美国版为 1774 年的 "*The Wonderful Life and Surprising Adventures of Robinson Grusoe, Who lived Twenty- Eight Years on an Uninhabited Island*"。

《金银岛》（*Treasure Islands*）最初以《海上厨师》（*Sea Cook*）为名，在儿童报纸上连载，销售停滞，著者斯蒂文森（Robert Louis Stevenson）及其夫人也以重病卧床不起，幸而儿童报《青年朋友》（*Young Folks*）主编将书名改名为 "*Treasure Islands*"，终于成为畅销书。此书初版于 1883 年。Stevenson 的另一部畅销书《化身博士》（*Dr. Jekll and Mr. Hyde*）在《金银岛》三年后问世，轰动一时。

马克·吐温（Mark Twain）的真名是 Samuel L. Clements。他的三部小说成为畅销书即《汤姆·索亚历险记》（*The Adventure of Tom Sayer*）、《船上的呆子》（*Innocents Abroad*）、《赫克莱培来芬》（*Hudcleberry Finn*）。

（4）悲剧作品

悲剧作品在 18 世纪成为教育青年男女的畅销书。

Samuel Richardson 的两部以训诲少女为目的的畅销书。一部名为《潘麦娜》（*Pamela*）的作品于 1740 年左右在文坛引起轰动。此书以书信体裁叙述一个天真纯洁的十五岁少女 Pamela 的不幸遭遇，她屈身为女佣，机智地抵抗少东 B 先生的染指，但仍陷身魔掌，最后遭遗弃的命运。此书影响极大，引起争论。丹麦名戏剧家 Holberg 说：世界各处的读者，自然地分裂为两大阵营——爱护书中女主角的潘麦娜派（Pamelists）和指责此书内容伤风败俗的反潘麦娜派（Antipamelists）。18 世纪初叶法国曾流行一句口语——La querelle de Pamela。另一部名为《克娜里莎》（Clarissa）。在《潘麦娜》出版后七年问世，女主角 Clarissa 是一名门淑女，家庭背景良好，因此追求者甚众，但 Clarissa 独垂青于一不务正业的花花公子，名为诺夫内士（Lovelace），终于不顾父母反对而相约私奔，最后 Clarissa 羞愧而死。这两部畅销书，《潘麦娜》被形容为有低级趣味之嫌，而《克娜里莎》则被公认为典型的悲剧作品。

罗森夫人（Susanna Rowson）的《夏绿蒂》（Charlotte）1791 年在伦敦出版时并未引起大众注意。三年后在费城另行出版，顿时引起强烈反映。其故事情节为：Charlotte Temple 就读于杜邦夫人 Mme Du Pont 所办的女校，Charlotte 年方十五，娇小玲珑，为一天真纯洁的少女。时有一名叫 Montraville 的军官，看见 Charlotte，惊为天人，乃设法串通教师 Mlle La Rue 小姐加以勾引，Charlotte 年幼无知，不能拒绝诱惑，乃随 Montraville 私奔至美国纽约，不久 Montraville 对其感到厌倦，而与富家女 Franklin Julia 结婚。Charlotte 随即生一女，取名路茜（Lucy），母女流离失所，无以为生，旧识如纳路小姐，此时已成为富豪之奎登上校（Col. Crayton）夫人，也拒绝予以照应，Charlotte 因贫困致死，孤女路茜则由外姐收养。此书副书名为《真实的故事》（A Tale of Truth）。据查，此书中男女主角均有所隐射，Montraville 为当时之上校 Col. Montresor，Charlotte Temple 则为当时名媛 Charlotte Stanley 小姐。Charlotte Stanley 死后，甚至有好事之徒将她的墓碑上 Stanley 字样改为 Temple。

Goldsmith 的《韦克菲尔德牧师传》（Vicar of Wakefield）于 1761—1762 年完成，并于 1766 年出版。作者出身贫寒，生计艰难，此稿仅以 60 英镑价格廉售，书商经售本书致富的却不计其数。该书叙述牧师 Rev. Dr. Primrose 和一家人的故事。和平善良与世无争的牧师遭命运一连串的打击，首先因为朋友经商失败的牵累而破产，长女 Olivia 为人骗婚并遗弃，次女 Sophia 被恶少绑架而去，生死不明，本人更因为人诬告而入狱，住屋为火烧毁，凡人间所能想象到的不幸，似乎都为这一家庭所遭遇，酸辛悲惨令读者不忍卒读。所幸此一冗长悲剧以喜剧收场，Olivia 终于找到理想归宿，Sophia 也回家团圆，牧师全家重新找到人间的温暖。

（5）革命文献

John Dickinson 的《来自宾州农夫的信》（Letters from a Farmer in

Pennsylvania）是保皇维新一派的作品。Thomas Paine 的两部畅销书：《常情常理》（*Common Sense*）鼓吹革命；《理智的世纪》（*The Age of Reason*）反对英国王室，攻击当时教会。

（6）传记文学

《富兰克林自传》（*Autobiography of Benjamin Franklin*）由富兰克林于 1771 年 65 岁时开始写，1789 年 83 岁在费城完成。富兰克林于 1790 去世。《华盛顿传》（*Life of Washington*），惠姆（Parson Weems）作。

19 世纪是文学的黄金时代，也是畅销书的黄金时代。

在法国，一批作家创建了文学史上的"罗曼时代"。著名的有雨果（Victor Hugo）的《巴黎圣母院》（*Notre Dame de Paris*）、《悲惨世界》（*Les Mieserables*）。大仲马（Alexander Dumas）著作丰富，据郑振铎估计在 1200 种左右。大仲马有两部作品在美销售量冲破百万大关：《基督山伯爵》（*The Count of Monte Cristo*）又译为《基督山恩仇记》；《三剑客》（*The Three Musketeers*）。巴尔扎克（Honore de Balzac）的著作成为畅销书的只有一部《高老头》（*Le Pere Goriot*）。左拉（Zola）的《洛根·马加尔特丛书》（*Rengon Macquart*），莫伯桑（Guy de Maupaussant）的短篇故事在 19 世纪 90 年代风靡美国，如《项链》（*The Necklace*）。

在英国，狄更斯（Charles Dickens，1812—1870）的作品成为畅销书的有 16 种，其中著名的有：《奥利佛尔·退斯特》（*Oliver Twist*，也译为"贼史"）；《滑稽外史》（*Nicholas Nickleby*，也译为"尼古拉斯·尼可贝"）；《双城记》（*A Tale of Two Cities*）；《古玩店》（*Old Curiocity Shop*）；《大卫·科波菲尔》（*David Copperfield*）。奥斯丁（Jane Austin）的《理智与感情》《傲慢与偏见》戏剧性地获得巨大成功。19 世纪后半叶的英国著名女作家很多，勃朗特姊妹就是代表。勃朗特三姊妹中，夏洛蒂·勃朗特（Charlotte Bronte，1816—1885）出版了《简爱》（*Jane Eyre*）、《雪丽》（*Shirley*）和《维列特》（*Villette*）；艾米莉·勃朗特（Emily Bronte，1818—1848）出版了《呼啸山庄》（*Wuthering Heights*）；安妮·勃朗特（Anne Bronte，1820—1849）出版了《阿格尼斯·格雷》（*Agnes Grey*）、《威尔德费尔庄园的佃户》（*The Tenant of Wildfell Hall*）等畅销书。

在美国，畅销书有欧文（Washington Irving）的《纽约的历史》（*History of New York*）系诙谐的作品、《杂记》（*The Sketch Books*）系若干篇故事。柯甫（James F. Cooper）的成名作有《间谍》（*Spy*）、《摩西根人》（*The Last of the Mohicans*）。女作家阿卡德（Louisa May Alcott）的《小妇人》（*Little Women*）是美国文艺中最受欢迎的"most popular girl's story"，故事中的马其家族（March family）几乎就是阿卡德一家生活的写照。此书于 1868 年出版，估计在美国一国的销售量就在 200 万册以上。由于此书的成功，三年后她写出《小男人》，也是畅销书，但销售额不及 *Little Women* 的半数。索恩沃思夫人（Mrs. E. D. E. N. Southworth），婚前名为 Emma Dorothy Eliza Nevitte，其畅销书为《以实马利》（*Ishmael*）和《自养》（*Self-Raised*），销售量均已超过 200 万册。

斯托夫人（Harriot B. Stowe）与索恩沃思夫人的终身友谊成为文坛佳话。《汤姆叔叔的小屋》（*Uncle Tom's Cabin*）开始以连载方式在 *National Era* 上发表，原计划三个月刊完，三个月期满时，主编贝烈博士（Dr. Gamaliel Bailey）征求读者意见，反应特别强烈，读者纷纷要求继续写作，这是文学史上第一次由于读者的意见决定一个伟大著作的产生。该书共有 40 种盗印版，销售量在美国已超 300 万册。

20 世纪的畅销书作家很多，涉及领域也多种多样，文学类占有较大比重。据《吉尼斯世界纪录大全》（*Guinness Book of World Records*），世界第一名最畅销作家是已故侦探小说作家厄尔·斯丹莱·迦德纳（Earl Stanley Gardner），共著书 143 部，其中 120 部侦探疑案小说共译有 23 国文字，总销数达 30150 万册。此外，在世界 5 个畅销书作家中，美国通俗作家哈罗·劳平斯（Harold Robbins）自 1948 年第一部小说《绝不爱上一个陌生人》（*Never Love a Stranger*）出版畅销后，有 15 部小说总销数达两亿册；传奇小说作家白蓓拉·卡特仑（Barbara Cartland）是一个多产作家，共有 304 部小说，总销数达一亿五千万册，曾被翻译为十余国文字；好莱坞出身的电影剧本作者欧文·沃莱斯（Irving Wallace）第一部小说《却普门报告》（*Chapman report*）在 1960 年被列入最畅销书之林后，共写了 23 部书，著作总销数达 10300 万册；美国西部小说作家路易·拉摩（Louis L'Amour）有 78 部小说总销数达 10010 万册；琴纳·黛蕾（Janet Dailey）有 54 部小说总销数达 8000 万册（董鼎山，1984）。

德国作家埃里希·玛利亚·雷马克（Erich Maria Remarque，1898—1970）的《西线无战事》（*Im Westen Nichts Neues*，1929 年）、美国女作家玛格丽特·米切尔（Margaret Mitchell，1900—1949）的《飘》（*Gone With the Wind*，1936 年）、美国作家杰罗姆·大卫·塞林格（Jerome David Salinger，1919—2010）的《麦田守望者》（1951 年）、英国作家 J. R. R. 托尔金（J. R. R. Tolkien）的《指环王》（*The Lord of the Rings*，1954—1955 年）、澳大利亚作家考琳·麦卡洛的《荆棘鸟》（*The Thorn Birds*，1977 年）都创造了数百万册的销量。到 20 世纪末期则出现了"超级畅销书"现象，在极短的时间里这种超级畅销书可以在全球同步发行多种语言版本，创造数千万册的销量，20 世纪 90 年代末风靡全球的英国作家 J. K. 罗琳（J. K. Rowling）的魔幻文学系列小说《哈利·波特》（*Harry Potter*）

就是一个代表。

俄裔美国作家弗拉基米尔·纳博科夫（Vladimir Nabokov，1899—1977 的《洛丽塔》（*Lolita*）创作背景是：弗拉基米尔·纳博科夫的祖父是司法大臣，父亲也是上流社会人士。20 世纪早期，俄罗斯波谲云诡的时段里，纳博科夫的父亲被暗杀了。他自己则在俄罗斯变成苏联、开始追捕巴别尔和皮利尼亚克这些大师前，脱身去了柏林。然后因为希特勒上台被迫害，又逃去了美国（张佳玮，2013）。纳博科夫贵族出身，20 世纪 30 年代在柏林侨居期间已经有了文名，但小说不太卖钱。后来去美国教书，假期间隙完成了《洛丽塔》——用他自己的说法，与妻子薇拉出门捕蝴蝶的雨夜，他就在车里写小说——但在出版上遭遇了难题。维京公司拒绝了，《纽约客》拒绝了。连续被四家出版方拒绝后，纳博科夫只好往欧洲大陆找门路。1954 年，法国的奥林匹亚公司过来接了手。问题是，奥林匹亚公司是个既出版先锋小说，也出版色情文学的地方。1955 年 9 月《洛丽塔》在欧洲出版，然后就是 1956 年初的事情：英国杰出小说家格雷厄姆·格林和约翰·高登打上了擂台，前者认为《洛丽塔》是神作，后者认为《洛丽塔》是毫无节制的色情书。在争吵、谩骂、美国市场拒绝这本书的传说、走私一本《洛丽塔》要 20 美元等推波助澜之下，《洛丽塔》莫名其妙地，或者说，神奇地，成为了畅销书。纳博科夫终于可以放弃大学教职，放心捉蝴蝶了。当然，这里有命运开玩笑的成分：20 世纪 30 年代，他在欧洲写了如此多的好小说，只是得了'侨民里的托尔斯泰'之名却不畅销；偏偏去了美国，才在欧洲成名；而且此后，他这样高傲、博学、严肃的小说家，却得一次又一次地重复——《洛丽塔》是本严肃的小说，而非色情读物（张佳玮，2013）。纳博科夫终于可以"不用工作"，开始过舒坦日子，是因为在他五十多岁时，终于迎来《洛丽塔》的畅销。之前他在康奈尔大学教书，不算如意，一开始还兼教过网球。因为他离不开老婆薇拉夫人，康奈尔大学有人开玩笑："雇他还不如雇他夫人"（张佳玮，2013）。"他最著名的两部小说，《微暗的火》颇多炫技，几乎在玩弄评论家；《洛丽塔》偏重讲故事，但其撒娇情绪含而不露"（张佳玮，2013）。

3.2.2.3　畅销书目录

最早编制畅销书目的是《大西洋月刊》（*The Atlantic Monthly*）主编 Edward Weeks，在《写作这一行》（*This Trade of Writing*）中列举了 1875—1934 年销售量超过 50 万册的书籍。

Frank L. Mott 的畅销书标准：将一书出版 10 年间购买者超过国家人口总数 1% 者，称为畅销书，他根据这一标准编制了有 324 种图书的畅销书目，其中销售量超过 200 万册的有 19 种：*Alice in Wonderland*；*Ben-Hur*；*Christmas Carol*；

Gone With the Wind; *Ivanhoe*; *Last of the Mohicans*; *Little Women*; *Mother Goose*; *One World*; *Shakespeare Plays*; *The Robe*; *Robinson Crusoe*; *Story of the Bible*; *Tom Sawyer*; *Treasure Island*; *How to Win Friend and Influence People*; *A Tree Grows in Brooklyn*; *Uncle Tom's Cabin*; *Ishmael*。

Asa Don Dickinson 的畅销书目：根据 50 种权威目录资料于 1924 年出版了《一千好书目录》（*One Thousand Best Books*），其中有 60% 与 Mott 相吻合（沈宝环，1983）。

西方许多报刊重视畅销书单的制作，《纽约时报·书评》每期有一个畅销书目单，分虚构和非虚构两大类。

据 UNESCO 统计，1979—1985 年世界上 55 个国家、地区的翻译作品中，最受欢迎的政治类图书，列宁著作译版达 406 版次。文学类长篇小说中，托尔斯泰的《战争与和平》《安娜·卡列尼娜》《复活》三部作品译版达到 114 版次，马克·吐温的《哈克贝利·费恩历险记》达 85 版次，大仲马的《基督山伯爵》达到 78 版次，高尔基的《母亲》77 版次，陀斯妥耶夫斯基《死屋手记》74 版次，格林《沉静的美国人》达到 55 版次，笛福的《鲁滨逊漂流记》达到 42 版次，雨果的《悲惨世界》达到 41 版次，王尔德的《道林·格雷的肖像》达到 35 版次等。

3.2.3 名著阅读

3.2.3.1 什么是名著

名著（famous works）不同于畅销书。美国哲学家、教育家艾德勒（Mortimer Jerome Adler，1902—2001）曾在《如何读书》中提出名著有 6 条标准：①名著的阅读者最多，它不是一两年内的畅销书，而是长销不衰的畅销书。②名著应通俗易懂，而不是引经据典，晦涩难懂。③名著永远不会落后于时代。④名著隽永耐读。⑤名著最有影响力。⑥名著探讨的是人类生活中长期未获解决的问题。

名著也常称为"经典"。郭勉愈等编著的《经典品读：人生必读百部名著》（中华工商联合出版社 1999 年版）在名著选择上确定了三个标准：具有突出的文学价值；在各种知识中具有极高的创意思维；具有深刻的精神见解和感悟力。《阅读世界：影响历史的百部经典》（余志森、张海英主编，文汇出版社 2000 年版）的前言中写道："这些经典作品之所以被称为经典，是因为它们曾经让读者和受众深深为之感动，对他们的精神世界产生过重大的影响，这种影响甚至一直延续到今天；是因为它们改变了一个地区、一个国家甚至整个世界的历史的发展进程，尽管这种改变有时要等上几十、几百年才能显露出来；经典之所以被称为经典，还因为它不同于时尚和流行，后者虽能畅销一时，但有时却经不起时间的冲刷，而我们的经典，或许并不张扬，然能潜移默化，让你在不知不觉中感受它巨大的影响力。"

我们认为，所谓名著，就是在某一领域和时空范围内，质量最高、价值最大、影响最广的著作。

从质量上看，一部著作有内容质量和形式质量之分，内容质量主要包括学术质量、知识质量、信息质量等，而形式质量主要指写作质量、编辑质量、排版印刷质量、载体质量等。如果把所有著作按质量划等级，有最低级（质量低劣、伪劣、反动类著作）、基本级（达到质量标准的著作）、较优级（质量较好的著作）、优秀级（优秀著作）、最高级（名著）。

从价值上看，名著具有 4 个方面的突出价值：知识价值、审美价值、教育价值、文化价值。

从影响上看，名著传播最广、发行数量最多、阅读的人次最多、读者的评价最好。名著甚至超越了时空，一代又一代传播，是跨文化交流的最好表现。

3.2.3.2　名著的功能

（1）文化功能

名著不仅具有很高的知识价值，在学术、知识创造、主题构思等方面达到最高水平，而且具有很高的审美价值，通过严谨的结构、精炼的表达、惊人的描写、优美的语言等，创造艺术和形式的最高境界。

名著是一种文化的反映，进一步说是一种文化现象，从这个角度，名著是文化的精华。

历史上每个时期都有值得读的文艺作品，每个人都有特别推崇的伟大的文艺作品。日本《读卖》月刊 1994 年 1 月号中写道："20 世纪在文化方面没给我们这一代留下多少有益的东西。"但符家钦在《记萧乾》第 40 页写道："《尤利西斯》是乔伊斯的传世名著，与《约翰·克里斯多夫》《追忆逝水年华》等被公认为 20 世纪的奇书。"许渊冲（2015）认为，20 世纪世界文学有三大奇书，中国则有三部名译，那就是朱生豪译的《莎士比亚全集》、傅雷译的《巴尔扎克选集》和杨必译的《名利场》。

（2）教育功能

名著具有极高的教育价值，作为优秀的精神产品，体现思想性和道德价值，使人们在获得精神享受的同时，获得真、善、美，受到启迪。20 世纪的文学名著《钢铁是怎样炼成的》就是以其健康、进步的基调感染人，催人奋进，教育了一代又一代。

（3）社会发展功能

名著在推进社会进步与发展中起到积极的作用。

英国狄更斯的《奥利佛尔·退斯特》（*Oliver Twist*）叙述一孤儿在孤儿院遭种种非人虐待，逃出沦落为贼，后得救，发现原是一富家子。英国孤儿院的管理因此书出版而彻底改组。《尼古拉斯·尼可贝》（*Nicholas Nickleby*，也译为"滑稽外史"）描写当时私塾的可怕情形，英国私塾制度也因此废除。

1850 年某一天，住在波士顿的长嫂伊莎拉给斯托夫人一封信，报道黑奴所受到的迫害以及"逃亡黑奴管制法"（Fugitive Slave Act）的不人道，信尾中说："海莉娅，如果我有像你一样笔下生花的能力，我会将这些黑暗惨况用文字公诸社会。"读到这里，斯托夫人眼中充满了泪水，她口中喃喃地说："上帝帮助我！"随即回信与他长兄比其，说请转告伊莎白拉，谢谢她信中的鼓励，"只要孩子们上了床，我就会拿起我的笔"。斯托夫人以无比的勇气和伟大的爱心写作《汤姆叔叔的小屋》，她身体健康状况不良，加上照顾孩子们的负累都是写作的阻碍。她将全部精神和感情投入书中，当她写至小女孩伊娃死亡时，伤感致病数日之久。《汤姆叔叔的小屋》对美国社会的影响力，更是无法衡量。当林肯总统接见斯托夫人时说："您就是引起这次'南北战争'的小妇人吗?"

3.2.3.3　文学名著阅读

（1）名著的时代背景

简·奥斯丁的《傲慢与偏见》虽是 19 世纪出版，实际属于 18 世纪，夏洛蒂·勃朗特属于 19 世纪。19 世纪是从浪漫主义向现实主义文学过渡的时代，法国浪漫主义要读维克多·雨果（Victor Hugo，1802—1885）的《悲惨世界》（*Les Misérables*）和《巴黎圣母院》（*Notre Dame de Paris*），前者在未出版之前，即被译为 9 国文字，震动世界文坛；后者被誉为最有影响的最成熟的浪漫风格作品，书中的英雄 Quasimodo 给人以许多启示。法国现实主义要读司汤达和巴尔扎克。司汤达（Stendhal，1783—1842）的《红与黑》（*Le Rouge et le Noir*）其实是一部政治小说，它的副标题是"1830 年纪事"（1830 年是波旁王朝复辟和反复辟斗争非常激烈的一年）。巴尔扎克（H. Balzac，1799—1850）被称为"法国现实主义文学之父"，其作品集《人间喜剧》（*La Couédie Humanie*）——一部未完成的巨著。它包括 90 多部（篇）小说，有 2400 多个人物，分为《风俗研究》、《哲理研究》和《分析研究》，实际是围绕金钱展开的一幕幕人间惨剧。德国要读歌德，浪漫诗神歌德（Johann W. Goethe，1749—1832）的世界名著有书信体小说《少年维特之烦恼》（*Sorrows of Young Werther*）和诗剧《浮士德》（*Faust*）。

（2）名著的创作与出版史

列夫·托尔斯泰在谈到创作时认为，在每一部文学作品中需要有三个组成部分，最重要的是内容，其次是作者对主题的爱，最后才是技巧。只有内容与爱的和谐一致，才赋予作品以完整性，那时，第三个组成部分——技巧——一般是会达到某种理想的境界（姜继，1985）。英国著名女作家简·奥斯丁（Jane Austin，1775—1817）。21 岁时她用 10 个月时间写成第一部小说《初见的印象》（*First Impressions*），其父带稿件与出版商谈出版，处处遭拒绝。第二部小说《诺山格寺》（*Northangen Abbey*）也遭到同样的命运。但她不灰心，继续写作。后又写成一部《理智与情感》（*Sense and Sensibility*，也译为感觉与感觉性），1811 年出版一举成功。于是书商购买了 *First Impressions* 的版权，并改名为《傲慢与偏见》（*Pride and Prejudice*）于 1813 年在英国出版，19 年后进入美国，这时奥斯丁已去世了 15 年，她生前没想到自己将成为世界名人。

就在简·奥斯丁辞世的前一年，另一位伟大的女作家诞生了，她就是夏洛蒂·勃朗特。夏洛蒂·勃朗特（Charlotte Bronte，1816—1855）著有世界名著《简·爱》，该书以 "Currer Bell" 的笔名出版，被很多人认为是一部男作家的书。

（3）名著的故事情节与意义

《傲慢与偏见》这部世界名著有 61 章，一开始将读者带入一个有代表性的英格兰家庭——住在浪博恩村的第一大户班纳特一家，听班纳特太太为 5 个女儿嫁个有钱人的喋喋不休，阅读了解小说中吉英与彬格莱、达西与伊丽莎白、韦翰与丽迪雅、柯林斯牧师与夏绿蒂·卢卡斯等的婚姻关系，无不体现出那样一个金钱社会，财产对于婚姻的价值，而其中因为财富和地位悬殊的伊丽莎白小姐与达西先生能够产生爱情并最终能够幸福地结合仿佛与那个社会格格不入，实际是那个不幸时代的万幸。

然而，《傲慢与偏见》这部家庭小说中表现出来的爱情、家庭亲情与友情更显得真实，刻画达西的傲慢（"眼前我可没有兴趣去抬举那些受人冷眼看待的小姐"），以及伊丽莎白的偏见（"对达西先生委实没甚好感"），颇为深刻，读下来会给人不可磨灭的甜美的印象。

《简·爱》以第一人称叙述，带有比较强的自传色彩，叙述像是和闺蜜讲述心事，态度坦诚而真实、情感描述非常细腻。当读到简·爱说"如果上帝赐予我财富和美貌，我会使你难于离开我，就像现在我难于离开你。上帝没有这么做，而我们的灵魂是平等的，就仿佛我们两人穿过坟墓，站在上帝脚下，彼此平等——本来就如此！"这样的表白，可能会理解简·爱的心情与性格特征，从而得到不一样的情感交流。如果再读英文原著"If God had gifted me with some beauty and much wealth, I should have made it as hard for you to leave me, as it is now for me to leave you. I am not talking to you now through the medium of custom, conventionalities, nor even of mortal flesh: it is my spirit that addresses your spirit; just as if both had passed through the grave, and we stood at God's feet, equal—as we are!"，更会觉得有意味且情感充沛。小说中简·爱拒绝嫁给罗彻斯特与《傲慢与偏见》中伊丽莎白拒绝达西的求婚大不相同，后者完全是听信韦翰谗言的结果，而所有的世界名著在情感宣泄的背后，都要隐含着其深远的人生意义，《简·爱》也不例外。夏洛蒂·勃朗特正是通过简·爱的情感人生努力让人相信，人世间的一切都是美好的，或者最终是美好的。正如清华大学徐葆耕（2003）对《简·爱》的分析："简·爱在非常强大的爱情力量的包围之下，在美好、富裕生活的诱惑之下，依然要坚持自己作为人的尊严，这是简最具有精神魅力的地方"；"小说告诉我们，人的最美好的生活是尊严加爱，小说的结局给女主人公安排的就是这样一种生活。小说设计了一个过于圆满的结局，这种圆满本身标志着肤浅，但是我们依然尊重作者对这种美好生活的理想，就是尊严加爱。只是需要补充一个作者未加以强调的因素，这就是金钱。如果简没有那笔飞来的遗产继承，这桩爱情不可能圆满，而且很可能没有结局——简和罗彻斯特都会死于穷愁潦倒。喜剧结局是上帝的购予，这个上帝就是金钱。因此，公式应该改写为：美好生活＝尊严+爱+金钱，尽管这个公式让作者扫兴"。

（4）名著的首尾与语言

名著之所以吸引读者，其语言是一个重要因素。而从全书的布局来说，首尾有着特殊的意义，令人关注。常见的首尾形式有多种。

其一，以具体时间记述开首。

《简·爱》（*Jane Eyre*）英文原著开首："There was no possibility of taking a walk that day. We had been wandering, indeed, in the leafless shrubbery an hour in the morning; but since dinner (Mrs. Reed, when there was no company, dined early) the cold winter wind had brought with it clouds sosomebre, and a rain so penetrating, that further outdoor exercise was now out of the question."

《简·爱》（*Jane Eyre*）英文原著结尾："My Master," he says, "has forwarned me. Daily He announces more distinctly, 'Surely I come quickly!' and hourly I more eagerly respond, 'Amen：even so，come，Lord Jesus!'"

上海世界图书出版公司2008年5月第1版（盛世教育西方名著翻译委员会译）《傲慢与偏见》开头译文："那一天要再出去散步是不可能的了。我们早上确定是在那个光秃秃的灌木林里溜达了一个小时；然而从用正餐时起（在没有客人时，里德太太开饭会很早），冬日的寒风就刮起来，带来那样阴沉的云和那么刺骨的雨，室外活动只能作罢。"

上海世界图书出版公司2008年5月第1版（盛世教育西方名著翻译委员会译）《傲慢与偏见》结尾译文："我的主，"他说："已经预告警告过我。他每天都更加明确地宣告，'是了，我必快来!'而我每时每刻都更为急切地回答：'阿门，主耶稣呵，我愿你来!'"

路遥著《平凡的世界》中文开头：

一九七五年二三月间，一个平平常常的日子，细濛濛的雨丝夹着一星半点的雪花，正纷纷淋淋地向大地飘洒着。

路遥著《平凡的世界》中文结尾：

他上了二级平台，沿着铁路线急速地向东走去。他远远地看见，头上包着红纱巾的惠英，胸前飘着红领巾的明明，以及脖项里响着铜铃铛的小狗，正向他飞奔而来……

其二，以描述地理场景开首。

肖洛霍夫著《静静的顿河》开头（中文译文）：麦列霍夫家的院子在村子的尽头。牲口圈的两扇小门朝着北面的顿河。

肖洛霍夫著《静静的顿河》结尾（中文译文）：这就是他生活中剩下的一切，这就是暂时还使他和大地，和整个这个在太阳的寒光照耀下，光辉灿烂的大千世界相联系的一切。

其三，以人物言语开首。

奥斯特洛夫斯基著《钢铁是怎样炼成的》开头（中文译文）："节前到我家里补考的，都站起来!"一个穿着法衣、脖子上挂着一只沉重的十字架的、虚胖的神父恶狠狠地瞪着全班的学生。

奥斯特洛夫斯基著《钢铁是怎样炼成的》结尾（中文译文）：他的心又怦怦地跳起来了。他日夜盼望的梦想已经实现了！铁环已经被砸碎，现在他拿起新的武器，回到战斗的队伍里，开始了新的生活。

其四，以时代感怀开首。

《傲慢与偏见》（*Pride and Prejudice*）英文原著开头："It is a truth universally acknowledged that a single man in possession of a good fortune most be in want of a wife. "

上海译文出版社 1996 年 12 月第 1 版（王科一译）《傲慢与偏见》译文：
"凡有产业的单身汉，总要娶位太太，这已经成为一条举世公认的真理。"上海
世界图书出版公司 2008 年 5 月第 1 版（盛世教育西方名著翻译委员会译）《傲慢
与偏见》译文："有钱的单身汉必定需要娶个太太，这是一条举世公认的真理。"
群言出版社 2016 年 6 月第 1 版（青闰译）《傲慢与偏见（英汉双语)》译文：
"腰缠万贯的单身汉一定想娶一位太太，这是一条普遍公认的真理。"

《傲慢与偏见》英文原著结尾："With the Gardiners they were always on the
most intimate terms. Darcy, as well as Elizabeth, really loved them; and they were both
ever sensible of the warmest gratitude towards the persons who, by bringing her into
Derbyshire, had been the means of uniting them. "

上海译文出版社 1996 年 12 月第 1 版（王科一译）《傲慢与偏见》译文：
"新夫妇跟嘉丁纳夫妇一直保持着极其深厚的交情。达西和伊丽莎白都衷心喜爱
他们，又一直感激他们，原来多亏他们把伊丽莎白带到德比郡来，才成就了新夫
妇这一段姻缘。"上海世界图书出版公司 2008 年 5 月第 1 版（盛世教育西方名著
翻译委员会译）译文："达西夫妇与加德纳夫妇一直保持着极其深厚的交情。达
西和伊丽莎白一样，都由衷地喜爱他们，也一直深深地感激他们，多亏他们把伊
丽莎白带到德比郡来，这才撮合了他俩，成就了这段姻缘。"群言出版社 2016 年
6 月第 1 版（青闰译）《傲慢与偏见（英汉双语)》译文："达西和伊丽莎白跟
加迪纳夫妇始终保持最密切的关系。达西像伊丽莎白一样真心爱他们；他们俩
都永远深深地感激他们，因为他们把伊丽莎白带到了德比郡，这才牵起了这段
姻缘。"

（5）名著的相关著作

名著不是孤立的，读名著，也要读相关著作，要将名著与相关文献联系起
来，建立起名著的文献链和知识链。读简·奥斯丁的《傲慢与偏见》，再读一读
她的另外五部小说《理智与情感》、《诺山格寺》、《曼斯菲尔德庄园》（*Mansfield
Park*，1814 年）、《爱玛》（*Emma*，1815 年）、《劝导》（*Persuasion*，1818 年），
一定会有对《傲慢与偏见》有更深刻的认识和更多的收获。

读夏洛蒂·勃朗特的《简·爱》，还应当读一读她写的《雪丽》（*Shirley*）
和《维列特》（*Villette*）。此外，夏洛蒂·勃朗特有四个妹妹和一个哥哥，勃朗特
三姊妹是 19 世纪英国女作家的杰出代表。妹妹艾米莉·勃朗特（Emily Bronte，
1818—1848）著有世界名著《呼啸山庄》（*Wuthering Heights*）。她的小妹妹安

妮·勃朗特（Anne Bronte，1820—1849）著有《阿格尼斯·格雷》 （*Agnes Grey*）、《威尔德费尔庄园的佃户》（*The Tenant of Wildfell Hall*），也有一定的影响。她们的作品都值得一读。

3.2.4　名人荐书

社会各界名人对于书籍和阅读都有比较深刻的认识，他们普遍认为阅读是获得丰富知识和信息的来源，是开阔视野的重要途径，特别重视对于经典著作的阅读与推荐。

3.2.4.1　文学家荐书

文学家、作家、艺术家对书的优与劣有比较强烈的反映。俄国文学评论家别林斯基说"阅读一本选择不当的书，比完全不读书更坏，更有害"，因为"坏书传谬种，使无知变得更加无知"。俄国大文豪列夫·托尔斯泰将坏书比喻为精神毒品，"物质毒品和精神毒品的区别在于，物质毒品多半因味苦而令人作呕，而以坏书形式出现的精神毒品，不幸得很，都往往使人销魂""坏书不仅无益，而且有害"。因此，他认为"首先应当尽力拜读和了解各个时代、各个民族最优秀作家的作品"。一位彼得堡出版家曾向托尔斯泰和当时著名人士提出："哪些书对您产生过最深的影响，留下了深刻的印象？"1891年10月25日，托尔斯泰给这位出版家回信，附上一份书目作为答复。该书目按童年至14岁左右、14—20岁、20—35岁、35—50岁、50—63岁5个阶段列举所读书籍，并有简练评语，如童年到14岁左右有7部图书：《圣经》中的约瑟的故事（深刻）；《一千零一夜》中的《阿里巴巴与四十大盗》和《奥马·阿扎曼王子的故事》（很深刻）；《小黑汉斯》（波哥利尔斯基著）（极深刻）；《杜布尼雅·尼基狄奇》（俄罗斯民间故事）（深刻）；《伊利亚特》（深刻）；《阿青霞·波波维奇》（深刻）；《拿破仑》（诗，普希金著）（很深刻）。这类书目既有助于对文学家的知识储备进行研究，也有助于阅读推广，是很有意义的一种导读方式。

现代著名作家茅盾在20世纪30年代为引导青年认识欧洲文字，撰写了《汉译西洋文学名著》和《世界文学史著讲话》两书，他推荐的名著有37部，涉及作家有古希腊的荷马、欧里庇得斯；意大利的但丁、薄伽丘；西班牙的塞万提斯；法国的雨果、莫里哀、伏尔泰、卢梭、大仲马、福楼拜、左拉、莫泊桑；英国的莎士比亚、弥尔顿、笛福、斯威夫特、菲尔丁、司各特、拜伦、萨克雷、狄更斯、王尔德；德国的歌德、席勒；俄国的列夫·托尔斯泰、莱蒙托夫、果戈理、屠格涅夫、陀思妥耶夫斯基、契诃夫；波兰的显克微支；挪威的易卜生（黄秀文，2002）。

3.2.4.2　人文学者荐书

人文学者荐书特别注意知识性和系统性，当然也会受到其思想立场和学派的影响。著名思想家章太炎（1869—1936）提倡习国文"贵在知本达用，发越志趣，空想不足矜，浮文不足尚"，1924 年在《华国月刊》发表《中学国文书目》，给中学诸生荐书 39 种。中国历史地理学和民俗学的开创者顾颉刚（1893—1980）1925 年开列了一个书目包含 14 种"有志研究中国史的青年可备闲览书"。

1926 年，文学史家、目录学家汪辟疆（1887—1966）列举国学基本书 135种，并认为其中 30 种为国学的纲领书。抗战期间，他又提出大学中文系学生应选读 20 种书。1942 年，他为中央大学国文系学生开列了一个包含 10 种图书的"最切要"的"源头书"，并间或予以评注，颇多精要。

美学家朱光潜（1897—1986），1926—1928 年在《一般》杂志上陆续发表"给一个中学生的十二封信"。1929 年，这些信结集为《给青年的十二封信》由开明书店出版，其中《谈读书》一文向青年介绍了他喜爱的中外图书。

3.2.4.3　科学家荐书

科学家荐书重视方法论。在《语文学习》编辑部组织的向青少年推荐图书活动中，中国科学院院士李庆达推荐了张俊民等著的《中国的土壤》，中国科学院昆明植物研究所名誉所长吴征镒推荐了英国弗朗西斯·达尔文编的《达尔文自传与书信集》。1986 年，由美国哈佛大学 113 位教授推荐、C. 莫里·迪瓦恩等编的《哈佛大学有影响的书籍指南》（*The Harvard Guide to Influential Books*）由哈泼–罗出版社出版，中文译本名为《最有影响的书》（唐润华译）由华夏出版社1990 年 10 月出版。

3.2.5　家庭共读

3.2.5.1　耕读传家

唐人有诗云"天下良图读与耕"。清康熙年间扬州文人石成金在《传家宝》中写道："人生在世，惟读书、耕田二事是极要紧者。盖书能读得透彻，则理明于心，做事自不冒昧矣。"清初理学家张履祥也以为："读而废耕，饥寒交至；耕而废读，礼仪遂亡。"

中国自古以来就有耕读传家的家风。"欧母画荻"的故事出自《宋史·欧阳修传》："欧阳修，字永叔，庐陵人。四岁而孤，母郑，守节自誓，亲诲之学，家贫，至以荻画地学书。""半耕半读"则是很多家庭的家训。

曾国藩的爷爷曾玉屏定治家"八字诀"：书、蔬、鱼、猪、早、扫、考、宝。曾国藩的父亲曾麟书作对联："有子孙有田园家风半读半耕但以箕裘承祖泽；无官守无言责世事不闻不问且将艰巨付儿曹。"曾国藩继承并发展了家风家训、"八字诀"，以"八本说"匾挂正堂以教育家中子弟："读古书以训诂为本，作诗文以声调为本，养亲以得欢心为本，养生以少恼怒为本，立身以不妄语为本，治家以不晏起为本，居官以不要钱为本，行军以不扰民为本。"

道光二十四年三月初十（1844 年 4 月 27 日），曾国藩从北京给他弟弟的家书，信中抄附前一年的《求缺斋课程》以训勉兄弟：

读熟读书十页，看应看书十页。习字一百。数息百八。记过隙影即日记。记茶余偶谈一则。右每日课。

逢三写回信。逢八日作诗、古文一艺。右月课。

熟读书：《易经》、《诗经》、《史记》、《明史》、《屈子》、《庄子》、杜诗、韩文。

应看书不具载。

咸丰元年（1851 年）七月，曾国藩在日记中载有四十一岁为自己拟定的选读书目：

义理之学。吾之从事者二书焉，曰《四子书》，曰《近思录》。

词章之学。吾之从事者二书焉，曰《曾氏读古文钞》与《曾氏读诗钞》。二书皆尚未纂集成帙，然胸中已有成竹矣。

经济之学。吾之从事者二书焉，曰《会典》，曰《皇朝经世文编》。

考据之学。吾之从事者四书焉，曰《易经》，曰《诗经》，曰《史记》，曰《汉书》。

曾国藩读书致用，前有《求缺斋课程》，后有此治四学十种书，对自己严格要求，日记中说："此十种书，要须烂熟于心中。凡读各书，皆附于此十书，如室有基，而凡膜附之；如木有根，而枝叶附之；如鸡伏卵，不稍歇而使冷；如蛾成蛭，不见异而思迁。其斯为有木之学乎？"不仅如此，曾国藩重视家庭阅读，通过家书对孩子进行读书教育、指导阅读。

咸丰八年九月二十八日（1858 年 11 月 3 日），曾国藩给长子曾纪泽的家书，总结了自己爱读的十一种书：

十三经外，所最宜熟读者，莫如《史记》《汉书》《庄子》《韩文》四种。余生平好比四书，嗜之成癖，恨未能一一诂释笺疏，穷力讨治。自此四种而外，又如《文选》、《通典》、《说文》、《孙武子》、《方舆纪要》、近人姚姬传所辑《古文辞类纂》、余所钞《十八家诗》，此七书者，亦余嗜好之次也。凡十一种。吾以配之《五经》《四书》之后。……吾儿既读《五经》《四书》，即当将此十一书寻完一番，纵不能讲习贯通，亦当思涉猎其大略，则见解日开矣。

咸丰九年四月二十一日（1859年5月23日），曾国藩给长子曾纪泽的家书，谈读书经验，将重点集中在八种书：

余于《四书》《五经》之外，最好《史记》《汉书》《庄子》《韩文》四种，好之十余年，惜不能熟读精考。又好《通鉴》《文选》及姚惜抱所选《古文辞类纂》、余所选《十八家诗钞》四种，共不过十余种。早岁笃志为学，恒思将此十余书贯串精通，略作札记，仿顾亭林、王怀祖之法。今年齿衰老，时事日艰，所志不克成就，中夜思之，每用愧悔。泽儿若能成吾之志，将《四书》《五经》及余所好之八种一一熟读而深思之，略作札记，以志所得，以著所疑，则余欢欣快慰，夜得甘寝，此外则无所求矣。

由此可知，曾国藩指导孩子读书，既博且精，其提出的三经、三史、三子、三集，涉及古籍的经史子集四部之精华。

3.2.5.2 《颜氏家训》

颜之推（531—约597），字介，原籍琅琊临沂（今山东临沂北），先世随东晋渡江，寓居建康。侯景之乱，梁元帝萧绎自立于江陵，之推任散骑侍郎。承圣三年（554年），西魏破江陵，颜之推被俘西去。为回江南，乘黄河水涨，从弘农（今河南省灵宝市）偷渡，经砥柱之险，先逃奔北齐。但南方陈朝代替了梁朝，颜之推南归之愿未遂，即留居北齐，官至黄门侍郎。577年齐亡入周。隋代周后，又仕于隋。

《颜氏家训》成书于隋文帝灭陈国以后，隋炀帝即位之前（约公元6世纪末），是颜之推记述个人经历、思想、学识以告诫子孙的著作，共七卷二十篇。分别是序致第一、教子第二、兄弟第三、后娶第四、治家第五、风操第六、慕贤第七、勉学第八、文章第九、名实第十、涉务第十一、省事第十二、止足第十三、诫兵第十四、养心第十五、归心第十六、书证第十七、音辞第十八、杂艺第十九、终制第二十。

《四库全书总目提要》子部杂家类一关于《颜氏家训》的提要：

《颜氏家训》二卷

旧本题北齐黄门侍郎颜之推撰。考陆法言《切韵序》作於隋仁寿中，所列同定八人，之推与焉，则实终於隋。旧本所题，盖据作书之时也。陈振孙《书录解题》云，古今家训，以此为祖。然李翱所称《太公家教》，虽属伪书，至杜预《家诫》之类，则在前久矣。特之推所撰，卷帙较多耳。晁公武《读书志》云，之推本梁人，所著凡二十篇。述立身治家之法，辨正时俗之谬，以训世人。今观其书，大抵於世故人情，深明利害，而能文之以经训，故《唐志》《宋志》俱列之儒家。然其中归心等篇，深明因果，不出当时好佛之习。又兼论字画音训，并考正典故，品第文艺，曼衍旁涉，不专为一家之言。今特退之杂家，从其类焉。又是书《隋志》不著录，《唐志》《宋志》俱作七卷，今本止二卷。钱曾《读书敏求记》载有宋钞淳熙七年嘉兴沈揆本七卷。以阁本、蜀本及天台谢氏所校五代和凝本参定，末附考证二十三条，别为一卷，且力斥流俗并为二卷之非。今沈本不可复见，无由知其分卷之旧，姑从明人刊本录之。然其文既无异同，则卷帙分合，亦为细故，惟考证一卷佚之可惜耳。

《颜氏家训》是对历代家庭教育思想与经验的总结，有着丰富教育价值和文化内蕴，在封建社会影响深远。《颜氏家训》可称为中国家训之祖，唐代以后出现的数十种家训，直接或间接地都受到《颜氏家训》的影响，如宋代朱熹之《小学》、清代陈宏谋之《养正遗规》直接取材于《颜氏家训》。对于当代社会来说，无论是家庭伦理、道德修养，还是教育子弟、重视家风等，这一家训仍然有许多可取的价值。

3.2.5.3 家庭阅读、学校阅读与图书馆阅读

国外也十分重视家庭阅读。俄罗斯有句名言——家里没有书籍，就等于房子没有窗户。家庭阅读在俄罗斯十分普及，1994 年俄罗斯"全国家庭年"激活了家庭阅读这项活动。

1982 年 5 月，心理学家查德·林博士在英国著名的科学杂志《自然》上发文，公布了他对英、美、法、联邦德国、日五国儿童智商进行的测查结果，欧美四国儿童智商平均为 100，而日本儿童平均智商为 111，原因是日本儿童学习了汉字。日本石井勋在其《幼儿智力开发法》一书中报告他多次反复测试的结果，日本的孩子小时候如果不学汉字，他的智商也和欧美儿童一样是 100。但是学习了汉字，情况就不同了：如果从 5 岁开始学起，到入学前一年，智商能达到 110；要是从 4 岁开始学起，学两年，智商能达 120；若从 3 岁开始学习三年，智商能达到 125~130。日本教育理论家木村久一在《早期教育和天才》中指出："在孩子的乐趣中，最重要的是读书。不过应特别注意书的选择，一个人喜好什么样的书，往往决定于他第一次读的是什么书，而且幼年时期读的书往往能左右这个人的一生"（何江涛，2007）。日本作为出版大国，其报纸发行量仅次于俄罗斯，1994 年日本全国人口为 1.26 亿，而日均报纸发行量达到 7100 万份，每个日本家

庭平均每天要读两份报纸①。

家庭阅读、学校阅读和图书馆阅读是社会阅读的三个世界，它们之间既有共同的阅读特征，也有不同的特征（表3.1）。

表3.1　家庭阅读、学校阅读与图书馆阅读

比较	家庭阅读	学校阅读	图书馆阅读
阅读目的	满足休闲与生活需要；个人选择；家庭教育的组成部分	满足学习与知识需要；教学辅助；学校教育的组成部分	满足多样化需要；社会支持；社会教育的组成部分
阅读组织	个体性；自由阅读；无组织无计划；可与家庭成员分享	集体性；指定阅读；有组织有计划；同班或同伴阅读分享	个体性；自由阅读；有读者活动可选择参加；可与大众分享
阅读指导	成人无指导；儿童由父母指导	由教师指导	由图书馆员或阅读推广人导读
阅读环境	个性化设计的书房或其他空间	统一的教学环境	经过布置的专门用于阅读的学习与分享环境

图书馆是终身学习的场所，是没有围墙的大学，是个人阅读的驿站，是阅读推广的基地。学校阅读是个人学习的基本要素，是获取专业知识的必经之路。而家庭阅读是一个人阅读的起点，是个人成长的关键，也是家庭生活的重要组成部分。家庭阅读在整个社会阅读中发挥着不可替代的作用。《中国儿童发展纲要（2021—2030年）》强调：“鼓励支持家庭开展亲子游戏、亲子阅读、亲子运动、亲子出游等活动”“加强亲子阅读指导，培养儿童良好阅读习惯。分年龄段推荐优秀儿童书目，完善儿童社区阅读场所和功能，鼓励社区图书室设立亲子阅读区”。自2022年1月1日起施行的《中华人民共和国家庭教育促进法》将家庭教育界定为“是指父母或者其他监护人为促进未成年人全面健康成长，对其实施的道德品质、身体素质、生活技能、文化修养、行为习惯等方面的培育、引导和影响”，提出“注重家庭建设，培育积极健康的家庭文化”，强调家庭教育要与学校教育、社会教育紧密结合并协调一致，规定“图书馆、博物馆、文化馆、纪念馆、美术馆、科技馆、体育场馆、青少年宫、儿童活动中心等公共文化服务机构和爱国主义教育基地每年应当定期开展公益性家庭教育宣传、家庭教育指导服务和实践活动，开发家庭教育类公共文化服务产品”，还规定每年5月15日国际家庭日所在周为全国家庭教育宣传周。

家庭共读是当代阅读推广的一种重要方式。其主要特点，一是阅读与交流融

---

① 〔新西兰〕费希尔. 2009. 阅读的历史 [M]. 李瑞林等，译. 北京：商务印书馆.

为一体，阅读伴随交谈与交流，共读过程中可谈家事，可谈见闻，共读促进家庭成员之间的读书分享与密切交流。二是亲切友好，共鸣性强。阅读伴随着亲情传递，共读对象是家庭成员，值得依赖，因为相互了解，共读之中易于产生强烈的共同感受与思想共鸣。三是阅读中通过推荐与评论，相互影响，个体对图书的阅读方式、阅读心理，特别是对图书的价值判断和评价会有不同，但在共读中从被推荐到主动推荐、从争论到理解、从单一评价到全方位评价，这种影响始终是积极的、正面的和有意义的。四是组织方式灵活，形式多样，共读的数量多少不一，有的家庭共读有明确的计划，由家庭某一成员组织，也有的家庭共读随时随机进行，没有限定，随意性强，但成员之间相互配合，有人提议，有人响应，共读的组织依家庭的不同特征而有很多差异。家庭共读一旦建立起来，形成家庭习惯与传统，不仅增进了家庭成员的工作、学习与情感交流，增添了家庭的生活乐趣，也提高了家庭的文化品质，促进了家庭成员的共同进步和人生的共同修养。

3.3 阅读方法

任何事都有规律可循，都有方法可以运用，阅读也不例外。阅读方法是目录学的重要内容，是读书治学的必要路径。

3.3.1 阅读方法的重要性

3.3.1.1 读书修养论

伟大的作品总是给予我们快乐和美的感受，阅读的人生不仅是快乐与美的人生，也是知识与智慧的人生。

读书为人生修养之首要。培根认为读书可以怡情、博采、长才，阅读使人充实与完美。由此可见读书的目的不同，作用也各异。

阅读即悦读。阅读作品，也是欣赏作品。心中洋溢的是温馨，感受到的是阅读的快乐。英国作家毛姆（W. Somerset Maugham）说："阅读应该是一种享受……只要你们能真正享受这些书，它们将使你的生活更丰富，更充实而圆满，使你更加感到快乐"（毛姆《阅读的艺术·书与你》）；"阅读就像是去各地探险一样，每当我拿起一本名著的时候，心里就会特别兴奋。就像一个年轻人走向球场，或者一个漂亮姑娘去参加盛大的舞会"[1]。

---

[1] 〔英〕毛姆. 2017. 毛姆自传 [M]. 赵习群，译. 北京：中国书籍出版社.

中国古代有勤学苦读的传统，如"凿壁偷光""悬梁刺股"等，但林语堂说"知道情人滋味便知道苦学二字是骗人的话"。他认为读书成名的人，只有乐，没有苦。

南宋读书人尤袤在《遂初堂书目序》中写道：

吾所抄书，今若干卷，将汇而目之。饥读之以当肉，寒读之以当裘，孤寂读之以当友朋，幽忧而读之以当金石琴瑟也。

清末民初藏书家章钰（字式之）以这段话做格言，并为其书斋命名为"四当斋"。人的一生，最重要的是要有阅读相伴。

陶渊明《读山海经》十三首组诗的首篇讲读书之乐如下：

读山海经（之一）

孟夏草木长，绕屋树扶疏。众鸟欣有托，吾亦爱吾庐。

既耕亦已种，时还读我书。穷巷隔深辙，颇回故人车。

欢然酌春酒，摘我园中蔬。微雨从东来，好风与之俱。

泛览周王传，流观山海图。俯仰终宇宙，不乐复何如。

陶渊明写这首诗时已50多岁，隐居于田野，躬耕自食，以读书为乐。

阅读不总是像古人形容的那样无比快乐，要正确看待逆反式阅读。当读者处于某种特定环境下（一定年龄、一定时期或一定的境遇），可能产生逆反式阅读，这种阅读是逆反心理在阅读上的反映，如果因势利导，会将逆反式阅读汲取养分，成为积极的因素。例如，国际著名东方学大师、语言学家季羡林的家乡在山东清平县（现归临清市），小时候家境贫寒，6岁离开家乡到了济南叔父家，深受叔父的影响。叔父是一个非常有天才的人，虽然没有受过正规教育，但读了不少中国古书，对宋明理学颇有兴趣，喜欢读《皇清经解》一类的书。"这当然影响了对我的教育。我这一根季家的独苗他大概想要我诗书传家。《红楼梦》《三国演义》《水浒传》等，他都认为是'闲书'，绝对禁止看。大概出于一种逆反心理，我爱看的偏是这些书。中国旧小说，包括《金瓶梅》《西厢记》等几十种，我都偷着看了个遍。放学后不回家，躲在砖瓦堆里看，在被窝里用手电照着看，这样大概过了有几年的时间"（季羡林，2008）。一个人成长的不同阶段，不同的环境都会产生各种各样的阅读倾向与阅读问题。对于阅读出现的各种困惑、障碍与问题，必须加强引导和调适，将它看作是人生修养中的某种历练，促进阅读本身的健康成长。

3.3.1.2　读书致用论

（1）读书新知

杜牧的《山行》："远上寒山石径斜，白云深处有人家。停车坐爱枫林晚，霜叶红于二月花"这首诗脍炙人口，读此诗，除了欣赏诗中的意境，思考一下为什么秋天的枫叶比春天的花还要红呢？了解一下科学原理就知道，春天和夏天的树时多呈绿色，到了深秋，气温下降，叶绿素遭受破坏而消亡，耐寒的叶黄素和花青素等出现，于是，有的树叶黄起来，有的则红起来。槭树、乌桕、枫树等，由于花青素多，红得分外艳丽。唐鲁锋等编写的《诗词中的科学》（江苏人民出版社，1983 年）共有六十篇短文，每篇讲一首诗与现代科学的关系。

（2）读书解决问题

读书宜联系实际。最常见的读书是为了某一实用的目的，联系实际解决问题为最紧要。可结合社会现象或社会问题，通过读书予以分析。也可结合某一事件，通过读书透视事件，抒发己见。

例如，2020 年初，在中国发生新冠病毒肺炎疫情之际，著名文化史专家、武汉大学教授冯天瑜有一篇《大疫读书记》写道："己亥末、庚子初，新冠肺炎肆虐吾市、吾省，又波及全国乃至域外，一场罕见的生态危机降临。武汉封城月余，老朽如吾者，无力无能投身抗疫实战，禁足在宅，惟思虑、读书为务。"他首先读鲁迅《且介亭杂文·中国人失掉自信力了吗》，继而以 2020 抗疫为例，认为："我们的白衣战士犯难而进，向社会预警疫情，可谓'舍身求法'；本市和来自全国各省市及部队的医护人员，夜以继日，奋不顾身，抢救患者，诚然'为民请命'，挽狂澜于既倒。而农民工、社会捐助者、义工、志愿者蜂起云涌，以布衣之身，尽天下之责，他们正是撑持中国坚挺的脊梁。"

3.3.2　阅读方法的选择与应用

3.3.2.1　从阅读一本书开始

如何读一本书，这是阅读方法最基本的问题。一般来说，可分为四个步骤。

第一步，了解与熟悉。了解一本书的相关信息。除了一本书的基本信息（书名、作者、出版社）外，最重要的是三个方面的信息：这本书是讲什么的？包括书的类型、体裁与题材、主题、书的结构等，可通过提要、广告宣传、目次等来了解；这本书的价值如何？包括内容质量、出版质量、影响力、社会反响等，可通过书评、推荐等来了解；作者为什么要写这本书？包括写作缘起、时代背景等，可通过序跋等来了解。必要时还需要通过查寻工具书辅助了解，了解愈多，就从一开始对这本书和作者的生疏变得愈来愈熟悉。这个过程实际是信息过程，是阅读的初级阶段，或者称之为"初读"和"浏览"。

　　第二步，文本理解。当了解和熟悉图书之后，就可以正式阅读了。首先从读文字、读图像，读每一句，读每一段开始，读懂是基本目标。阅读中要抓住五个基本要素：主题、人物、场景、情节（或过程）、结果，要让所有这些通过阅读越来越清晰地呈现在你的面前。这个过程是实际上是从语义理解到内容理解的过程，是阅读的中级阶段，有的书读一遍便能理解，有的则需要读若干遍，且借助工具书才能理解，有的则需要有人阐释或解读帮助理解。其形式可以默读，也可以大声朗读，复读，等等，可以称之为"阅""读"或"悦读"。

　　第三步，内容鉴赏。当完全理解书中的每一个文本之后，进一步再阅读，就上升到对于书的鉴赏，既包括对书的内容或作品内容的鉴赏，也包括对书的形式或文本呈现方式（如排版、文字符号、插图、图文并茂等）的鉴赏，更重要的是开始了对作者的理解。具体来说，又分为两个环节，一是思考，即从感性认识到理性认识。文本理解过程相当于感性认识的过程，这里的思考，是理性的思考，对书中内容、人物角色、作品创作等问题的思考，阅读中产生疑问，提出问题，很多人在读一本书时在书中做标记、笺注、记笔记，都属于思考的记录。二是评价，即从欣赏一本书到鉴定一本书。阅读一本书是从欣赏一本书开始的，欣赏书的封面、欣赏书的章节，欣赏书的内容，欣赏作者的构思等。如果一开始就有排斥一本书或排斥作者的心理，或者在读了几遍也没有好感，这本书就没有办法再读下去了。只有不排斥，始终保持深厚的兴趣，即使不是一本普通的书，也会读出它的味道，即使是一本有问题的书，也会诊断出它"病"并找寻其"病因"，此时的阅读也就品评，对书的欣赏已发展为鉴赏了。反复阅读一本书，会产生对于文本的评价，对于写作的评价，对于出版的评价，在充分认识书的多维度价值基础上，形成对书与作者结合的整体认识与评判。写读后感，读书心得，写书评就处于这个环节。

　　第四步，发现意义。阅读加入了比较深入的思考，进入到深阅读的领域。这是阅读中最难也是最重要的一步，真正的阅读是在鉴赏之后，获得更多意义的发现。它是在阅读的过程中加入了其他的视角与要素，赋予阅读本身更深层次的意义。从学习的视角和知识的要素来说，当把一本书读厚，需要在这本书所给予的知识基础上，增添更多的知识，这时的阅读是积累式学习，是知识增量的过程；当把一本书读薄，需要对这本书的知识进行压缩，删除冗余和错误的知识，减少不必要和价值不大的知识，这时的阅读是整理式学习，是知识重组的过程。阅读是学习，阅读是一种知识交流，也是一种知识建构，以这种形式学习，会改变读者原有的知识结构，建构起新的知识体系。从写作的视角和创作的要素来说，读书读到一定程度就是读作者，站在作者的角度、站在创作时的背景看待书中的一切，发现作者创作过程的某些细节，文本修过的种种痕迹，文字图像背后的许多东西，发现作者要表达的深刻寓意与文字符号实际表现的差距，从作者给予的暗示与隐性表达中建立某种关联，使创作意图和文本指向显性化等，这时的阅读就是另一种写作，是与作者共同创作的过程。阅读从本质上就是与作者对话。从科学的视角和研究的要素来说，把阅读一本书的过程当作一个研究过程，要从阅读中获得数据，进行数据分析，然后得到科学发现，形成研究结果和结论。这种在阅读中进行研究，以科学的思维阅读，运用科学的方法阅读，通常称之为"研读"。研读的结果，可以撰写完成学术评论或科学论文。

从理论上，每一本书的阅读都应当有这四个步骤，但从实际上并非如此。这四个步骤，是一个逻辑渐进的过程。第一步的三个问题的解决在后面的阅读中都会进一步加强。第二步进一步回答"这本书是讲什么的？"的问题，第三步是进一步回答"这本书的价值如何？"的问题，第四步是进一步回答"作者为什么要写这本书？"的问题，第一步得到的答案是别人给的答案，只有通过阅读，寻找新的答案，获得自己给出的答案。随着阅读过程的变化，阅读要把一个静态的书或文本变成动态的书或文本。从第二步开始，阅读要激活其中的文字、图像、符号等，让书中的文本"活"起来。到第三步，要让书中的内容"活"起来，读每一个主题内容、故事情节，如同身临其境。书中的人物、场景都活生生地在你的身边，你虽然无法改变它们，却可以感同身受。到第四步，要让隐于文本背后的作者走出来，来到你的面前，与你对话交流。无论你是否喜欢他（她），对话交流是为了阅读发现，为了创造一种新的知识，为了获得并增加智慧。

在实际阅读中，一本书的阅读因人而异，很多人的阅读也没有严格按这四个步骤来实施。有的人阅读一本书一两天即可完成，有的人需要一周，有的人则需要一个月或更长的时间。有的人习惯于连续读完一本书，也有的人习惯于断断续续地读完一本书。

阅读如同一个长长的旅行，每一个步骤是一个阶段，其终点就是一个驿站。很多人读一本书只进行了前两步，就停止了，这就是所谓的浅阅读。如果不能完成第四步，就意味着没有到达旅行的终点，这是理想的状态。一般来说，阅读一本书的基本要求是完成前三步，即将阅读"旅行"的终点设在对书的品评。要把阅读一本书的"旅行"发展下去，需要读者提高阅读素养，这也是阅读推广的责任与使命。

3.3.2.2　读书方法的选择

梁启超在《国学入门书要目及其读法》讲过读外国书和读中国书的不同："读外国书和读中国书当然都各有益处，外国名著，组织得好，易引起趣味。他的研究方法，整整齐齐摆出来，可以做我们模范，这是好处。我们滑眼读去，容易变成享现成福的少爷们，不知甘苦来历，这是坏处。中国书未经整理，一读便是一个闷头棍，每每打断趣味，这是坏处。逼着你披荆斩棘，寻路来走，或者走许多冤枉路（只要走路断无冤枉，走错了回头，便是绝好教训），从甘苦阅历中磨练出智慧，得苦尽甘来的趣味。那智慧和趣味却最真切，这是好处。"

读书方法甚多，但并非所有方法适合每一个人，无论是中国古代的读书法，还是国外的读书法，都需要结合个人阅读的实际，找到适合自己的方法来。有人强调博览群书，有人强调精选精读；有人强调温故知新，有人强调发现新知，只有践行，方知每种方法的优劣与精要。

阅读，除了读文字，也要读标点。不同类型的读物，有不同的读法。如诗词，要读出诗词的音乐性。

德国 19 世纪著名作家冯塔纳（Theodor Fontane）在当编辑的时候，收到一个青年寄来的几首拙劣的诗及一封附信，信中称："我对标点是向来不在乎的，请您用时自己填吧。"Fontane 很快写了封退稿信，回敬道："我对诗向来是不在乎的，下次请您只寄些标点来，诗由我自己来填好了。"

如同中国的诗经没有标点一样，早期西方的诗如荷马史诗也是无标点的。西洋诗通过换行来表达句子的停顿或间歇。如《伊利亚特》共 15693 行，《奥德修纪》共 12110 行。公元 3 世纪初，拜占庭语法学家亚历山大曾详细论述了句号、分号和逗号的作用。到中世纪初，统一的固定的标点才使用于希腊文和拉丁文中。15 世纪印刷术之后才有标准化的标点符号。16、17 世纪间，西诗格律里发明了"跨行法"，即语法上的句子或句间停顿不一定落在行末。当一个诗行容纳不了一个句子的长度时，句子允许被诗行截断而在下一行继续下去；反过来说，诗行的尽头不等于句子的尽头。如拜伦《她走在美的光彩中》的头两行：

She walks in beauty, like the night
Of cloudless climes and starry skies
她走在美的光彩中，像夜晚
皎洁无云而且繁星满天。（查良铮译）

中西文早期文献都没有标点符号带来的阅读困难，成为中西方目录学家要解决的问题之一，中国的训诂学和目录学，西方的校勘目录学都为此作出了贡献。

3.3.2.3　朱子读书法及其应用

朱子的读书法有"居敬持志，循序渐进，熟读精思，虚心涵泳，切己体察，著紧用力"六条。元代的程端礼即主张用朱熹的思想教育青少年。程端礼，鄞县人，曾任建平县教谕、衢州路教授，生徒颇多，元统年间遂以辅汉卿所集《朱子读书法》为基础为生徒编纂推荐目录，于 1315 年编成《程氏家塾读书分年日程》。这一目录主张青少年读书应分启蒙、小学、成年三个阶段，每个阶段的读书范围和次序如下。

卷一。

八岁未入学之前：读《性理字训》（程达原增广者）；《童子须之》（朱子）。

自八岁入学之后：小学书（只读正文，下同）；《大学》；《论语》；《孟子》；《孝经刊误》；《易》；《书》；《诗》；《仪礼》并《礼记》；《周礼》；《春秋》（经并三传，仍是正文）。

自十五志学之年：《大学章句》《大学或问》；《论语集注》；《孟子集注》；《中庸章句》《中庸或问》；《论语或问》（合于《论语集注》者，抄读）；《孟子或问》（合于《孟子集注》者，抄读）；《周易》（读本经传注，抄读）；《尚书》（抄读）；《诗》（抄读）；《礼记》《仪礼》《周礼》（抄读）；《春秋》三传（抄读）。

卷二。

看《通鉴》（《资治通鉴》、《通鉴纲目》、《史记》、《汉书》、《唐书》、《唐鉴》、金仁山《通鉴前编》、胡今芳《古今通要》、《通鉴释文》等）；

次读韩文（《文章正宗》、《韩文考异》、谢叠山批点的韩愈集）；

次读《楚辞》（《楚辞集注》《水经注》《玉海》《山堂考索》）；

学作文（欲识文体——韩愈的全集，欧阳公、曾南丰、王临川三家，柳子厚文，苏明允文；欲学叙事——当直学《史记》《西汉书》，先读真西山《文章正宗》及汤东涧所选者，然后熟看班马全史；欲学策——汉唐策、陆宣公奏议、朱子封事书疏、宋名臣奏议等）；

作科举文字之法（读看“近经问文字”“古赋”“制诰表章”）。

据《元史》，该书目问世即被国子监“颁示群邑校官，为学者式”。

清初李颙著《读书次第》。李颙系清初理学名士，与孙奇逢、黄宗羲并称三大儒。该书目由李颙口授、其门人李士璸手录，针对童蒙后生的实际阅读需要而编纂。李颙认为，读书应讲究次第，即当先读《小学》，因为《小学》一书乃朱熹“汇古今嘉言善行，以为后生作圣之基也”；尔后读经、读史、读文；有余力的话，子书、地理书等也当一读。因此，该书目“由《小学》渐入大学，自经传徐及文史，步步有正鹄，书书有论断”，实为“自童蒙以至大人”的“入圣之正门，为学之上路”。

3.3.2.4 读书法应用要注意的几个问题

（1）阅读日积月累

读书惜时，每天坚持，就可以获得大量知识。每天 15 分钟是一个好方法。

美国 Louis Shores 在《每天读 15 分钟》一文中说：一本书平均以 10 万字计，一个人每天读书 15 分钟，一周可读半本书，一个月读两本书，一年读 20 本书，一生读 1000 本或者超过 1000 本书。富兰克林说："我每天都要拿出一两个小时来读书，这就在某种程度上弥补了我没有受过高等教育的不足——我父亲曾有意让我接受这种高等教育。读书是我允许自己享受的唯一的娱乐。"①

（2）阅读的广度和深度

阅读有两个维度：一为横向即广度，一为纵向即深度。

第一步，要善于将某一文本中的各部分前后左右比较，以读季羡林《三十年河西，三十年河东》（当代中国出版社 2006 年版）为例，通过比较即可发现，该书第 143 页"我说，自 21 世纪起，东方文化将逐渐取代西方文化"（1992 年 8 月 4 日），而在 166 页"我不敢说，到了 21 世纪，中国文化或者包括中国文化在内的东方文化，就一定能战胜西方文化"（1990 年 10 月 3 日），为什么 1990 年讲话时还"不敢说"，而到 1992 年就已肯定了呢？前后的差异说明了什么，要由此读出国学大师对东方文化认知的思想脉络影响因素和变化。

第二步，要善于将某一文本与作者的相关文本进行比较，季羡林是文化大师，与《三十年河西，三十年河东》相关的书很多，如《东方文化研究》《禅与东方文化》《东西文化议论集》《世界文化史知识》，还有《季羡林全集》，均可参阅。

第三步，要善于将某一作者与相关领域的其他作者进行比较，参读相关作者及其文献，进行思想比较、学术渊源探寻和学术流派梳理。

有此三步，阅读犹如网络超链接，先越读越多，越读越厚，再越读越精，越读越薄，融会贯通，此为广度，而如刨根问底，深透解析，取得新的发现，每读深入一层，每读必有新知，探索无穷尽，读无止观，此为深度。

（3）读、思、写

"阅读≠看书"，阅读是一门综合艺术，涉及读、思、写三大环节，环环相扣。阅读需要我们思想集中，做到眼到、口到、心到。科学观察发现，眼球的运动与阅读的速度相关，也证明了眼到的关键。口到则能强化阅读时的理解和记忆，心到即积极思考，更是不可缺失的一环。陶行知说道"人生两个宝，双手与大脑"，手脑并用确实会提高阅读的效用。虽是多媒体时代，记笔记的方法（抄录法、批注法、评点法、心得法、整理法、考辨法）仍不应废弃，记录自己学习

---

① 〔美〕富兰克林. 2007. 富兰克林自传［M］. 张勇，汝敏，译. 北京：中国城市出版社.

的感受和瞬间即逝的灵感。诸法并用，得法者事半功倍，效果自见。

（4）选求版本

读书要有版本意识，选择优质图书或文献进行阅读与学习。

优质图书或文献不仅指内容上的质量达到阅读的标准，而且也包括版本上的质量达到基本的要求。

要识别劣质版本的图书或文献。

要识别被证实为剽窃或抄袭的图书或文献，涉及到学术文化上的伦理道德问题，必须分清哪些是原创性的作品，哪些是在原创基础上加工的作品。2006 年，19 岁的哈佛大学本科二年级学生维斯瓦纳坦（Kaavya Viswanathan）出版了一本《奥珀尔·梅莎如何被吻、发狂并获得新生》（*How Opal Mehta Got Kissed*, *Got Wild*, *and Got a Life*）出版之后数周，就被哈佛学院本科生主办的学生日报《哈佛红报》（*Harvard Crimson*）首先揭露，随后主流媒体大肆报道了维斯瓦纳坦剽窃事件：她的书从一位已有名气的作家 Megan McCafferty 的几本类似"红粉"（chick-lit）小说中几乎逐字逐句地抄袭了很多段落。①

（5）精读原著

对翻译的文献来说，不能仅仅阅读译本，还应当读原著。以《国富论》为例，不同的译本译文不尽相同，如何正确理解其意义，除了参读各种译本，还可与原著对照。其书开篇各译本就有不同：

由一群生事之所需，皆于其民力是出，是故国之岁费与其岁殖，有相待之率焉。殖过费则为盈，盈则其民舒；费过殖则为朒，朒则其民戚。（严复译本）

一国国民每年的劳动，本来说是供给他们每年消费的一切生活必需品和便利品的源泉。构成这种必需品和便利品的，或是本国劳动的直接产物，或是用这类产物从外国购进来的物品。这类产物或用这类产物从外国购进来的物品，对消费者人数，或是有着大的比例，或是有着小的比例，所以一国国民所需要的一切必需品和便利品供给情况的好坏，视这一比例的大小而定。（郭大力和王亚南译本）

再细读英文版 "*Introduction And Plan Of The Work*"：

The annual labour of every nation is the fund which originally supplies it with all the necessaries and conveniencies of life which it annually consumes, and which consist always either in the immediate produce of that labour, or in what is purchased with that produce from other nations. According, therefore, as this produce, or what is

---

① 〔美〕理查德·波斯纳. 2010. 论剽窃 [M]. 沈明，译. 北京：北京大学出版社.

purchased with it, bears a greater or smaller proportion to the number of those who are to consume it, the nation will be better or worse supplied with all the necessaries and conveniences for which it has occasion.

通过参读，不仅更好地理解其本来的意义，而且也了解不同译本的特色与优劣。

3.3.3 科技文献阅读

2020 年 7 月，微软亚洲研究院"沈老师带你肝论文"暑期科研训练班在线上进行了开班仪式。美国国家工程院外籍院士、英国皇家工程院外籍院士、微软公司前执行副总裁沈向洋博士与同学们分享了他阅读、撰写科研论文的宝贵经验。他认为，阅读和理解之间的不匹配是一个非常重要的问题，通过科研论文的角度去思考阅读和理解之间的关系，是整个人类智能中非常重要的部分。他将科研论文阅读分为四个阶段：第一阶段"消极阅读"最简单，即大概知道文章讲了什么；第二阶段"积极阅读"，主动思考这些知识有什么用；然后进入第三阶段"批判性阅读"，思考这篇文章是否言之成理；最后是第四阶段"创造性阅读"，搞清楚文章对接下来的工作有什么帮助。他用 Shannon 的信息论原理来解释科研阅读与写作的关系。

论文是作者和读者之间交流信息的渠道，主要是单向传输，信息源是作者，而目的地就是读者。写作就像编码，阅读就像解码，所以我们需要一本 Codebook 来介绍"编码"到"解码"所需要的知识，也即作者按照这本 Codebook 中的规范进行"编码"，阅读者则用它来"解码"。实际上，Shannon 理论只是概括了阅读与写作的一部分，真实的阅读往往超越了传统的"传输–压缩"框架，它更多的是一个反复的理解过程。在这个过程中，读者不断地揣摩作者的意图，并将之解构成能够理解的片段，随后这些片段被构建到读者脑中的认知模型里。所以，阅读等同于理解，不同层次的阅读对应不同层次的理解——深度阅读导致深度理解，浅显的阅读对应的必然是浅显的理解。不同需求应该对应不同的阅读层次，第一层次是"速读"，得快速知道一篇文章讲了什么；第二层次是"精读"，有批判性阅读和创造性阅读两个方面，首先，要对论文进行否定、质疑，仔细挑毛病；其次，对论文有了足够的了解之后，如果发现论文中提到的想法非常优秀，那么要创造性地思考你能用这篇论文做什么；第三层次为"研读"，如自己尝试将文章中的算法实现一遍。

3.4 书 评 理 论

评论是阅读的延续，书评因出版反馈、阅读选择、宣传推广、文献控制等众多社会需要而生。书评是读书写作的一种方法，也是目录学揭示与报道文献的一种方式。书评不仅仅是书评写作和读书个人的事情，涉及许多社会因素，有许多问题值得研究。书评理论是在书评实践基础上形成的，包括书评理论基础研究、书评史研究、书评方法论研究、书评媒体研究、书评职业研究、书评事业发展研究、书评学研究等。

3.4.1 书评的概念与类型

3.4.1.1 书评的概念

书评（book review）是从政治思想性、科学价值、社会效益等方面，对图书内容进行综合分析、介绍和评价的一种方法，目的在于推荐图书，指导阅读。

书评与图书介绍不同，图书介绍是对图书作一般化的介绍，不做深入的分析和评价。

书评与文艺评论不同，文艺评论包括影评、剧评等，虽然也评论图书，但侧重于评论创作过程、人物形象和表演等。如陈涌《刘白羽近年的小说》主要分析和评论《战火纷飞》和《火光在前》两部书，分析和评论作家的创作思想、创作特色、创作道路。

书评不同于学术评论，学术评论包括哲学评论、社会科学评论等，是把图书作为提供问题的材料，去评论某个人、某件事或某主题，不需要对该书做全面的介绍和总的评论。例如，许总的《论〈瀛奎律髓〉与江西诗派》（载《学术月刊》1982 年第 6 期）是一篇学术评论，用《瀛奎律髓》为材料去研究江西诗派。

广义的书评包括期刊评论，如阿英在 1930 年 3 月《拓荒者》第 1 卷第 3 期发表的《大众文艺与文艺大众化——批评并介绍〈大众文艺·新兴文学号〉》就是评论一种期刊《大众文艺》（1928 年 9 月创刊）的，而沈从文的《谈谈上海的刊物》（载《沈从文文集》第 12 卷）则是评论多种期刊的。

3.4.1.2 书评的类型

（1）按评论的对象划分

书评按评论的对象可分为大众书评和学术书评。

大众书评是为大众阅读的文艺读物及各种知识性、普及性读物所写的书评。按大众书评的目的又分为导读性书评和鉴赏性书评。前者以为大众读物导读为目的，选择适合大众阅读的图书如热门读物和通俗读物进行评论，以文学表达方式揭示，如梅子《冷酷背后有强大的暖流：〈寒夜的微笑〉读后》；后者以为大众读物鉴赏为目的，通常选择经典名著，进行深度揭示。

学术书评是对学术性图书包括理论著作、科学技术作品所作的评论。按学术书评的目的又分为序说性书评和论证性书评两类。前者以学术推介为目的，并不严格遵循学术研究的路线，以平实自由而具个性的表达，与学术性图书的序相近，如王一方的《李时珍的药学世界与理念世界——重读〈本草纲目〉》（载台北《中国文化月刊》1994 年第 9 期）；后者以学术研究为目的，遵循学术研究路线，行文严谨，与学术论文相近，如何兹全《读周一良教授〈魏晋南北朝史札记〉书后》（载《北京大学学报》1987 年第 3 期）就是这一类，书评作者和被评图书作者均为中国著名的魏晋南北朝史专家。

（2）按对被评图书的态度倾向划分

书评按对被评图书的态度倾向可分为推荐性书评、批评性书评和分析性书评。

推荐性书评：对被评图书充分肯定和赞扬，并积极地向读者推荐。如何兹全为周一良《魏晋南北朝史札记》所写的书评。

批评性书评：对被评图书是批判或批评的，或者主要倾向是批判、批评或持否定态度，指出其严重错误与不良影响。

分析性书评：书评作者本着实事求是的态度，对被评图书进行认真的分析，既肯定其优点和长处，也指出其缺点和不足。如 1914 年列宁为鲁巴金所写的《书林概述》的书评就是这一类。

3.4.2　书评的标准与特征

3.4.2.1　书评的标准

书评主要有三个标准：

一是政治标准。即评论图书的思想性和政治倾向。对于社会科学著作，特别是文学、哲学、历史等著作，要用鲜明的立场观点去评价。

二是科学标准，也是学术标准。首先，从学术价值上去评价图书的得失，论点、论证、论据是否正确？其次，评价图书超越前人著作的程度，有无新见解，新成就？有多大的突破和贡献？再次，图书的结构和语言是否合理？

三是实用标准。从社会的实际需要出发评价图书的实用价值。首先，看有无实用价值，一般科技图书多有实用价值。其次，看有多大的实用价值，适用范围有哪些，可能取得的社会效益和经济效益。

3.4.2.2　书评的特征

（1）评论性

书评最主要的特征是评论性。首先，书评不仅局限于图书的内容介绍，它必须对图书内容进行分析，评价其价值与得失，包括书的价值、观点的分析、形式与内容是否匹配、优缺点。其次，书评是对图书进行的学术研究，一篇好的书评经过了反复思考和仔细分析，站在学术的高度去评价图书，其价值不亚于学术论文。

（2）倾向性

书评具有鲜明的倾向性。首先，书评要指导读者阅读，要根据一定标准评价图书，推荐优秀图书，批评糟粕。书评工作是一项提炼作品，去粗取精，去伪存真的工作。其次，书评对图书的肯定和否定均有明显的倾向性。它虽然要对图书作客观评价，但受书评作者学派、学术水平、分析角度、理解深度等的限制，使书评带有主观色彩。因此，书评作品只是书评作者的"一孔之见"，可供读者借鉴、参考和反思。

（3）艺术性

书评具有艺术性的特征。书评作品是一种写作体裁，书评写作是一门艺术，书评必须具有较强的可读性。

3.4.3　书评事业

书评是一项事业。1951 年 3 月 23 日，《人民日报》发表了题为《书报评论是领导出版工作和报纸工作的最重要的方式》的社论。1954 年 7 月，中共中央宣传部《关于加强报纸杂志上的图书评论的指示》要求中央和省（市）的报纸及部门的机关杂志应建立图书评论工作。许力以认为，书评是推动学术研究的武器，是活跃文学艺术和提高鉴赏水平的手段，同时也是启发、引导广大读者阅读与监督书刊出版工作的工具（徐召勋，1994）。伍杰认为，书评是出版的影子，是图书的灵魂，也是出版文化的旗帜；书评是宣传领域的重要思维活动，也是重要的社会文化现象（伍杰等，1997）。书评事业包括以下方面。

3.4.3.1　书评作品与书评作者

书评作品是图书评论的产品。《国际百科全书》（1982 年版）认为："书评通常是伴随出版的一种形式。"在文学批评中虽然评论杂文经常出现并难以划分，但二者还是能够区别的。评论家的方法就是取决于如何更好地向读者报道图书内容和质量。国外出版界一般将图书分为小说、非小说和入门指导书三大类。非小说类图书常常涉及假设和结论。小说类书评要处理事件、主题、人物、新颖性与文学质量，也可以将它与作者的其他作品及其他作者的作品进行比较，以确定该小说的位置。

国外书评一般有三大类：一是面向普通读者，指导阅读的普及性书评，以畅销书书评为主，大量的是对文艺读物的评价，这类书评分散于普及性报刊之中。二是面向科技工作者，报道和评价科研专著的学术性书评，多由各学科专家撰写，广泛分散于专业杂志之中。三是面向书业工作者，以宣传和促销图书为目的的商业性书评，多发表于出版商和书商的杂志之中。在美国，揭示图书有三种方式：文学批评、图书介绍和书评。书评是介于文学批评和图书介绍之间的一种艺术，既有文学批评的学术性，也有图书介绍的简明性，是主客观特点的结合。它既受到读书界的欢迎，也受到出版界和广告商的重视。

书评作者可以成为书评家。《世界图书百科全书》（1981 年版）指出："书评家的价值就在于书评家的知识与能力及其对图书的公正评价。为此，书评家必须有博大的学科知识，分析著述的能力和较高的批评标准。"在美国，书评家成为一项职业，既有专职，也有兼职，其地位仅次于文学批评家，却不亚于剧评家和影评家。

书评职业包括书评作者、书评编辑和书评出版商。书评家萧乾是中国书评理论的奠基人和开拓者（孟昭晋，2004）。萧乾（1910—1999），原名萧秉乾，现代记者、文学家、翻译家，先后就读于北京辅仁大学、燕京大学，英国剑桥大学，担任中央文史馆馆长等职。他在《书评研究》绪论中呼吁："我们需要两个批评学者，六个批评家，五十个书评家。"1988 年，中国图书评论学会筹备会议在北京召开时，提出中国有 8 位书评专家：萧乾、李锐、周振甫、舒芜、戴文葆、吴道弘、沈昌文、徐召勋。

1997 年，伍杰、徐柏容、吴道弘主持推出《中国书评精选评析》（山东教育出版社），选收 77 位作者的优秀书评 130 篇。1999 年，伍杰、王建辉选评的《书评 30 家》（华夏出版社）选收了 30 位青年书评家的书评代表作。

3.4.3.2 书评媒体与书评编辑

（1）书评媒体

书评媒体是发表书评作品、传递书评知识与信息的工具。

1）报纸上的书评、书评副刊与书评报纸。报纸书评专栏如《文汇报》"读书与出版"（1984 年 2 月开设）、《人民日报》"书评"（1993 年 10 月 15 日开设）。书评副刊如《纽约时报·书评》是一种周刊。书评报纸如《文汇读书周报》、《中华读书报》、《中州书林》（河南）、《书刊导报》（湖北，已停刊）、《中国图书商报》等。

2）杂志上的书评及书评杂志，包括综合性新闻期刊中的书评、专业期刊中的书评、普及性书评杂志、学术性书评杂志。书评杂志如《读书》（1955 年 5 月创刊时名为《读书月报》，1958 年第 4 期起改为现名）、《书林》（1979 年 9 月创刊，1986 年由双月刊改为月刊，1990 年停刊）、《世界图书》（1979 年 10 月创刊，1993 年停刊）、《博览群书》（1985 年 1 月创刊，月刊）、《中国图书评论》（1990 年由季刊改为双月刊）、《书城》（1993 年创刊，月刊）、《书屋》（1995 年创刊，月刊）、《新阅读》（2003 年创刊，月刊）等。

3）广播电视中的书评节目。例如，澳大利亚广播和电视服务通过国家独立的澳大利亚广播委员会以及商业电台提供。澳大利亚广播委员会提供每周广播书评。中国中央电视台《读书时间》。

4）电子书评

电子书评有网站、网页，微信、微博、视频等多种形式，通过图片、音视频等吸引读者关注，增强了书评的表现力。专业书评网站如"大众书评网"等。书评网页如"新浪读书"之"书评首页"。书评博客书评会增加了读者互动，以新颖的形式吸引读书人和书评人参与其中。

（2）书评编辑

书评编辑是组织书评并在书评媒体上负责书评审稿、加工、整理等工作的人员。书评编辑有杂志职业编辑、报刊专栏编辑、广播电视专栏编辑。书评编辑的主要任务包括以下 3 个方面。

1）挑选图书。中国著名副刊与书评专栏编辑萧乾在记述书评编辑工作时说："我们曾尽力不放过一本好书，也尽力不由出版家那里接受一本赠书，每隔两三天，我必往四马路巡礼一番，并把拣购抱回的一一分寄给评者。"在美国，每一出版机构都有全国各地书评刊物目录和书评编辑名录，便于将新书推荐给书评杂志。书评编辑挑选图书的依据是：出版界内部对此书的传闻、出书前的宣传、出版机构提供的材料、编辑本人对新书的审阅（董鼎山，1984）。

2）挑选书评作者。在挑选书评家的标准上，书评编辑有不同的认识。有的编辑认为书评家能够影响读者的阅读和杂志的销路，重视请名家写书评，也有的编辑认为读者并不注意书评作者的名字，常常请年轻书评家评论。

3）书评编排。书评编辑收到书评作者所写的书评作品后，要经过审阅后排版，编辑各期书评栏或书评杂志。

3.4.3.3 书评组织与书评活动

国外的书评组织有国际文学评论家协会（International Association of Literacy Critics），1969 年成立，来自各国的评论家经常进行书评交流。1974 年成立的美国书评家协会（National Book Critics Circle）是一个拥有 1000 多名审阅者与图书编辑的组织，其组织的评奖（NBCC Prize）在国际上有较大影响。

1985 年，中宣部出版局在山东济南召开了"全国图书评论工作会议"，是新中国成立后第一次全国性书评会议。自 1989 年中国图书评论学会成立后，一些地区也建立了相应的书评组织，书评报刊纷纷创刊。中国图书评论学会于 1992 年、1993 年连续举办了两期全国书评作者培训班。中国的书评事业蓬勃发展。

3.4.3.4 书评理论研究与书评学

20 世纪初，书评成为学术界的宠儿，一开始就吸引了学术名家写书评，书评成为活跃学术空气、繁荣学术争鸣的一个园地。50 年代，像范文澜、白寿彝、翦伯赞等名家带头写书评。改革开放以后，大众书评兴起。80 年代是中国书评的黄金时代，学术书评与大众书评同步发展，在学术研究和大众读书学习等方面发挥了积极作用。

20 世纪 90 年代，书评理论研究推进书评学建立，解决了多年来"书评无学"的问题。1990 年在云南昆明召开了全国第一届书评理论研讨会，出版了论文集《书评的学问》。1994 年，江西教育出版社和江西日报社邀请全国书评专家在南昌举办了书评研讨会。1995 年在新疆乌鲁木齐召开了全国第二届书评理论研讨会。北京大学教授孟昭晋 1994 年出版了《书评概论》（南京大学出版社）。安徽大学教授徐召勋，1985 年在图书馆学系开设"书评学"课程，1989 年组织多校教师编写书评学高校文科教材，于 1994 年出版了《书评学概论》（武汉大学出版社），该书于 2006 年修订出版名为《图书评论学概论》（河南大学出版社）。出版界也参与到书评理论研究中，1993 年天津百花文艺出版社的资深编审徐柏容出版了《书评学》（黑龙江教育出版社）。

3.5 书 评 方 法

书评方法是在书评理论指导下，经过书评实践总结形成的方法。要提高书评写作水平，必须掌握书评方法。

3.5.1 书评写作程序

3.5.1.1 选书

书评选书包括以下 7 个方面。

1）挑选优秀的图书写书评。选出精品，如配合"五个一工程"开展选书活动。

2）挑选有严重缺点或错误的劣书、坏书写书评。目的在于提高图书质量。

3）挑选瑕瑜互见和有争论的图书写书评。瑕瑜互见的图书比明显的好书、坏书更有评论的必要，使读者分清哪些是优点、长处，哪些是缺点、错误。有争议的图书，应积极参加讨论，作出较公正的评价，帮助读者分清是非，提高读者的鉴别能力。

4）挑选那些读者面广、影响大的图书写书评。如选择畅销书写书评、选择读者关心的书写书评。通过书评，帮助读者阅读和鉴赏。

5）挑选独具特色的图书写书评。如选择内容上的特色，或选择形式上的特色。

6）挑选自己本专业的或比较熟悉的书，或自己感受最深的书写书评。一般来说，选择本专业的书，易于深入理解；选择感受深的图书，书评会写行真切、深刻；选择亲友、熟人的书，比较熟悉。

7）挑选最新的书写书评。选择新出版的书，因为这些书亟待书评指导阅读。如 1995 年初，林辰选了 1994 年刚出版的两部大书《全明散曲》和《唐宋全词》写书评《精而专和大而全——评两部大书的编辑工作》（载《中国图书评论》1995 年第 7 期），两书相比，可见高低。

3.5.1.2 阅读图书

包括精读和粗读。粗读要求了解全书的梗概和大意，做标记、笔记、摘录。精读要求边思考边阅读。

3.5.1.3　查找并阅读被评图书的有关资料

根据写书评的需要，书评作者至少要掌握以下材料：有关作者的材料，生平、写作背景、写书经过、其他著作等；有关书的背景材料；阅读其他书评文章；阅读同类书；了解被评书的出版、发行情况；了解广大读者对这本书的意见和评价。

3.5.1.4　写出提纲或文章的框架

写书评之前，需要构思，将思考的要点和写作的思路记下来，谋篇布局，形成书评的大纲，也可以说是内容框架。

在书评提纲中，除了列出写作的若干部分标题（也可以不列题分，只标出1、2、3部分次序）外，重点是表达如何评价被评书的思路，以关键词或短语列出对被评书的看法和意见。以胡适写的学术书评为例，瑞典的汉学家 Bernhard Karlgren 出了一本《〈左传〉真伪考》，胡适为这本书写了题为"《〈左传〉真伪考》的提要与批评"的书评，大纲分七个部分："一、著者珂罗倔伦先生；二、作序的因缘；三、什么叫作'《左传》的真伪'；四、论《左传》原书是焚书以前之作；五、从文法上证明《左传》不是鲁国人做的；六、关于这一部分的批评；七、下篇的最后两部分"，书评写于1927年10月4日，由这一大纲可以看出胡适评书，先介绍，后逐篇分析与批评（被评书分上下两篇），且有鲜明的观点。在写书评之前，胡适先读完《〈左传〉真伪考》，把书中大意节译出来，做了几十页的提要。

3.5.1.5　写书评初稿

一篇书评作品的结构如下。

1）标题与署名；

2）导语（开头）；

3）正论；

4）结语（结尾）。

3.5.1.6　修改初稿，查对引文

1）初稿写出后要反复修改，删除不恰当的字、词、句；

2）查对引文。

3.5.1.7　定稿

1）誊写；

2）注明图书的出版事项。

3.5.2 书评写作方法

3.5.2.1 书评的标题

（1）书评标题的形式

书评标题有无标题、单标题、双标题三种形式。

1）"无标题"：书评作品集中地、固定地刊载在报刊书评栏内，每篇书评以被评书的题目为标目。

2）"单标题"：有一个多于且异于被评书书名的，由书评作者所拟的标题，有两种情况：一种是标题内含有被评书的书名。如朱自清写的书评《评郭绍虞〈中国文学批评史〉七卷》《读〈心病〉》。另一种是标题具有一定的意义而不含被评书的书名。如列宁的书评《一本有才气的书》，评阿尔卡季·韦尔琴科的《插到革命背上的十二把刀子》1921 年版。

3）"双标题"：主标题有深刻的意义，副标题列出被评书的书名以及作者。如朱自清的书评《历史在战斗中：评冯雪峰〈乡风与市风〉》。

（2）书评标题的技巧

确定书评标题的主要方法有以下 8 种。

1）揭示被评书的中心思想和内容，如萧篷父的《"知人论世"的史论特色——评〈李光地传论〉》（载《中国图书评论》1993 年第 5 期）。

2）引名言。引名言，要与被评书内容或书评本身有某种联系，避免牵强附会。如沈宝祥的《我们不是帝王将相》，评介《在彭总身边》，引用了彭德怀讲的一句名言，比较贴切。

3）从被评书的书名中做文章，如茅以升的《展现我国古代建筑成就的历史画卷——〈中国古代建筑技术史〉评介》（载《中国图书评论》1986 年第 3 期）、路杨的《回眸金融百媚生——评〈金钱统治〉》（载《光明日报》2010 年 3 月 4 日）。

4）引用诗词名句，如戴逸的《龙庭亦是豪游地，海月边霜未觉愁——〈清代东北流人诗选注〉评介》（《东北地方史研究》1987 年第 1 期）就是引了江南才子吴兆骞《赠人》中的两句作为主标题。来新夏的《留取丹心照汗青——读〈只唯实——阎红彦上将往事追踪〉》（载《天津史志》2003 年第 4 期）选取文天祥的诗句作为主标题。

5）定优与劣的基调。有的标题委婉表达，如朱正的《一个令人遗憾的选本》（载《读书》1983 年第 11 期）是人民文学出版社 1982 年出版的《瞿秋白诗文选》的，也有的标题表现强烈，如华任平的《〈向警予文集〉错漏严重》（载《读书》1980 年第 10 期）是评湖南人民出版社 1980 年出版的《向警予文集》。

6）含蓄、意味深长的标题。如《大潮的先声》（评《中国社会科学大趋势》）、《小草如茵》（评何士光的爱情小说《草青青》）。

7）揭示被评书的题材和体裁，如张诗剑的书评《〈海琴〉是一束关于海的诗》揭示被评书的体裁（诗）和题材（海）。

8）揭示被评书的特点和特色，如《深入浅出的〈中国无神论文集〉》、《注文精当，持论公允——简评〈姚莹论诗绝句六十首注〉》。

（3）书评标题的要求

一是准确：标题与被评书内容吻合。如林默涵的《明古而鉴今——读〈中华传统文化大观〉》（载 1994 年 10 月 6 日《人民日报》）等。

二是简练：标题文字要力求精练。臧克家的《从〈新编唐诗三百首〉说起》（载《读书》1959 年第 11 期），书评将清代蘅塘退士的《唐诗三百首》和中华书局的《新编唐诗三百首》对照，评论中华书局选本存在的问题，标题虽十分简单，却引人注意。

三是生动：标题语言必须生动、形象。如袁鹰的《辣椒·仙人掌·讽刺诗——评易和元的讽刺诗集〈热嘲集〉》（《诗刊》1983 年第 7 期）说"易和元同志是四川人，又爱种花，于是辣椒、仙人掌、讽刺诗，三者在他的身上汇合了"，标题与内容契合，把评论形象化了。

四是新颖醒目：新颖的标题让读者眼前一亮，标题要醒目，别有一番风味、别致，让读者叫好，如《横刀立马写真情——〈彭德怀自述〉读后》；《辨有特色，析有新意——评赵光贤著〈周代社会辨析〉》《一串金珠——〈中国哲学史丛书〉》等。

五是恰当：标题反映书评作者的姿态，要恰到好处。很多书评直截了当地表现书评作者的敢于挑毛病的英雄气概或刚正不阿、不惧权威的精神，也有很多书评家更喜欢以谦逊的态度写书评，并体现在标题中。书评家萧乾谦逊地用"读后感"作为书评标题，如《〈王谢堂前的燕子〉读后感》（1980 年）。

3.5.2.2 书评的导语

高尔基说："最难的是开始。就是第一句话，如同在音乐上一样，全曲的音调都是它给予的。平常得好久去寻找它。"唐彪《读书作文谱》："通篇之纲领在首一段，首段得势，则通篇皆佳。"因此，书评导语非常重要。

开头是多种多样的。萧乾《书评研究》分析过 50 篇书评的导语，将其划分为7大类：引人入胜、展示原作内容、史的追溯、宣布批评步骤及标准、推崇的、批评的、诠释的。

怎样写书评导语，一般有直接导语和间接导语两种方式。

（1）开门见山式的直接导语

这种导语开宗明义，一开始就向读者介绍被评的图书，表明对被评书的态度。这种导语分为三种形式。

1）内容简介式：一开始就对被评书的内容作概括性的介绍。例如茅盾为《李家庄的变迁》写的书评，开头"赵树理先生是在血淋淋的斗争生活中经验过来的，而这经验的告白就是小说《李家庄的变迁》。"

2）定基调式：一开始就为被评图书定下好或坏的基调。例如列宁写的书评，1889年评《经济学简明教程》导语："波格丹诺夫先生的这本书是我国经济学著作中出色的作品。它不仅'不是一本多余的'入门书（像作者在序言里所'希望'的那样），而且确实是这类书中最出色的一本。因此，我们想在本文中使读者能够注意到这本书的突出优点，同时也指出几个小问题，希望再版时最好能修改一下。读者对经济问题很感兴趣，所以我们想这本有益的书不久就会再版。"又如，叶圣陶的《读〈野火春风斗古城〉》的导语："我一口气读完这部《野火春风斗古城》，觉得'内容说明'的末了一句'这是一部激动人心的优秀作品'并非过誉"（《读书》1959年第2期）。

3）突出社会效果式：一开始就指出被评书的社会效果（出版情况、版次、印数、受读欢迎的程度）。例如，"艾寒松同志生前编著的《怎样做一个共产党员》，初版于1952年6月。……于1954年11月出了重改本。党的八大后，艾寒松同志又根据八大党章，对该书进行了全面改写。于1957年7月出了这本书的新版。到1962年7月，该书先后出过7种版本。共印31次，出书近1000万册。"

（2）铺垫引入式（引人入胜）的间接导语

这种导语为吸引读者，先作一个铺垫，再引入正式的评论。这种导语分为六种形式。

1）先发议论：开头不谈评什么书，而是就某事发表见解。如评散文，先谈对散文的见解；评史学著作，先谈学术动态。还有不少书评，一开始谈对于评论或书评的看法，如刘西渭的《〈边城〉——沈从文先生作》（载1935年9月《文学季刊》第2卷第3期）导语说："我不大相信批评是一种判断。一个批评家，与其说是法庭的审判，不如说是一个科学的分析者。科学的，我是说公正的。分析的，我是说要独具只眼，一直剔爬到作者和作品的灵魂的深处。一个作者不是一个罪人，而他的作品更不是一片罪状……"这样的一番议论，只要是独到的见解，便符合书评的开篇法则。

2）设问式：开头先提出一个或一连串的问题。例如，胡凡《兴盛与危机——论中国封建社会的超稳定结构》的导语："中国封建社会为什么那么漫长？这是史学界长期以来讨论很久，但又众说纷纭的问题。"

3）鸟瞰式：从某一时期一类书的出书倾向，作出概括性的评介，再对某一书作评论。例如，成仿吾《〈一叶〉的评论》的导语："在我们现在这种缺乏创作力——尤其是缺少长篇的创作的文学界，除了资平的《冲积期化石》，王统照君的《一叶》要算是长篇大作了。"又如，梅子《冷酷背后有强大的暖流——〈寒夜的微笑〉读后》的导语："近一二年，港台及旅居欧美的中国血统文学作家的作品开始引起国内文艺、出版和学术界的注意。这一类的消息经常可以从新闻及报刊的出版广告上得到证实。最近，当本港作家海辛的短篇小说集《寒夜的微笑》（广东花城出版社出版，印数十一万五千册）在书店里发售时，……"。

4）联想式：通过对书中的内容，主题或人物所引起的联想，展开发挥。例如，回忆某人与此书的关系。

5）引名言式：通过引用名人的名言或诗词，反映此书的重要。可用的方法有引序言：引名人序言中的话作为开头；引诗词中的名句；引名人名言。

6）摘录书中片断式：直接摘取书中的一个片断作为开头。由对此片断的评述，引发对于全书的评论。可以是摘录书中的某一段话，引发议论；也可以是摘录某一精彩的诗篇，有感而发。例如阿英的《帝国主义怕的是什么？读〈笭庵诗稿〉》（载 1962 年 11 月 18 日《人民日报》）就是以笭庵（吴清鹏）1840 年所写的一首《三虫篇》作为开篇，说这是他最喜爱的一首总结鸦片战争经验的诗。

3.5.2.3 书评的正论

书评正论是对被评图书进行的分析和评论，是书评最主要的部分。

（1）书评正论的"批评格"

书评首先是议论文。书评正论中对被评图书各个方面的分析和价值判断，即批评见解，萧乾在《书评研究》中称之为"批评格"。萧乾将批评格分为十个成分：①"书名或标题恰当与否"：标题的价值与意义；②"形式与文笔"；③"内容适宜性"：选题与时代，与读者要求适应性；④"全书组织"：结构是否合理、严密；⑤"对读者之适宜性"：是否适合读者阅读；⑥"同类著作之比较的考察"：比较见优劣；⑦"引据他人评语"：用他人评价表达自己的见解；

⑧ "评者由书中所得启示"：是否得到新的意境意象；⑨ "主要功过——概评"：若干正面价值以及缺点不足；⑩ "献意或展望"：提出建议和希望。

（2）书评正论的方式

如何写书评正论，有5种方式。

Ⅰ．解剖式

解剖式正论对一本书的时代背景、主题思想、逻辑结构等方面进行层层分析，最后得出结论。这种方式也就是归纳推论、层次分析。例如，朱自清的《读〈湖畔〉诗集》（载《文学旬刊》第 39 期）正论部分，分为"大体说来""就诗而论""就题材而论""就艺术而论"四个层次，重点放在题材的分析上。

Ⅱ．论证式

论证式正论对开头所作的关于被评图书的肯定或否定的结论性观点作出多方面的论证。这里说的论证，并不像科学论著那样严格地运用研究方法进行的论证或者理论思辨式的长篇大论，而是有理有证地说明对于被评书的基本观点，并用一种轻松的语言表达出来。例如，李健吾的书评《读〈法国文学史〉上册》说："得其书而读之，不亦悦乎！案头的《法国文学史》上册，盼了好久的书总算盼出来了，对法国文学工作者来说，是值得庆贺的事"，由此可以看出作者对这本书评论是肯定的。这篇书评没有详述这部著作有哪些优点，而是细述喜欢这部书的三个原因，一是因为是中国人自己用马列主义、毛泽东思想的观点写出来的，二是作者都是四十岁以上的学者胆大心细挑重担，三是他们的美好合作，为中国人在法国文学史上创出了一条路，以这三个原因说明书的三大特色，还以商议的口气陈述书中的不足："又如，farce 一字，到底是译成'笑剧'呢，还是'闹剧'呢，《法国文学史》上册也是一时一个样。谈莫里哀时，就是'闹剧'，然而它最早出现在 15 世纪，却又译成'笑剧'，不懂原文的读者，就会以为又有一类了。大概是一本书三个人写，就有了这种不同的译法。其实，是可以避免的"，既替读者着想，又为作者的失误找客观原因，言语中饱含对作者的理解与体谅，表现出书评家的宽仁大度。正论中如此表达出支撑自己看法的"论证"，末了提出希望"最后，希望三册出齐时，添一个作者、作品的页码表，以便利中国读者查对"（载 1979 年 7 月 10 日《光明日报》）。

Ⅲ．论争式

论争式正论对被评图书的观点提供异议，批评对方观点，论述自己的看法，由此得出对该书的评价。如何祚麻的《金观涛为什么要否定实在的客观性？——评〈人的哲学〉》（载《求是》1989 年第 11 期），反驳了金观涛的观点，提出了批评。

Ⅳ. 对话式

对话式正论是用对话、答问体裁写书评，以回答问题的方式对一本书进行评论。

Ⅴ. 类比式

类比式正论将被评图书与同类书做比较，指出被评图书的优缺点。例如，朱自清为清代李绿园所著的一部长篇小说《歧路灯》写了书评，发表于 1928 年 12 月《一般》第 6 卷第 4 号上，开篇就说："《歧路灯》是中国旧来仅有的两部可以称为真正的'长篇'的小说之一；另一部便是谁也知道的《红楼梦》。"书评通篇将《歧路灯》与清代的两部小说史作《儒林外史》和《红楼梦》相比，从作品的题材、结构、描述不同的角度一一比较，认为三书各有长短。本来，《歧路灯》没有名气，书评一下子抬高了它的地位，但朱自清的正论言之成理，无疑是发现了《歧路灯》不同凡响之处，结尾处还有点睛之笔："若让我估量本书的总价值，我以为只逊于《红楼梦》一筹，与《儒林外史》是可以并驾齐驱的。"

3.5.2.4　书评的结语

结语与导语同等重要。书评要有虎头豹尾。萧乾《书评研究》对 30 篇书评文章的"煞尾"做了分析，归纳为六类：申斥、讽刺、声明（书评作者为自己申述）、奖誉（包括总结被评书的好处及预言其用途）、指示（建设性批评，包括指出改善的途径、提示问题、期望作者、警戒作者）、批判（宣布"判词"）。

怎样写书评结语，结尾一般有直接结语和间接结语两种方式。

（1）总结式的直接结语

Ⅰ. 概括式

概括式结语通过回顾全文，对全文要点做个概括，如"总之，……"。

Ⅱ. 祝愿期望式

祝愿式结语对作者、编者、出版社提出建议和希望。如翦伯赞《评〈六十年的变迁〉》（载《读书月报》1957 年第 4 期）结语："李六如同志的这部书，可以说是一个很好的开端，我们希望继《六十年的变迁》之后继续有这一类历史小说或历史笔记出版。"

Ⅲ. 亮疵式

亮疵式结语在肯定书的优点之后，结尾突出指出本书的缺点和不足之处。如朱正《伟大人物的一个侧影——读王德后〈两地书研究〉》（《文学评论》1982 年第 4 期）在分析《〈两地书〉研究》虽然整整用了一章写鲁迅与朱安婚事，但主要不是研究朱安，而是研究鲁迅与许广平之间的事，最后一段指出不足："如果说书评的通式是：一、优点；二、缺点的话，我在向读者推荐这本著作的时候也得挑剔一下，找一两条缺点来说一说。那么，我想大约可以讲这两点……"

Ⅳ. 谦逊式

谦逊式结语以谦逊的态度和语气表达书评写作的心情，或者表达对被评书作者的敬意。如程代熙的《读〈西方美学史〉》（载《读书》1979年第4期），他是一位美学理论家，评朱光潜的《西方美学史》，结尾还说："对于美学我完全是个门外汉，这些门外之谈，谬误定然不少，倘朱光潜先生能有以教正，当无任感谢！"

（2）补充式的间接结语

Ⅰ. 有余意无穷式

有余意无穷式结语在结尾给读者留下清音有余，余味无穷的感觉。如金克木的《八旗女儿心》（《读书》1992年第11期）是评赵玫的小说《我们家族的女人》评得风趣，以"东拉西扯闲话已了，戏题一绝：铁马金戈曲已终，燕支化作夕阳红。海滨人去涛声寂，不见须眉乘朔风"作为结尾，令人回味。

Ⅱ. 引名言名句式

采用引名言名句式结语为使书评更加有力，结尾引用名言、书中序言或书中的警句、诗词中的名句，起强调作用。

Ⅲ. 写缘由或释题式

写缘由或释题式结语，是在结尾向读者交待为什么写这篇书评，或者用解释书评标题来收尾。

Ⅳ. 介绍作者附录式

介绍作者附录式结语，是在结尾时补充介绍作者情况或说明本书附录的价值。

Ⅴ. 号召式

号召式结语是在结尾提出口号，发出号召，以激励读者，起振兴人心的作用。

3.5.2.5　书评写作要注意的几个问题

（1）全面介绍和重点分析相结合

Ⅰ. 以评为主，介绍为辅

为评价图书，必须对图书内容形式作全面介绍。介绍图书是为了评价图书。以叶圣陶在1927年7月10日《小说月报》第18卷第7期发表的书评《读

〈柚子〉》为例：

读《柚子》

近来得鲁彦君的小说集《柚子》。十一篇里头，还只读了六篇，最爱《狗》、《柚子》、《阿卓呆子》三篇。

作者的感受性非常锐敏，心意上细微的一点震荡，就往深里、往远处想，于是让我们看见个诚实悲悯的灵魂。作者的笔调是轻松的，有时带点滑稽，但骨子里却是深潜的悲哀，近于所谓"含泪的微笑"。作者的文字极朴素，不见什么雕饰。这三者合并，就成一种自有的风格，显然与其他作者的不一样。或谓鲁彦君的作品与某作家的相像；其实相像云者，止是可以粗略地归入一类而已，绝非一样，也未必近似。

读《狗》这一篇，谁都会怵然，谁都会觉得心灵上吃着辣辣的一鞭。《柚子》一篇讲的看杀头。杀头，在我国真是一件十分奇异的十分平常的事情。"仿佛记得许多书上，说从前杀头须等圣旨，现在县知事要杀人就杀人，大概是根据自由论罢"。作者这样说，你还是笑呢，叹气呢？在《阿卓呆子》这篇里，我们觉得这呆子很可爱，但是呆子周围的一群人，个个都面熟，未免可厌了。

这篇书评文字不到 500 字，看似一个篇幅较长的提要，其实是短小精悍的书评，因为它没有把重点放在介绍《柚子》中的内容和小说故事上，而只用了很少的笔墨告诉读者关于此书最重要的信息：作者、体裁、数量。这篇书评对书的总体评价特别简要，总结出作者的创作要妙之处有三：一是创作灵魂上"诚实悲悯的灵魂"，二是笔调上"轻松的，有时带点滑稽"，三是文字上"极朴素"，认为三者合一自成风格。这篇书评脱离了俗套的作者与图书分别评述，而是巧妙地将评书与评人完善地结合了起来。特别重要的是，概评与重点相结合，"十一篇里头，还只读了六篇"表达了叶圣陶的实言相告，书评没有面面俱到，重点放在感受最深切的《狗》《柚子》《阿卓呆子》这三篇上，每篇评介点到要害处即止，达到了吸引读者去读原书的目的。

Ⅱ. 着重分析文献的特色和成就，切忌一般化的议论

例如，王兆山的书评《一本有特色的文艺理论书——简介苗得雨同志的〈文谈诗话〉》，分析《文谈诗话》的三个特色：一是以切身感受讲道理，用经验体会讲疑难；二是文章短小精悍，语言生动活泼，论理深入浅出；三是文谈和诗话并举。

书评要求层次清楚，有逻辑性，但不一定都要列出要点。例如，周振甫的《谈谈〈古文观止〉》（载《读书》1959 年第 14 期）先进行原因分析："第一，……第二，……第三……以上三点，当是本书能广泛流布的原因。直到现在，本书仍不失为一个好的古文选本。不过本书也有它的缺点，约略说来

如下。一、……二、……",书评写得有分量,也很有逻辑,但这种罗列要点的方式可用于论证式的学术书评,一般不适合于大众读物的书评写作。

（2）评论图书时要观点鲜明

对于优秀图书要积极推荐;对于有错误倾向的书要进行批评;对于有缺点的书,既要肯定优点,又要指出不足。

撰写书评时切忌模棱两可,或含而不露,即使评论名家的著作也应当如此。

杨桂欣《她遣春温上笔端——评丁玲两本近作》（光明日报,1982年1月18日）对丁玲的为《东方》《第二次握手》所写的书评进行了评论（书评之书评）。杨文肯定丁玲对这两本书的赞扬,同时又指出其不足:"这两部著作并不是完美无缺,丁玲同志在评论《东方》《第二次握手》等作品时,往往只讲优点,不谈缺点和不足之处,这就失于偏颇。同时,她在行文遣语中,有时不大注意语言的规范化。"实际上,丁玲写的这两篇书评更多是从鼓励年轻人出发而写的,《我读〈东方〉——给一个文学青年的信》（载《文艺报》1979年第7期）中就说:"我不是理论家,我不是在评论。我只不过想向你推荐,引起你读这本书的兴趣,同时希望对你创作道路上可能遇到的问题引起你的考虑。我非常高兴听到你的意见。"《第二次握手》一开始是以手抄本的形式流传的,刘白羽的《论〈第二次握手〉》（载1979年12月10日《人民日报》）在充分肯定这本书之后已点出了其不足:"由于作者人生阅历和驾驭艺术能力的局限,这部书还有一些不足之处,留有人为的斧凿痕迹……但这是次要的,也是难免的。"丁玲的书评是有她自己的风格和鲜明的意图的,她的《我读〈高山下的花环〉》（载《红旗》1983年第3期）就指出了这部中篇小说最大的不足之处。

（3）讲究书评技巧,注意书评语言

书评要有吸引力,要有可读性,必须注意书评的标题、开头、结尾、布局及语言。

开头和结尾要自然,语言要生动、活泼。以周汝昌的《读红楼丛话》（载1991年12月14日《文汇读书周报》）为例,开头便说:"近日连接收到赠书四种,竟都是'红学'著作。我方知'红楼热'方兴未艾。我依收到的次序取阅,于是先翻《红楼丛话》。此书著者严中,出版者是南京大学出版社,全书430页",接着说著者的后记,此书的特点,严中的学风和文风,举证实例,还说:"严中此书,如果苛求,也有缺点。"一切都显得自然,顺理成章,最后就一句话"总的说来,严中此书是新书中的佳品",全文读下来,觉得舒畅,既有力度,又很活泼。

第 4 章 文献揭示与组织

如果允许我随意选择，我并不要求返老还童，而是希望得到作家再版书籍时所享有的那种优惠——能够修正初版时所犯下的错误。

——富兰克林

文献揭示与组织是目录学的基本方法。文献揭示与组织是由文献数量与质量的矛盾决定的，在大量文献中如何揭示出较高质量的文献，是一个提炼和发现的过程；如何科学地组织文献，是解决文献有序化的重要方法。文献揭示与组织也是由社会需要决定的。要根据读者的不同需求和收集文献的不同目的揭示文献与组织文献。文献选择是文献揭示与组织的基础，要有选择地揭示文献与组织文献。

4.1 文 献 揭 示

文献揭示包括文献外部特征的揭示和内容的揭示，本质是对文献中的信息与知识的揭示。

4.1.1 文献揭示的任务和原则

4.1.1.1 文献揭示的基本任务

文献揭示的基本任务就是解决"文献—书目情报—读者"的矛盾，具体表现在两个方面：一是最大限度地满足读者要求，及时、准确地为读者提供文献，以读者满足率为标志，包括为读者提供文献是否及时，为读者提供文献是否准确、恰当，为读者提供文献是否充足。二是使文献得到最充分的利用，即使文献在最需要它的时间、地点以及特定读者手中发挥作用，产生效果。它以文献利用率——文献增值为标志，包括文献是否在一定时间内得到充分利用，文献是否在一定区域内得到充分利用，文献是否在一定读者群中得到充分利用。

4. 1. 1. 2　文献揭示的基本原则

（1）客观性原则

这一原则包括两个方面。一是在揭示过程中注意客观性与主观性的辩证统一，客观揭示是第一位的，主观发挥是第二位的。二是正确处理好三个关系：文献内容与形式的关系，以内容揭示为主；文献内容广度与深度的关系，注意其内在联系的揭示；文献历史与现状的关系，注意揭示其变化与影响。

（2）科学性原则

这一原则包括三个方面。一是运用科学的方法揭示文献；二是坚持用科学态度揭示文献；三是准确地揭示文献。

（3）有效性原则

这一原则包括两个方面。一是有目的、有选择地揭示文献。二是运用一切手段节约读者的时间，不仅要节约读者吸收文献的时间，而且要节约读者获取文献的时间。

4. 1. 2　文献揭示的方法层次

文献揭示有四个方法层次，即描述性揭示，分析性揭示，精萃性揭示，评介性揭示。

4. 1. 2. 1　描述性揭示

（1）文献著录

文献著录（bibliographical description），也称目录著录、书目著录，简称"著录"。它是按照一定的著录规则，通过著录事项反映文献基本特征的方法，是文献揭示最简明、最基本的方法。关于著录的方法，详见本书 4. 3. 1 节。

（2）文后参考文献

文后参考文献是文本描述的方法。具体的方法，详见本书 4. 3. 2 节。

4.1.2.2　分析性揭示

（1）标题

标题法是揭示文本内容特征与价值的重要方法，好的标题能够准确而简洁地表达内容，成为文本的最佳标识，甚至有的标题还赋予作品以情感。例如，一本介绍大白鲨的科普读物，用《大白鲨》（*The White Shark*）这一标题虽然简洁，但不如《嗜杀成性的大白鲨之迷》（*The Mystery of the Killer White Shark*）这一标题更富于感情色彩。在现代文献中，文本标题与文本之间具有意义上的必然联系，成为人们认识作品的重要依据。科技作品标题一般直接反映研究对象或主题范围，社会科学理论作品的标题大多数能反映主题内容，文艺作品的标题常常采用象征手法，反映内容不够明确。总体来看，文本标题是揭示文本内容的一种方法。关于标题的方法，详见本书 4.2.1 节。

（2）注释

注释分为文本注释和书目注释，在古典目录学中，注释不拘泥于形式，最能体现目录学家灵活运用目录学方法的水平。这一方法在现代目录学中，向规范化方向发展，并与引文产生密切的联系。关于注释的法，详见本书 4.2.2 节。

（3）主题词

文本主题词是用以表达文本主题概念的词或词组。任一文献均可以用一个或多个主题词表示，这些主题词，既是标引时用作标目的标引词，又是检索时用作组成提问式的检索词。

主题词是从自然语言中优选出来的规范化的语言，自然语言中存在着各种同义词、多义词、同形异义词等，它们在"事物、概念、语言"的关系上并不一一对应，而每一主题词只能表达一个概念，对"事物、概念、语言"的关系有严格的对应要求。

主题词的概念有内涵和外延之分，内涵可分为具本概念、抽象概念；外延可分为单独概念和普遍概念。主题词可以组配，用一定的关系符号将若干主题词有机地结合在一起，可以成为高度浓缩的文本概念表达。

4.1.2.3　精萃性揭示

（1）目次

目次（contents 或 the table of contents）是书刊中文本主题的列举，是文本内容大纲。通过目次，可以了解文本的内容结构和体例，掌握文本的内容概要。

（2）文献浓缩

Ⅰ. 文摘

"文摘"（abstract）一词来源于拉丁语"abstractus"，原意为"抽取"，"refere"，意思是"通告""转达""报告"。在一篇文献中，文摘通常是浓缩文本内容的语义连贯的短文，构成文献的组成部分。国际标准化组织（ISO）制定的标准 ISO214—1979（E）《文献工作——出版物的文摘和文献工作》指出："abstract 这个术语是指一份文献内容的缩短的精确的表达而无须补充解释或评论。"美国的国家标准指出："abstract 这个词意味着压缩了的一篇文献的精确代表。不加说明或评论，也不注明文摘作者。"日本科学技术厅制定的《科学技术情报流通技术标准：文摘的编制》指出："文摘是以迅速掌握文献内容梗概为目的，不加主观评论和解释，简明、确切地记述文献重要内容的文章。"在书目文献中，文摘通常作为检索刊物中描述文献内容特征的款目，中国国家标准《检索期刊条目著录规则》（GB3793—83）规定，文摘是"对文献内容作实质性描述的文献条目"。在文献工作中，"文摘"通常指文摘类检索刊物，如《科学文摘》《化学文摘》成为文摘杂志的简称。

文摘的相关术语有：节略（abridgement）、注解（annotation）、警句（aphorism）、格言（axiom）、概要（brief）、代码（code）、命令（command）、纲要（compendium）、结论（conclusion）、资料手册（databook）、梗概（epitome）、节录（excerpt）、摘录（extract）、谚语（maxim）、箴言（precept）、摘要（precis）、梗概（récumé）、评论（review）、选录（selection）、摘要（summary）、总结（summation）、提要（synopsis）和扼要结论（terse conclusion）等。这些词的含义既明显，又存在着细微的差别。"摘录"是由文献的一个或多个部分组成，逐字摘出，用以代表整篇文献。"摘要"是在文献中（通常是结尾）重复该文献的重要结果和结论，意在给那些已研读了前文的读者提供一个圆满的结尾。

"digest"（摘要）也是一个重要的相关概念。它是指一件作品的系统全面的浓缩，通常不是由原始作者准备的，虽然简短，但在范畴上比"synopsis"大，有时带有标目和副标目，也有时作为"compendium""epitome"的同义词。关于文摘的编写方法，详见本书 6.3.1 节。

Ⅱ. 文献精髓

文献精髓是文摘法的发展。关于文献精髓的方法，详见本书 4.5.2 节。

4.1.2.4　评介性揭示

（1）序跋

"读书先读序跋文。"序跋是文本评介的常用手段。关于序跋的方法，详见本书4.4.1节。

（2）提要

文本提要包括图书出版提要、报刊篇目提要等，这是文本评介的重要方法。图书出版提要是出版者向读者介绍图书、推荐图书的一个简便方法，多置于图书中显要位置。出版提要与书目提要在写法上极为相似，只是出发点不同，出版提要主要目的是为推销图书，评价图书较高，而书目提要主要是为了辅助阅读，评价图书比较客观。

以 Thomas L. Friedman 的 *The World Is Flat* 为例，其出版提要如下：

The World Is Flat is Thomas L. Friedman's account of the great changes taking places in our time, as lightning-swift advances in technology and communication put people all over the globe in touch as never before-creating an explosion of wealth in India and China, and challenging the rest of us to run even faster just to stay in place. This updated and expanded edition features more than a hundred pages of fresh reporting and commentary, drawn from Friedman's travels around the world and across the American heartland-from anyplace where the flattening of the world is being felt.

In *The World Is Flat*, Friedman at once shows "how and why globalization has now shifted into warp drive" (Robert Wright, Slate) and brilliantly demystifies the new flat world for reader, allowing them to make sense of the often bewildering scene unfolding before their eyes. With his inimitable ability to translate complex foreign policy and economic issues, he explains how the flattening of the world happened at the dawn of the twenty-first century, what it means to countries, companies, communities, and individuals; how governments and societies can, and must, adapt, and why terrorists want to stand in the way. More than ever, *The World Is Flat* is an essential update on globalization, its successes and discontents, powerfully illuminated by one of our most respected journalists.

关于提要的具体方法，详见本书4.5.1节。

（3）宣传性评介

对文献进行宣传性评介最有效的方法是图书广告。

图书广告是推销图书的有效方式，一直被书商作为宣传图书的得力手段。以 *Diana* 为例：*Diana*，美国布里奇出版公司出版。1984 年初版，销量为 40 万册；1986 年有线电视广告宣传，销量增至 80 万册；1987 年进行全国电视联播与全国广播联播宣传，销量增至 160 万册；1988 年利用体育比赛广告，销量达到 175 万册；1989 年开展全国张贴画有猛犸动物形象的全新封面广告宣传，销量达 1100 万册，营业额达 5000 万美元。*Diana* 纸皮书本售价 5.95 美元。其广告词为：The Best Keeps Getting Better。它在《纽约时报》的畅销书名单上出现过 94 次（周），在《出版商周刊》上的畅销书名单上出现 100 次（周），它已成为 20 世纪 80 年代末美国首屈一指的实用畅销书。该书的书名主题词 Dianetics 已被出版公司作为注册商标，出版公司也使用 "a dianetics publication" 作为出版标记。

图书广告有多种方法。国外出版公司对某些可进入大众图书市场的图书，初版时就开始全国性的广告宣传活动，称为 "全国广告攻势"（national advertising campaign），它集中了图书广告的各种方法：①印制与张贴招贴画。有 Poster 单面招贴画和 Special 2colour foldout timeline 双面招贴画（特别双色褶页招贴画）。②在列车上张贴广告。③在主要的大众报纸与期刊上刊登广告。④在全国主要的辟有图书评论专栏的报刊上刊登广告与发表书评。⑤出版新闻专辑、进行宣传。如美 Nationally Syndicated New feature（全国报业辛迪加新闻专辑）。⑥在杂志上连载新书的主要章节。⑦广播公司广播新书的主要章节。⑧在广播电台播送广告。⑨在电视节目中播广告。美国出版商曾采用的做法如：40 City Nationwide Video Satellite Tour；Cable Network Television Advertising。⑩让作者本人出头露面，进行周游宣传和广播宣传。如 *Wordstruck*，海盗出版公司出资让作者罗伯特·麦克内尔在 6 个城市游说；171 *Ways to Make Money in Real Estate* 霍尔出版公司宣传为 "作者 10 城市周游宣传"；*Living together*，*Feeling Alone* 宣传为 "作者 15 城市周游宣传"。⑪制作专门展示与推销新书的展架。陈列（Display）包括地面陈列（Floor display）和柜台陈列（Counter display），展架摆放册数少至 6 册、8 册，多达 20～30 册。⑫在广告用语中，多使用 "已被某某图书俱乐部选入" 字样来提高新书的身价。

（4）报道性评介

对文献进行报道性评介，可以是专门性的报道即文献提要，也可以是综合性的报道即文献综述。

（5）研究性评介

对文献进行研究性评介，可以是单一文献的评论，也可以是专题文献评论。

4.2　标题与注释

无论图书还是期刊论文，或者一个艺术作品，任何一篇文献的识别是从标题开始的。当人们阅读文献正文时，对于注释常常不大注意或重视。注释是一种重要的揭示方法，在一篇文献中，因为使用了这一方法，不仅使作者的表达更为准确，便于读者理解，而且使作者的文本语言文字表达更为流畅，主线条鲜明，同时也给正文增添了更多有价值的信息与知识，丰富了作者的表达方式。

4.2.1　标题法

4.2.1.1　标题的起源

标题是文本的标志，但最早的文本并无标题。

在西方，题目一词来自拉丁语 ruber，意思是红字，或用特殊字体。书的每一章开头用红字书写，这种用红字书写的传统首先被希腊人采用，后来罗马人也采用。欧洲的写本和初期印刷本的题目也用红字。在古代和中世纪，无数的人在写书、抄书或读书，但没有人想到要有一个专有的"书名"。

亚历山大的普陶来迈奥斯图书馆，按照埃及和叙利亚的习惯，把写本的开头即正文起始语作为书名编入目录。那时亚历山大图书馆员要找荷马史诗"*Iliad*"时必须找第一句话。

印刷术产生后出现了书名并发展为书名页。Stanley Marison 在他所著的《印刷术的第一原理》一书中写道："印刷术的历史，大半是书名页的历史。"在书籍中开始加书名页，是从手抄过渡到印刷时代最显著的进步之一。但这种书名页的设计并不是加注著者姓名也没有加注书籍名称，而且常在印刷品的第一页或更普遍的第二页上。最初的印刷者在所印的书里，加了"末页题署"（或"出版记录"），保留着中世纪缮写生的习惯，即在写本末尾简单地注一些事项，如缮写生名字、抄成日期、祈望和简记。最早的"末页题署"只有四项，示例如下。

书名：Psalmorm codex

印刷者：Johannes and Peter Schöffer

印刷地：Mainz

印成日期：14 August 1457

从 15 世纪开始有了书名页，16 世纪以后，所有的书都有了书名页，成为书的必要组成部分。而对那些没有书名页的书，只有加以注释和说明。于是出现了登载栏外大字标题。最初登载栏外标题的是从德国 1490 年出版斯格拉派哲学家 Albertus Magnus 的《贫穷的哲学》（*Philosophia Pauperum*）开始的，继而出现了多页的栏外揭载。

在中国，古书很多没有标题，常常用作者代替标题，如《史记·虞卿列传》："虞卿既以魏齐之故，不重万户侯卿相之印，与魏齐间行，卒去赵，困于梁。魏齐已死，不得意，乃著书，上采春秋，下观近世，曰《节义》《称号》《揣摩》《政谋》，凡八篇。以刺讥国家得失，世传之，曰《虞氏春秋》。"这里，《虞氏春秋》为后起之名，当初并无书名。《史记·老子列传》："于是老子乃著书上下篇，言道德之意五千余言而去，莫知其所终。或曰：老莱子亦楚人也，著书十五篇，言道家之用，与孔子同时云。"《汉书·艺文志》诸子略著录"老子邻氏经传四篇"注"李氏，名耳，邻氏传其学"，著录"老莱子十六篇"注"楚人，与孔子同时"。又如《汉书·艺文志》六艺略春秋类著录"太史公百三十篇"注"十篇有录无书"；诸子略儒家类著录"董仲舒百二十三篇"。

由于古书有合有分，"合"即将多篇合成一书或将多书合成一书，"分"即或将一篇分为多篇或将一书分为多书，使书名变得复杂起来。例如《隋书·经籍志》史部正史类著录陈寿《三国志》六十五卷、《叙录》一卷。《旧唐书·经籍志》史部正史类著录《魏国志》三十卷，伪史类著录《蜀国志》十五卷，《吴国志》二十一卷。《新唐书·艺文志》史部正史类著录《魏国志》三十卷，《蜀国志》十五卷，《吴国志》二十一卷。这说明，原书《三国志》一分为三。

唐刘知几认为，假如书的内容是体，题目便是这个体的名称，因此，题目必须能概括书的内容。他在《题目》中写道："夫名以定体，为实之宾。苟失其途，有乖至理。"篇章之标题须与其内容相合，但"如司马迁撰《皇后传》，而以'外戚'命章。案'外戚'凭'皇后'以得名，犹'宗室'因'天子'而显称，若编'皇后'而曰'外戚传'，则书天子而曰'宗室纪'可乎？班固撰'人表'以'古今'为目。寻其所载也，皆自秦而往，非汉之事，古诚有之，今则安在？"此外，刘知几以为题目的用处，在于揭示内容，故其为体，以简明为要。如列传标题，人少者具出姓名，如《伯夷传》。人多者，唯书姓氏，如《老庄申韩列传》。又人多而姓氏相同者，则结定其数，如"二袁""四张""二公孙"传。但是到范晔，便于题目中全录姓名，其附出人物，亦以细字列其名于主题之下。降至魏收，则更为琐碎。"其有魏世邻国，编于魏史者，于其人姓名之上，又列之以邦域，申之以职官。"这些既已详述于传内，又重标于篇首，大失标题的本意了（翦伯赞，2011）。

清郑板桥说过："作诗非难，命题为难；题高则意高，题矮则意矮，不可不慎也"，说明文人对标题的重视以及标题立意的重要性。

白寿彝 1936 年在《国立北平研究院院务汇报》上发表《书名小记》认为，中国古书名有书无名、有名无书、同书异名、同名异书、书名代以人名、书名代以较大之名、书名代以较小之名、书名冠于较小之名、书名冠以较小之名、书名分化、书名混合、书名简称、书名增字、书名改题、书名补题、书名误题、书名依托共 17 种情况。

4.2.1.2　标题的用途

第一，标题是识别一个文本的标识。用标题标识文本，比用数字或符合标识文本，更准确，更便于作者或读者识别文本。

刘丽芬 (2013) 认为，标题具有称名、信息、广告、表现力、区分等功能。这些功能由一定的句法手段实现，称名功能是标题的初始功能，这是所有标题所具有的功能，最突出的表现形式是由不含评价、修辞上中性的称名句来实现，其词汇意义是称名。根据《苏联百科词典》（语言版）定义，称名是具有指称功能，即用来指称和划分事称，形成以词、词组和句子形式体现的事物概念的语言单位。称名概念既属于称名过程本身，又属于语言学分支，称名过程首先是借助再现和浓缩的语言符号，记录社会或个人的有意义的经验过程。构成称名结构主要成分的名词"言简意丰，兼具事物的形象及其内涵"。汉语没有称名结构这一概念，汉语体词句由名词或名词性词组构成的非主谓句，相当于俄语称名句或主格句，这类句子结构上不会有谓语，而只有形式上同于主语的主要成分。俄语称名结构对应于汉语名词和名词性短语。

第二，标题是掌握文本内容的提示。通过标题，可了解文本的内容线索、主题或所属类别。

标题是揭示文本内容的一种方法。在现代文献中，文本标题与文本之间具有意义上的必然联系，成为人们认识作品的重要依据。

科技作品标题一般直接反映研究对象或主题范围。社会科学理论作品的标题大多数能反映主题内容。

文艺作品的标题常常采用象征手法，反映内容不够明确。如《钢铁是怎样炼成的》。

第三，标题是认识作者的线索。标题是作者表达创作意图的一种方式，可以标题为线索，进一步认识作者的创作思想。

第四，标题是了解作品生产过程的途径。通过标题，可以了解作品的产生过程，了解作品的变化，了解各种因素对于作品发表的影响，了解作者及其他对作品所有相关贡献者的作用。

以梁启超的名著《清代学术概论》为例，早在 1902 年，梁启超在《新民丛报》发表《中国学术思想变迁之大势》。1920 年 3 月初，梁启超考察欧洲一年之后归来，同年秋冬之季，梁启超的好友、著名军事学家蒋方震（字百里，浙江海宁人）从欧洲回国后著《欧洲文艺复兴时代史》，请梁启超作序，梁启超认为清代学术思潮与欧洲文艺复兴相似，"吾觉泛泛为一序，无以益其善美，计不如取吾史中类似之时代相印证，庶可以校彼我之短长而自淬厉也。乃与约，作此文以代序"，于是该序以《前清一代思想之蜕变》为题，从 1920 年 11 月 15 日起在《改造》月刊上连载三期，同年年底，由商务印书馆排印成书，改题《清代学术概论》。该书出版后，梁启超写信给胡适，表示完成胡之嘱托，因胡适曾对他说过"晚清'今文运动'于思想界影响至大，吾子实躬与其役者，宜有以纪之"，同时亦希望胡适予以评价："公所见当比我尤多，见解亦必独到处，极欲得公一长函为之批评（亦以此要求百里），既以裨益我，且使读者增一层兴味。若公病体未平复，则不敢请，倘可以从事笔墨，望弗吝教"（见《与适之老兄书》）。然而，此时胡适患病缠身，蒋方震却反过来为梁书作序。

标题法一般从三个维度揭示文本或文献。第一个维度是从揭示内容价值的态度维度拟题。通过短语或句子表示肯定或褒扬、否定或批判以及中性的叙述，表达文献工作者对于文本或文献的态度和立场，由此可形成三种标题法。第二个维度是从揭示内容信息的程度维度拟题。或者使用直接的揭示方式，将文本内容或对文本的态度以直截了当地提炼并表达出来，这是一个显性化的拟题过程；或者使用间接的揭示方式，不直接提炼出文本内容或表达对文本的态度，这是一个隐性化的拟题过程，由此可形成两种标题法。第三个维度是从揭示内容要素的方式维度拟题，有陈述式、名词术语式、设问式、批评式等多种方式，陈述式又包括陈述事件、陈述事实、陈述结论、陈述社会反响等，名词术语式又包括人名、地名、机构名称、动植物名称、学科主题术语等，其中人名、地名、机构名称、动植物名称等既可以是实际的，也可以是虚构的，由此形成多种标题法。

就文献而言，最常见的标题有书名、报纸新闻标题、期刊论文标题三大类。

4.2.1.3 书名

（1）书名的来历和寓意

许多图书的书名有一番不同寻常的来历，这是在文献揭示中应当重视的。以茅盾的《林家铺子》为例，1932 年《申报》创刊时，主编俞颂华约请茅盾为创刊号写一篇小说以支持，于是茅盾创作了题名为《倒闭》的小说，写的是一家乡镇店铺倒闭的故事，标题与内容完全吻合。然而，当主编拿到小说原稿后，认为小说《倒闭》这个标题登在创刊号上不大吉利，就同茅盾商量，茅盾同意改成了一个比较含蓄且颇具乡土气息的标题——《林家铺子》。

书名的寓意赋予了书名的特别价值,令人回味。以《文心雕龙》为例,作者刘勰一生经历南朝宋、齐、梁三代,《文心雕龙》写于齐代。《梁书·刘勰传》记载:

刘勰字彦和,东莞莒人。祖灵真,宋司空秀之弟也。父尚,越骑校尉。勰早孤,笃志好学。家贫不婚娶,依沙门僧祐,与之居处,积十余年,遂博通经论。因区别部类,录而序之。今定林寺经藏,勰所定也。

天监初,起家奉朝请。中军临川王宏引兼记室,迁车骑仓曹参军。出为太末令,政有清绩。除仁威南康王记室,兼东宫通事舍人。时七庙飨荐,已用蔬果,而二郊农社,犹有牺牲;勰乃表言二郊宜与七庙同改。诏付尚书议,依勰所陈。迁步兵校尉,兼舍人如故。昭明太子好文学,深爱接之。

初,勰撰《文心雕龙》五十篇,论古今文体,引而次之。其序曰:"夫文心者,言为文之用心也。……"既成,未为时流所称。勰自重其文,欲取定于沈约。约时贵盛,无由自达,乃负其书,候约出,干之于车前,状若货鬻者。约便命取读,大重之,谓为深得文理,常陈诸几案。然勰为文长于佛理,京师寺塔及名僧碑志,必请勰制文。有敕与慧震沙门于定林寺撰经,证功毕,遂乞求出家,先燔鬓发以自誓,敕许之。乃于寺变服,改名慧地。未期而卒。文集行于世。

刘勰《文心雕龙》共 50 篇,最后一篇《序志》是全书的序言。《序志》如下:

夫"文心"者,言为文之用心也。昔涓子《琴心》,王孙《巧心》,心哉美矣,故用之焉。古来文章,以雕缛成体,岂取驺奭之群言雕龙也。夫宇宙绵邈,黎献纷杂,拔萃出类,智术而已。岁月飘忽,性灵不居,腾声飞实,制作而已。夫[有]人肖貌天地,禀性五才,拟耳目于日月,方声气乎风雷,其超出万物,亦已灵矣。形同草木之脆,名逾金石之坚,是以君子处世,树德建言。岂好辩哉?不得已也!

予生七龄,乃梦彩云若锦,则攀而采之。齿在逾立,则尝夜梦执丹漆之礼器,随仲尼而南行。旦而寤,迺怡然而喜,大哉圣人之难见哉,乃小子之垂梦欤!自生人以来,未有如夫子者也。敷赞圣旨,莫若注经,而马郑诸儒,宏之已精;就有深解,未足立家。唯文章之用,实经典枝条;五礼资之以成,六典因之致用,君臣所以炳焕,军国所以昭明,详其本源,莫非经典。而去圣久远,文体解散,辞人爱奇,言贵浮诡,饰羽尚画,文绣鞶帨,离本弥甚,将遂讹滥。盖《周书》论辞,贵乎体要;尼父陈训,恶乎异端;辞训之异,宜体于要。于是搦笔和墨,乃始论文。

详观近代之论文者多矣:至于魏文述典,陈思序书,应玚文论,陆机《文赋》，仲治《流别》，弘范《翰林》，各照隅隙，鲜观衢路；或臧否当时之才，或铨品前修之文，或泛举雅俗之旨，或撮题篇章之意。魏典密而不周，陈书辩而无当，应论华而疏略，陆赋巧而碎乱，《流别》精而少［巧］功，《翰林》浅而寡要。又君山公幹之徒，吉甫士龙之辈，泛议文意，往往间出，并未能振叶以寻根，观澜而索源。不述先哲之诰，无益后生之虑。

盖《文心》之作也，本乎道，师乎圣，体乎经，酌乎纬，变乎骚；文之枢纽，亦云极矣。若乃论文叙笔，则囿别区分；原始以表末，释名以章义，选文以定篇，敷理以举统；上篇以上，纲领明矣。至于［割］剖情析采，笼圈条贯；摛神性，图风势，苞会通，阅声字，崇替于《时序》，褒贬于《才略》，怊怅于《知音》，耿介于《程器》，长怀《序志》，以驭群篇：下篇以下，毛目显矣。位理定名，彰乎大易之数，其为文用，四十九篇而已。

夫铨序一文为易，弥纶群言为难，虽复轻采毛发，深极骨髓；或有曲意密源，似近而远，辞所不载，亦不胜数矣。及其品列成文，有同乎旧谈者，非雷同也，势自不可异也；有异乎前论者，非苟异也，理自不可同也。同之与异，不屑古今，擘肌分理，唯务折衷。按辔文雅之场，环络藻绘之府，亦几乎备矣。但言不尽意，圣人所难；识在瓶管，何能矩矱。茫茫往代，既沉予闻，眇眇来世，倘尘彼观也。

赞曰：生也有涯，无涯惟智。逐物实难，凭性良易。傲岸泉石，咀嚼文义。文果载心，余心有寄！

这篇《序志》，正是目录学为书作序的方法。首先解释了书名，从字面上看，"文心"讲作文的用心，而"雕龙"比作文的要讲究文采。《文心雕龙》更深刻的寓意在于他的文体观与创作观，在于他对于孔子的崇拜，在于他力挽当时将创作引入歧途的讹滥文风，以显文章功用的意旨。刘勰叙述写作的意图有三：一是追随圣人，留名后世；二是阐述文章功用；三是不满魏晋以来文风。《序志》叙全书结构为上下部，上部先"文之枢纽"，包括《原道》《徵圣》《宗经》《正纬》《辨骚》5 篇，为文章纲领；次文体论，包括从《明诗》到《书记》20篇，前 10 篇讲韵文，后 10 篇讲无韵文。下部先有创作论，分析情理与文采，探讨文思、风格、体势、变通、谋篇、修辞、声律、章句等创作问题；次为文学史观、作家论、鉴赏论、作家品德论。从《神思》到《程器》共 24 篇，加上《序志》合 25 篇，称为下篇，即下部。

再如，鲁迅的杂文集《华盖集》收录了鲁迅在 1925 年所写的杂文 31 篇，为什么以"华盖"为标题，华盖本是星宿的名称，据其序称，和尚如交华盖运是好运，顶有华盖，但俗人可不行，华盖在上，就要给罩住了，只好碰钉子。以华盖寓意他一年多来写杂感的遭遇。鲁迅的其他散文集和杂文集如《朝花夕拾》

《野草》《南腔北调集》《三闲集》《二心集》《而已集》等，标题都颇有寓意。

国外的很多书名亦有寓意。例如，法国作家司汤达的《红与黑》小说的故事据悉是采自 1828 年 2 月 29 日《法院新闻》所登载的一个死刑案件。法文原书名为 "Le Rouge et le Noir"，以"红"与"黑"两种颜色寓意在拿破仑帝国时代的上流社会的两种身份，红色代表着"军队"，黑色代表着"教会"，这便成为小说主人公、地位卑微却有野心的法国青年于连拼命实现跻身上流社会的两个梦想路径。当然另有一说是指轮盘上的红色与黑色。司汤达创作《红与黑》时，拿破仑领导的法国资产阶级大革命已经失败，他想用自己的笔去完成拿破仑未竟的事业，通过《红与黑》小说再现拿破仑的伟大，鞭挞复辟王朝的黑暗，为此作者以"红与黑"象征其作品的创作背景，以"红"象征法国大革命时期的热血和革命，而以"黑"意指僧袍，象征教会势力猖獗的封建复辟王朝。这本书在 20 世纪 50 年代罗玉君首译之后，八九十年代形成了一次汉译高潮，许渊冲、罗新璋、郭宏安、郝运、闻家驷等名家参与其中，其译本风格各异，同时也展开了《红与黑》翻译大讨论。18 世纪末英国泰特勒著名的"翻译三原则"（译本应该完全转写出原文作品的思想、译文写作风格和方式应该与原文的风格和方式属于同一性质、译本应该具有原文所具有的所有流畅和自然），因为融汇了"直译""意译"两派的意见，实际上为西方翻译史上各执一词、长达千余年的"直译""意译"之争画上了一个较为圆满的句号。在中国，"严复之后尽管也有鲁迅、赵景深的'信顺'之争，也有傅雷的'神似'说、钱锺书的'化境'说传世，但如深究其内涵则大都不脱严复'信达雅'三字的窠臼，无非是换一种形式论说'直译'、'意译'的主张和关系而已"（谢天振，2011）。

（2）同名异书与同书异名

同名异书指书名相同实际上是不同的书。同名异书有的仅两种不同，有的多达十余种，古书中经部同名甚多，据白寿彝《书名小记》（1936）统计，名《易说》者约九十种，名《易传》者约四十余种，名《易义》者约四十余种，名《周易注》者约四十种，名《书说》者约二十余种，名《尚书解》者几达二十种，名《书传书解》者各在十种以上，名《诗说》者约十七八种，名《诗解》者约十六七种，名《春秋传》者约二十余种，名《春秋解》者约十五六种，名《春秋谈》者约十四五种，名《春秋论》者几达十种，"此皆群经注解中之同名异书者也。其间虽或有补题书名或非尽原名者，然群经注解，同名异书者之多，亦大致可见也"。现代图书，如《中国文化史》《中国文学史》这类同名的就更多了。根据性质与内容等许多特征不尽相同的情况，分为以下几种。

一是同名但卷数、作者和年代不同，如《南湖集》有 5 种同名书：

《南湖集》十卷附录三卷 宋秦川张镃撰 一九二四年杭州慧云寺刊（蓝印）本

《南湖集》七卷 元宣城贡性之撰 明弘治十一年刊本

《南湖集》八卷 清贵池章永祚撰 贵池刘氏刊本

《南湖集》十卷 清鄞县陈美训撰 抄本

《南湖集》四卷 近人廉泉撰 一九二四年中华书局铅印本

二是同名同卷数，但作者和年代不同。如《诸葛忠武侯年谱》有 8 种同名书：

《诸葛忠武侯年谱》一卷 明杨时伟编 明辨斋丛书诸葛忠武书附

《诸葛忠武侯年谱》一卷 明诸葛义诸葛倬编 汉丞相诸葛忠武侯集附

《诸葛忠武侯年谱》一卷 清新城杨希闵编 四朝先贤六家年谱本

《诸葛忠武侯年谱》一卷 清武威张澍编 诸葛忠武侯文集附

《诸葛忠武侯年谱》一卷 清朱璘编 四忠遗集本

《诸葛忠武侯年谱》一卷 清仁和王复礼编 季汉五志本

《诸葛忠武侯年谱》近人梁启超编 稿本

《诸葛忠武侯年谱》一卷 近人古直编 一九二九年中华书局铅印本

三是同名同卷数同年代，但作者不同。如清代乾隆刊本《明善堂诗集》一为允祥撰十卷本，一为弘晓撰四十二卷本，系父子二人著同名著作。又如，《读毛诗日记》有 6 种同名书：

《读毛诗日记》一卷 清元和郏鼎元撰 学古堂日记本

《读毛诗日记》一卷 清元和张一鹏撰 学古堂日记本

《读毛诗日记》一卷 清元和申护元撰 学古堂日记本

《读毛诗日记》一卷 清吴县徐鸿钧撰 学古堂日记本

《读毛诗日记》一卷 清吴县钱人龙撰 学古堂日记本

《读毛诗日记》一卷 清吴县杨赓元撰 学古堂日记本

四是同一作者同名的书，但内容不同。如清秀水计楠撰有两部《一隅草堂集》，清嘉庆年间刊本，这两部同名书，一部的内容为"富春游草一卷""睦州寓草一卷""如如居近草一卷""杨庵草一卷萍泛草一卷""梅花城梅花杂咏一卷""云归草一卷""采雨山房诗一卷""还山草一卷""梦香阁诗一卷"。另一部的内容为"十国杂事诗一卷""桑梓吟一卷续一卷""瓶花馆诗一卷""竹平安斋诗一卷""附适新草一卷"。

同书异名是一书在产生和传播过程中，形成了两个或两个以上的书名。例如，司马光的《资治通鉴》原名《通志》。《宋史·司马光传》云："光常患历代史繁，人主不能遍览，遂为《通志》八卷以献。英宗悦之，命置局秘阁，续其书。至是，神宗名之曰《资治通鉴》，自制序授之，俾日进读。"

同书异名中，有使用简称、增字、避讳的情况。"简称"如，梁武帝撰《周易大义》（《旧唐书·经籍志》著录二十卷）简称为《大义》（《新唐书·艺文志》著录"梁武帝《大义》二十卷"）；梁简文帝撰《庄子讲疏》（《旧唐书·经籍志》著录三十卷）简称为《讲疏》（《新唐书·艺文志》著录"梁简文帝《讲疏》三十卷"）。《白虎通》为《白虎通德论》或《白虎通义》的简称，《后汉书·班固传》载："天子会诸儒讲论五经，作《白虎通德论》，令固撰集其事。"《隋书·经籍志》载《白虎通》六卷，不著撰人。《旧唐书·经籍志》注为"汉章帝撰"。《唐书·艺文志》载《白虎通义》六卷，始题班固之名。《崇文总目》载《白虎通德论》十卷，凡十四篇。"增字"如，《新唐书·艺文志》著录《玄宗实录》和《肃宗实录》，而《宋史·艺文志》则著录为《唐玄宗实录》和《唐肃宗实录》，增加了一个"唐"字。"避讳"如，《隋书·礼仪志》以《白虎通》作《白武通》，因避李虎讳，改"虎"为"武"。

南京图书馆杜信孚编辑了《同书异名通检》，1962 年由江苏人民出版社出版，该书将历代同书异名的图书，分别著录其著者、籍贯、卷数、版本共四千余条。后来，杜信孚又与赵敏元、毛俊仪编辑《同名异书汇录》，收同名异书三千五百余条，江苏古籍出版社 2000 年出版。

（3）书名的翻译

翻译作品书名，会由于直译或意译造成一定的差别。特别是中文与外国语言文字的文献之间书名翻译存在着困难，因为"据电子计算机统计，英法德俄等西方国家语文之间，大约有 90% 有对等语，而在中西语之间，只有 45% 有对等语"（许渊冲，2015）。

Ⅰ. 外国作品翻译为中文

《巴黎圣母院》（*Notre Dame de Paris*）1834 年在美国出版时用英国人 Frederick Shobert 译本，书名改为《钟楼怪人》（*The Hunchback of Notre Dame*），中文译本多采用《巴黎圣母院》这一书名。

英国作家查尔斯·狄更斯（Charles Dickens）的小说《苦海孤雏》又译为《雾都孤儿》。他有带自传意味的《大卫·科波菲尔》，"林纾译著这部小说，用《块肉余生记》做书名，其意偏于悲苦，做人不能无憾"（黄维樑，2013）。此后有不少其他中译本，1980 年散文家兼翻译家思果（本名蔡濯堂）重译此书。

外国作品以人名为书名时，也会出现不同译名的情况，如莎士比亚的 Hamlet，朱生豪译为《哈姆莱特》、卞之琳译为《哈姆雷特》、许渊冲译为《哈梦莱》。不仅书名多种译法，书中的内容翻译也多不相同，例如 Hamlet 中的名句

"To be，or not to be-that is the question" 就有十几种译法：

生存还是毁灭，这是一个值得考虑的问题。（朱生豪）

是生存还是消亡，问题的所在。（孙大雨）

存在，还是毁灭，就这问题了。（林同济）

死后还是存在，还是不存在——这是问题。（梁实秋）

"反抗还是不反抗"，或者简单一些 "干还是不干"。（陈嘉）

是生，是死，这是问题。（许国璋）

生或死，这就是问题所在。（王佐良）

生存还是不生存，就是这个问题。（曹未风）

活下去还是不活，这是问题。（卞之琳）

活着好，还是死了好，这是个问题……（方平）

应活吗？应死吗？——问题还是……（黄兆杰）

死还是不死？这是个问题。（许渊冲）

Ⅱ．中国作品翻译为外文

中国古代文学四大名著被翻译成外文，世界闻名。

《水浒传》——元末明初施耐庵的《水浒传》，原书早在 300 多年前就流传到东西方各国，在 17 世纪的江户时代传入日本，后被译成英、法、德、意、匈、捷、波兰等 12 种文字在各国发行，日本、朝鲜、越南等都有译本，日本就有十几种日文译本。

法文摘译本 "*Extraiats du Choui- Hou- Tschouen*"（《水浒传摘译》），由 A. P. L. Bazin 摘译前六回中鲁智深的故事及第 23～31 回中武松的故事，发表于巴黎《亚洲杂志》1850 年 57 期及 1851 年 58 期。法文节译本另有 "*Les Chevaliers chinois，romans de moeurs et d'aventures*"（《中国的勇士》），节译前十二回，1922 年北京政闻报社出版。法文全译本为 "*Au bord de l'eau*"，由 Jacques Dars 译出一百二十回本，1978 年由伽利玛出版公司出版，Dars 因译本获 1978 年法兰西文学奖。

在意大利，意大利人安德拉斯节译《水浒传》中鲁智深的故事，书名《佛牙记》，1883 年出版；由 Clara Rovero 根据 Kuhn 的德译本转译的《强盗：中国古典小说》，1956 年由都灵吉利奥·艾因奥蒂出版社出版。

在德国，德国汉学家 H. Rudelsberger 最早将《水浒传》译成德文，1924 年，他编译的《中国小说》收有《圣洁的寺院》（讲杨雄和潘巧云的故事）和《卖炊饼武大的不忠妇人的故事》（讲武松的故事）。1927 年，他又将《水浒传》七十回本转译，名为 "*Rauber und Solaten*"（《强盗与兵：中国小说》），由柏林乌尔施泰恩出版社出版。因 Rudelsberger 不懂中文，便请一位中国学生为他 "口译"

了一百多段故事，然而他进行转译，实际上是再创作。此外，由 Franz Kuhn 翻译的一百二十回《水浒传》节译本，书名为 "*Die Rauber vom Liang Schan Moor*"（《梁山泊的强盗》），1934 年由莱比锡岛社出版。由马克西米利安·克恩译的名为 "*Wie Lu Da unter die Rebellen kam*"（《鲁达加入起义军的故事》），1964 年由莱比锡飞利浦·雷克拉姆·荣出版社出版。由 Johanna Herzfeldt 译名为 "*Die Rauber vom Liangshan*"（《梁山泊的强盗》），1968 年由莱比锡岛社出版。

西方最早七十回全书译本是德文，书名《强盗和士兵》。德国人译杨雄故事，书名《圣洁的爱》；节译武大郎与潘金莲故事，取名《卖大饼武大郎和不忠实妇人的事》；节译智取生辰纲故事，取名《黄泥岗的袭击》和《强盗设置的圈套》。

英文最早的全译本，也是译得较好的，是诺贝尔文学奖获得者、在中国长大的美国女作家 Pearl S. Buck（1892—1973，布克夫人，中文名"赛珍珠"）翻译的七十一回本，书名 "*All Men Are Brothers*"（四海之内皆兄弟），1933 年在美国纽约（约翰·戴公司）和英国伦敦（梅休安出版社）同时出版。鲁迅在给友人信中说："近布克夫人译《水浒》，闻颇好，但其书名，取'皆兄弟也'之意，便不确，因为山泊中人，是并不将一切人们都作兄弟看的。"之后于 1937 年、1948 年、1957 年在英美再版。赛珍珠对一些谚语的翻译颇受好评，比如将"三十六计，走为上策"翻译为 "To extricate yourself from a difficulty there are thirty-six ways but the best of them all is to run away."《水浒传》中的一百零八将绰号翻译也很有趣，如"及时雨"（The Opportune Rain）、"豹子头"（The Leopard Headed）、"浪里白条"（White Stripe in The Waves）、"鼓上蚤"（Flea on A Drum）等。

英文较早的节译本名为 "*Water Margin*"（水边），由 J. H. Jackson 节译七十回本，1937 年上海商务印书馆出版。

英文百回本的全译是中国籍美国翻译家 Sidney Shapiro 所作，译名最初为 "*Heroes of the Marsh*"（水泊英雄），后改为 "*The Outlaws of the Marsh*"（水泊好汉），1980 年由北京外文出版社出版。此外，登特-杨父子（John Dent- Young & Alex Dent- Young）合译的名为 "*The Marshes of Mount Liang*"（梁山水泊）五卷本，1994—2002 年由香港中文大学出版社陆续出版。

《三国演义》——明初罗贯中的《三国演义》在国外有 60 多种语言的译本。在日本广为流传，日文译本有吉川英治的《三国演义》，三间评价的《三国志演义》，村上知行的《全译三国志》等。美国有位翻译家节译《三国演义》中关羽故事，书名《战神》。英文全译本著名的有两部，最早由 C. H. Brewitt- Taylor（1857—1938）翻译，名为 "*Romance of the Three Kingdoms*"，1925 年别发洋行发行，1959 年由 Tuttle 出版社发行。英文全译本发行 66 年后，由 Moss Roberts（1937—）重新翻译，书名为"*Three Kingdoms*"，于 1992 年由美国加利福尼亚大学出版社和中国外文出版社联合出版。

《西游记》——明代吴承恩的《西游记》早在 1831 年就有日译本《通俗西游记》，其后英、西班牙、捷、波、俄等国都有译本。此书译名较多。Arthur Waley 翻译的名为"*Monkey：A Folk-Tale of China*"（《猴：中国民间传说》）于 1942 年出版，其后多次重印，颇有影响。其他译本有名为"*Monkey King*"（《猴王》）、《猴子历险记》、《猴子取经记》、《侠与猪》、《神魔历险记》等。由 Anthony C. Yu 翻译的四卷本"*A Journey to the West*"（西行）于 1977—1983 年出版。

《红楼梦》——清代曹雪芹的《红楼梦》在国外翻译众多，据唐均（2011）统计，从 1830 年至今有 28 种语言的 101 个译本。《红楼梦》早在 1795 年就传入日本，日译本《红楼梦》达到 22 种（孙玉明，2007）。《红楼梦》在欧洲翻译较早。1842 年，英国人汤姆将它的几个章节译成英文，书名《红楼梦幻》；英国汉学家戴维·霍克斯等翻译成五卷英译本，书名《石头记》。早期英译本有"*Dream of the Red Chamber*"（《红楼之梦》，1929 年）、"*The Story of the Stone*"（《石头记》，1973—1986 年）。此外，《红楼梦》Franz Kuhn 德译本名为"*Der Traum der roten Kammer：ein Roman aus der frühen Tsing-Zeit*"（《红楼之梦：清代早期小说》），意大利语译本名为"*Il sogno della camera rossa：Romanzo cinese del secolo XVIII*"（《红楼之梦：十八世纪中国小学》），芬兰译本名为"*Punaisen huoneen nui（Hung lou meng）：vanha kiinalainen romaani*"（《红楼之梦：中国古代小说》），俄译本书名为《红楼阁里的梦》，法译本则叫《庄园里的爱情》。

书名翻译在世界文化传播中起着重要作用，好的译名产生着巨大影响。世界各国较重要的百科全书，一般都有专条介绍中国四大名著如《红楼梦》等，美国的百科全书赞誉《红楼梦》为"世界文坛的一座丰碑"。在不列颠百科全书英文版中，将《水浒传》译为"*Water Margin*"或"*All Men Are Brothers*"（"*Luo Guanzhong*"词条）；《三国演义》译为"*Three Kingdoms*"；《西游记》译为"*The Journey to the West*"；《红楼梦》译为"*Dream of the Red Chamber*"。在《不列颠简明百科全书》中文版中，《水浒传》英译为"*Story of the Water Margin*"或"*All Men Are Brothers*"；《西游记》英译为"*Record of a Journey to the West*"或"*Monkey*"；《红楼梦》英译为"*Dream of the Red Mansion*"。

(4) 书名中的人物和地名

Ⅰ. 人物书名

以人名作为书名很多。中文书名仅有人名的如《老子》《墨子》《荀子》《韩非子》《鹖冠子》等。外文书名仅有人名的很多是文学作品，如塞万提斯（Cervantes）所著的小说《堂吉诃德》（*Don Quixote*）以书中的主人公作为书名，Don Quixote 是一位充满理想主义、狂热而侠义的人物。由这一人物产生的英语词汇 quixotic 喻指讲侠义，具有浪漫主义色彩，甚至有点想入非非，不切合实际。狄更斯（Dickens）的小说 "*Oliver Twist*"，小说中有一个人物 Bumble 担任了一个小职务便目中无人，这一名字后来在英语中引申为"妄自尊大的小官吏"之意。

外文人物书名在翻译时有时并未遵照原书名直译，而是采取了"人物+描述词"的方法。如英国作家笛福的长篇小说 "*Robinson Crusoe*" 以主人公名字命名，中文版译为《鲁滨逊漂流记》。在这部小说中，Robinson 的船遇险失事，他只身漂流到南美附近的孤岛上，岛上荒无人烟，他不得不为自己的生存而进行极其艰苦的斗争。在岛上过了 28 年，后来，他的名字在英语中成了"离群索居的人、与世隔绝的人、单枪匹马闯天下的人"的同义词。

书名中含有人名，有人名在前、人名在后和人名在中间三种情况。人名在前如《杜工部集》《韩昌黎集》《徐霞客游记》《居里夫人传》《爱德华一世时代以前的英国法律史》等。人名在后如《德伯家的苔丝》《衣衫褴褛的迪克》《改革的时代：从布赖恩到罗斯福》等。人名在中间如《海洋元帅：哥伦布传》《更高的读写能力：埃德加戴尔博士文选》等。

Ⅱ. 地名书名

i. 一个实际存在的地方

书名中含有实际地名在各类图书中都有，如《殷墟书契考释》《罗马帝国衰亡史》《墨西哥征服史》《巴黎圣母院》等。诗人乔叟的名著《坎特伯雷故事》（*Canterbury Tales*），这里的 Canterbury 是地名，意思是 Kent 人居住的城，是英国的宗教圣地。1381 年 Kent 郡农民革命领袖泰勒（Walt Tyler）也是由此地起义，虽然"出师未捷身先死"，但他的影响是深远的。著作《中国的兴起》（*The Upsurge of China*）的有名的红色教长（Red Dean）约翰逊（Hewlett Johnson）就是坎特伯雷的教长（Dean of Canterbury）。来源于北欧语的 bury（= burg = borough，意思是"城市"）在英国地名里还有不少，如 Shrewsbury，这是研究生物进化的科学家达尔文（Charles Darwin）出生的地方；Gladstonbury 意思是"靛树城"，是 18 世纪小说家菲尔丁（Henry Fielding）的故乡。

ii. 一个虚构的地方

以虚构地名为书名在文学著作中很多，如《曼斯菲尔德公园》（*Mansfield Park*）、《白鹿原》等。

4.2.1.4 报纸新闻标题

报纸新闻标题形式多样，提问式为常见的一种形式。黑龙江大学俄罗斯语言文学与文化研究中心的刘丽芬对俄汉问答并行结构标题进行比较，发现俄汉语报纸标题中，共有五种语义结构模式：

第一种模式为"提问—回答"式标题，包括"直接性答句""间接性答句"、"提问—要求"三种。其中，"间接性答句"又分为转换性答句、提示性答句、报道性答句、以实例作答、以问作答五类。

第二种模式为"回答—提问"式标题，包括直接回答、间接回答两种。其中，间接回答又分为根据性回答、以建议作答、以实物（产品）作答三类。

第三种模式为"报道—提问"式标题，包括新信息、已知信息、假设信息三种。

第四种模式为"提问—报道"式标题，包括单纯报道、回答性报道两种。

第五种模式为"提问式回答—提问"式标题。

除这五种共有的语义结构模式外，汉语标题中还有四种俄语没有的标题模式，一是"报道—提问—回答"式，包括直接回答、间接回答两种；二是"提问—陈述—结论"式；三是"提问—报道—回答"式；四是"回答—提问—结论"式。

刘丽芬（2013）通过比较发现，俄汉语均有提问—回答式、回答—提问式、报道—提问式、提问—报道式、提问式回答—提问式，俄语主要以提问—回答式标题为主，汉语主要以报道—提问式标题为主。从这一差异进一步揭示俄汉两民族思维方式与文化的差异，汉族人长于总体把握与归纳，表现在问答并行标题中即先说出事物的来龙去脉，再提出问题；俄罗斯人长于条分缕析与演绎，表现在问答并行标题中即直截了当，先提出问题，再进行演绎。

4.2.1.5 期刊论文标题

期刊论文标题有表现研究对象的标题，有反映研究方法的标准，有提问式的标题，有结论式的标题。

科技期刊论文标题一般能够反映研究对象和问题有正副标题形式，也有短语、句子形式。一些科技期刊对论文标题有具体规定，如美国医学会规定，学会杂志的论文题名不能超过 2 行，每行不得超过 42 个印刷符号和空格。美国国立癌症研究所杂志 *Journal of the National Cancer Institue*（*J Nat Cancer Inst*）要求题名不超过 14 个单词。英国数学会要求题名不超过 12 个单词。

4.2.2 注释法

4.2.2.1 文本注释

文本注释是对文本内容中某些事项的说明。古代文献中有注、疏、笺、故、微、章句、集解等。注即注解，古代称为传注。"史家自注之例，或谓始于班氏诸志，其实史迁诸表已有子注矣"（章学诚《文史通义·外篇一·史篇别录例议》）。疏即义疏。笺指补充、订正或引申前人的说法。故"通指其义也"（班固《汉书·艺文志·诗》）。微"谓释其微旨"。章句指以分章析句的形式去解说古书的意义。集解是汇集各家的说法。古书多半是白文与注疏分刻，到了南宋以后，注疏才与白文合刻，如南宋黄善夫本《史记》注与索隐集解合刻就是一例。原文多为大字，注解多为小字。注者解释它的文字，疏者引申说明其书中的意旨。注还有补注，如《前汉书补注》一百卷，汉兰台令班固撰，唐颜师古注，清王先谦补注。但大注之后还有小注，清代全祖望所著《七校水经注》就是一个例子。

注解这一方法主要是从文献的文字和内容上进行解释，文字方面有针对字音、字义、字形的解释，有对文字的校勘，有对文句前后照应的指点。后来注解从内容上的解释扩大到对内容的研究，如对史事的评议、对文献体例的意见，以及转录他人的议论等，已超出了原来注释的范畴。

现代文献中，文本注释采用三种方法：

1）文中注（in-text note），将需要注释的内容用括注的形式在正文中表示出来，读者读到正文的同时，可紧连着看到注释，不需要查阅；

2）脚注（footnote），一般出现在正文中需要注释的当页下方，也称为页下注；

3）文末注（endnote），一般出现在正文之末，集中注释。图书的文末注既可以在相对独立的章节之后使用文末注，也可以在全书最后使用文末注。

这些方法，在一个文本中可以选用其中一种，当然也可以同时使用。文本注释主要表现为三个作用：

一是引文出处说明。例如，英国 Karl Pearson（1857—1936）著《科学的规范》（*The Grammar of Science*）第 86 页正文中的注释：十六世纪的神学学者理查德·胡克（Richard Hooker）由于陈述了以自然法和道德法之间的混乱为基础的悖论而声名显赫，他一般地这样定义法："我们把分配给每一事物和类型、缓和力量和权力、处置工作的形式和度量的东西命名为法。"（《基督教会的政治形

态》，第一编，ii）

二是正文中某处的解释。例如，Pearson《科学的规范》第 87 页正文中的注释：两种断言都统统处在知识领域之外，正如我们以前曾说过的同样的陈述，它们在逻辑上指的是无意义的 x 存在于不同思议的 y 和 z 之中（即"实在"不受人的知觉官能制约）。

三是正文某处的补充材料。例如，Pearson《科学的规范》第 91 页正文及其脚注如下。

正文：在这里，混淆集中在法的希腊词 νόμος 中，同时混淆的历史起源变得明显了。这个词向我们表明，民法起源于习惯，可是柏拉图（Plato）却以"心智的分配"推导它。[1]对于希腊人而言，从自然的和谐到歌曲的旋律都是法。因此，在序或序列的概念中，我们看到法在它的所有含义上的历史来源，于是无论是法理学家一方还是科学家一方，都不能历史地证明对它拥有优先权。没有一个作家能够希望成功地改造这样一个与法一词结合在一起的、古代确立的用法，他能够力求作的一切就是，使他的读者记住清楚地区分该词在每一种场合使用时的涵义。[2]

脚注：① 对于本书的下余部分，无论如何我将出于方便在古老的涵义上谈自然定律，或者仅仅作为知觉的惯例，或者作为惯常的（nomic）含义上的法。惯常的含义上的法从而不是理性的产物，而是纯粹的知觉序，而布拉姆霍尔（Bramhall）新造的词 anomy（反常状态）可以方便地用来表示对知觉惯例的违背。

② 《法》（The Law），iv，714，也可参见 iii，700 和 vii，800。

4.2.2.2　书目注释

书目注释也称文献注释，是通过简洁的文字，补充说明文献事项（书名、著录、出版项）及其内容的一种方法，是书目著录方法的补充。

注释的作用：一是解惑，"于疑晦者则释之"。当文献著录不够明确或有疑问时，才作注释。如《王氏二篇》班固注："名同"；《张子十篇》班固注："名仪"。二是揭示图书内容。注释用廖廖数语，就能说明内容。如《神壤记》隋志史部注"记荥阳山水"；《凉记》十卷隋志史部注"记吕光事"；《凉记》八卷隋志史部注"记张轨事"。三是说明版本情况，作为了解和考证图书的依据。

注释是中国目录学的优良传统，早在《汉书·艺文志》中就有了注释方法，注释是揭示文献最简明、最灵活的一种方法。撰写注释时，要注意：第一，要有选择地写注释；第二，文字力求简洁；第三，写法上不拘一格。

国外有目次注释（contents note），即在目录款目上记入有关一作品中各部分的题名的事项。而附注项（notes area）是在目录款目上，在稽核项之后，用以记载有关一书的某些事项，如该书的内容或文献参考等。附注简明扼要才有助于读者。

4.3 著录与参考文献

文献的外部特征信息丰富，主要有标题、作者、翻译者、出版者、出版时间、丛书等许多重要信息。著录法是揭示文献外部特征的基本方法，也是编纂书目文献最基本的工具。由文献与文献之间的关联，便产生了参考文献的概念，参考文献法已成为现代文献信息揭示和文献信息计量的重要方法。

4.3.1 著录法

4.3.1.1 传统文献著录法

中国传统目录学创造了多种著录方法：包括"以人类书""以书类人""互著""别裁"等。

(1)"以人类书"和"以书类人"

以人类书，就是以书名为主要标目。古代书目中著者姓名一般小字注在书名下面，如唐魏征的《隋书·经籍志》就是这种著录方法。如《隋书·经籍志》史部"刑灋"类共著录 35 部 712 卷，其中有：

律本二十一卷 杜预撰

晋宋齐梁律二十卷 蔡法度撰

汉朝议驳三十卷 应劭撰

以书类人，就是以著者为主要标目。如北宋欧阳修的《新唐书·艺文志》就是这种著录方法，将书名列于著者之下。《新唐书·艺文志》史部"刑法"类共著录 28 家 61 部 1004 卷，其中有：

贾充 杜预 刑法律本二十一卷

应劭 汉朝议驳三十卷

蔡法度 梁律二十卷

中国目录学界对于"以人类书"的方法比较重视。从汉至唐，书目著录都采取了"以人类书"的方法，因为采用这种著录方法，通过书名可以区别不同的图书，不仅便于读者了解图书内容，而且便于分类编排。

宋代目录学家郑樵主张以人类书，反对以书类人。他在《通志·校雠略》中有详细论述：

[不类书而类人论三篇] 古之编书，以人类书，何尝以书类人哉？人则于书

之下注姓名耳。《唐志》一例削注，一例大书，遂以书类人。且如别集类自是一类，总集自是一类，奏集自是一类。《令狐楚集》百三十卷，当入别集类，《表奏》十卷，当入奏集类。如何取类于令狐楚，而别集与奏集不分？皮日休《文薮》十卷，当入总集类，《文集》十八卷，当入别集类。如何取类于皮日休，而总集与别集无别？诗自一类，赋自一类。陆龟蒙有诗十卷，赋六卷，如何不分诗赋，而取类于陆龟蒙？

郑樵指出"以书类人"有两个缺陷。一是取类于人会造成类别的混乱。《新唐志·艺文志》别集类著录了令狐楚《漆奁集》一百三十卷、《表奏集》十卷，以及陆龟蒙的《诗编》十卷、《赋》六卷，因以撰人为主而把同一著者的文集、表奏、诗与赋混杂一起，是不符合分类原则的。二是使人名和书名混淆不清，以撰人为主而不著录注、著字样的著作方式，在传记类著作中容易造成著者和传主之间的混乱。

《新唐志·艺文志》杂传类，有管辰《管辂传》二卷、李邕的《狄仁杰传》三卷、李翰《张巡姚訚传》二卷，都是以撰人为主，也就是"类人"的。王重民（1984）指出，"在目录没有使用标点以前，或没有使用卡片分行著录以前，像这样的弊病是值得注意的"，肯定了古代以人类书方法存在的合理性。

由于有了目录学家的倡导，以人类书的著录方法影响大，成为古代书目的优良传统之一。"以书类人"的方法相比之下影响较小。

中国长期以来习惯了以书名作为著录标目的方法，而外国书目较多采取以著者为标目的方法，两种方法各有其功用，在现代文献著录中可以根据实际需要选择适合的方法。

（2）"互著"和"别裁"

互著和别裁是历代书目中的辅助著录方法。明代祁承㸁在《庚申整书略例》中提出"因、益、互、通"的观点，阐明了图书著录通、互之关系；进一步在《澹生堂藏书目》中采用互著、别裁方法，他首次对互著和别裁这两种方法进行了系统研究，是对目录学方法论的一大贡献。

互著，又称互注，今称互见。就是将同一书在相关的类目中重复著录，即章学诚所说的"一书两载"。由于许多图书内容涉及多学科或类目，必须将此书既著录于此类，又著录于彼类。互著的方法，能够揭示文献内容的广度。

祁承㸁《庚申整书略例》将互著称为"互"，"互者，互见于四部之中也"。"作者既非一途，立言亦多旁及。有以一时之著述，而倏尔谈经，倏尔论政。有以一人之成书，而或以摭古，或以征今，将安所取衷乎？故同一书也，而于此则为本类，于彼亦为应收。同一类也，收其半于前，有不得不归其半于后。"例如，

《皇明诏制》属于制书，"国史"之中应当著录，"诏制"之中也应当著录。又如，《五伦全书》属于敕纂，既不敢不尊王而收入"制书"，又不能不按其类别归入"纂训"。再如《焦氏意林》《周易占林》，都属于五行家的书，但在易书"占筮"类，也应当著录。这些都是"一书而彼此互见者"即一书见著于两类或几类的情况。

别裁，今称分析著录，就是将书中的个别篇章分析出来著录，也就是"裁篇别出"。这种方法能够揭示文献内容的深度。

祁承爜《庚申整书略例》将别裁称为"通"。他说："通者，流通于四部之内也。"按他的方法，有五种情况可以运用这一方法。

第一种情况：一书原有单行本而后来仅见于某书之中。如欧阳公之《易童子问》、王荆公之《卦名解》、曾南丰之《洪范传》，即属于"皆有别本，而今仅见于文集之中"这种情况。

第二种情况：书中部分内容与全书内容或体例不相符。如《靖康传信录》《建炎时政记》，本是杂史，却载于李忠定之奏议；另外，《宋朝祖宗事寔》及《法制人物》，本是记传，却收于朱晦翁之语录。这都是属于文集中所收著述与文集体例不相类的情况。

第三种情况：各书自成卷帙而又未另行别刻者。如琐记、稗史、小说、诗话之类，各自成卷，不行别刻，而附见于本集之中者，不可枚举。

第四种情况："按籍可见，人所知"已独立成书者，如《弇州集》之《艺苑卮言》《宛委余编》，《冯元敏集》之《艺海泂酌》《经史稗谭》。

第五种情况：原书久已不行的文集中的单独部分。如元美之《名卿迹记》、元敏之《宝善编》，"即其集中之小传者，是两书久已不行，苟非为之标识其目，则二书竟无从考矣"。

4.3.1.2　现代文献著录法

现代文献编目继承并发展了传统目录学的方法，书本式目录著录与图书馆卡片目录著录各有特色。

在书本式目录中，通过著录事项的间隔来描述，使著录直观、简略，特别是发挥附注项的作用。根据需要，附注项可以有较大篇幅。例如《中国考古学文献目录（1949—1966）》（文物出版社 1978 年版）将一书的书评列于附注项。

泉州宗教石刻（考古学专刊丁种第 7 号）

吴文良编著　科学出版社　1957 年 8 月

16 开，文 66 页，图版 94 页。

书评:

吴文良著《泉州宗教石刻》 黄展岳

《考古通讯》1958 年 1 期,100—101 页

吴文良编《泉州宗教石刻》弘礼《考古通讯》1958 年 10 期,

74—75 页

由此可见,书本式目录著录有一定灵活性。

图书馆目录著录通过对某一出版物进行准确、规范的描述,形成款目。按 AACR2 每一著录分成八个项目,总是按同一次序著录:题名与责任者说明,版本,数据(或出版物类型)特别细节,出版、发行等,形态描述,丛书,附注,标准号码与获得方式。

中国《文献著录总则》是根据《国际标准书目著录(总则)》制订的,现将二者规定的著录项目比较如表 4.1。

表 4.1 《文献著录总则》与《国际标准书目著录(总则)》比较

《国际标准书目著录(总则)》		《文献著录总则》	
著录项目名称	标识符	著录项目名称	标识符
1. 题名及责任说明项		1. 题名及责任说明项	
1.1 正题名		1.1 正题名	
1.2 文献类型标识	[ ]	1.2 文献类型标识	[ ]
1.3 并列题名	=	1.3 并列题名	=
1.4 其他题名	:	1.4 副题名及说明题名文字	:
1.5 责任说明		1.5 第一责任说明	/
第一责任说明	/		
其他责任说明	;	1.6 其他责任说明	;
2. 版本项		2. 版本项	. —
2.1 版本说明		2.1 版次及其他版本形式	
2.2 并列版本说明	=	2.2 与本版有关的版本说明	/
2.3 与本版有关的责任说明			
第一责任说明	/		
其后责任说明	;		
2.4 附加版本说明	,		
2.5 附加版本说明后的责任说明			
第一责任说明	/		
其后责任说明	;		

《国际标准书目著录（总则）》		《文献著录总则》	
著录项目名称	标识符	著录项目名称	标识符
3. 文献或某出版类型专有特征项		3. 文献特殊细节项	. –
4. 出版发行等项		4. 出版发行项	. –
4.1 出版地、发行地等		4.1 出版地或发行地	
第一地点			
其后地点	;		
4.2 出版者、发行者等	:	4.2 出版者或发行者	:
4.3 发行者职能说明	[ ]		
4.4 出版年、发行年等	,	4.3 出版日期或发行日期	,
4.5 制作地	(	4.4 印制地、印制者、印制日期	( )
4.6 制作者	:		
4.7 制作年	,)		
5. 形态描述项		5. 载体形态项	. –
5.1 具体数据类型及数量		5.1 数量及其单位	
5.2 其他形态特征	:	5.2 图及其他形态	:
5.3 体积	;	5.3 尺寸	;
5.4 附件说明	+	5.4 附件	+
6. 丛编项		6. 丛编项	. –
6.1 丛编或分丛编正题名		6.1 丛编正题名	
6.2 丛编或分丛编并列题名	=	6.2 丛编并列题名	=
6.3 丛编或分丛编其他题名	:	6.3 丛编副题名及说明丛编题名文字	:
		6.4 丛编责任说明	
6.4 丛编或分丛编责任说明			/
第一责任说明	/		
其后责任说明	;	6.5 国际标准连续出版物编号	
6.5 丛编或分丛编的国际标准连续出版物编号	,		
6.6 丛编或分丛编本身编号		6.6 丛编编号	
	;	6.7 分丛编	;
7. 附注项		7. 附注项	8 1 3 6 A 6 ;
8. 标准编号（或替代编号）及获得条件项		8. 文献标准编号及有关记载项	. –

《国际标准书目著录（总则）》		《文献著录总则》	
著录项目名称	标识符	著录项目名称	标识符
8.1 标准编号（或替代编号）			
8.2 关键题名		8.1 国际文献标准编号	
8.3 获得条件和（或）价格		8.2 装帧	
	=	8.3 获得方式	（）
	:		:

一般来说，著录有两大基本内容：一是标目，二是特征与地址。图书文献，通常著录其书名、著者、出版地、出版者、出版时间等；期刊文献，通常著录其篇名、著者、期刊名、卷、期或年月日等。

文献著录时要求做到：著录的完备性，要求著录事项完备，充分利用基本著录和辅助著录；著录的准确性，要求准确著录文献特征；著录的一致性，要求按照统一的著录规则和著录格式，达到标准化和规格化。

4.3.2　参考文献法

文后参考文献是作者在研究和写作中研读过或参阅过的重要文献，又称引用文献。文后列参考文献不仅是对写作的补充，反映研究的继承性，也是尊重他人的劳动成果，反映文献之间的关系，为读者提供更多的信息。文后参考文献具有收录文献的精确性和描述文献的简明性。以《帝国主义是资本主义的最高阶段》为例，列宁在写作过程中参考引用了 148 种图书、232 篇论文，而该书所附参考文献只列出重要的 102 种专著和 47 篇论文，为全部参考文献的 2/5。

4.3.2.1　国外参考文献引用法

在国外，文后参考文献著录受到重视。1971 年 7 月 1 日实施的美国国会图书馆"图书在版编目"计划，明确规定在附注项注明所有学术性专著与论文集的"参考书目与索引"（bibliographical reference and index）。1898 年创刊的英国《科学文摘》、1953 年创刊的苏联《文摘杂志》，也对"参考书目索引"（bibliography index）和"参考文献"（Библиография）分别作了精确的著录。

ISO 第 46 技术委员会于 1975 年提出的工作计划文本称文后参考文献为"参考书目"（bibliographical reference）。1978 年，美国、加拿大、英国等一些主要医学期刊编辑部在温哥华召开会议，对生物医学期刊文献的参考文献书写格式提出了统一要求，简称温哥华格式，1981 年国际期刊编辑委员会对此格式做了修改并正式发表。1985 年 ISO 提出的 ISO/DIS690 初步确立了论著参考文献统一的著录项目、著录格式及著录用符号。

ISO690—1987（E） 《文献工作——文后参考文献：内容、格式和结构》（*Documentation*；*Bibliographic References*；*Content*，*Form and Structure*）分 9 个部分：应用范围和领域（scope and field of application）；参考文献（references）；定义（definitions）；文后参考文献框架（outline of bibliographic references）；信息源（sources of information）；总则（general conventions）；细则（specification of elements）；文后参考文献列表（lists of bibliographic references）；引文（citations）。

ISO690—1987（E） 对于 14 个相关概念作了定义，这 14 个概念是：author，chapter，contribution，edition，host document，key- title，microfiche header，monograph，patent document，publication，publisher，serial，subtitle，title。

关于专著（monographs）的著录实例：

LOMINADZE，DG. *Cyclotron waves in plasma*. Translated by AN. Dellis；edited by SM. Hamberger. 1st ed. Oxford：Pergamon Press，1981. 206 p. International series in natural philosophy. Translation of：Ciklotronnye volny v plazme. ISBN 0-08-021680-3.

关于连续出版物（serials）的著录实例：

Communications equipment manufacturers. Manufacturing and Primary Industries Division，Statistics Canada. Preliminary Edition. 1970 – . Ottawa：Statistics Canada，1971 – . Annual census of manufacturers. Text in English and French. ISSN 0700-0758.

关于专著中的非独立部分（parts to monographs）的著录实例：

PARKER，TJ. and HASWELL，WD. *A text-book of zoology*. 5th ed. ，vol 1. revised by WD. Lang. London：Macmillan，1930. Section 12，Phylum Mollusca，p. 663-782.

关于专著中的独立文本（contributions to monographs）的著录实例：

WRIGLEY，EA. Parish registers and the historian. In STEEL，DJ. *National index of parish registers*. London ：Society of Genealogists，1968，vol. 1，p. 155-167.

关于连续出版物中的析出文献（Articles，etc. ，in serials）的著录实例：

WEAVER，William. The collectors：command performances. Photography by Robert Emmett Bright. *Architectural Digest*，December 1985，vol. 42，no. 12，p. 126-133.

关于专利文献（patent documents）的著录实例：

CARL ZEISS JENA，VEB. *Anordnung zur lichtelektrischen Erfassung der Mitte eines Li-*

chtfeldes. Erfinder：W. FEIST, C. WAHNERT, E. FEISTAUER. Int. Cl. ³：G02 B 27/14. *Schweiz Patentschrift*，608 626. 1979-01-15.

该标准 6.1Transliteration or romanization 要求著录用的文字按适当的国际标准转写或罗马化，以便于国际的信息交流。文后参考文献列表推荐按第一要素的字母顺序或用与正文中引文顺序一致的数字顺序排列。

国际上比较通行的参考文献格式有四种：

1）第一要素与日期法（first element and data method），这里的要素指著者姓氏、题名、出版地、出版者、出版年、版次等，而第一要素就是著者姓氏。ISO690—1987（E）中的 9.4 Fist element and data method 给出的实例如下。

正文和引文（*Text and citations*）：

The notion of an invisible college has been explored in the sciences（Crane，1972）. Its absence among historians is noted by Stieg（1981，p.556）. It may be，as Burchard（1965，p.219）points out...

文后参考文献（*References*）：

……

BURCHARD，JE. 1965. How humanists use a library. In *Intrex*：*report of a planning conference on information transfer experiments*，Sept. 3，1965. Cambridge，Mass.：M.I.T. Press，1965.

……

CRANE，D. 1972. *Invisible colleges*. Chicago：Univ. of Chicago Press.

……

STIEG，MF. 1981，The information needs of historians. *College and Research Libraries*，Nov.1981，vol. 42，no.6，p，549-560.

这一格式实际为圆括号引注法（parenthetical documentation）之一。圆括号引注法包括"著者–日期（出版年）体系"（Author-data System）以及其他含有"著者–页数"或"著者–出版年–页数"等格式。

"著者–日期（出版年）体系"，代表性的有 APA 格式。APA 格式即美国心理学协会（American Psychological Association，APA）的格式，主要用于心理学、教育学等社会科学领域以及物理学领域。

APA 格式实例如下：

Payne，A.，Christopher，M.，Clark，M.，&Pech，H.（1995）. *Relationship marketing for competitive advantage*：*Wining and Keeping customers*. Oxford：Butterworth-Heineman.（图书 Books）

Burt，R.S.（1997，June）. The contingent value of social capital. *Administrative*

Science Quarterly, 42, 339-365. （期刊论文 Journals）

Encryption expert control restrictions. （n. d.） Retrieved August 14, 2001. from http：//www. lawnotes. com/encrypt. html

此外，Harvard 格式在 20 世纪五六十年代的美国比较流行，主要用于经济学等社会科学，语言、文学等人文学科领域以及物理、生物等自然科学领域，其格式详见于 John Wiley & Sons 的《作者、编辑和印刷者格式手册》（*Style Manual for Authors, Editors and Printers*）。Chicago（Turabian）曾对 Parenthetical Reference（PR）/Reference List（RL）使用"著者出版年，页数"，著者与日期之间不使用逗号，主要用于社会学领域。

"著者-页数"格式，代表性的有 MLA 格式，主要用于语言、文学、艺术等人文学科领域。

2）顺序编码法（numeric references method），也称为直接编码制。按数字顺序标注和排列，当相同文献重复引用时，须沿用相同文献的注释号码，将其标示于正文内。例如 ISO690—1987（E）中的 9. 2 Numeric references method 给出的实例如下。

正文和引文（*Text and citations*）：

The notion of an invisible college has been explored in the sciences（24）. Its absence among historians is noted by Stieg（13p. 556）. It may be, as Burchard（8）points out. . .

文后参考文献（*References*）：

……

8. BURCHARD, JE. How humanists use a library. In *Intrex：report of a planning conference on information transfer experiments*, Sept. 3, 1965. Cambridge, Mass. : M. I. T. Press, 1965, p. 219.

13. STIEG, MF. The information needs of historians. *College and Research Libraries*, Nov. 1981, vol. 42, no. 6, p, 549-560.

24. CRANE, D. *Invisible colleges.* Chicago : Univ. of Chicago Press, 1972.

这一格式在文末的参考文献，不会出现重复的文献。这一格式也称为"著者-编码体系"（author- number system），国际通用的 Vancouver 格式即是如此，主要用于医学、生物、化学等学科领域。Vancouver 格式源于 1978 年在加拿大 Vancouver 召开的 ICMJE（International Committee of Medical Journal Editors）会议，之后由美国国家医学图书馆（National Library of Medicine，NLM）协助开发完成，由 ICMJE、MEDLINE 数据库和相关期刊采用。

3）连续注释法（running notes method），将数字依次标注于正文某处的右上角，或是以括号方式置于正文某处，一个注释可以引不只一篇文献。但如果出现重复引用同一文献时，正文中的注释号码仍应按新的号码顺序标出，而脚注或文末注须列出所对应的连续编码项，尽量重复但不必列出文献的完整形式，可适当予以压缩。例如 ISO690—1987（E）中的 9.3 Running notes 给出的首次引用（First citation）实例：

正文（*Text*）：

The notion of an invisible college has been explored in the sciences.[32] Its absence among historians is noted by Stieg.[33] It may be, as Burchard[34] points out…

引文（*Citations*）：

32. CRANE, D., *Invisible colleges*.

33. STEIG, MF., The information needs of historians, p. 556.

34. BURCHARD, JE., How humanists use a library, p. 219.

文后参考文献（*References*）：

……

BURCHARD, JE. How humanists use a library. In *Intrex*: *report of a planning conference on information transfer experiments*, Sept. 3, 1965. Cambridge, Mass. : M. I. T. Press, 1965, p. 219.

……

CRANE, D. *Invisible colleges*. Chicago: Univ. of Chicago Press, 1972.

……

STIEG, MF. The information needs of historians. College and Research Libraries, Nov. 1981, vol. 42, no. 6, p. 549-560.

这一方法也称为"注释–书目体系"（note-bibliography system）或称"著者–题名体系"（author-title system），通常要在文末配上参考书目（Bibliography）。

Chicago（Turabian）和 Oxford 格式是这一方法的代表。Chicago（Turabian）格式主要用于文学、史学、哲学等人文学科领域。Oxford 格式源于 1893 年出版的 *Hart's Rules*（*Hart's Rules for Compositors and Readers*），其作者 Horace Henry Hart（1840—1916）曾于 1883—1915 年担任牛津大学出版社负责人。这一格式主要用于人文学科领域，详细介绍见于《牛津格式指南》（*The Oxford Guide to Style*）。

4）参考文献号码法（bibliographic reference number method），又称编序式参考书目注释法，将一篇文献或一部著作所参考的全部参考文献，按著者姓氏字母顺序排列并编码，正文注释处只写对应的文献号码，加注页码。如 IEEE（Institute of Electrical and Electronic Engineers）格式，主要用于工程、计算机等学科领域。

这种方法避免了在正文中重复列出同一文献，以号码代表文献，节省篇幅。然而，这一方法需要全文完成后才获得文献号码，不像前面的几种方法，而且在写作时即完成注释。在阅读文本时，也需要对文后查阅号码所对应的文献，因而不便于阅读。

1991 年，Booklist 将 MLA、APA 和 Chicago 称为北美地区三大格式手册（Clara Hoover "Style Manuals: A Bibliography", 1991）。Chicago (Turabian)、APA、MLA 三种引文格式见表 4.2①。

表 4.2　Chicago (Turabian)、APA、MLA 使用与实例对照

项目	Chicago (Turabian)	APA	MLA
参考版本	A Manual for Writers of Term Papers, Theses, and Dissertation/Kate L. Turabian. 6th ed. 1996	Publication Manual of the American Psychological Association/ 5th ed. 2001	MLA Handbook for Writers of Research Papers/Joseph Gibaldi. 6th ed. 2003. MLA Style Manual and Guide to Scholarly Publishing/Joseph Gibaldi. 2d ed. 1998
使用对象	以 Chicago Manual of Style 为蓝本，作为一般大学生写作期末报告或研究生撰写硕士论文的需求而编写，属综合领域	美国心理学会之相关期刊、社会科学领域的学术期刊多采用此格式	美国现代语言学会针对人文学科，尤其是文学、语言学及其他相关学科所订定的格式
一般时机		必须公正地将所参考之资料来源引述于参考资料表（reference list）中	对所引用之资料来源致谢，不论是事实、意见、构想或直接引述之内容（quotation）等
[注释] 使用时机	①参考资料注（reference）：—某一权威性之观念或特定意见 —相互参照 ②内容注（content）：—陈述说明一些意见，以补充本文不足之处 —对于他人提供的观念或文献，表达感谢之意	①内容脚注（content footnotes）：补充或扩充本文中的独立资料，不应包括复杂、不相关或非必要的信息 ②版权许可脚注（copyright permisstion footnotes）：感谢引用文献的资料来源 ③作者注（author note）：于文末另页补述作者之完整单位职衔或更新单位职衔、致谢、联络方式（email 等）	①内容注（content notes）：提供读者本文以外的评论、解释或相关信息 ②书目注（bibliographic notes）：包含多项资料来源或对资料来源加以评论

① 根据邱炯友《学术传播与期刊出版》（台北：远流出版事业股份有限公司，2006）第 193 页表 6.2 和 Robert B. Harmon 的 Elements of Bibliography: A Guide to Information Sources and Practical Applications（Third ed. . Lanham: The Scarecrow Press, 1998）第 106 页 Book Entry、第 107 页 Article Entry 整合而成。

项目	Chicago（Turabian）	APA	MLA
图书著录实例	Mixter, Keith E. *General Bibliography for Music Research.* 3rd ed. Warren, MI：Harmonic Park Press, 1996.	Mixter, K. E. (1996). *General bibliography for music research.* 3rd ed. Warren, MI：Harmonic Park Press. [①]	Mixter, Keith E. *General Bibliogra-phy for Music Research.* 3rd ed. Warren, MI：Harmonic Park Press, 1996. [②]
文章著录实例	Nelles, William. "A Bibliog-raphy of Bibliographies Appearing in Style, 1967-1994." Style 28（Winter 1994）：485-98.	Nelles, W. (1994). A bib-liography of bibliographies app-earing in Style, 1967-1994. Style 28, 485-98.	Nelles, William. "A Bibliography of Bibliographies Appearing in Style, 1967-1994." Style 28（Winter 1994）：485-98.

这三大格式在一些细节上的规定不同。为避免重复著录，Chicago（Turabian）格式对于同一注释有多个引用文献以及同一注释重复出现做了规定。同一注释有多个引用文献时，以分号";"为区隔，如：

Eduard Hanslick, *The Beautiful in Music*, Trans. G. Coben（New York：Novello, Ewer, 1891）; Heinrich Schenker, Der freie Satz, Trans. and ed. T. H. Kreuger（Ann Arbor：University Microfilms, 1960）, pub. No. 60-1558; Suzamme Langer, *Philosophy in a New Key*（New York：Mentor, 1959）; Leonard B. Meyer, *Emotion and Meaning in Music*（Chicago：University of Chicago Press, 1956）, and idem, *Music, the Arts, and Ideas*（Chicago：University of Chicago Press, 1967）.

而同一注释重复出现时，使用"Ibid."，如：

1 W. Edmund Farrar, "Antibiotic Resistance in Developing Countries," *Journal of Infections Diseases* 152（December 1985）：1103-1109.

2 Ibid. 1105

3 Anne B. Fisher, "Ford Is Back on the Track," *Fortune*, 23 December 1985, 18.

4 W. Edmund Farrar, "Antibiotic Resistance in Developing Countries," 1108.

---

① For APA style, include the surname and initials for all authors. The year the work was copyrighted follows the author's name, enclosed in parentheses. Capitalize only the first word and the first letters of proper nouns and adjectives in titles and subtitles.

② MLA requires two spaces after periods or other punctuation separating main sections of a listing.

二次引用是国际上已经采用的一种方法。由于学术写作与发表中存在这样的现象，如一篇论文引用了 50 篇文献，其中有 10 篇属于二次引用（占 20%），那么，就会有五分之一的引用是由第三者转述，读者从第三者的引用文献中仅能获知二次作品而不知原始作品，这是一个值得注意的问题。对待二次引用，一般采取谨慎的态度。目前，国际上已有一些参考文献格式对此作出了规范，允许当原始资料难以获得或无法获得时适当使用。

APA 格式对二次引用（Secondary Source）的规定是：将二次作品列在参考文献（Reference List）之中；在正文中，引用二次作品并标注原始文献，以 as cited in 表示前后关系，如正文内呈现方式：

……Seidenberg and McClelland's study（as cited in Coltheart, Curtis, Atkins, & Haller, 1993）.

参考文献呈现方式：

Coltheart, M. , Curtis, B. , Atkins, P. , & Haller, M. （1993）Models of rading aloud：Dualroute and parallel-distributed-processing approaches. *Psychological Review*, 100. 589-608. （不提及 Seidenberg and McClelland）

Chicago 格式对二次引用（Citations Takes from Secondary Sources）的规定：

Louis Zukofsky, "sinverity and Objectification," Poetry 37（February 1931）：269, cited in Bonnie Costello, Marianne Moore：Imaginary Possessions（Cambridge：Harvard University Press, 1981）, 78. （强调原始作品）

Bonnie Costello, Marianne Moore：Imaginary Possessions（Cambridge：Harvard University Press, 1981）, 78. citingLouis Zukofsky, "sinverity and Objectification," Poetry 37（February 1931）：269. （强调二次作品）

4.3.2.2 中国参考文献引用法

全国文献工作标准化技术委员会于 1987 年 5 月提出了《文后参考文献著录规则》，非等效采用 ISO/DIS690《文献工作 文后参考文献 内容、形式与结构》国际标准，由国家标准局发布 GB7714—87，1988 年 1 月 1 日实施。此后，依据 ISO690—2《信息与文献 参考文献 第 2 部分：电子文献部分》国际标准，增加电子文献的著录规划，并根据文后参考文献的著录实际进行了部分简化，于 2005 年 3 月 23 日发布新的国家标准 GB/T7714—2005《文后参考文献著录规则》，以代替原 GB/T7714—1987，2005 年 10 月 1 日实施。2015 年发布修订版 GB/T 7714—2015《信息与文献 参考文献著录规则》，这一版在标准名称、适用范围和著录项目等方面都做出重大修订，增加了"档案、舆图、数据集和其他" 4 种类型标识及列举相关的文献著录示例，但这一版也存在不足，围绕进一步修订提出了新的建议如针对档案著录的建议（张衍和陈子琪，2021）、针对责任者事项等的建议等（王子舟，2021）。

针对文后参考文献的概念，GB/T7714—2005《文后参考文献著录规则》称为"文后参考文献"（bibliographic reference）指为撰写或编辑论文和著作而引用的有关文献资源。而 GB/T7714—2015《信息与文献 参考文献著录规则》用"参考文献"指对一个信息资源或其中一部分进行准确和详细著录的数据，位于文末或文中的信息源。

文后参考文献分为专著（monographs）、连续出版物（serials）、析出文献（contribution）、电子文献（electronic documents）等多种类型。

（1）文后参考文献著录——专著

专著的著录项目分为 7 项：①主要责任者；②题名项包括题名、其他题名信息、文献类型标志（任选）；③其他责任者项（任选）；④版本项；⑤出版项包括出版地、出版者、出版年、引文页码、引用日期；⑥获取和访问路径（电子资源必备）；⑦数字对象唯一标识符（电子资源必备）。

专著的著录格式：

主要责任者．题名：其他题名信息［文献类型标识/文献载体标识］．其他责任者．版本项．出版地：出版者，出版年：引文页码［引用日期］．获取和访问路径．数字对象唯一标识符。

示例：

［1］陈登原．国史旧闻：第 1 卷［M］．北京：中华书局，2000：29．

［2］昂温．G. 昂温 P S. 外国出版史［M］．陈生铮，译．北京：中国书籍出版社，1988．

［3］全国文献工作标准化技术委员会第七委员会．GB/T 5795—1986 中国标准书号［S］．北京：中国标准出版社，1986．

［4］辛希孟．信息技术与信息服务国际研讨会论文集［C］．北京：中国社会科学出版社，1994．

［5］孙玉文．汉语变调构词研究［M］．北京：北京大学出版社，2000．

［6］顾炎武．昌平山水记：京东考古录［M］．北京：北京古籍出版社，1982．

［7］王夫之．宋论［M］．刻本．金陵：湘乡曾国荃，1865（清同治四年）．

［8］赵耀东．新时代的工业工程师［M/OL］．台北：天下文化出版社，1998［1998-09-26］．http：//www. ie. nthu. edu. tw/info/ie. newie. htm（Big5）．

［9］PIGGOT T M. The cataloguer's way through AACR2：from document receipt to document retrieval ［M］. London：The Library Association，1990.

［10］PEEBLES P Z，Jr. Probability，random variable，and random signal principles ［M］. 4th ed. New York：McGraw Hill，2001.

［11］YUFIN S A. Geoecology and computers：proceedings of the Third International Conference on Advances of Computer Methods in Geotechnical and Geoen-vironmental Engineering，Moscow，Russia，February 1-4，2000 ［C］. Rotterdam：A. A. Balkema，2000.

（2）文后参考文献著录——专著中的析出文献

专著中析出文献的著录项目分为 8 项：①析出文献主要责任者；②析出文献题名项包括析出文献题名、文献类型标识（任选）；③析出文献其他责任者项（任选）；④出处项包括专著主要责任者、专题题名、其他题名信息；⑤版本项；⑥出版项包括出版地、出版者、出版年、析出文献的页码、引用日期；⑦获取和访问路径（电子资源必备）；⑧数字对象唯一标识符（电子资源必备）。

专著中析出文献的著录格式：

析出文献主要责任者. 析出文献题名 ［文献类型标识/文献载体标识］. 析出文献其他责任者//专著主要责任者. 专著题名：其他题名信息. 版本项. 出版地：出版者，出版年：析出文献的页码 ［引用日期］. 获取和访问路径. 数字对象唯一标识符.

示例：

［1］程根伟. 1998 年长江洪水的成因与减灾对策 ［M］//许厚泽，赵其国. 长江流域洪涝灾害与科技对策. 北京：科学出版社，1999：32-36.

［2］钟文发. 非线性规划在可燃毒物配置中的应用 ［C］//赵玮. 运筹学的理论与应用：中国运筹学会第五届大会论文集. 西安：西安电子科技大学出版社，1996：468-471.

［3］WEINSTEIN L，SWERTZ M N. Pathogenic properties of invading microorganism ［M］//SODEMAN W A，Jr. ，SODEMAN W A. Pathologic physiology：mechanisms of disease. Philadephia：Saunders，1974：745-772.

（3）文后参考文献著录——连续出版物

连续出版物的著录项目分为 6 项：①主要责任者；②题名项包括题名、其他题名信息、文献类型标识（任选）；③年卷期或其他标识（任选）；④出版项包括出版地、出版者、出版年、引用日期；⑤获取和访问路径（电子资源必备）；

⑥数字对象唯一标识符（电子资源必备）。

连续出版物的著录格式：

主要责任者. 题名：其他题名信息 ［文献类型标识/文献载体标识］. 年，卷（期）-年，卷（期）. 出版地：出版者，出版年 ［引用日期］. 获取和访问路径. 数字对象唯一标识符.

示例：

［1］中国地质学会. 地质论评 ［J］. 1936，1（1）-. 北京：地质出版社，1936-.

［2］中国图书馆学会. 图书馆学通讯 ［J］. 1957（1）-1990（4）. 北京：北京图书馆，1957-1990.

［3］American Association for the Advancement of Science. Scienc ［J］. 1883，1（1）-. Washington，D. C.：American Association for the Advancement of Science，1883-.

（4）文后参考文献著录——连续出版物中的析出文献

连续出版物中析出文献的著录项目分为 5 项：①析出文献主要责任者；②析出文献题名项包括析出文献题名、文献类型标识（任选）；③出处项包括连续出版物题名、其他题名信息、年卷期标识与页码、引用日期；④获取和访问路径（电子资源必备）；⑤数字对象唯一标识符（电子资源必备）。

连续出版物中析出文献的著录格式：

析出文献主要责任者. 析出文献题名 ［文献类型标识/文献载体标识］. 连续出版物题名：其他题名信息，年，卷（期）：页码 ［引用日期］. 获取和访问路径. 数字对象唯一标识符.

示例：

［1］李晓东，张庆红，叶瑾琳. 气候学研究的若干理论问题 ［J］. 北京大学学报：自然科学版，1999，35（1）：101-106.

［2］刘武，郑良，姜础. 元谋古猿牙齿测量数据的统计分析及其在分类研究上的意义 ［J］. 科学通报，1999，44（23）：2481-2488.

［3］傅刚，赵承，李佳路. 大风沙过后的思考 ［N/OL］. 北京青年报，2000-04-12（14）［2005-07-12］. http：//www. bjyouth. com. cn/Bqb/20000412/GB/4216％5ED0412B1401. htm.

［4］莫少强. 数字式中文全文文献格式的设计与研究 ［J/OL］. 情报学报，1999，18（4）：1-6 ［2001-07-08］. http：//periodical. wanfangdata. com. cn/periodical/qbxb/qbxb99/qbxb9904/990407. htm.

［5］ KANAMORI H. Shaking without quaking ［J］. Science, 1998, 279
(5359): 2063-2064.

［6］ CAPLAN P. Cataloging internet resouces ［J］. The Public Access Computer
Systems Review, 1993, 4 (2): 61-66.

(5) 文后参考文献著录——专利文献

专利文献的著录项目分为 5 项：①专利申请者或所有者；②题名项包括专利
题名、专利号、文献类型标识（任选）；③出版项包括公告日期或公开日期、引
用日期；④获取和访问路径（电子资源必备）；⑤数字对象唯一标识符（电子资
源必备）。

专利文献的著录格式：

专利申请者或所有者. 专利题名：专利号 ［文献类型标识/文献载体标识］.
公告日期或公开日期 ［引用日期］. 获取和访问路径. 数字对象唯一标识符.

示例：

［1］ 姜锡洲. 一种湿热外敷药制备方案：中国，88105607. 3 ［P］. 1989-
07-26.

［2］ 西安电子科技大学. 光折变自适应光外差探测方法：中国，01128777. 2
［P/OL］. 2002-03-06 ［2002-05-28］. http：//211. 152. 9. 47/sipoasp/zljs/hyjs-yx-
new. asp? recid=01128777. 2&leixin-0.

［3］ TACHIBANA R, SHIMIZU S, KOBAYSHI S, et al. Electronic
watermarking method and system：US, 6, 915, 001 ［P/OL］. 2002-04-25 ［2002-
05-28］. http：//patftuspto. gov/netacgi/nph-Parer? Sec1=PTO2&Sects=HITOFF&p=
1&u=/netahtml/search-bool. html. html &OS=TTL/.

(6) 文后参考文献著录——电子资源

电子资源的著录项目分为 5 项：①主要责任者；②题名项包括题名、其他
题名信息、文献类型标识（任选）；③出版项包括出版地、出版者、出版年、
引文页码、更新或修改日期、引用日期；④获取和访问路径；⑤数字对象唯一
标识符.

电子文献的著录格式：

主要责任者. 题名：其他题名信息 ［文献类型标识/文献载体标识］. 出版
地：出版者，出版年（更新或修改日期）［引用日期］. 获取和访问路径. 数字
对象唯一标识符.

示例：

［1］北京市人民政府办公厅. 关于转发北京市企业投资项目核准暂行实施办法的通知：京政办发［2005］37 号［A/OL］.（2005-07-12）［2011-07-12］. http：//china. findlaw. cn/fagui/p_ 1/39934. html.

［2］Online Computer Library Center, Inc. History of OCLC［EB/OL］. ［2000-01-08］. http：//www. oclc. org/about/history/default. htm.

［3］HOPKINSON A. UNIMARC and metadata：Dublin Core［EB/OL］.（2009-04-22）［2013-03-27］. http：//www. ifla. org/IV/ifla64/138－161e. htm.

按 GB/T 7714—2015《信息与文献参考文献著录规则》，参考文献表可以按顺序编码制组织，也可以按著者—出版年制组织。按顺序编码制组织时，各篇文献要按正文部分标注的序号依次列出。采用著者—出版年制组织时，各篇文献首先按文种集中，可分为中文、日文、西文、俄文、其他文种 5 部分；然后按著者字顺和出版年排列。中文文献可以按著者汉语拼音字顺排列，也可以按著者笔画笔顺排列。

按 GB/T 7714—2015《信息与文献参考文献著录规则》，正文中引用的文献的标注方法可以采用顺序编码制，也可以采用著者—出版年制。顺序编码制是按正文中引用的文献出现的先后顺序连续编码，并将序号置于方括号中。同一处引用多篇文献时，应将各篇文献的序号在方括号内全部列出，各序号间用"，"。如遇连续序号，起讫序号间用短横线连接。多次引用同一著者的同一文献时，在正文中标注首次引用的文献序号，并在序号的"［］"外著录引文页码。正文引用的文献采用著者—出版年制时，各篇文献的标注内容由著者姓氏与出版年构成，并置于"（）"内。在正文中引用多著者文献时，对欧美著者只需标注第一个著者的姓，其后附"et al."；对中国著者应标注第一著者的姓名，其后附"等"字，姓氏与"et al.""等"之间留适当空隙。在参考文献表中著录同一著者在同一年出版的多篇文献时，出版年后应用小写字母 a，b，c…区别。多次引用同一著者的同一文献，在正文中标注著者与出版年，并在"（）"外以角标的形式著录引文页码。

此外，2009 年 3 月 13 日发布的 GB/T 23289—2009《术语工作. 文后参考文献及源标识符》规定了术语工作使用的文后参考文献数据要素，这些文后参考文献标识符在术语的计算机应用上可作为数据类目，或用来记录其他文字材料所附带的文献目录和参考文献列表，以及连续出版物上的引文信息。该标准为不同类型的参考文献及其用途规定了源标识符，阐明了如何将文后参考文献中的数据要素反映到源标识符中，以及如何组织标识成分形成唯一的标识符。该标准适用于记录、贮存和交换术语工作和术语编纂过程中的文后参考文献来源信息，不适用于图书馆员、文献目录编纂者以及索引编辑者在文献学工作中记录和标识文献。该标准有助于：识别、追踪和验证术语数据和其他语言资源，包含术语数据的文献的互相参照，网络化工作和术语工作中的数据流管理，术语数据交换，技术文献编写，实施某个术语或术语编纂项目。该标准没有考虑那些通过采用 ISO 15836：2003 便能够实现简单方案需求。

4.4　序跋与类序

序跋是图书的专门方法。一部图书，首有序，尾有跋，首尾呼应，构成了图书的外壳或外层。这既是作者在完成图书之后，揭示图书的一种方式，也是文献工作者及其他人员揭示文献的一种方式。类序是书目的专门方法。在分类基础上，为书目撰写类序是体现书目水平与价值的一个标志，这也成为中国目录学的一个优良传统。

4.4.1　序跋法

4.4.1.1　序跋法源流

序跋法源于古代的诗书之序。孔子在整理典籍时，对每一文献"言其作意"，即诗书之序。《诗》《书》有总序和分序，总序介绍一类一组图书的宗旨，分序介绍一篇诗或文的写作背景和意图。《诗》即《诗经》，其序[1]长短不一，长者如《六月》的小序有 220 余字，短者如《硕鼠》"硕鼠，刺重敛也。国人刺其君重？蚕食于民，不修其政，贪而畏人，若大鼠也"仅 28 个字，《魏风·伐檀》小序"伐檀，刺贪也，在位贪鄙无功而受禄，君子不得进士尔"仅 21 个字，更短者只有三五字。《书》即《尚书》，《汉书·艺文志》载："书之所起远矣；至孔子纂焉，上断于尧，下迄于秦，凡百篇，而为之序。"《书》序文字更为简洁，如《尚书·多士篇》小序为"成周既成，迁殷顽民，周公以王命诰，作《多士》"仅 17 个字。《夏书·甘誓》小序为"启与有扈战于甘之野，作《甘誓》"仅 12 个字。

战国时，诸子著书，多作书序。公元前 239 年，秦吕不韦为《吕氏春秋》作《序意》，原在全书之末，后人将它置于十二纪之后，八览、六论之前。《吕氏春秋·序意》是现存最早的一篇书序，文虽残缺，间有错简，但仍然从中可以看出

---

[1]　诗序—说为子夏所作。

作者撰述十二纪的用意是备天地万物古今之事,旨在"纪治乱存亡也,知寿夭吉凶也",认为只要天地人"三者咸当",便可"无为而行"。

公元前 2 世纪末年,西汉淮南王刘安为《淮南子》作《要略》。《淮南子》原名《淮南鸿烈》,是刘安招揽宾客集体编写而成,现存内篇二十一卷,第 21 卷为《要略》。东汉高诱曾解释《要略》篇题:"凡鸿烈之书二十篇,略数其要,明其所指,序其微妙,论其大体,故曰要略。"《淮南子·要略》是现存最早的保存完整的一篇书序,论述著书方法及二十篇之缘由,阐明各篇要旨及内在联系,分析古诸子时代背景,叙说学说产生原因,总体上看,结构严密,内容完整。

何为序?刘知几《史通·序例》引孔安国所说:"序者,所叙作者之也。"唐杜佑《通典》的序就有三种情况,一是叙全书之意,全书之序仅 227 字,加上自注 57 字,共 284 字,说明作者治学旨趣、撰述目的以及《通典》的结构,是古代史书中的一篇名序。二是分叙各典之意,除《食货典》外,其他八典均有序,其序表明他的历史观、社会思想和政治主张,如《选举典》之序强调人才的重要,反对"以言取士";《乐典·乐序》阐述乐的作用及与社会治乱的关系。三是叙某典之中某篇之意,如《食货典一田制》序说:"谷者,人之司命也;地者,谷之所生也;人者,君之所治也。有其谷则国用备,辨其地则人食足,察其人则徭役均",阐述了谷、地、人的相互关系,这些序为全书之纲领,起到作者表达思想的骨干和支撑的作用,也起到了知识的导航与导读的作用。

序,有一种雅称为"引"。徐师曾《文体明辨》说引:"大略如序而稍为简短,盖序之滥觞也。"鲁迅作序,多称"小引",如在 1929 年 8 月《新潮月刊》第 1 卷第 8 期发表的《叶永蓁作〈小小十年〉小引》即为序作,还有《二心集》中的《〈进化与退化〉小引》《〈夏娃日记〉小引》,《且介亭杂文》中的《〈草鞋印〉小引》《〈木刻纪程〉小引》等。

4.4.1.2 序的写作

序是一本书的序言,分自序和他序。

自序是作者为自己的著作写的序,现代的序通常也称为序言、前言、引言、弁言、前记、导言、编者的话等等,特点是叙述家世、活动和著述宗旨。

他序是刻书人、出版者或作者友好人士写的序,通常称某序,特点是介绍著者生平事迹、书的内容价值。一书可以有多个他序,有初版时他序,也有此后重印或修订时的他序。

以王国维《人间词话》序为例:

作文艺批评,一在能体会,二在能超脱。必须身居其中,局中人知甘苦;又须身处局外，局外人有公论。此书论诗人之素养，以为"入乎其内，故能写之；出乎其外，故能观之"。吾于论文艺批评亦云然。

自来诗话虽多，能兼此二妙者寥寥；此《人间词话》之真价也。虽只薄薄的三十页，而此中所蓄几全是深辨甘苦惬心贵当之言，固非胸罗万卷者不能道。读者宜深加玩味，不以少而忽之。

其实书中所暗示的端绪，如引而申之，正可成一庞然巨帙，特其耐人寻味之力或顿减耳。明珠翠羽，俯拾即是，莫非瑰宝，装成七宝楼台，反添蛇足矣。此日记短札各体之所以为人爱重，不因世间曾有 masterpieces，而遂销声匿迹也。

作者论词标举"境界"，更辨词境有隔不隔之别；而谓南宋逊于北宋，可与颉颃者唯辛幼安一人耳……凡此等评衡论断之处，俱持平入妙，铢两悉称，良无间然。颇思得暇引申其义，却恐"佛头著粪"，遂终于不为；今朴社同人重印此书，遂缀此短序以介绍于读者。

俞平伯

一九二六年二月四日

古人作序，常置于书后，如司马迁的《史记·太史公自序》、班固的《汉书·叙传》。

"序赞"是在序的篇末加"赞"，一般有两种情况。

一种是总结上文，如《后汉书》传后的赞。这种赞是从佛经的"偈"演化而来。

另一种情况是别出新意，有些意思不宜写入篇中，就在篇末的赞里讲出来。如《史记》篇末的"太史公曰"。

序为一书之首，其重要性与特征在于：一是导介性。序引导和介绍作者的著作。如果说，一部著作或作品是一个大观园，那么，序就是这个园子的大门和总引，起着领路人和导引员的作用。如俞平伯为《人间词话》作序，不仅赞赏了《人间词话》的妙处，而更着重于引导读者去体会和超脱，对于后来围绕此书的研究如 20 世纪 30 年代朱光潜、许文雨、任访秋、唐圭璋、顾随等的研究，此序也奠定了一个重要基础。

二是评荐性。序虽不是专门的书评，却具有评论的某些性质。它可以对作者、写作过程以及作品发起评议，是一种隐性的书评。特别重要的是，无论作序人是否作出评论，它都会向读者推荐这部著作或作品，因而不会否定或贬低这部著作的价值，从这个方面看，与书评有着很大的不同。三是情报性。序之所以吸引读者不仅在于它揭示了书的价值，而且在于它通报了许多不为人知的重要信息，其中也隐含了许多奥秘，从而具有一定的情报价值。

从写作上，序可以算作一种文种。撰写序时要注意以下要求。

第一，以背景—作者—著作为主线。许多序言详细介绍写作过程，把重点放在了内容介绍上，结果成为内容提要的放大。这样的序不仅单调，而且失去了序的最重要的功能和魅力。这并不是说这些不重要，而是没有掌握序的写法。写序时，要巧妙地将写作过程与内容介绍放到"背景—作者—著作"这个主线上，从谈论背景中揭示著作的缘起、写作的原因，探究作品所处的时代与社会环境；从谈论作者中展现作者的研究领域、专长、写作兴趣，特别是阐明作者的著作意图、主旨和思想变化；从谈论著作中反映与著作内容相关的知识，抓住著作内容背后的某种线索，给读者以启示。

第二，形式上不拘一格，主要讲求内容的丰富性和充足的信息量。

第三，议论新颖，有效地对著作予以补充。序因为具有评荐性的特征一般很少对著作展开尖锐的批评，结果很多序变成为对著作的夸赞甚至吹捧，让读者读序索然无味甚至反感。因此，撰写序时，既要把握好充分肯定作者与作品这个度，又要恰到好处地表达不同意见，以弥补著作的某些不足。

著名作家杨绛有一本书《干校六记》（生活·读书·新知三联书店 2015 年）由"下放记别""凿井记劳""学圃记闲""'小趋'记情""冒险记幸""误传记妄"6 篇回忆组成，是 1972 年 3 月她从干校回京 8 年后写成的，她的丈夫、著名学者钱锺书为书作序，称为"小引"，首段只简洁的两句话直奔主题："杨绛写完《干校六记》，把稿子给我看了一遍。我觉得她漏写了一篇，篇名不妨暂定为《运动记愧》"，第二段"学部在干校的一个重要任务是搞运动，清查'五一六分子'。干校两年多的生活是在这个批判斗争的气氛中度过的；按照农活、造房、搬家等等需要，搞运动的节奏一会子加紧，一会子放松，但仿佛间歇症，疾病始终缠住身体。'记劳'，'记闲'，记这，记那，都不过是这个大背景的小点缀，大故事的小穿插。"交待了全书的背景。接着说事过境迁，应该去回忆运动中三类人，写《记屈》或《记愤》《记愧》，末段说："《浮生六记》——一部我不很喜欢的书——事实上只存四记，《干校六记》理论上该有七记。在收藏家、古董贩和专家学者通力合作的今天，发现大小作家们并未写过的未刊稿已成为文学研究里发展特快的新行业了。谁知道没有那么一天，这两部书缺掉的篇章被陆续发现，补足填满，稍微减少了人世间的缺陷。"这一篇只有 4 个自然段的序颇不寻常，读起来引人入胜，文字平实而流畅，巧妙地说出了作序人自己的独到见解，让读者联想到作者和作序人当年的遭遇，油然而生对这对夫妇的敬意。

第四，要有可读性，语言要活泼，有吸引力。

4.4.1.3 跋的写作

跋是一本书的后记，称为题跋、书后、后序、后记、附记，特点是叙述版刻源流或出版经过、读后或得书之记载。

如龚自珍《书某贴后》云：

嘉庆甲子，余年十三，严正江宋先生番于塾中日展此贴。余不好学书，不得志于今之宦海，蹉跎一生。回忆幼时晴窗弄墨一种光景，何不乞之塾师，早早学此？一生困厄下僚之叹矣，可胜负负！

壬辰八月既望，贾人持此贴来，以制钱一千七百买之。大醉后题，翌日见之大哭。

跋因为在全书之末，本是对正文一个补充，或者是写在结尾的话。实际上跋在写作上大体有两种。

一种是补记式的跋，围绕写作和出版过程的进一步交待，前提是在序言和正文中没有交代过，否则会导致不必要的重复。这种跋比较常见，从篇幅上看一般都不长，从写作风格上看，与正文有所差别。写作时要注意三点：第一，要补充与本书相关的有价值的知识与信息，与序形成一种首尾相互照应的默契，如序中没有感谢相关的人，跋中可以补充，如序中没有交待各章撰写人员的分工，跋中可以作交待。第二，语言表达尽可能简洁，不要烦琐，拖泥带水，有的序写得简单，到跋时却写得冗长又没有内涵，说了很多与书无关的感想，结果只能起反作用，有的跋的写作风格与序完全一致，也有的跋的风格与序正好相反。第三，态度诚恳，给读者一种负责任的态度，很多作者在跋中都表达了写作中的遗憾，存在的不足，以及希望读者提出批评意见，如此等等，都会呈示出作者的态度是否认真、严谨、实事求是，让读者阅读跋时产生对写作的理解，增强对著作的好感。

另一种是论说式的跋，这种跋并非简单地补充正文或者结束时的交代，而是表达作者某种思想以及强烈的感受，实际上是正文的一种延续。这种跋从篇幅上一般较长，从写作风格上与正文基本一致。写作时要注意两点：第一，应当从主题和内容上与正文相关联，或者包括对全书的总结，或者围绕某一问题进行专论，或者阐发作者的对某个方面期望、建议与愿望等，言之有理有据，让读者进一步了解作者新的思想或者说是结束前的想法。第二，言必有意义，因为篇幅长，语言和内容都必须精彩，否则会给读者一种狗尾续貂的感觉。

以鲁迅的《朝花夕拾》为例，这是鲁迅 1926 年所作回忆散文的一个小集子，只有十篇短文，前五篇《狗·猫·鼠》《阿长和〈山海经〉》《二十四孝图》《五猖会》《无常》写于北京，后五篇《从百草园到三味书屋》《父亲的病》《琐记》《藤野先生》《范爱农》写于厦门。最初以《旧事重提》为总题目陆续发表于《莽原》半月刊上。1927 年 7 月，鲁迅在广州重新加以编订，并添写《小引》和《后记》，改书名为《朝花夕拾》，于 1928 年 9 月由北京未名社初版，列为作者所编的《未名新集》之一，1929 年 2 月再版，1932 年 9 月第三版改由上海北新书局重排出版。其《小引》相当于序，叙编辑缘起，解释书名，并说："这十篇就是从记忆中抄出来的，与实际容或有些不同，然而我现在只记得是这样。文体大概很杂乱，因为是或作或辍，经了九个月之多。环境也不一：前两篇写于北京寓所的东壁下；中三篇是流离中所作，地方是医院和木匠房；后五篇却在厦门大学的图书馆的楼上，已经是被学者们挤出集团之后了。"而到《后记》时，写得与《小引》长，开头说："我在第三篇讲《二十四孝》的开头，说北京恐吓小孩的'马虎子'应作'麻胡子'，是指麻叔谋，而且以他为胡人。现在知道是错了，'胡'应作'祜'，是叔谋之名，见唐人李济翁做的《资暇集》卷下，题云《非麻胡》……"，接着详细论说《百孝图》的版本、起源、画法、事迹等，又论载有无常画像的书籍，配有图和说明，最后说："我本来并不准备做什么后记，只想寻几张旧画像来做插图，不料目的不达，便变成一面比较，剪贴，一面乱发议论了。那一点本文或作或辍地几乎做了一年，这一点后记也或作或辍地几乎做了两个月。天热如此，汗流浃背，是亦不可以已乎：爰为结。"《小引》时间为"一九二七年五月一日，鲁迅于广州白云楼记"，《后记》时间为"一九二七年七月十一日，写完于广州东堤寓楼之西窗下"，相距两个多月，这篇后记对正文第三篇和第五篇做了很好意义的补充，资料翔实，过程与心绪交待着十分清晰，文字与图也有趣，图文并茂且与正文的风格吻合，虽长却不多余，胜于所谓的"虎头豹尾"。

4.4.2　类序法

类序的体例源于《诗》《书》中的大序，与史书中的论赞大致相同。刘纪泽《目录学概论》说：

刘歆嗣父之业，部次群书，分为六略，又叙各家之源流利弊，总为一篇，谓之《辑略》，以当发凡起例。班固因就《七略》，删取其要，以为《艺文志》。散《辑略》之文，分载各类之后，以便观览。后之学者，不知其然，以为《七略》只存其六，其实《辑略》之原文具在也。其后目录之书多仿《辑略》之体，于每一部类，皆剖析条流，发明其旨，王俭《七志》谓之条例，许善心《七林》，谓之类例，魏徵《隋志》、毋煚《古今书录》谓之小序，惜其书多亡，今其存者，《隋志》而已。《旧唐志》据煚录为书，但记部帙，不取小序，新志因之。宋人所修《国史艺文志》皆有部类小序，与汉隋志同，亦颇有所发明。而元修宋志，用唐志之例，削而去之，由是自唐以下，学术源流，多不可考，不能不追咎于《旧唐志》之陋也。其他目录之书，惟《崇文总目》，每类有序，然尚空谈而少实证，不足以继轨汉、隋。晁陈书目，号称善述，而晁氏但能为四部各为一总序，至于各类，无所论说。陈氏并不能为总序。虽或间有小序，惟说门目分合之意，于学术殊少发明也。至清修《四库提要》，然后取法班、魏，寻千载之坠绪，举而复之，既有总序，又有小序，复有案语，虽其间论辨考证，皆不能无误，然不可谓非体大思精之作也。自是以后，诸家目录，能述作者之意者，虽不可云绝无，至于每类皆为之序，于以辨章学术，考镜源流，未有能辨之者，计见存书目之有小序者，《汉志》《隋志》《崇文总目》《四库提要》四家而已，而《崇文总目》，尚未足为重轻。《四库提要》亦复嫌于臆断，汉隋二志，诚可谓先后辉映也已。盖目录之学，莫难于叙录，而小序则尤难之难者，章学诚所谓"非深明于道术精微，群言得失之故者，不足与此"盖指此也。

刘纪泽所论小序源流，实际上是广义的小序即类序的源流。

类序是书目部类之序的统称，是介绍整个书目的说明性文字。类序有总序、大序、小序之分。

总序是全目之序，是介绍整个书目的说明性文字。在古籍书目中，它是纲领，类似一般书籍的"前言"。以《汉书·艺文志》总序如下：

昔仲尼没而微言绝，七十子丧而大义乖。故《春秋》分为五，《诗》分为四，《易》有数家之传。战国纵衡，真伪分争，诸子之言纷然殽乱。至秦患之，乃燔灭文章，以愚黔首。汉兴，改秦之败，大收篇籍，广开献书之路。迄孝武世，书缺简脱，礼坏乐崩，圣上喟然而称曰："朕甚闵焉！"于是建藏书之策，置写书之官，下及诸子传说，皆充秘府。至成帝时，以书颇散亡，使谒者陈农求遗书于天下。诏光禄大夫刘向校经传诸子诗赋，步兵校尉任宏校兵书，太史令尹咸校数术，侍医李柱国校方技。每一书已，向辄条其篇目，撮其指意，录而奏之。会向卒，哀帝复使向子侍中奉车都尉歆卒父业。歆于是总群书而奏其《七略》，故有《辑略》，有《六艺略》，有《诸子略》，有《诗赋略》，有《兵书略》，有《术数略》，有《方技略》。今删其要，以备篇籍。

这篇总序，冠于《汉书·艺文志》篇首。全文仅 300 余字，为书目之纲领，既简述典籍发展和历代校雠大事，重点叙述刘向、刘歆的校雠目录工作的内容，说明《汉书·艺文志》与《七略》的渊源关系。

中国各种古典书目大都有总序，总叙古今学术发展的大概线索、古今书籍流传存亡的大概情况，以及作者编撰这部目录书的缘由、目的、体例等。

大序是大类之序，是介绍各个大类（略、部）内容的说明性文字。在古籍书目中，是各大部类的纲领，对大部类中各种类、各家、各派的学术源流，优劣得失作一个综合的论述，对于掌握这个大部类的学术状况，起到鸟瞰大局的作用。

《汉书·艺文志》分六大类即六艺略、诸子略、诗赋略、兵书略、术数略、方技略。每个大类均有大类，其兵书略大序如下：

兵家者，盖出古司马之职，王官之武备也。《洪范》八政，八曰师。孔子曰，为国者"足食足兵"，"以不教民战，是谓弃之"，明兵之重也。《易》曰，"古者弦木为弧，剡木为矢，弧矢之利，以威天下"，其用上矣。后世燿金为刃，割革为甲，器械甚备。下及汤、武受命，以师克乱而济百姓，动之以仁义，行之以礼让，《司马法》是其遗事也。自春秋至于战国，出奇设伏，变诈之兵并作。汉兴，张良、韩信序次《兵法》，凡百八十二家；删其要用，定著三十五家。诸吕用事而盗取之。武帝时，军政杨仆捃摭遗逸，纪奏兵录，犹未能备。至于孝成，命任宏论次兵书为四种。

这篇大序，述古代军事的产生与发展，引先秦文献所论。特别说明了汉武帝时兵书目录的产生，其后有汉成帝时任宏所校雠兵书四种即兵权谋、兵形势、兵阴阳、兵技巧四类。

对这篇大序，后世多有注解补正。唐颜师古注"足食足兵"曰："《论语》载孔子之言。无兵与食，不可以为国。"颜师古注"以不教民战，是谓弃之"曰："亦《论语》所载孔子之言，非其不素习武备。"颜师古注"古者弦木为弧，剡木为矢，弧矢之利，以威天下"曰："《下系》之辞也。弧：木弓。剡，谓锐而利之也，音戈冉反。"颜师古注"燿金为刃"曰："燿读与铄同，谓销也。"颜师古注"捃摭"曰："捃摭，谓拾取之。捃，音九问反，摭，音之石反。"宋王应麟注"张良、韩信序次兵法"曰："《高帝记》'韩信申军法'。李靖曰：'张良所学，《六韬》《三略》是也。韩信所学，《穰苴》《孙武》是也。然大体不出三门四种而已'。"王应麟注"任宏论次兵书为四种"曰："淮海秦氏曰：'此四术者，以道用之则为四胜，不以道用之则为四败。事同而功异，不可不察也。何以知其然耶？昔孙膑伏万弩于马陵之下，魏军至而伏发，庞涓死焉。王恢伏车骑材官三十万于马邑之旁，匈奴觉之而去，恢以自杀。此则用权谋之异也。马服君救阏舆，既遣秦间，卷甲而趋之，二日一夜，遂破秦军。曹公追刘先主，一日一夜行三百里，败于乌林。此则用形势之异也。西伯将猎，卜之，曰获霸王之辅，果得太公望而克商。汉武卜诸将，贰师最吉，因以为将，卒降匈奴。此则用阴阳之异也。申公巫臣教吴以车战，吴是以始通上国。房琯用车以抗禄山，贼投刍而火之，王师奔溃。此用技巧之异也。岂非以道用之则为四胜，不以道用之则为四败乎？虽然，所谓道者何也？治心养气而已矣'。"

小序是小类之序，介绍各个小类（种、类）的说明性文字。类例之小序与一书的序不同。一书之序，是有关一书中各篇卷部次及其说明文字的总称，从某种意义上说，类似于一书目录。古籍书目小序之体，主要是为了辨章学术之得失。

《汉书·艺文志》兵书略下分兵权谋、兵形势、兵阴阳、兵技巧四类，每类各有小序。后世于此小序，多有注解补正。

"兵权谋"类小序："权谋者，'以正守国，以奇用兵'，先计而后战，兼形势，包阴阳，用技巧者也。"这里的"以正守国，以奇用兵"出自《老子·德经》，"正"与"奇"为古代两种相反的用兵之法，前者为用兵常法，后者为用兵变法。顾实曰："《孙子·兵势篇》云：'凡战者，以正合，以奇胜。'故道家兵家通也。"张舜徽按："道家弘博深远，为诸子学说所自出。司马迁所谓'皆原于道德之意'者，是也。不仅道与兵通而已。"

"兵形势"类小序："形势者，雷动风举，后发而先至，离合背乡，变化无常，以轻疾制敌者也。"唐颜师古注："背，音步内反。乡读曰向"。顾实曰："《孙子·作战篇》云：'兵闻拙速，未观巧之久也。'《孙子·军争篇》云：'后人发，先人至。'《孙子·九地篇》云：'兵之情，主速乘人之不及。'明兵形势之重要也。"张舜徽按："用兵之事，变化多端。贵在审形度势，临机应变。故《孙子》十三篇中，既有《形》篇，又有《势》篇。分篇立论，言简旨远；运用之妙，存乎其人。"

"兵阴阳"类小序："阴阳者，顺时而发，推刑德，随斗击，因五胜，假鬼神而为助者也。"唐颜师古注："五胜，五行相胜也。"宋王应麟注"推刑德"曰：《尉缭子·天官篇》："梁惠王问曰：'黄帝刑德可以百胜，有之乎？'对曰：'刑以伐之，德以守之，非所谓天官、时日、阴阳、向背也，人事而已矣。'"《淮南子·兵略训》注："刑，十二辰；德，十日也。"顾实注："《淮南子·兵略训》高注：'刑，十二辰。德，十日也。'《淮南子·天文训》曰：'北斗之神有雄雌，十一月始建于子，月从一辰。雄左行，雌右行。五月合午谋刑。十一月合子谋德。'"

"兵技巧"类小序："技巧者，习手足，便器械，积机关，以立攻守之胜者也。"顾实曰："手足、器械、机关三者，精利熟练，此今日宇内强国之所以称雄也。唐宋以还，诗书愚诬之学胜，而三者窳苦不堪，念国之弱，亦可知返矣。"

"兵书略"在《汉书·艺文志》中是六大类之一，到《隋书·经籍志》时，因六分法改四部分类，"兵"类被列入子部，其小序如下：

兵者，所以禁暴静乱者也。《易》曰："古者弦木为弧，剡木为矢，弧矢之利，以威天下。"孔子曰："不教人战，是谓弃之。"《周官》，大司马"掌九法九伐，以正邦国"，是也。然皆动之以仁，行之以义，故能诛暴静乱，以济百姓。下至三季，恣情逞欲，争伐寻常，不抚其人，设变诈而减仁义，至乃百姓离叛，以致于乱。

由这个小序可见，上承《汉书·艺文志》大序，加以补充。

余嘉锡《目录学发微》将是否有小序作为古典目录的一个重要要素，将古典目录分为三类：一曰部类之后有小序，书名之下有解题者；二曰有小序而无解题者；三曰小序解题并无，只著书名者。

第一类目录书如宋晁公武《郡斋读书志》、陈振孙《直斋书录解题》、元马端临《文献通考·经籍考》和清《四库全书总目》等，主要是为了"论其旨归，辨其纰缪"，对图书进行较全面的论述和正误。

第二类目录书如《汉书·艺文志》和《隋书·经籍志》等。这种目录充分利用小序这一构成要素来"穷源至委，竟其流别"，使读者对每类图书能先从学术上得到一个概貌，进而便于了解和掌握每一种图书。

第三类目录书如《新唐书·艺文志》、《宋史·艺文志》、《明史·艺文志》、《通志·艺文略》和《书目答问》等。这种目录虽然只记书名，但如果"类例分明"，就能"使百家九流，各有条理，并究其本末，以见学术之源流沿袭"（余嘉锡，1963）。

4.5　提要与文献精髓

提要是揭示文献内容的常见方式和基本方法，经常与著录方法配合使用，成为提要目录的基本要素。文献精髓是在摘要的基础上发展起来的一种方法，是揭示文献内容的一种较高级形式。

4.5.1　提要法

4.5.1.1　提要的概念与作用

"提要"一词，源于唐韩愈《进学解》"记事者必提其要，纂言者必钩其玄"，清康熙间《佩文韵府》设有"提要"一条，乾隆时《四库全书总目提要》始正式使用。古代的提要称为"叙录""解题""题识""书录""志""考"。现在通称为"提要"，也有称为"内容简介""内容提要"。

关于提要的认识主要有两类，一类强调对文献的内容进行介绍与评价。苏联国家标准《目录：术语与定义》认为提要是"从内容、用途、形式及其他特征，对出版物（的整体或局部）所作的简要评述"。中国国家标准《文献著录总则》（GB3792.1—83）规定："提要项对文献内容进行简介或评述。"倪晓建（1991）主编的《书目工作概论》将提要定义为"是根据一定需要，对文献内容特点所作的说明。它是揭示文献内容最常用也是最基本的一种方法"。

另一类除介绍与评价内容外，还强调介绍作者等其他方面。武汉大学、北京大学《目录学概论》编写组（1982）指出："提要就是简要说明文献的内容。目的在于向读者揭示图书的中心思想、内容梗概、作者生平事迹、文献社会作用及其价值等，帮助读者鉴别和选择文献。"彭斐章等（2003）编著的《目录学》修订版指出："提要是简明扼要地解释文献题意，介绍作者生平、学术思想，揭示文献内容，评价学术得失的方法。"朱天俊（1993）主编的《应用目录学简明教程》将提要定义为"简明扼要地介绍作者生平、学术思想与揭示文献内容的一种方法"。从这些认识看，提要强调内容与作者并重揭示。

这里，将提要定义如下：提要是概要说明文献内容及相关事项（如作者介绍、著述目的）的一种方法。目的在于向读者揭示文献的中心思想、内容梗概、作者事迹及文献价值，帮助读者鉴别和选择文献。

提要的作用主要有：一是有助于了解文献的基本内容与作者，通过提要，可掌握一本书或一篇文献的内容梗概及其特点，通过提要还可了解有关作者或者出版的重要信息，这些都是全面了解文献的基础或初步。二是帮助读者鉴别和选择文献，提要简要说明文献的价值，包括学术价值和应用价值，有助于读者在提要评价基础上对文献进行价值判断，为读者阅读选择提供参考。优秀的提要在一定程度上可以起到辨章学术、考镜源流的功用。三是帮助读者掌握文献的精要，指导阅读。提要指出文献的用途与读者对象，揭示文献的重点，这对于读者阅读是有帮助的。四是有助于发挥文献的作用。提要具有省时，扩大读者知识视野的功效，"是为了节省读者的时间，帮助读者尽可能广泛地掌握知识，同时还提示研究的门径，材料的来源。是使浩如烟海的书本活起来的有效办法"（黄裳，1982）。

4.5.1.2 提要的传统与体例

提要是中国目录学的优良传统之一。最早称为叙录，叙录导源于书序。西汉刘向吸取了书序的优点，创造了"叙录"。叙录后来称"解题"，南宋陈振孙《直斋书录解题》最早使用"解题"作为图书目录的名称，解题即解释题目。

古代提要有三种体例：

（1）叙录体提要

它是刘向在《别录》中创立的一种提要体例。叙录体的内容大体包括三部分：①说明版本考证和校雠经过，包括搜集和鉴别图书的版本、校雠之后的篇数及校书人姓名。②评价作者生平和学术思想。③评介书的内容。

　　叙录体是古代提要的主要方法，其揭示内容比较全面，影响大，如唐《群书四部录》、宋《崇文总目》等都继承和发展了这一体例。

　　历代书目提要中，以晁陈二氏书目、《四库全书总目提要》水平最高。

　　例如，《四库全书总目提要》子部儒家类存目关于《太极图分解》的提要：

《太极图分解》一卷

　　不著撰人名氏。《天一阁书目》作罗鹤撰，然书中自称"鹗曰"，则名"鹗"非名"鹤"矣。考《江西通志》："罗鹗，宜黄人。嘉靖辛酉举人。官至思南府同知。"当即其人，范氏误以"鹗"为"鹤"也。（案：嘉靖中别有罗鹤，泰和人，所注有《应菴任意录》，详"杂家类"中本条下。）其书列周子《太极图说》与朱子之注，而申陆九渊之说以驳之。案：圣人立教，使天下知所持循而已，未有辨也。孟子始辨性善，亦阐明四端而已，未争诸性以前也。至宋儒因性而言理气，因理气而言天，因天而言及天之先，辗转相推，而太极、无极之辨生焉。朱、陆之说既已连篇累牍，衍朱、陆之说者又复充栋汗牛。夫性善性恶，关乎民彝天理，此不得不辨者也。若夫言太极不言无极，於阳变阴合之妙，修吉悖凶之理，未有害也。言太极兼言无极，於阳变阴合之妙，修吉悖凶之理，亦未有害也。顾舍人事而争天，又舍共睹共闻之天而争耳目不及之天，其所争者，毫无与人事之得失，而曰"吾以卫道"。学问之醇疵，心术人品之邪正，天下国家之治乱，果系於此二字乎？医家之论三焦也，或曰"有名而无形"，或曰"上焦如雾，中焦如沤，下焦如渎，实有名而有形"，轇轕喧阗，动盈卷帙。及问其虚实之诊，则有形与无形一也。问其补泻之方，则有形与无形亦一也。然则非争病之生死，特争说之胜负耳。太极、无极之辨，适类於是。故今於两家之说，率置不录，谨发其例於此，后不缕辨焉。

　　邓之诚在《桑园读书记》自序中所说："解题之作，始于晁陈。至四库提要，辨体例，纠谬误，而愈精矣。其荟萃事目，以备遗忘者，则为'类事'。二者各有藩篱，若不可合。妄意以为若为叙录，当撮其内容，使未读是书者，稍明途径，且知某事见某书，为较切实用也"（黄裳，1982）。

（2）传录体提要

　　它是王俭在《七志》中创立的一种提要体例。其内容是在著录图书后，详细介绍作者。即"不述作者之意，但于书名之下，每立一传"。

　　例如李善注《文选》卷二十九《枣道颜杂诗》注引《七志》原文如下：

　　枣璩，字道彦。颍川人，弱冠，辟大将军府。迁尚书郎，太尉贾允为伐吴都督，请为从事中郎，迁中庶子，卒。

　　传录体介绍作者生平，力图让人们通过了解作者，去了解文献内容及考证文献。因只重作者，不够全面，所以这种体例在古代提要中影响最小。

（3）辑录体提要

它是广泛辑录一书的有关资料汇集而成的提要，以马端临《文献通考·经籍考》为代表。这种提要主要辑录的资料有：序、跋、题记、历代目录的叙录、注释、列传中的记载。这种方法基本上引用原文，个别地方加按语。《文献通考·经籍考》主要辑录晁公武《郡斋读书志》和陈振孙《直斋书录解题》的叙录，还辑录《汉书·艺文志》及《崇文总目》等目录材料，以及正史列传、原书序跋、笔记、诗话及各种文集中摘录有关材料，例如该书目子类"小说家"关于《朝野金载补遗》的提要：

朝野金载补遗三卷

晁氏曰：唐张鷟文成撰，分三十五门，载唐朝杂事；鷟自号浮休子，盖取庄子其生也浮其死也休之义。

容斋洪氏曰：金载纪事皆琐尾摘裂且多媟语。

陈氏曰：其书本三十卷，此特其节略耳，别求之未获。

辑录体是古代提要的支流，有一定的影响。这种提要虽然很少有编者个人见解，但辑录各家关于某一图书的评说，资料丰富，对研究文献的源流得失有重要价值。后世朱彝尊《经义考》、谢启昆《小学考》、章学诚《史籍考》皆仿其例。

4.5.1.3　当代提要的类型

当代提要一般分为叙述性提要、推荐性提要、罗列性提要、学术研究性提要四种。

（1）叙述性提要

主要揭示一书主题中心思想和主要特点以及书中章节或情节的梗概。如《全国总书目（1982）》的《古今围棋名局鉴赏》和《磨坊风波（缩写本）》：

古今围棋名局鉴赏　过惕生等编

北京　人民体育出版社　1982.1

370页　32开　1.20元

本书分两大部分：第一部分介绍我国古代著名的棋经论著，附有白话译文；第二部分将我国唐代以来各个历史时期的著名棋手和日本现代最负盛名的新老九段棋手的生平、棋艺特色及其典范对局，一一做了详细介绍。

磨坊风波（缩写本）

（英）G. 艾略特原著　韦斯特缩写　唐荫荪译

长沙　湖南人民出版社　1982.2

197 页　32 开　0.58 元　（世界文学名著缩写丛书）

本书原译名为《弗洛斯河上的磨坊》。在 19 世纪英国弗洛斯河畔的圣奥格镇附近，有一座古老的磨坊。磨坊主因诉讼纠纷破产，产业落到了狡猾的讼棍威克姆手里。几年之后，塔利弗的女儿玛吉与从国外留学归来的威克姆的儿子菲利普相遇，互倾爱慕之情，遭到玛吉的哥哥汤姆的干涉。几年之后，汤姆积攒了一些钱，为父亲还清了欠债，塔利弗因过分激动中风死去。不久，玛吉和哥哥汤姆也被洪水淹死。

（2）推荐性提要

通过揭示一书内容特征，向一定读者推荐该书，具有评介性质。它以评介文献为目的，较详细地叙述文献内容。如《星星和我捉迷藏》和《儿童古诗选读》：

星星和我捉迷藏

喻德荣、陈官煊编著　　张健民插图

天津　新蕾出版社　1982.4　95 页　32 开　0.26 元

收集在这本书里的 77 首儿歌，内容清新、健康，是儿童们熟悉和喜爱的环境和事物，妙趣横生，琅琅上口，能给孩子们知识和启迪。

儿童古诗选读

汪维懋选注

南京　江苏人民出版社　1982.5　164 页　32 开　0.42 元

本书是为家长指导儿童学读古诗而编选的。全书选编了自先秦至清末的传世名篇 127 首。

（3）罗列性提要

也称为列举式提要，是一种列举文献各个组成部分的方式，以反映文献内部结构为目的的提要。这种提要虽然采取汇录文献章节名称的形式，与图书或文献的目次（目录）密切相关，但又有很大的不同。图书或文献的目次（目录）要与内容页码一一对应，而且比较详细，而罗列性提要是在目次（目录）基础上概括而成，基本上以文献内大目次（主标题）为主，从整体上揭示文献的各个部分。如《接媳妇（农村小戏集）》：

接媳妇（农村小戏集）

沈阳　春风文艺出版社　1982.11　116 页　32 开　0.28 元

本书共选编六个反映农村生活的小剧本，包括《卖桃》（小评剧）、《西瓜又熟了》（辽南戏）、《二当家看场》（拉场戏）、《接媳妇》（二人戏）等。

（4）学术研究性提要

也称为考证性提要，是以学术研究为目的，考究文献的内容及其版本、源流、作者学术思想等，是一种研究性提要。如王重民著《中国善本书提要》（上海古籍出版社 1983 年版）。这种提要较多地保留了中国古代传统提要的形式。

学术研究性提要内容包括介绍作者生平、文献内容叙述及学术得失的分析、社会影响价值的概述等。例如《中国古典文学名著题解》《外国文学作品提要》《中国通俗小说总目提要》等都是具有较强学术性、完整性、系统性的学术性提要。

4.5.1.4　提要的撰写方法

撰写提要，首先要熟悉和阅读提要揭示的对象即某一图书或文献，然后搜集与该书或该文献相关的介绍材料，如书中的出版提要、前言和后记、目次与凡例以及出版发行部门的宣传介绍材料，从这些材料中提炼有价值的信息。常用的提要撰写方法如下。

（1）比较归纳法

把此书和彼书相比较，得出结论。例如明祁彪佳著《远山堂剧品》著录杂剧 242 种（妙品 24 种、雅品 90 种、逸品 28 种、艳品 9 种、能品 52 种、具品 39 种），雅品中关于《中山狼》的著录和提要如下：

中山狼　北四折　康海

中山狼一事，而对山、禺阳、昌朝三演之，良繇世上负心者多耳。曲有浑灏之气，白多醒豁之语，位置于元剧，在《硃砂担》、《乔踏碓》间。三剧中，以此为最。

比较归纳法可以从内容和版本多方面进行比较。从内容上进行比较，如马克思的《价值、价格和利润》提要说："本书所讨论的与《资本论》第一卷所讨论的商品、货币、生产、剩余价值、价格工钱、资本诸问题相同，不过有繁简深浅的区别罢了，所以，阿卫灵的序文中说它是《资本论》第一卷的一部分。"（《一个马克思学说的书目》）从版本上比较，如《草堂诗笺》提要说"这是宋代杜诗编年集注本中最佳者"（《中国文学名著提要》）。

（2）列举章节法

将本书章节一一列举或加以说明。例如《中国经济研究》提要："本书分三部分，第一部分'中国古代农业的发展过程'，收录……；第二部分'土地制度史的若干问题'，收录……；第三部分'商品生产的发展及其结果'，收录……"（《全国新书目》1984 年第 10 期）。

（3）重点突出法

突出评价或介绍本书的某一方面（书中内容、作者生平、书名、某一学术流派风格、该书写作特点、版本特征等）。如《美，属于她》：

美，属于她/刘保法著 . —重庆：重庆出版社，1984.12. —203 页：插图；32 开 . —（浦公英儿童文学丛书）. —0.77 元

选收作者儿童报告文学作品 15 篇，其中《露露刮"胡子"》、《方黎和多用篮球架》曾获过优秀作品奖。

Ⅰ. 美… 　Ⅱ. 刘… 　Ⅲ.①儿童文学—报告文学—中国—现代②报告文学—儿童文学—中国—现代 　Ⅳ. I287.6　44.86

（4）评介结合法

评价图书和介绍图书相结合，或先评后介，或先介后评，或夹介夹评。如《社会主义史》的提要："本书记载各国社会主义的起源、发展和派别，既很详细，且又扼要，关于马克思学说也有概括的叙述。……"（《一个马克思学说的书目》）。

（5）摘录转引法

在提要中通过摘录书中的警语妙句或转引名家的评论，概括本书内容，说明本书价值。如《直斋书录解题》卷十《齐民要术》提要中的："……凡九十三篇。其曰：'治生之道，不仕则农'盖名言也。"

（6）参考改造法

即参考本书的现成提要（出版提要、新书介绍、征订目录提要、新书预告提要、铅印卡片提要），结合书目类型和读者需求加以改造的方法。

例如，《沉思录》（*Meditations*）中文译本有提要、译者简介和封底的推介语。

出版提要如下：

一个罗马皇帝的人生思考

马可·奥勒留（Marcus Aurelius，121—180）：著名的"帝王哲学家"，古罗马帝国皇帝，在希腊文学和拉丁文学、修辞、哲学、法律、绘画方面受过很好的

教育，晚期斯多葛学派代表人物之一。《沉思录》一书大部分是他在鞍马苏顿中写成的。奥勒留是一个比他的帝国更加完美的人，他的勤奋工作最终并没有能够挽救古罗马，但是他的《沉思录》却成为西方历史上最为感人的伟大名著。

斯多葛学派是古代希腊罗马文化产生的一个重要哲学派别，在西方文化思想史上产生了绵长深远的影响。正是通过《沉思录》等少数传世之作，古代斯多葛派的哲学精神得以流传至今，并且深深植入近代西方文化精神之中。

中文译本附有罗素的话："马可·奥勒留是一个悲怆的人，在一系列必须加以抗拒的欲望里，他感到其中最具有吸引力的就是想要引退去过一种宁静的乡村生活的那种愿望。但是实现这种愿望的机会始终没有来临。"从译者简介中可知，《沉思录》系北京大学哲学系教授何怀宏20世纪80年代末完成的重要译著，译文准确简练，优雅凝神。译者还翻译过《正义论》《无政府、国家与乌托邦》及《道德箴言录》《伦理学导论》等著作。

封底有6个推介语：

温总理说："这本书天天放在我的床头，我可能读了有100遍，天天都在读。"

——中国日报网环球在线，2007年11月20日

1992年，我问克林顿，除了《圣经》，哪本书对他影响最大，他略微沉思了一下，回答说："马可·奥勒留的《沉思录》。"

——盖瑞·威尔斯，《纽约书评》第45卷第15号，1998年10月8日

《沉思录》有一种不可思议的魅力，它甜美、忧郁和高贵。这部黄金之书以庄严不屈的精神负起做人的重荷，直接帮助人们去过更加美好的生活。

——〔美〕费迪曼《一生的读书计划》

马可·奥勒留使人有这么一种朴实的信仰：面对宇宙自然，一颗高贵的道德良心，是任何种族、国家，是任何革命、任何迁流、任何发现都不能改变的。

——〔法〕雷朗

马可·奥勒留的《沉思录》是折中主义与宗教的斯多葛主义的里程碑。

——〔德〕文德尔班

这不是一本时髦的书，而是一本经久的书，买来不一定马上读，但一定会有需要读它的时候。近两千年前有一个人写下了它，再过两千年一定还会有人去读它。

——何怀宏

认真看完何怀宏的《译者前言：一本写给自己的书》，读完全书，现在结合上述提要和推介，运用参考改造法，可形成以下推荐性的提要：

《沉思录》（马可·奥勒留著，何怀宏译，中央编译出版社2009年版）

这是一部斯多葛学派著名哲学家、古罗马帝国皇帝马可·奥勒留（Marcus Aurelius）写给自己的书，共十二卷。阅读此书，须了解马可·奥勒留不同寻常的人生和执政的艰辛历程，他在位近二十年间，不仅外有战争，内有叛乱，而且洪水、地震、瘟疫等灾难频发，导致人口锐减，贫困加深。在这样多难无常的环境下，出自一位哲人和皇帝对于人生的思考定然深刻。《一生的读书计划》作者费迪曼认为此书有一种不可思议的魅力，它甜美、忧郁和高贵。国务院原总理温家宝说"这本书天天放在我的床头，我可能读了有 100 遍，天天都在读"。原书是用古希腊文写的，中文译本是根据不列颠百科西方名著丛书之英译本 *The Meditation of Marcus Aurelius* 翻译而成。

在实际撰写提要过程中，既要根据提要的撰写目的与读者对象选择具体的撰写方法，也要根据文献类型及本身的特点选择具体的方法。

4.5.1.5　提要的撰写要求

（1）简明扼要，突出重点

一是要求语言精练。提要是用少量的文字把原作介绍给读者，必须在文字上下功夫。具体要求是语言生动、用语贴切、语句流畅、合乎语法。

二是要突出中心内容。要重点关注文献内容、作者、版本。要善用概括性的语言突出文献的主题思想、重要论点及主要特色，而不必面面俱到。

三是把握提要的长短。首先，是根据书目类型和具体要求，结合文献性质特点；其次，要根据具体的文献。苏联国家标准规定：提要的篇幅通常为 600 个印刷符号。在中国，提要字数一般不超过 500 字，叙述性提要 200 字左右，推荐性提要和罗列性提要 300 字左右；只有学术研究性提要篇幅较长，通常在 1000 字左右。

（2）量体裁衣，评介恰当

针对没有特别价值的书籍，如某些古书、书信集、文集、书目索引等，应采用叙述性提要或罗列性提要；而重要的书籍，指具有现实意义和重大教育意义的书籍则应用推荐性提要。

针对某书缺乏研究或难以评价的书采用叙述性提要或罗列性提要，而对某书深有研究或易于研究的书采用推荐性提要。

倪晓建（2008）将提炼内容观点、概括说明的方法归纳为依照内容先后，叙述说明的方法；同类文献比较，鉴照说明的方法；评述文献优劣，指导说明的方法；简介文献作者，知人论书的方法；辑录他人评语，引述说明的方法；罗列章节目次，顺序说明的方法；提出思考问题，诱导说明的方法；详述文献版本，考辨真伪的方法。对于马恩列斯及毛泽东的著作，提要应主要说明著作的写作时代背景和伟大的历史意义，对著作中的思想内容及主要观点也应作一定的揭示。对于科学著作，提要应说明著作的类型、基本主题、所提问题、研究对象、写作目的及其成果等，并对这一著作与其他相近或同类著作相比较，有什么创新和成就作出说明，必要时对作者做些介绍。而文学著作的提要应包括作者及创作时间、著作题材及艺术价值，重点是介绍著作中的主要人物和故事情节，必要时还应说明版本特色及主题思想。

（3）关于作者的介绍

一般来说，作者经历和著作内容有密切关系的，作者的名望可以影响读者阅读的，要在提要中介绍作者，如歌德的《少年维特之烦恼》。

对作者无人可考的如阙名、佚名书，一般不介绍；若有关于该著作的作者推测，可在提要中反映，如"据说是……所作""……推测该书为……作，一说是……所作"。而对于作者经历与著作无关的，一般性作者的著作不必介绍作者。

（4）传记提要对于作者和被传人的介绍

著名的自传很多，如《富兰克林自传》《甘地自传》《毛姆自传》《达尔文自传与书信集》等。当为自传写提要，作者本人为被传人时，要重点介绍作者。

著名的他传也有很多，如《贝多芬传》等。当为他传写提要，作者非被传人时，如作者与被传人有某种关系，除重点介绍被传人外，可简略说明作者与被传人关系；如果作者与被传人没有关系，重点介绍被传人，不介绍作者。

4.5.1.6 随书推介

内容简介是对一部书的主要内容进行概括性的描述，使读者迅速了解书的核心内容和主旨。随书推介则是揭示一部书的重点和精华所在，带有评点推荐性质。内容简介不署名，一般由作者或出版者撰写，而随书推介常常是请名家撰写，如著名作家、书评人或社会名家。

有的书有内容简介，但无随书推介；有的书有随书推介，但无内容简介。例如，《傲慢与偏见（英汉双语）》北京的"群言出版社"2016 年 6 月第 1 版（青闰译）无内容简介，封二有作者简介和译者简介，封底有随书推介，既包括推介语"审视当时的整个社会形态和人情世故，一部充满智慧、激情与浪漫的经典"，又引名言推介"一百多年来，英国文学史上出现过几次趣味革命，文学口味的翻新影响了几乎所有作家的声誉，唯独莎士比亚和简·奥斯汀经久不衰"。

还有的书既有内容简介也有随书推介。以 *Sisters in Law*：*how Sandra Day O'Connor and Ruth Bader Ginsburg went to the Supreme Court and changed the world* (《温柔的正义：美国最高法院大法官奥康纳和金斯伯格如何改变世界》) 为例，该书的内容简介如下：

桑德拉·戴·奥康纳和鲁斯·巴德·金斯伯格，她们一个是共和党人，一个是民主党人；一个是基督教徒，一个是犹太教徒；一个是西部农场主的女儿，一个是布鲁克林女孩儿。她们之间的关系超越了政党，超越了宗教，超越了地域，超越了文化。这两位开创新性的法官，是美国历史上第一位和第二位任职于联邦最高法院的女性大法官，她们受彼此鼓舞，共同变革了美国宪法以及美国本身，使美国成为一个对待所有女性都更加平等的国家。

琳达·赫什曼写的这本合传讲述了她们是如何在男性占主导地位的职业较量中为得到认可而奋斗，并最终惠泽全美女性的故事。赫什曼还厘清了两位大法官在解决就业歧视、堕胎、平权行动、性骚扰，以及其他对女性生活至关重要的争议中，如何通过创设先例来塑造现代女权主义的法律框架。

《温柔的正义》把温情的个人叙事与具体的法律问题结合在一起，让我们前所未有地了解这两位非凡女性。细致入微地研究，引人入胜地讲述，这是一本关于如何改变美国法律和文化的权威著作，也是一个关于伟大友谊的动人故事。

该书的随书推介如下：

琳达·赫什曼写了一本关于美国联邦最高法院历史上第一位和第二位女性大法官职业生涯的书。该书内容翔实，相当有可读性。无论你是否是一名职业法律人，都可以从这本书中学到很多，不仅包括这两位特别的人，还包括现今的法律体系。

——约翰·保罗·史蒂文斯 (John Paul Stevens) 大法官

琳达·赫什曼所著的这本桑德拉·戴·奥康纳和鲁斯·巴德·金斯伯格的合传，内容翔实，有趣并具有启发性。更令人高兴的是，它时刻提醒着我们这两位女权运动先驱如何在各自独一无二，却又互为补充的道路上推进女权运动的发展。

——《誓言》和《九人》作者，杰弗里·图宾 (Jeffery Toobin)

《温柔的正义》是一本引人入胜、令人爱不释手的著作。它把这两位威严强大的女性描绘得生动有趣，还巧妙地对比了她们之间给极其顽固的最高法院以现代化观点的迥异方式。它会让你开怀大笑，也会让你黯然神伤，还会让你为道阻且长的女性平权之路上的挫败而感到愤愤不平。最重要的是，它会让你备受鼓舞、开心愉悦。它是我们这个时代的历史中的伟大成就和重要贡献。

——《女性的错误》作者，莱斯利·贝内特斯 (Leslie Bennetts)

《温柔的正义》是一本动人心魄的书，也是一本精彩的历史著作。它使读者马上陷入故事情节最激烈的部分，直到这两位令人称奇、不可思议的人相互交织，使现代社会最为重要的宪法变革尘埃落定。这是真正意义上的法律传记，不是某个人写的另一个人的传记，而是两个关键人物的故事融合在一起成为一个无法割裂的整体。

——Carl M Loeb 校聘教授以及哈佛大学宪法教授，劳伦斯·特莱布（Laurence Tribe）

被清晰刻画的美国联邦最高法院第一位和第二位女性大法官的形象，以及她们的生活方式、法哲学描述和相互对比，都很有吸引力。琳达·赫什曼有像法学教授一样去思考、像记者一样去写作的独特能力。

——美国国家司法教育计划，Legal Momentum 项目，林恩·赫克特·塞弗兰（Lynn Hecht Schafran）

由此可见，内容简介比较正式、规范，且一般不会太长。相比之下，随书推介更为灵活，篇幅也较长。

4.5.2 文献精髓法

4.5.2.1 文献精髓

"文献精髓"（terse literatures）是高度浓缩地揭示文献的方法，它把一篇文献的字数压缩到原文的1%或更少，为读者提供作者在文献中表达的结论、意图（计划）、解释、资料、警告和倡议（推荐）。"terse"一词的意义是"平滑优美、毫不累赘、精炼、简明"，而不是"简单或粗略"。因此，文献精髓最大限度地去揭示文献的效用信息，最大限度地节省读者阅读的时间。

文献精髓有如下优点：①它能综合有关技术文献，成为一种知识，一种教育背景，有效地为读者服务；②提高读者阅读消化记忆的能力，有助于记住重要的数据；③省时间，并能克服语言不通的难关；④扩大阅读领域，扩大文献传播，克服了超专业困难；⑤降低印刷成本，减少读者费用，并能指引读者查找原文。

文献精髓的编纂需要经过选择和编辑，最好由原文著者写，也可以由熟谙学科者（学科专家）编。还可以由文摘工作者从文摘资料中再加工成文献精髓，期刊编辑也可编写。

文献精髓有多种表现形式，具体如下。

（1）"精辟的结论"

精辟的结论（terse conclusions）是从作者表达的结论中提炼出来的，因为精辟的结论和可靠的资料是一部文献的精华所在。这一方法要使用每个专业人员明确易懂的语句，通常用一句话表达。实践证明，99% 的精辟结论能用 20 个左右的字表达，如"美国 15—19 岁的男性中，体重超过平均数 30% 者，死亡率高 42%"；"食糖疗法消耗鼠体内铬的储存，引起血清胆固醇升高"。

在一般文章中，文摘字数是原文的 10%，节选是 20%，而精辟的结论平均率是 1%。在癌研究、营养学、血管学研究、电气工程和管理学学科中，terse conclusions 平均 20 字。

这一方法优点：既省时，又能提高消化、综合和记忆所读资料的能力。读一个标题集中的 terse conclusions，胜过阅读所有有关的文献，进而能使一个专家得出超 terse conclusions，压缩字数到 0.1%，即十篇文献用 20 字来概括。像手册一样，可以把 terse conclusions 引用的原文放在末尾作参考资料。在每一结论后加一号码，使读者便于找到原文，在必要或有空时进行阅读。

这一方法的缺点：如果著者错误，它也照搬不误。避免错误的办法：一是阅读一些原始资料的几种文摘；二是走马观花地阅读原始资料。这样就能更全面、了解更多，而不至于盲从。

（2）"简明的意图（计划）"

简明的意图（terse intentions）是为避免步人后尘、重复他人劳动而提供的重要情报。

The Smithsonian Science Information Exchange；

The Division of Research Grants of the National Institutes of Health.

为用户查询正在研究的课题，用这一方法，如"我将探索流行性腮腺炎，它的疫苗和青少年糖尿病间可能的关联"；"计算机组将研究证券市场价格同时事的关联；如行业最优惠利率、股息与管理变化、政治消息、太阳黑子、战争与迫近危急、粮食收成展望和投资者态度等"。

（3）"精辟的解释"

文献中的解释一般很冗长、分散。精辟的解释（terse explanations）能直截了当地用一句或几个句子阐明，便于了解事物如何活动，了解各种电路、设计、自然现象、装备和仪器等，如"骑自行车者朝要倒下的方向行驶来保持平衡"；"电动门铃用一个螺线管吸住铃舌臂，断电时，螺线管去磁，铃舌还原；通电时，吸引铃舌臂；如此循环发声。"

(4)"警句和座右铭"

警句和座右铭（terse admonitions and terse advocacy）是一种有效的方法。警句是为了警告读者危险和不恰当行动的有效形式，而座右铭帮助公众适应戏剧性地改变他们生活的新知识，如"在浴盆中不要触及无线电及其他电器用具"；"签合同前先读一遍"；"把阿斯匹林瓶放在孩子拿不到的地方"。座右铭帮助公众适应戏剧性地改变他们生活的新知识，如"每天适当运动"；"常保持车速以省汽油"。

4.5.2.2 超文献精髓

读者为了获取有效信息，即使把文献压缩到 1% 字数仍然要读大量东西，于是产生了"超文献精髓"。例如，1964 年医药文献一年是 200 万件，70 种语言（吴光伟，1983）。压缩到 1%，每年还有两万件。必须再压缩到 0.1% 以下，即2000 件。如某一专业领域，每篇 3000 字的 5 篇著作，压缩成 0.1%，就是 15 个字的超文献精髓。

文献精髓法在目录学上也称之为萃取法，常见的是从文本或文献中萃取语录、名言等。例如费孝通著的《乡土中国》初版于 1947 年，当时费孝通根据在西南联大和云南大学所讲"乡村社会学"一课的内容，应当时《世纪评论》之约而写成分期连载了 14 篇文章，将它们结集出版。37 年后，三联书店重刊时，费孝通在重刊序言里说："回头看，那一去不复返的年轻时代也越觉得可爱。我愿意把这不成熟的果实奉献给新的一代年轻人。"2012 年北京大学出版社出版时，每一章前都有"经典名句"，是从 14 篇文章中萃取出来的。如第一篇《乡土本色》萃取出的经典名句如下：

从基层上看去，中国社会是乡土性的。

在社会学里，我们常分出两种不同性质的社会：一种并没有具体目的，只是因为在一起生长发生的社会；一种是为了要完成一件任务而结合的社会。用 Tönnies 的话说：前者是 Gemeinschaft，后者是 Gesellschaft；用 Durkheim 的话说：前者是"有机的团结"，后者是"机械的团结"。用我们自己的话说，前者是礼俗社会，后者是法理社会。

因为只有直接有赖于泥土的生活才会像植物一般地在一个地方生下根，这些生了根在一个小地方的人，才能在悠长的时间中，从容地去摸熟每个人的生活，像母亲对于她的儿女一般。

这种从文本中萃取名句，既可揭示重点，也可导读，能起到很好的效果。当然，不同的人萃取的知识点会不一样。就《乡土本色》这篇而言，内容非常精彩，其中还有一些句子如"从土里长出过光荣的历史，自然也会受到土的束缚""土气是因为不流动而发生的""乡土社会的生活是富于地方性的""我读《论语》时，看到孔子在不同人面前说着不同的话来解释'孝'的意义时，我感觉到这乡土社会的特性了"等，可谓妙语连珠，都可萃取为经典名句。

4.6　综述与述评

现代文献的揭示向分析、评论的综合化方向发展。综述与述评成为两种重要方法，特别是对于科技文献的揭示，这两种方法成为科技工作者掌握科学前沿的重要窗口。

4.6.1　综述法

4.6.1.1　综述的概念与作用

关于综述，有两种基本认识。一种是文献综述观，是从文献的角度，围绕某一课题，选定一定时期和一定数量文献，进行整理和分析，概述各相关文献的主要内容，具有综合性的报道性的特点。这种文献综述通常含有较大数量的引文。另一种认识是情报综述观，是从情报的角度，就某一课题的相关材料进行分析与归纳，从中提炼出重要的知识与信息，包括意义、历史与现状、发展水平、新动向、发展趋势、新概念、内容、方法、结果、启示等，形成一个整体，是反映课题动态和进展的一种概述性成果，使研究人员能以较少精力和时间获得对该课题的最新了解与掌握，具有较高的情报参考价值。

综述有如下作用。

1）提供情报综合。情报综合是一种科研劳动，也是汇集型的科研成果。

从综述的产生看，综述是随着科技的发展和科技文献的激增而产生的。随着综述的发展，综述成为科技领域报道综合性新情况的一种成果，成为解决情报爆炸的一种科学劳动。1948 年，英国皇家学会举行科学情报会议讨论综述问题。1961 年，在美国佛蒙特州召开的会议上，提出了出版跨学科或专业化两种类型的国际综述性刊物的建议。1963 年，美国科学家及专家小组（温伯格委员会）发表了题为《科学、政府及情报》的研究报告，在报告中向科学界建议："只有一些科学家和工程师受到这样的训练，使其与文献'筛选'，综述编写及情报综合……工作深深地结合在一起，我们才能应付得了情报爆炸。" 1969 年，美国科学院与工程科学院科学技术交流委员会公布了题为《科学与技术交流：刻不容缓的全国性问题及其解决建议》的报告，认为评论性综述对情报的有效利用具有很大的意义，并提出了改进综述编写与利用的具体建议。英国著名物理学家、诺贝尔奖获得者 John Ziman 要求："每个研究人员必须经常承担综述编写者的任务，注意自己学科的全貌并表述自己个人的观点，对这样一项极其重要的工作不可能雇用他人代劳。"（米哈依诺夫《科学交流与情报学》）

综述是科技文献中的一大类型。据统计，每发表 30—50 篇原始文献，就有一篇综述性文献出现。1972 年，伍德沃德统计：综述性文献与原始论文数量之间的比例关系不大于 1：50，普赖斯得出的比例关系是 1：30 到 1：40，佛格尔得出的比例关系则是 1：38。随着综述文献的增多，综述性刊物陆续创刊，如英国 1952 年创刊的《物理学进展》（*Advances in Physics*），英国 1979 年创刊的《高能物理学综述》（*Surveys in High Energy Physics*）。据 UNESCO 不完全统计，1969 年世界各国（除苏联外）出版了 242 种综述性连续刊物，而且其中有 124 种是在 1960 年以后开始发行的。

2）报道最新成果。综述是科技工作者获取最新情报的有用工具，它可节省科研人员查找和阅读文献的时间与精力。

科技工作者要跟上科技发展步伐，必须查阅大量的文献，而有限的时间使他们难以达到目的，综述是科技人员迅速掌握学科进展的一个捷径。有人估计，每 24 小时全世界写出的技术论文足够撰成七套英国百科全书。物理学家、诺贝尔奖获得者 Edward Victor Appleton 指出：如果有人安排自己的任务仅仅是了解基础科学的杂志，每天不懈地工作，年末时他发现自己已落后了一年。同样，有恒心的读者，如果其阅读范围包括技术文献的话，12 个月的努力以后，他将发现自己大约落后了 100 年。有了综述，可以解决这些问题。

综述是科研人员最欢迎的一种形式。英国科学决策咨询委员会对 3201 名物理学家进行调查，其中 90% 以上的人阅读综述文献，50% 以上的人认为综述文献是获悉最新资料的最有用的工具，并且认为综述文献比文摘或会议论文更有用，大约 40% 至 55% 的物理学家表示，希望能阅读到更多的综述文献。另外，对 2702 名机械工程师所作的调查表明，从事管理、研究、设计、试验、销售、生产等各种不同领域的机械工程师，都经常利用综述文献。除了专门从事研究工作的以外，其他类型的工程师经常利用综述文献的远比利用文摘、索引的为多。50% 以上的工程师表示需要比现在更多的综述文献。情报学家 J. D. Bernal 对科技人员利用综述的情况进行了研究，发现 70% 的科学家阅读综述文献，并非常欣赏。从事研究工作的化学家需要各个方面的专题性综述文献及其所附的参考文献；从事教学工作的化学家需要的则是综合性综述文献及其所附的主要参考文献。

3）反映科学动态与进展。综述是科研决策和规划的重要依据。

1963 年，国家科学技术委员会的武衡在第三次全国科技情报工作会议上指出："要发展情报研究工作，要针对全国科技发展的需要，摸清国外发展水平和趋势，围绕农业和尖端技术攻关，进行情报研究。" 1963—1972 年科学技术发展规划要求："编写一些专题的综述和学科总结，同时，深入了解国内的科学技术动态，结合国内情况，提出综合和专业经济情报和科学技术情报研究报告。在开展工作的过程中，培养情报研究工作干部，系统地积累资料。"在科学技术研究与发展中，综述发挥了重要作用。

4.6.1.2 综述的类型与特点

（1）综述的类型

按内容范围，综述可分为三种类型：

1）综合性综述。它是指围绕某一学科、某一专业或某一专门问题对已发表的相关文献进行整理，作出概括性的叙述。这类综述介绍重要文献、重要思想和重要结论。

2）专题性综述。它是就某项技术或某种产品，将有关的各种事实情报进行系统地排列而形成的事实性报告。这类综述利用的数据和事实资料，可以是相关的数字，也可以是计算方法、具体方案等。在方法上多采用表格式，纵向和横向比较。

3）文摘性综述。即将一定时期内有关某一课题的全部文献的内容以文摘形式摘录出来，然后按一定顺序进行叙述，并逐一注明文献出处。这类综述既具有一般综述的作用，又具有专题文摘和专题文献索引的作用。

（2）综述的特点

1）客观性。综述要忠实地反映原始文献的基本内容，只对其观点、情况、数据进行归纳、整理，予以客观叙述，基本上不提出个人观点和建议。

2）系统性。综述要全面地反映某一专题的历史与现状。要全面搜集原始资料，特别是重要的有代表性的文献资料，以求全面、准确地反映进展情况。

3）新颖性。综述通常侧重于反映某一学科、课题或产品的最新情况。综述有较强的时效性，如年度进展、年度回顾等。

4）资料性。综述通过提供大量的数据、结果、结论或文献线索，对读者不仅有启发、开阔视野的作用，也有较大的参考价值。

伍德沃德提出综述文献的形式特征有：包括100篇以上的参考文献；标题中含有关键词"综述""成就"或明眼视之定为综述的文献；在综述性刊物上发表。

4.6.1.3　综述的内容与结构

综述一般包括四个方面的内容：第一，提出问题。简要说明所要综述的问题、必要性与重要意义。第二，发展概述。按时间顺序，追溯某一课题的历史发展，包括新技术、新产品的产生情况，各阶段的发展特点，变化与影响因素。第三，最新动态。横向对比包括各国情况、各派、各观点、各方法，同类比较，反映差异。第四，发展方向。概述关于某一课题今后发展的各种预测、各种观点、各种建议。

一篇完整的综述，应包括四个组成部分：标题、摘要、正文、参考文献。

4.6.1.4　综述的撰写过程

（1）选题

综述的选题要求明确、现实性强。具体来说，选题的依据是：①根据科学发展的需要，选世界上发达国家科技发展水平和动向方面的题目。②根据学科建设需要，选择某一学科或专业写综述。③根据科研与生产任务的需要，撰写某一技术或产品的综述。④根据经济发展、经济建设和社会发展的需要，选择经济和社会的重大问题写综述。⑤根据读者的需求，选择新学科、新问题、新技术、新动向写综述。

（2）收集选择资料

要广泛地收集资料，有重点地选取资料，注意资料的可靠性和新颖性。

（3）分析研究资料

分析研究包括阅读各种资料，做好记录；对资料进行归类整理；对各种资料进行详细的分析研究，常用的方法有综合法（从整体角度分析素材、数据之间的联系）、比较法（按一定标准进行定性和定量比较）、历史法（按时间顺序分析研究材料）、统计分析法（对材料进行定量统计和定性分析）。

（4）组织材料

通过资料的分析研究，要对各部分材料进行综合，构思写作的框架，拟定详细的提纲。然后按提纲排列资料，在资料完备和条理清晰基础上进行叙述。

4.6.1.5 综述的撰写方法

综述撰写要运用多种方法组织材料，常用的方法有以下 5 种。

（1）时间顺序法

按照事物发展的时间先后次序来写综述，即纵线写法。采用这种方法，在时间跨度较长的情况下通常分时期或阶段来总结。

（2）方面列举法

围绕某一课题的各个主要方面，列举重要材料并加以说明，这种方法可称为横线写法。

（3）纵横交错法

综合时间顺序法和方面列举法的特点，对某一课题，先按时间顺序叙述发展概况，然后从各个方面（或领域）叙述具体情况。

（4）逻辑顺序法

根据事物的内在联系和逻辑发展分层次叙述的一种方法，这种方法要围绕主题，先远后近、先外围后核心、先一般后具体进行叙述。

（5）文献归类法

将某一专题的若干文献，按问题归类整理，每一问题冠以一个小标题，共同组成一篇综述。

4.6.1.6 撰写综述应注意的问题

（1）综述的要求

综述是对众多资料的高度概括和提炼，达到提纲挈领、一目了然的目的。综述必须运用第一手资料，材料可靠，数据准确，有较大的信息量。综述要求行文规范、语言流畅、有可读性，要注意引文出处。

（2）综述撰写人员的条件

Annual Review of Information Science and Technology 的编者 Curdra 认为综述编

者要具备以下条件：①综述作者必须牢固掌握本专业领域中发生的首要问题，以及用历史发展的观点理解和表达它的能力。②综述作者必须具有长期阅读科技报告以及正式发表科技文献的习惯；并且能够有效地利用它在"看不见的学院"中的广泛联系。③综述作者必须具有清晰易懂、深入浅出的写作能力，而且他必须愿对某一领域所做的工作、研究和经验的优点及其含义，公开地加以客观的评价。④综述作者除了他应有的技术和文字的才能外，还必须具有足以获得本专业领域读者尊敬的声望，从而引起对他编写综述的注意。⑤综述作者必须具有筛选、阅读、评价大量原始文献，并将其组合成一个严密完美的整体的才能。

（3）提倡专家写综述

诺贝尔奖获得者 Ziman 说："编写综述或著书所需具备的知识和经验，只能是在研究第一线直接活动的结果，是参与对求知事物进行实验与论证的结果。否则，所阅读的某专题文献的任何数量都不可能保证对该专题的内在理解。科学的任何一个具体领域，很像一个盘根错节的非洲或印度家族，要出生在这个家庭里或由于婚姻关系成为家庭成员，并生活多年，方能理解或者弄清楚这个家族的实情所在。"

4.6.2　述评法

4.6.2.1　述评的概念

述评，是在对某一课题综合性叙述的基础上，进行精辟的分析评价，提出自己的意见或建议的一种评论性成果。

述评，即"review"，也称评论；综述，即"survey""advances"，也称"成就""动态""年报""总览""概述""述略"。

ALA 的词典（1983）认为，"survey"是按一定程式收集数据并以统计、表格或综合形式发表的科学指导性研究；而"review"是报刊中发表的文字作品、音乐、戏剧等的评价。

综述和述评都是情报分析研究成果。综述根据给定课题的要求，对大量有关文献资料中的观点、情况、数据等进行归纳、整理、加工后编写，是一种综合报告。述评是综述的进一步深化，它要求作者在综述的基础上，提出自己的分析评价性见解或具体建议，是一种综合并加以评价的报告。

由此可见，综述与述评既有联系又有区别。综述侧重于客观叙述，基本上不提出作者本人的观点或建议，而述评必须在叙述基础上分析评价，提出作者本人的观点或建议。述评是书目情报的高级成果。

4.6.2.2　述评的作用

述评是科学研究的产物。在 17 世纪和 18 世纪，许多学术期刊如《学者杂志》《博学学报》等都发表过一些评论文章，但这些早期刊物发表的大都是图书的评论，而且评论也不集中。1726 年出版的《评论或文献纪事》被确认为评论杂志的实体。克罗尼克自 1965 年起研究评论期刊的历史，认为最早的科学评论杂志是 1752—1798 年在莱比锡出版的 *Commentaride Rebus in Scientia Naturali et Medicina Gestis*，它载有科技图书、学位论文、期刊等文献的评论。19 世纪，评论杂志陆续创刊，如 1802 年创刊的《爱丁堡评论杂志》，1815 年创办的《北美评论》，1895 年创刊的《美国历史评论》。至 20 世纪，评论杂志得到更快地发展。1924 年美国化学学会创办了 *Chemical Review*，1929 年美国物理学会出版了 *Review of Modern Physics*。美国 CRC Press Inc. 出版了一套世界著名的评论性学术杂志，有以下 16 种：《生物化学评论》《生物化学与分子生物学评论》《生物适应性评论》《生物医学工程评论》《生物技术评论》《临床实验科学评论》《环境控制评论》《食品科学与营养学评论》《免疫学评论》《微生物学评论》《神经生物学评论》《植物科学评论》《家禽生物学评论》《固体与材料科学评论》《毒物学评论》《水产科学评论》。1974 年，美国情报科学研究所创刊了《科学评论索引》，报道科学述评。正是这些评论杂志推动着述评的发展。

温伯格在强调学术评论的重大作用时指出："学术评论既符合固定在某方面的工作人员中的特殊需要，也符合刚跨入这方面的毕业生的需要，以及符合非专业人员的一般需要"（胡昌平和邱均平，1991）。

具体地说，述评有三个方面的作用。

（1）动态报告作用

述评为研究人员提供某一课题的新情况、新理论、新方法和新成果，特别是瞄准新课题，提供全面掌握研究动态的捷径。哈里斯和凯特在调查中发现，《科学技术情报年度评论》已给它的 45% 的读者提出新的研究课题。在这一方面，述评与综述具有同样的作用。

（2）动向指导作用

述评不仅对科学研究成果进行综合报道，而且分析科研领域的发展水平、发展动向，并对具体科技成就提供评价，这有助于研究人员和设计人员确立新的研究方向和研究思路，确定解决具体研究课题的正确途径。

（3）情报参考作用

述评有较大的信息量，提供了进一步研究的文献线索，供研究人员参考。在科学文献使用调查中，发现有 70% 的科学家都重视和阅读评论文献。

4.6.2.3　述评的特点

1）评论中所报道的不是一次文献的原始研究内容。亨德森认为述评是对载有研究成果的大量文献进行蒸馏后得到的产物。

2）综合、评价和压缩程度是述评的三个固有特征。所谓综合，是指述评对某一课题的文献或知识、情报的综合。所谓评价，是指述评必须对被评论的文献或研究成果作出某种程度的评价。所谓压缩程度，是指述评对原始文献的压缩程度，通常用情报饱和度（$\sigma = N_\sigma / N_c$）表示述评所引用的文献数（N_σ）与述评正文页数（N_c）之间的关系，或用浓缩系数（$K_\kappa = V_v / V_o$）表示被评论的原始文献页数（V_v）与述评页数（V_o）之间的关系"。

3）述评具有说明该文为评论文的标题，标题或摘要包含一个以上的关键词：述评、评论。述评大多发表在专门的评论性出版物或定期刊物的评论栏目中。述评被二次文献收录时标明为"评论文献"。

4）述评附有大量的参考文献。述评所附文献从几十篇到数百篇不等。如"*Critical Review in Analytical Chemistry*" 1988 年第 2 期发表的 "*Recent advances in particle size measurements：critical review*" 一文附有参考文献 324 篇，Talanta 1974 年的一篇评论性论文 "*Analytical Chemistry of the Sulphur acid*" 所附参考文献多达 883 篇。

4.6.2.4　撰写述评应注意的问题

（1）叙述与评论相结合

述评是介于综述与学术论文之间的文献，要以大量材料为依托，进行精辟的评论，在处理述与评的关系上，要以评为主，以述为辅，述评结合，以述带评。

（2）材料与观点的统一

述评有较强的学术性，要在大量材料基础上，提出观点。它与学术论文的区别在于，后者有完备的论点、论证、论据，是对假设的科学论证、实验的数据分析，而述评是将他人的成果（材料）综合，间接或直接地评论，提出发展趋向和未来展望（观点）。

4.7 文 献 组 织

目录学要解决文献有序化的问题，必须运用文献组织的方法。国外书目编制，根据 Robert B. Harmon（1998）的介绍，一般有五种方法：字顺编排（alphabetical）、分类编制（classified）、年代编排（chronological）、地区编排（regional）、材料类型编排（type of material）。

具体来说，在进行工具文献编纂时，需要对文献进行编排组织，考虑以下因素：一是要根据工具文献的类型和特征选择文献组织方法；二是根据工具文献的编纂目的与读者需求、读者利用习惯等选择文献组织方法；三是从文献外形和内容的基本特征出发，选择文献组织方法。文献组织方法分为两大类：一类是内容组织方法，是根据文献的内容特征进行组织，主要有分类法、主题法、本体法；另一类是形式组织方法，是根据文献的形式特征进行组织，主要有时序法、地序法、字顺法、音序法、号码法等。

4.7.1 分类法

在目录学中，分类法也称为文献分类法或分类编排法，是以知识分类或科学分类为依据的一种文献组织方法。现代文献分类更多地结合了文献的特点，而知识分类或科学分类更加多元化，信息分类则呈现出动态化的特征。文献分类与知识分类、信息分类之间相互影响。

4.7.1.1 古代文献分类法

（1）六分法

"六分法"始于西汉时期的《七略》（大约公元前5年），后经《汉书·艺文志》《七志》《七录》等，形成了古代分类的一大流派。

由于《七略》已佚，《七略》中六分法保存在《汉书·艺文志》中，其分类体系为6大类38小类。

六艺略：易、书、诗、礼、乐、春秋、论语、孝经、小学

诸子略：儒家、道家、阴阳家、法家、名家、墨家、纵横家、杂家、农家、小说家

诗赋略：赋一、赋二、赋三、杂赋、歌诗

兵书略：权谋、形势、阴阳、技巧

术数略：天文、历谱、五行、蓍龟、杂占、形法

方技略：医经、经方、房中、神仙

六分即六个大类。六艺略，以《易》为中心，以《易》《书》《诗》《礼》《春秋》为内层，以《论语》、《孝经》、文字训诂之书为外层，凸显"独尊儒术"。诸子略是先秦诸子百家之学的总汇。以儒家为首，诸子十家"合其要归，亦六经之支与流裔"。诗赋略五类的等级次序在显示雅俗高低的同时，又体现出源流先后。兵书略收军事类文献，体现兵书的历史地位。术数略包括数学、天文、历法等自然科学的一些书籍。其次又包括占卦、星相等一些封建迷信的图书。方技略是医药卫生与巫术的混合体。

（2）四部分类

四部分类萌芽并初步形成于魏晋南北朝时期。曹魏秘书郎郑默，始制《中经》，晋秘书监荀勖，因《中经》，更著《新簿》，分甲、乙、丙、丁四部。甲部包括六艺和小学；乙部包括诸子、兵书和术数；丙部包括史记、旧事、皇览簿和杂事；丁部包括诗赋、图赞和汲冢书。另外，还将佛经书籍附录在后。东晋李充《晋元帝四部书目》仍标甲、乙、丙、丁，但将乙、丙的内容进行互换，成为甲纪经、乙纪史、丙纪子、丁纪集。至唐初官修《隋书·经籍志》时，用经、史、子、集正式标目来代替甲、乙、丙、丁，四部分类正式确立。

《隋书·经籍志》的分类体系为四大类40小类：

经部：易、书、诗、礼、乐、春秋、孝经、论语、谶纬、小学

史部：正史、古史、杂交、霸史、起居注、旧事、职官、仪注、刑法、杂传、地理、谱系、簿录

子部：儒、道、法、名、墨、纵横、杂、农、小说、兵、天文、历数、五行、医方

集部：楚辞、别集、总集

附 道经、佛经。

从此，四部分类成为历史书目分类正统。至清《四库全书总目》，形成经、史、子、集四部44个类（经部10类，史部15类，子部14类，集部5类）的体系，四部分类得以发展和完善。

（3）其他分类体系

除六分类和四部分类外，其他比较有影响的分类体系如下。

南朝齐王俭《七志》创七分法。一是经典志，纪六艺、小学、史记、杂传；二是诸子志，纪古今诸子；三是文翰志，纪诗赋；四是军书志，纪兵书；五是阴

阳志，纪阴阳、图纬；六是术艺志，纪方技；七是图谱志，纪地域及图册。

北宋李淑《邯郸书目》创八分法。除经、史、子、集四部外，又有艺术志、道书志、书志、画志。

南宋郑樵《通志·艺文略》创十二分法。其分类体系有 12 大类，大类之下又分 82 小类，小类下分 442 子目。

明嘉靖孙楼《博雅堂藏书目录》创十八分法：制书、经、史、诸子、文集、诗集、类书、理学书、国朝杂记、小说家、志书、字学书、医书、刑家、兵家、方技、禅学（附道书）、词林书。嘉靖中晁瑮撰《晁氏宝文堂书目》创三十四分法：御制书、诸经总录、易、书、诗经、春秋、礼、四书、性理、史、子、文集、诗词、类书、子杂、乐府、四六、经济、举业、韵书、政书、兵书、刑书、阴阳、医书、农圃、艺谱、算法、图志、年谱、姓氏、佛藏、道藏、法帖。

明万历间焦竑《国史经籍志》创制书、经、史、子、集五部分类；万历间胡应麟《二酉山房藏书目录》创经、史、子、集、类书五部分类；万历间陈第《世善堂藏书目录》创经、四书、子、史、集、各家六部分类；万历间《内阁藏书目录》创圣制、典制、经、史、子、集、总集、类书、金石、图经、乐律、字学、理学、奏琉、传记、技艺、志录、杂部十八部分类。

明崇祯中，归安茅元仪《白华楼书目》创十分法：经学、史学、文学、说学、小学、兵学、类学、数学、外学、世学。

4. 7. 1. 2 现代文献分类法

现代文献分类法是把知识按照一定概念体系的树状等级结构或分级分面结构来组织文献主题，使文献按知识的学科属性、专业或范畴以及其他不同属性组面的逻辑划分顺序排列，形成文献逻辑分类体系。其表现形式即为文献分类表。根据不同的逻辑划分方法形成了不同的类目体系表，一般分为三种：等级体系分类表、分面组配分类表、体系-组配分类表。

国外文献分类法有："杜威十进分类法"（Dewey decimal classification，简称 DDC 或 "杜威法"）1873 年由美国 Melvil Dewey 设计，1876 年首次出版。1988 年，负责 DDC 出版的 Forest Press 成为 OCLC 的一个部门。1996 年出版第 21 版，2003 年 9 月 OCLC 出版第 22 版。2011 年出版第 23 版。DDC 共分 10 大类（main classes），每大类下细分 10 类（divisions），接着又再分成 10 小类（sections）。十大类（main classes）为：000 Generalities 总类；100 Philosophy 哲学类；200 Religion 宗教类；300 Social sciences 社会科学类；400 Language 语文类；500 Pure sciences 自然科学类；600 Technology 应用科学类；700 The arts 艺术类；800 Literature 文学类；900 General geography & history 史地类。

　　"国际十进分类法"（universal decimal classification，简称 UDC）是比利时的 Otlet 和 La Fontaine 在 DDC 的基础上编制的。以 DDC 第 5 版为基础加以修改补充，1905 年编成 UDC 第 1 版（法文版）即 UDC 国际第 1 版，1927 年出第二版。UDC 分完全版、中型版、节略版和专业版 4 种版本。完全版自 1927 年版称为国际第二版后，陆续出版德、英、日、西班牙、葡萄牙等各种语言的版本。中型版即篇幅约为完全版三分之一的版本，陆续出版了英、法、德、日、意等语言的版本。节略版的篇幅约为完全版的十分之一，已出版有英、法、德、日、意等语言的版本。专业版指选录某一专业类的全部类目及其他类中与该专业有关的类目汇编而成的专用类表。UDC 的十大类为：0 总类、科学和知识；1 哲学、心理学；2 宗教、神学；3 社会科学；4（语言）；5 数学和自然科学；6 应用科学、医学、技术；7 艺术、娱乐、体育；8 语言、语言学、文学；9 地理、传记、历史。

　　"美国国会图书馆图书分类法"（library of congress classification，LCC）是在美国国会图书馆馆长 G. H. 普特南主持下，参考 Charles Ammi Cutter 的"展开制分类法"（expansive classification）于 1901 年开始编制的一部综合性等级列举式分类法。LCC 分别由各类专业人员编制，各大类以分册形式先后出版，是世界上超大型列举式分类法，其各大类分册可单独为专业图书馆使用。LCC 分为四大组共 21 个基本大类：第一组 A 总论；第二组人文及社会科学（B 哲学、心理学、宗教；C 历史：辅助科学；D 历史：世界史；E-F 历史：美洲史；G 地理、人类史、娱乐；H 社会科学；J 政治；K 法律；L 教育；M 音乐；N 美术；P 语言、文学）；第三组自然科学技术（Q 科学；R 医学；S 农业；T 工业技术；U 军事科学；V 海军）；第四组 Z 目录学及图书馆科学。

　　除 DDC、UDC、LCC 三大分类法外，著名分类法还有 1931 年问世的印度"冒号分类号"（colon classification，CC）、20 世纪 40 年代初问世的"布利斯书目分类法"（bibliographic classification，BCDF1）以及日本的"日本十进分类法"、俄国的"图书馆书目分类法"等。

　　20 世纪上半叶，中国学者引进的外国文献分类法有 23 种，中国编制的文献分类法约 90 余种，其中，影响较大的有 16 种（俞君立和陈树年，2001），最有影响的是四部分类法，即沈祖荣、胡庆生的《仿杜威书目十类法》（1922 年）、杜定友的《世界图书分类法》（1925 年）、刘国钧的《中国图书分类法》（1929 年）、皮高品的《中国十进分类法及索引》（1934 年）。

　　1949 年以后，中国出现了一批以马列主义毛泽东思想为指导思想、以古今中外图书统一分类为编纂目的的新型图书分类法。从 20 世纪 50 年代至 80 年代，一度形成《中国人民大学图书馆图书分类法》（1954 年第 1 版）、《中国科学院图书馆图书分类法》（1958 年第 1 版）、《中国图书馆图书分类法》（1973 年出试用本，1975 年第 1 版）三大分类法并行发展的局面。

"中国人民大学图书馆图书分类法"分为总结科学、社会科学、自然科学、综合性科学和综合性图书四大部类 17 个大类，此后修订有 1955 年第 2 版、1957 年第 3 版、1962 年第 4 版、1982 年第 5 版、1996 年第 6 版。《中国科学院图书馆图书分类法》1982 年出版第 2 版，分马克思列宁主义、毛泽东思想、哲学、社会科学、自然科学、综合性图书六大部类 25 个大类，1994 年出版第 3 版。《中国图书馆图书分类法》分马克思列宁主义、毛泽东思想、哲学、社会科学、自然科学、综合性图书五大部类 22 个大类，1980 年出第 2 版，1981 年被正式批准为国家标准的试用本，1990 年出第 3 版，1999 年第 4 版时更名为《中国图书馆分类法》，2010 年出第 5 版，这是新中国成立后所编图书分类法中影响最大、最具权威性的一部，也是中国图书统一分类方法的最新依据。《中国图书馆图书分类法（未成年人图书馆版）》先后推出了 1991 年第 1 版，1998 年第 2 版，2002 年第 3 版，2013 年第 4 版。

现代文献分类法主要是以文献内容特征和知识属性为依据来确定类目体系，而文献类型等其他形式特征可以作为分类法辅助组织要素，如图书分类法、期刊分类法、音像资料分类法、数字资源分类法等，从类表的知识属性体系结构上看，它们基本一致，区别就在于文献类型内容特点的揭示和特殊形式的反映。文献分类工具广泛应用于书目文献中的文献编排，也是书目情报服务的常用工具。

随着主题法的广泛应用，分类主题一体化成为重要的发展方向。而在信息化时代，对信息的分类成为重要任务。

亚里士多德曾设计了 10 个信息类别：物质、数量、质量、关系、地点、时间、情况、状态、行动、感情。而 Roget 提出的分类法使用了八个大类、43 个子类以及 1040 个独立标题。

分类一：抽象关系Ⅰ存在Ⅱ关系Ⅲ数量Ⅳ次序Ⅴ数目Ⅵ时间Ⅶ变化Ⅷ可能性Ⅸ原因Ⅹ权力

分类二：空间Ⅰ一般空间Ⅱ维度Ⅲ结构、形式Ⅳ运动

分类三：物理学Ⅰ物理Ⅱ热度Ⅲ光Ⅳ电力和电子Ⅴ机械Ⅵ物理性质Ⅶ颜色

分类四：物质Ⅰ一般物质Ⅱ无机物质Ⅲ有机物质

分类五：感觉Ⅰ一般感觉Ⅱ触觉Ⅲ味觉Ⅳ嗅觉Ⅴ视觉Ⅵ听觉

分类六：智力Ⅰ智力能力和过程Ⅱ意识状态Ⅲ思想交流

分类七：意志Ⅰ一般意志Ⅱ条件Ⅲ自愿行为Ⅳ权威，控制Ⅴ支持和反对Ⅵ所有关系

分类八：情感Ⅰ个人情感Ⅱ同情感Ⅲ道德感Ⅳ宗教情感

由此可见，Roget 的分类与亚里士多德的类别有相似之处。"文艺复兴时期，

当图书馆同时在新世界和旧世界中涌现时，开始出现一种直接的、简单的和实用的，以作者或主题为基础的书目结构和分类法。信息分类从亚里士多德甚至从杜威时期开始经历了一个漫长的发展道路"（霍顿，F. W. ，2013）[①]。

4.7.2　主题法

在目录学中，主题法也称为主题编纂法。是将文献中所阐述的事物对象或问题等，提炼抽象出规范化的术语以表达主题，然后按照主题的字顺编排文献的方法。这一方法的主要特点是：一是主题法的优势在于可以集中同一主题的全部文献，即将与研究对象有关的分散在各个学科中的文献集中起来，便于读者按主题进行特性检索，可以弥补分类组织方法的局限性。二是主题法是以主题对表达文献论述的问题与对象，以自然语言或受控语言直接表达概念，更加准确地揭示出文献的内容特征。三是由于主题之间互相独立，基本上是以形式上的顺序排列来确定主题在系统中的特定位置，显示出字顺检索的直观性，体现出较强的特性检索功能。

从信息检索上，主题法是由人工创制并进行控制的一种人工语言。主题检索语言是由主题词汇构成，也就是将自然语言中的名词术语经过规范化以后直接作为文献信息标识，按照英文字母排列信息标识，通过参照系统揭示主题概念之间的关系，因此也称主题词表、主题词语言或主题法。

主题词语言有很多，如关键词语言、单元词语言、标题词语言、叙词语言，以及上文提到的先组式语言、后组式语言等。它们各自有自己的主题词表，而且不同的文献信息检索系统、不同的学科领域又均有不同的主题词表。

国外著名的主题词表很多，如《INSPEC 叙词表》《Ei 叙词表》《美国国会图书馆标题词表》等。《INSPEC 叙词表》（INSPEC Thesaurus）是《科学文摘》（*Science Abstracts*）检索工具配套使用的规范词表，它由英国电气工程师协会编辑出版，纸本词表的全表分为：字顺表和等级表两部分。在 INSPEC 数据库检索系统中可获得与纸本词表对应的电子版字顺表和等级表。

中国著名的主题词表，首推综合性的《汉语主题词表》（科学技术出版社1979 年版）。这是一部通用的汉语叙词表，分为自然科学和社会科学两个体系，全书共分三卷十分册，共收录正式主题词 91158 个，非正式主题词 17410 个。它由主表和附表组成。主表将规范化的和非规范化的主题词全部按汉语拼音顺序进

---

① 〔美〕F. W. 霍顿. 2013. 信息资源管理：概念和案例 ［M］. 安小米等，译. 南京：南京大学出版社.

行排列。它既是中文数据库检索系统标引的主要依据，又是课题查新和一般文献信息检索的主要检索工具。条目主题词的参照项是根据词之间的关系建立的，如等同、分属、相关等。附表包括词族索引、范畴索引、英汉对照表和轮排索引。《汉语主题词表》适用于综合性书目文献编排。

各学科的专门词表也有不少，例如，中国科学院文献情报中心、中国科学院物理情报网联合编制了《物理学汉语主题词表》；南京中医学院、南京医学院、山东中医学院和辽宁中医学院联合编制了《中医药主题词表》等等，这些专门词表适用于专题书目文献编排。

主题词表中的一些主题词表达概念本身，在主题词表中通过参照系统来指示词与词之间的关系。用主题词表这种检索语言表达的概念比较准确，具有很好的灵活性和专指性。

用主题法编纂的检索工具很多，如《马克思恩格斯全集主题索引》、《列宁全集索引》（第1—35卷）上册等。

4.7.3　本体法

分类法、主题法是在传统文献环境下发展起来的并在书目工作实践中广泛应用的文献组织方法。而本体法则是在现代信息环境下产生的并适应数字目录学发展需要的一种新组织方法。

本体法是领域知识规范的抽象和描述（概念及概念间关系的规范化描述），是一种表达、共享、重用知识的方法。本体（ontology）是对概念体系的明确的、形式化、可共享的规范说明，它定义了组成主题领域的词汇表的基本术语及其关系，以及结合这些术语和关系来定义词汇表外延的规则。

本体有多种类型和表现形态：知识本体（knowledge ontology）是领域知识概念及概念之间关系的规范化描述，是规范、明确和形式化的，支持共享和复用。语义本体（linguistic ontology）指主要的语义概念和这些概念之间的关系，以及它们之间的组织方式。知识表示本体（knowledge representation ontology）是用于描述知识的表示能力的一种专门本体。顶级本体（top- level ontology）是与现存的本体都相关的通用概念，描述了最普通的概念与概念之间的关系，如空间、时间、事件、行为等，完全独立于特定的问题或领域，是其他种类本体的泛化。通用本体（general ontology）是用于描述若干个领域知识的一种专门本体，可在多个领域实现复用。领域本体（domain ontology）是用于描述特定领域知识的一种专门本体，是揭示领域实体概念及相互关系、领域活动以及该领域所具有的特性和规律的一种形式化描述。任务本体（task ontology）指提供在同一领域或非同一领域的特定任务的解决方法的系统性语句，以可共享的问题求解方法为研究对象，描述的要素包括任务目标、任务数据、执行状态等。应用本体（application ontology）指特定领域和任务的概念以及概念之间的关系。领域—任务本体（domain-task ontology）是应用于给定领域而非跨领域的任务本体。方法本体（method ontology）指用来描述问题求解方法的相关概念以及概念之间的关系。元本体（meta-ontology）也称"泛型本体"，在各领域中通用的，定义了各部分之间的关系及其属性的本体，是绝对抽象事物。认识元本体必须认识抽象事物，掌握抽象事物的本质和特征。

本体法在数字目录学中的应用主要表现在：一是为数字资源组织和知识管理中提供知识组织的概念基础，是实现从数字目录与搜索引擎向知识系统发展的关键和基础；二是在书目文献数据库和数字化平台中，揭示文献中的知识，建立知识与知识之间的关系与关联；三是在书目情报服务中，将有意义的知识关联起来，提高知识服务的针对性与有效性。

4.7.4 时序法与地序法

4.7.4.1 时序法

时序法，也称为编年编排法，是按照文献的时间顺序来组织文献的方法。具体来说，是以文献的写作、发表或出版时间为标识，对文献进行编排。这种方法有两个重要特点：一是能够反映某一具体文献产生的时代，了解其形成和发展的历史线索以及社会背景，有利于确定其时代价值；二是能够反映某一文献在全部文献系列中的具体位置，确定其是否首发或新颖性与创新性，配合引文等其他方面可进一步反映出该文献产生的影响。

在目录学中，时间性较强的文献一般采用这种组织方法。除综合性目录中以时序编排作为分类等方法的辅助之外，个人著述目录、专题目录、马克思主义经典著作书目、传记书目等多采用时序法。《中国历史纪年表》《中西回史日历》等年表、历表也是采用时序法编纂。

4.7.4.2 地序法

地序法，也称为地区编排法，是按照文献所论及的国家、地区或其他地理特征为标识来组织文献的一种方法。这种方法的突出特点是能够集中同一地区的全部文献，特别适宜于组织地域特征比较强的文献，如地方文献（地方志等）、农业文献与其他专题文献等。《中国地方志综录》等方志目录、《中华人民共和国分省地图集》等地图册等都是采用地序法编纂。

4.7.5　字顺法

字顺法也称为字顺编排法，是以文献的外形特征如著者、书名、篇名等的字顺为标识来组织文献的一种方法。这种方法多用于辅助性的编排。

4.7.5.1　外文字顺法

外文文献的字顺编排有逐词排列和逐字母排列两种。

逐词排列如下：

doctrine（学说）

document（文献）

document administratif（政府文件）

document d'archive（档案文件）

documentaliste（文献人员）

documentation（文献工作）

逐字母排列如下：

doctrine（学说）

document（文献）

document administratif（政府文件）

documentaliste（文献人员）

documentation（文献工作）

document d'archive（档案文件）

一般情况下，因为逐词排列可以将复合词集中一起，所以书名、篇名等标题多采取逐词排列法，即先按单词顺序排，同一单词按字母顺序排；著者一般先按姓氏的字母顺序排，同姓氏再按名字的字母顺序排。

4.7.5.2　中文字顺法

中国古代目录学采取的字顺法有音韵法和给定字顺法。

音韵法，也称为韵部排列法，是古代汉字检字的一种常见方法，有广泛应用。唐宋时的韵书，一般按隋代《切韵》，将韵目分 206 部。南宋《礼部韵略》归并为 107 部。到金元之季又合并为 106 韵。明代初年编《洪武正韵》将韵目改订为 76 部。但其中最通行的还是 106 部，如《佩文韵府》《经籍纂诂》等都是采用韵部排列。106 韵韵部排列，先按上平声、下平声、上声、去声、入声分部，每一部下再包括若干韵，然后按照韵排列字。

给定字顺法主要有千字文排列法。《千字文》原为梁周兴嗣所撰的一篇文献，取王羲之遗书中的 1000 个字，编为四言韵语，叙述自然、社会、历史、伦理、教育诸方面的知识。隋代以后颇为流行，并被用于蒙学教科书。由于千字文的每个字的位置固定，顺序易记，逐渐成为各种排序的一种依据，如文献排序、房屋排序、建筑位置排序。

公元 730 年，唐玄宗时，释智升撰目录学著作《开元释教录》记载了佛藏中每部佛经的卷数、用纸张数和装成的帙数。大藏中另有一部《开元释教录略出》4 卷，其实就是同一佛藏的另一钞本，所以佛经虽同，所记卷数、用纸张数和帙数都有一些不同。但其中有一个特点，就是《开元释教录略出》在帙数下面还有千字文的编号，一帙一号。王重民（1984）说："这可以说是我国现存最古的排架号。那时候，排架号和索书号是统一的，这种千字文的编号也可以说是我国最古的索书号。从这些特征，可以极清楚地认识到在第八世纪初叶，我国图书馆在藏书和取书上的技术水平，已经达到了相当科学的程度。"

公元 1019 年，北宋真宗时张君房编纂完成了道藏《大宋天宫宝藏》，以《千字文》为函目，起于天字，终于宫字，共四百六十六字。北宋仁宗庆历年间（1041—1048 年）档案也使用千字文排列法，如曾巩《隆平集》卷 14 载："江西民喜讼，多窃去案牍，而州县不能制。湛为江西转运使，为立千文架阁法，以岁月为次，严其遗去之罪。朝廷颁诸路为法，至今不易"（王金玉，1997）。

明英宗时，大学士杨士奇主持编纂《文渊阁书目》以《千字文》标识，编号凡二十，每号分数橱：天字 5 橱 322 号；地字 4 橱 555 号；玄字 1 橱 149 号；黄字 3 橱 474 号；宇字 6 橱 272 号；宙字 2 橱 316 号；洪字 1 橱 109 号；荒字 1 橱 276 号；日字 3 橱 745 号；月字 2 橱 568 号；盈字 6 橱 266 号；昃字 1 橱 176 号；辰字 2 橱 364 号；宿字 1 橱 228 号；列字 2 橱 552 号；张字 1 橱 199 号；寒字 2 橱 406 号；来字 1 橱 168 号；暑字 3 橱 584 号；往字 3 橱 568 号。共 50 橱凡 6349 号。这种按千字文分橱并辅以号码的组合方法，在当时是非常科学和先进的。

在官修书目《文渊阁书目》的影响下，私家书目如赵琦美《脉望馆书目》以千字文编号，起天字，讫调字，共 31 号；姚瀚《赖古堂书目》也采用了千字文编排法。

明英宗时的《正统道藏》、神宗时的续道藏以及明代最著名的道藏目录——白云霁撰《道藏目录详注》，均以千字文排序，可见千字文排列法在明代的影响。

由于汉字的形体结构较为复杂，现代文献组织的字顺编排方法多种多样。归纳起来，主要有形序编排法和音序编排法两种。

形序编排法指根据文献标识中汉字的形体结构，找出某些共同点，按一定顺序来编排文献。通常有部首法、笔顺法、笔画法三种。

部首是汉字的重要特征，部首法就是按照汉字的形体结构，根据偏旁、部首归类的一种方法。其特点是将形体结构复杂而又很不规则的汉字归并在一定数量的部首之内，符合汉字结构的特点和人们的检索习惯。但由于部首的位置不固定，时左时右，时上时下，这种方法不易掌握。

笔顺法是按笔形顺序确定汉字排列先后的方法。这一方法起源于清代吏目档案中所用的"元亨利贞"（起笔为一、丿丨）"江山千古"（起笔为、丨丿一），也有的用"寒来暑往"（起笔为、一丨丿）。但由于人们书写习惯不同，汉字的笔顺又不严格，这种方法也难以掌握。自《新华字典》采用横（一）、竖（丨）、撇（丿）、点（、）、折（乛）的顺序排列后，目前普遍使用这一顺序作为汉字起笔笔顺法。

任何一个单字都有一定数量的笔画，笔画法就是按汉字书写笔画多少为排列顺序的方法。由于计算笔画相对简单，这种方法应用较为普遍。

音序编排法是根据文献标题、著者的字音顺序进行编排的一种方法。1958年国务院批准公布《汉语拼音方案》。汉语文献主要是按汉语拼音字母顺序排列，这种编排法比较简便，应用广泛。

4.7.6 编码法

编码是将先根据文献的某些特征进行编码，然后对号码顺序排列的一种方法。

4.7.6.1 汉字编码法

汉字编码法，通常称为号码法，是将汉字的笔形变成数字，再将每一个汉字所取笔形连成号码，以号码顺序排列汉字的方法。

常用的有四角号码法、中国字庋撷法、起笔笔形号码法等。

四角号码检字法是王云五于 1926 年在胡适之帮助下完成的，将汉字笔形分为十类，用 0—9 十个数字表示。每个汉字按字的左上、右上、左下、右下四个角取号（即取 0—9 中的一个数字），四个角的数字连起来就是四角号码，《四角号码新词典》《二十五史人名索引》等就是采用这一方法排列。

中国字庋撷法由洪业等发明，也是对笔形给号，但给号的方法比较复杂。先将汉字分为五种体，每种给一个号码："中"（1）、"国"（2）、"字"（3）、"庋"（4）、"撷"（5）。将汉字笔形分为十种，每种笔形给一个号："、"（0）、

"一"（1）、"丿"（2）、"十"（3）、"又"（4）、"扌"（5）、"纟"（6）、"厂"（7）、"目"（8）、"八"（9）。取号次序按字体而定，"中"字体的次序为左上、右上、左下、右下；"国"字体的次序，先外部左上、右下，后里面左上、右下；"字"字体的次序，先上半部左上、右下，后下半部左上、右下；"皮"字体的次序，先左斜边的右上、左下，后右下部的左上、右下；"撷"字体的次序，先左半部的左上、右下，后右半部的左上、右下。取得号码后，再算这个字有几个方格，把方格数加在号码之后（无方格则加上个0，超过9个方格的仍为9）。这一方法取号原理虽与四角号码法有相近之处，但给号不一样，且比较麻烦。除哈佛燕京学社引得编纂处所编的《引得》采用这一方法外，其他工具书编纂很少使用。

起笔笔形号码法将汉字起笔笔形分为五种：一横、二直、三点、四撇、五角，在检索书名时，将书名每个字的起笔连成一个号码，书名字数很多的则只取五个数，决定取笔的原则是先上后下，先左后右，先外后内。少数字是先中间后左右，如"小""水""幽"等。此外，若书名中夹有外文字、阿拉伯字，均以0作代号。只有中华人民共和国成立后出版的《全国总书目》等少数工具书采用这种方法。

编码法的长处在于号码位置固定，不足是编码规则一旦繁琐，便难以编排和使用，不易推广。

4.7.6.2　文献编码法

文献编码法是根据文献的外部特征和内容特征进行给号的一种方法，既可以对文献标题进行编码，常见的如按 ISBN 号码编排、按 ISSN 号码编排等；也可以对文献的著者进行编码，如文献注释或著者索引中对著者进行编号；还可以对文献的内容进行编码，如文献的篇章和具体内容编码。

文献编码法可以采用纯数字方式或纯字母方式，也可以采用数字与字母组配的方式。

第5章　目录与书目工作

我中华有三十世纪前传来之古书，世界莫能及。

——梁启超

梁启超在 1902 年《中国学术思想变迁之大势》一文中曾说："立于五洲中之最大洲，而为其洲中之最大国者谁乎？我中华也。人口居全球三分之一者谁乎？我中华也。四千余年之历史未尝一中断者谁乎？我中华也。我中华有四百兆人公用之语言文字，世界莫能及；我中国有三十世纪前传来之古书，世界莫能及。"中国古代的目录和书目工作不仅有悠久的历史与优良的传统，而且在很早就已达到相当高的水平，是世界其他国家所不能及。现代的目录与书目工作发生了深刻的变化，一方面继承了古代的优良传统，另一方面又借鉴了国外的经验和方法，使书目工作的理论与方法不断丰富和完善。

5.1　目　　录

目录学因目录而得名，目录作为目录学的基本要素，是文献要素的延伸。大而言之，不通文献与目录，便不通目录学；小而言之，不知目录或不会使用目录，便无法进入文献与知识的门径。

5.1.1　目录的概念

5.1.1.1　目录术语

目录也称"书目"，是"目"（一书篇、卷名称）和"录"（记载）的合称。"目"的含义是篇目，"录"的含义是记载，记录若干篇目于一起即为目录。它有两种含义：其一指一书的目录即篇目。《文选》注引《七略》语云："尚书有青丝编目录。"（萧统·《昭明文选》·卷三十八）。其二指群书的目录。班固云："刘向司籍，九流以别，爰著目录，略述洪烈。"（班固·《汉书叙传》）。这种群书目录通常称为书目，是目录学要研究的内容。

目录在历史上有许多称谓："录"——刘向《别录》；"略"——刘歆《七略》；"志"——王俭《七志》；"艺文志"——《汉书·艺文志》；"经籍志"——《隋书·经籍志》；"读书志"——《郡斋读书志》；"簿"——荀勖《晋中经簿》；"书录"——毋煚《古今书录》；"解题"——陈振孙《直斋书录解题》；"考"——谢启昆《小学考》；"记"——钱曾《读书敏求记》；"提要"——《四库全书总目提要》；"书目"——《也是园书目》。

西方的目录有两个词：bibliography 和 catalogue。

ALA 的词典指出："图书文献或书目资料目录，称之为 bibliography，一般通过作者、主题或出版地表示文献之间的关系；它与 catalogue 的区别在于其内容不限于一个图书馆或一类图书馆的馆藏"（Young，1983）。

E. J. Hunter 和 K. G. Bakewell 合著的《编目》第二版也说："bibliography 是书和（或）其他资料的目次表。很明显，这种目次表不可能包罗所有国家、各个时代、一切门类的全部资料，因此这种目次表通常有个'自我限定'的范围。……catalogue 也是书和（或）其他资料的目次表，但是与 bibliography 有着不同的范围，它只限于一个图书馆的或在联合目录当中一些图书馆的馆藏"①。

基于这一区分，一般将 bibliography 译为"书目"，指图书目录或参考文献目录；将 catalogue 译为"目录"，指图书馆目录。事实上，这种区分并不严格，并有交替使用的趋势。

5.1.1.2 目录的定义

给目录下一个准确的定义是非常困难的，因为古典目录与现代目录有着较大的差异。

对于古典目录，因为官修目录、史志目录和私家目录等多个流派对于目录的认识不一，有倾向于学术史的目录，也有倾向于版本考证的目录。取其共同特征，古典目录学范畴的目录，可界定为对群籍进行分析研究的具有学术价值的一种文献整理成果。

现代目录与古典目录的最大不同在于由文献研究转向信息描述，目录的学术性降低，检索性提高。《图书馆·情报与文献学名词》将书目定义为：书目 bibliography，booklist，catalog 文献目录，即为了特定目的记录、报道、认识与揭示一批相关图书文献的清单（图书馆·情报与文献学名词审定委员会，2019）。属于二次文献。这一定义代表了目录的实践认知和实际情况。若从理论出发，现代目

---

① 〔英〕E. J. 亨特，〔英〕K. G. B. 贝克韦尔. 1989. 西文编目入门［M］. 张蕴珊，译. 北京：书目文献出版社.

录学范畴的目录应当界定为，揭示与报道相关文献与信息，为实现某一特定目的而编纂的检索工具。

总的来说，广义的目录包括书目、索引、文摘，狭义的目录仅指书目即文献目录。

5.1.2 目录的起源与发展演变

5.1.2.1 中国目录的起源与发展演变

"目录"一词，始于汉代。西汉刘向的《别录》有"《列子》目录"，东汉刘歆的《七略》有"《尚书》有青丝编目录"，东汉班固的《汉书》有"刘向司籍，九流以别；爰著目录，略序洪烈。述《艺文志》第十"。

目录是古代校雠的一项工作，是经过厘定篇目后，再写成叙录，形成目录。刘向整理《列子》，厘定其书8篇：《天瑞》第一、《黄帝》第二、《周穆王》第三、《仲尼》第四、《汤问》第五、《力命》第六、《杨朱》第七、《说符》第八。最终形成目录如下：

列子八卷

天瑞第一；黄帝第二；周穆王第三；仲尼第四（一曰极知）；汤问第五；力命第六；杨朱第七（一曰达生）；说符第八。

右新书定著八篇。护左都水使者，光禄大夫臣向言：所校中书列子五篇，臣向谨与长社尉臣参校雠，太常书三篇，太史书四篇，臣向书六篇，臣参书二篇，内外书凡二十篇。以校。除复重十二篇，定著八篇。中书多，外书少。章乱布在诸篇中。或字误，以尽为进，以贤为形，如此者众。及在新书有栈，校雠从中书，已定，皆以杀青，书可缮写。

列子者，郑人也。与郑缪公同时，盖有道者也。其学本于黄帝、老子，号曰道家。道家者，秉重执本，清虚无为。及其治身接物，务崇不竞，合于六经。

而穆王、汤问二篇，迂诞恢诡，非君子之言也。至于力命篇一推分命，杨朱之篇唯贵放逸，二义乖背，不似一家之书；然各有所明，亦有可观者。孝景皇帝时，贵黄老术，此书颇行于世。及后遗落，散在民间，未有传者。且多寓言，与庄周相类，故太史公司马迁不为列传。

谨第录。臣向昧死上。护左都水使者光禄大夫臣向所校列子书录。永始三年八月壬寅上。

《列子》目录由"篇目"、"叙录"和"尾题"三个部分组成。"篇目"部分（从"列子八卷"至"说符第八"）厘定《列子》篇目卷次。"叙录"部分有三段，从"右新书定著八篇"至"书可缮写"为校书记录，包括：①校书过程，校书人；②参校《列子》5 种版本：秘中书、太常书、太史书、向书、参书；③校勘过程与结果，去重，定著，定缮写。从"列子者"至"合于六经"概述作者生平及其学术源流，包括：①列子生平；②列子学术思想渊源与学派师承）。从"而穆王、汤问二篇"至"故太史公司马迁不为列传"评价与推荐，包括：①分析书中各篇之优劣；②阅读建议。"尾题"部分（从"谨第录"至"永始三年八月壬寅上"）包括：①责任者；②完成时间；③呈报皇帝。

每一目录，刘向都要奏明皇上，所以"尾题"中均有"臣向昧死上"。尾题中还有责任者完成目录的时间，如《列子》书录的完成时间是"永始三年八月壬寅"即公元前 14 年 10 月 4 日。

从这个目录也可以看出，公元 1 世纪以前，目录已达到很高的水平。

一般认为，《周易·十翼》中的《序卦传》是最早的目录，它编次和汇总了六十四卦的卦名。"十翼"指的是战国以来解释《周易》经文的十篇文献，包括《彖传》上篇、《彖传》下篇、大《象传》、小《象传》、《文言传》、《系辞传》上篇、《系辞传》下篇、《说卦传》、《序卦传》、《杂卦传》。

《序卦传》阐述六十四卦排列次序以及前后相承的意义，据《周易》上下篇分前后两段。前段分析上经乾、坤至坎、离三十卦的次序，如分析乾、坤两卦时说"有天地然后万物生焉。盈天地之间者唯万物，故受之以屯"。后段分析下经咸、恒到既济、末济三十四卦的次序，如分析咸、恒两卦的关系，"夫妇之道不可以不久也，故受以恒"。《序卦传》阐述了对自然与社会的深刻认识，如"有天地，然后有万物；有万物，然后有男女；有男女，然后有夫妇；有夫妇，然后有父子；有父子，然后有君臣；有君臣，然后有上下；有上下，然后礼义有所错"（廖名春，2012）。余嘉锡在《目录学发微》中指出："惟《周易·十翼》，有《序卦传》，篇中条列六十四卦之名，盖欲使读者知其篇第之次序，因以著其编纂之意义，与刘向著录'条其篇目撮其旨意'之例同。目录之作，莫古于斯矣"（余嘉锡，1963）。

实际上，在《序卦传》之前就有目录的产生。中国的目录起源于先秦时期对于图书文献的管理。

殷商时代已有大量的甲骨文献，而且有管理国家文献的巫吏和史官，巫吏掌管占卜和纪录等工作，史官则掌管保存文献和图书的工作。根据殷墟的发掘报告，出土的第一个穴窖里的甲骨都有一定的年代，经常是以一个帝王在位的时期为断限，也有极少数是包含着几个帝王在位时期的混合穴窖。一个穴窖内的甲骨的入藏，陈列和参考使用，都有一定的方法和手续。有些甲骨的尾或背上，刻有"入""示"和一些数码，就是主管保藏的人所做的记号，而这些记号和数码，应该都是与另外简单的单据或目录相适应的。王重民（1984）认为："这些都表示着目录参考工作的实际意义。至于那些记号和数码的正确意义和使用方法，虽说还有待于进一步的研究，可是这里包含着目录工作的雏形，代表着我国古代目录工作的起源，则是可以肯定的。"

到了周代，史官掌管典籍和目录工作。《周礼·春官》记载，"大史掌邦之《六典》""小史掌邦国之志""内史掌书王命""外史掌书外令，掌四方之志，掌三皇五帝之书，掌达书名于四方"。《史记·老子韩非列传》载："老子者，楚苦县厉乡曲仁里人也，姓李氏，名耳，字聃，周守藏室之史也"，司马贞《索隐》称："按：藏室史，周藏书室之史也。"

汉代以后，中国目录形成了官修目录、史志目录和私家目录三大流派。

官修目录由政府主持编撰，主要反映国家藏书情况。官修目录始于汉朝刘向父子的《别录》和《七略》，其后各朝代都编有官修目录。

魏晋南北朝有：魏郑默撰《中经》14 卷；西晋荀勖撰《中经新簿》，著录图书 29945 卷；东晋李充撰《元帝四部目录》，著录图书 3014 卷；南朝宋谢灵运撰《元嘉八年四部目录》，著录图书 1564 帙，14582 卷；南朝宋王俭撰《元徽四年四部书目录》，南朝齐王亮、谢朓撰《永明元年四部目录》，南朝梁刘孝标撰《文德殿四部目录》，这些目录均已亡佚。

隋代有牛弘撰《开皇四年四部目录》4 卷，著录图书 3 万余卷；柳撰《大业正御书目录》9 卷，著录图书 37000 余卷，两书目已亡佚。

唐代有元行冲等撰《群书四部录》200 卷，著录图书 2655 部，48169 卷；毋煚撰《古今书录》40 卷，著录图书 3060 部，51852 卷。两书目已亡佚。

宋代有王尧臣撰《崇文总目》66 卷，著录图书 30669 卷，已佚，清钱东垣等有《辑释》5 卷，《补遗》1 卷；陈骙撰《中兴馆阁书目》70 卷，已佚，现有赵士炜的《中兴馆阁书目辑考》5 卷；张攀撰《中兴馆阁续书目》30 卷，已佚，现有赵士炜的《中兴馆阁续书目辑考》1 卷。

明代有杨士奇撰《文渊阁书目》4 卷，著录图书 7297 部，今存。

清代有敕撰《四库全书总目》和《天禄琳琅书目》。《四库全书总目》是古代最大的一部官修目录，是清乾隆 37 年至 47 年编修《四库全书》的产物，共200 卷，著录图书 10231 种，171003 卷，也是一部体例最完备、学术价值最高的一部官修目录。

史志目录指史书中的目录，包括正史艺文志、通史艺文志和补史艺文志。

纪传体正史有"纪、传、表、志"。梁启超（2008a）《中国近三百年学术史》指出："表志为史之筋干"；"读史以表志为最要，作史亦以表志为最难，旧史所无之表志，而后人捃拾丛残以补作则尤难"。正史艺文志是史志目录的主体，二十四史中有六部有艺文志或经籍志：《汉书·艺文志》《隋书·经籍志》《旧唐书·经籍志》《新唐书·艺文志》《宋史·艺文志》《明史·艺文志》（表5.1）。

通史艺文志，著名的有两部：一部是宋郑樵《通志·艺文略》，另一部宋末元初马端临的《文献通考·经籍考》。

表5.1　二十四史与正史艺文志一览

俢撰者	正史书名	卷数	成书年份	记载年代	类型	著录图书数量
西汉司马迁	史志	130	前101	起于黄帝迄目于汉武帝中期		
东汉班固	汉书	100	83	公元前206—公元前24	艺文志	9555篇2528卷
南朝宋范晔	后汉书	120	445	25—220		
西晋陈寿	三国志	65	289	220—280		
唐房玄龄等	晋书	130	648	265—419		
南朝梁沈约	宋书	100	488	420—479		
南朝梁萧子显	南齐书	59	514	479—502		
唐姚思廉	梁书	56	635	502—557		
唐姚思廉	陈书	36	636	557—586		
北齐魏收	魏书	114	554	386—550		
唐李百药	北齐书	50	636	550—577		
唐令狐德棻	周书	50	636	577—581		
唐魏徵等	隋书	85	636	581—618	经籍志	3127部36708卷
唐李延寿	南史	80	659	420—589		
唐李延寿	北史	100	659	386—618		
后晋刘昫等	旧唐书	200	945	618—907	经籍志	3062部51852卷
北宋欧阳修等	新唐书	225	1061	618—907	艺文志	3277部52094卷
北宋薛居正等	旧五代史	150	974	907—960		
北宋欧阳修	新五代史	74	1072	907—960		
元脱脱等	宋史	496	1345	960—1279	艺文志	9819部119972卷
元脱脱等	辽史	116	1344	916—1125		
元脱脱等	金史	135	1344	1125—1234		
明宋濂等	元史	210	1370	1206—1370		
清张廷玉等	明史	332	1739	1368—1644	艺文志	4633种105970卷

清代开始补编各代正史中所缺艺文志，先补辽、金、元三代，其后补汉、三

国、晋、五代，渐及其他各代。补编的艺文志主要依据各正史的列传、古典目录及其他有关资料。补史艺文志发端于清雍乾之际，发展于嘉道年间，全盛于光绪时期，所补艺文志约有 39 种。民国时期尚有 10 余种补史艺文志问世。

史志目录有两个流派：一派纪一代藏书之盛，另一派纪一代著述之盛。

私家目录由私人编纂，既包括私人藏书目录，也包括私人编纂的各种专科目录。唐宋以后，私人藏书目录渐多，如唐吴竞《西斋书目》记录家藏图书 13468 卷。宋朝有三部著名的私家目录：晁公武撰《郡斋读书志》6 卷，著录图书 24500 卷；陈振孙撰《直斋书录解题》原本 56 卷，现 22 卷，著录图书 51180 卷；尤袤撰《遂初堂书目》1 卷。明清以后，私家目录更多，如清代《绛云楼书目》《千顷堂书目》《也是园藏书目》《季沧苇藏书目》《传是楼书目》《好古堂书目》《栋亭书目》《孝慈堂书目》《上善堂书目》《孙氏祠堂书目》《振绮堂书目》《鸣野山房书目》《爱日精庐藏书志》《铁琴铜剑楼藏书目录》《邵亭知见传本书目》《持静斋书目》《越缦堂书目》《皕宋楼藏书志》等。

除这三大流派外，中国古代目录还有书院目录、佛道目录、金石目录、丛书目录、专科目录、导读目录、地方文献书目、个人著述目录等众多流派。

5.1.2.2 外国目录的起源与发展演变

在西方，表示书目的"bibliography"来源于公元前 5 世纪的希腊词"bibliographia"，但 17 世纪以前，却很少用"书目"这个词，多用 catalogus，elenchus，index，nomenclator，bibliotheca 来表示。1545 年，Gesner 使用 bibliotheca（书目）一词，从此，bibliotheca 一词流行起来，在 17 世纪下半叶成为图书目录的标准术语。17 世纪以后，bibliography 一词被广泛采用。拉丁词 bibliographia 是 1633 年出现的，它不是作为图书目录的名称，而是指图书指南，这个词在德国直到 1905 年还在应用。英文"bibliography"最早出现于《牛津英文词典》。1658 年菲力普斯的《新英文辞典》第一版还没有这一条目，到 1678 年第四版才出现这个词，后来逐步取代 catalogue 和 bibliotheca。

公元前 7 世纪，亚述尼尼微的塞纳彻瑞布（Sennacherib）图书馆里就有泥版文书（clay tablets）目录（Lal，1975）。亚述时代，图书馆所藏资料按主题编排，已有初具规模的编目，亚述巴尼拔（Assurbanipal）图书馆的每一藏书室门旁贴有书目，即该书藏书的简略书架目录（shelf list），各藏书室近门之处放置有类似主题名目录或解题书目的泥版，这些泥版上列有书名、该书所含版数、行数、卷首字、重要子目及其分类号。在小亚细亚的喜特王国，发现的泥版文书上附有著者和抄书者的书单。根据考古发掘，古埃及一些藏书室的墙壁上刻有藏书目录。古希腊的图书馆亦有藏书目录，罗得岛上曾发现一篇刻辞，其内容似一小型图书馆目录或捐助赠书籍的书目。

公元前 3 世纪，西方出现了第一位目录学家 Callimachos（约公元前 305—前公元 240），古希腊著名的学者和诗人。他利用在亚历山大（Alexandria）图书馆工作之便，编制了一部书目，即《各科著名学者及其著作目录》，也称为"Pinakes（皮纳克斯）"或"卷录"。原书目 120 莎草卷，但仅有部分残卷传世。这部书目介绍每一著者的生平及著作，记载了每篇著作的行数、字数，并将书目分为八类：演说术、历史、法律、哲学、医学、抒情诗、悲剧、杂类。至于这部书目是否是亚历山大图书馆的藏书目录尚难确定。从这部书目的特点看，它是西方第一部成熟的书目。这部书目并非 Callimachos 一人所作，在他逝世时书目尚未完成，是由亚历山大图书馆 Zenodotus、Eratosthenes 等馆员续成的。因此，可以说这部书目是以 Callimachos 为代表的早期目录学家的合作成果，Callimachos 也因此被西方称为"目录学之父"（Harris，1999）。

公元 2 世纪，希腊物理学家 Clande Galen 编制了《个人著述书目》（De Libris Propriis Liber），将其著作分成了评论、伦理学、语法等 17 类。

公元 420 年，St. Jerome（347—420）继承了 Galen 的思想，在其《著名的人》（De viris illustribus）一书中，基督教作家传记之后附有附有"图书之图书（De Libris Propriis Liber）"目录（William，1969）。在中世纪的修道院，有不少书目佳品。M. A. Cassiodorus 曾撰有修道院生活指南《圣规与古籍》（Institutiones Divinarum et Saecularium Litterarum），书后附有名著书目解题，这部书目一直被视为选择图书的指南。在德国，福尔达修道院的图书目录现尚传世，其编纂年代约在 744 至 749 之间。

公元 6 世纪，马赛的一位牧师 Massiliensis Gennadius 编制了一部书目（520 年），将许多教会作者的作品抄录下来。公元 7 世纪，St. Isidore 也编过类似的书目（634 年）。公元 8 世纪，修道士兼历史学家 Venerable Bede 写了一部《英国人基督教史》，将自己的著作编成提要附于书后。基督教作家书目在中世纪风行一时，1140 年 Honore、1142 年 Sigeberi、1295 年 Henri 都分别编制了这种书目。这些书目后来形成一部 480 页的巨著，著录了近九千名宗教界作家的著作，于 1580 年在科隆出版。

公元 850 年至 1100 年为拜占庭之学术与文艺复兴时期，这一时期作家的著作大都是文摘或文集。学者、主教 Photius 于公元 9 世纪编的《文粹》（Bibliotheca）就是一部文摘，包括早期作家作品 280 种，其中多为神学、希腊历史与文学著作，也有艺术与科学书籍，这种文摘是现代文摘的前身。文摘之外，中世纪还出现了索引。公元 987 年，M. al-Nadim 曾撰有多卷本《各科索引》，系阿拉伯文各类著作的篇名索引，附有作者简介，这部索引著录的图书现存者不过千分之一。

公元 10 至 12 世纪，埃及艾亚喜王曾建皇家图书馆，该馆及开罗其他图书馆都编有目录，并按当时知识类别分类。中世纪伊斯兰教图书馆藏书都要经过编目的正常手续，目录为手写卷式。据记载，图书馆目录长达 10 卷、20 卷甚至 40 卷，依大类排列，大类之下按购入先后排列，类似于新增书目。中世纪大学图书馆亦有图书目录，置于书架一端以标架上图书。目录多依字母顺序排列，也有将作者、书名或关键词混合排列的。巴黎大学图书馆 1289 年的目录著录藏书 1000 余卷，藏书分为初级部和高级部，初级部有语法、修辞、逻辑三科即三艺（trivium），高级部分为算术、几何、天文、音乐四科即四学（quadrivium），以及神学、医学与法学三类；1338 年目录著录藏书 1700 余种。剑桥大学图书馆 1473 年的目录著录藏书 330 卷。

公元 15 世纪初期，柏里城一位奥古斯丁教派僧侣 J. Boston 曾编撰一部英格兰各修道院藏书联合目录，著录数百所修道院藏书并按字顺排列，以数字标示藏书之处，这是西方较早的联合目录。

15 世纪，西方铅活字印刷术的采用促进了西方出版物的发展，书目也相应增加。1494 年，斯潘海姆修道院院长 Johann Tritheim（1442—1516）编制了《基督教作家书目》（*Liber de Scriptoribus Ecclesiastics*），包括近千名基督教作家的作品并按年代排列，这是印刷术之后的重要书目。

俄国目录萌芽于 11 世纪，最早的文献是《圣斯拉夫手稿集》（1073 年）中的《神学与语言》——包括"正确的"图书的目录和"秘密的"或"错误的"图书的目录。早期的书目主要是寺院图书馆目录。现存 15 世纪末佚名著《基里罗—别斯露采尔修道院手稿录》是较大的目录。

16 世纪以后，宗教改革和近代科学的发展转移了书目的发展方向，出现了各学科主题书目。1506 年，法国里昂医学家 S. 尚皮尔编制了第一部医学作家书目。1522 年，意大利法学家 G. 内维扎诺编制了第一部法学文献目录。

16 世纪以后，还产生了世界书目、国家书目、书业书目和图书馆目录等（柯平，1988）。

图书馆目录在相当长时间里，一直采取书本式目录方式。第一部重要的法国目录是 1622 年为即将成为法国国家图书馆的藏书而编制的，1684 年编制了另一部目录，该目录共分 23 类，每一类用一个或一个以上的字母来表示。19 世纪各图书馆印刷书本书目已相当普遍，1834 年由于不列颠博物馆理事会为编印书本式目录而施加的压力促成 1839 年 Panizzi 编目条例 The Ninety-one Rules。在德国，1931 年开始全国联合目录的编制，至 1939 年出版 14 卷。在美国，1942—1946 年首次印出了书本式的国会图书馆目录，随后定期出版累积补充本。

19 世纪 70 年代已有少数图书馆发明卡片目录。到 20 世纪，卡片目录成为图书馆目录的主要形式。图书馆目录的款目排列，通常是按字顺逐词排列而不是逐字母排列。当作者和书目款目在一起排列而主题卡片另行排列时，这种目录称分立式目录；而作者、书名和主题等款目合并起来混合排列时，这种目录称为字典式目录。依据图书馆使用的分类表进行款目排列时，这种目录就是分类目录。

5.1.3　目录的形态

目录的形态多种多样，主要有以下六种形态。

5.1.3.1　书本式

书本式目录（book catalog）是书目文献的最早形态，分手抄和印刷单行本两种形式。中国纸张出现以前，书本目录的主要形式是简牍，印刷术出现以前，书本目录的主要形式是手抄本。中国书本目录形成于汉，至宋而推广，至清而盛行，至清末民初而渐衰。

在西方，16 世纪以前的目录都是书本式营业性的宣传单，也可以说是登记式的财产清单（inventory list）。最早的书本目录是 1564 年 Augsburg 的 Georg Willer 印的目录，只有 19 页，内容按分类排列，该目录后来续编，至 1627 年止。1708 年俄国出现了活字印刷的文献总书目。

19 世纪以后，图书馆书本目录盛行，如英国不列颠博物馆印本书籍目录（1881 年）、法国国立图书馆书本目录（1897 年）、英国爱丁堡大学图书目录（1899—1923 年）。19 世纪末至 20 世纪的前 30 年，书本目录开始衰退。直至 1963 年 2 月，Margaret C. Brown 在美国宾州图书馆协会会报上倡导书本目录，使书本目录出现了复兴。

5.1.3.2　期刊式

期刊式目录（periodical catalog）是用定期或不定期连续刊物形式出版发行的检索工具。自 17 世纪中叶期刊产生以后，至 19 世纪有了检索性期刊。18 世纪下半叶，俄国杂志中出现了评论性的书目部分和具有同样特性的独立刊物，如 Г. Л. 巴克迈斯特尔编辑的向外国人介绍俄国文献的书目刊物《俄国书目》（1772—1789 年），Н. И. 诺维科夫 1777 年创办了俄国第一份书目杂志《彼得堡科学通报》。

20 世纪 60 年代以后，这种期刊增长很快，据统计，60 年代以前各国出版的检索性期刊有 1885 种，80 年代增至 4000 种以上。

5.1.3.3 活页式

活页式目录（loose-leaf catalog）产生于 16 世纪，是 Gesner 发明的，每一纸片记一款目，用线穿成目录。其特点是小型、灵活，可以随时增加和处置。

5.1.3.4 卡片式

卡片目录（card catalog）是在活页的基础上产生的。在 16 世纪的欧洲，一些国家图书馆员为那些后续版本的图书使用小纸片记录，作为原始卡片目录只供馆员使用，直至 17 世纪这种目录由于没有目录盒和固定卡片的穿条未在读者中推广。18 世纪法国大革命后，新政府令图书馆用卡片编目，于是卡片目录流行起来。1820 年，英国伦敦的电报工程师协会图书馆第一次提供公众使用的卡片目录。19 世纪，卡片目录传入美国，从打字卡片发展为印刷卡片。1840 年新手抄本目录预告对目录在外形上变革，即一种纸片目录（slip catalogue），宽 1.5 英寸，长 6.5 英寸；1847 年改为宽 2 英寸，长 9.5 英寸，这些纸片是专门为馆长设计的。1861 年 10 月 21 日，哈佛大学开始使用专为读者设计的 2 英寸×5 英寸卡片。1851 年 Jewitt 倡导印刷卡片。1876 年 ALA 成立大会上以卡片目录为讨论主题。1877 年，ALA 协作委员会宣布 3 英寸×5 英寸的标准卡片规格。美国国会图书馆 1881 年采用的卡片为 4.5 英寸×7 英寸，到 1898 年迁入新址时才开始使用 3 英寸×5 英寸标准卡片。1901 年国会图书馆采用标准通用格式，对外发行铅字印刷卡片，称为单元卡（unit card）。

20 世纪上半叶是卡片目录时代。学者们习惯用卡片记录文献线索或摘录书刊内容。各图书馆里都有专门的编目员和目录室，按 S. R. Ranganathan（1892—1972）20 世纪 20 年代的计算（袁咏秋和李家乔，1988），编目员根据藏书量配置，如果每年增加藏书 6000 种，每种书平均做 6 张卡片，则需要 4 名全日制编目员，平均每种书的花费大约 10 安那（印度旧货币，1 安那约等于 1/16 卢比）；目录室的大小取决于目录柜的数量，一个标准规格的目录柜占地 23 英寸×28 英寸，能容纳 48000 张目录卡片，按平均每种书六张卡片计算，每 8 千种书就需要一个目录柜。美国国会图书馆编制的全国联合目录，早期为卡片式，使用时要用书信或电话向美国国会图书馆查询。从 1956 年起，该目录新增部分每年以书本形式出版，每五年出累积本。

5.1.3.5 缩微式

缩微式目录（micro bibliography）包括缩微胶片、缩微胶卷和 COM。缩微胶片是一种卡片式的透明胶片，有 105 毫米×148 毫米（4 英寸×6 英寸）和 75 毫米

×125 毫米（3 英寸×5 英寸）两种规格。每一胶片平面纵横排列着若干画面格缩微影像。缩微胶卷是缩摄在纤维胶卷上，以直线排列的卷型为标准。长度不限，宽度有 16 毫米及 35 毫米两种（标准型），也有 70 毫米宽（罕用，一般用来缩微大张报纸）。每卷标准长度通常为 30 米（或 100 英尺），最长可达 2000 米，最短的为 10 米，短于 1 英尺的称为"缩微胶卷条片或片段"。COM 是指计算机输出缩微胶卷。一张 14.5 厘米×10.5 厘米的 COM 胶片可包括 3000 多条记录（款目），即能代替 3000 多张卡片。另一种超缩微的 COM 胶片，可以包括几万条记录。缩微目录开始于 20 世纪 40 年代，1941 年，欧洲一些国家的图书馆目录被摄制成胶卷，并于次年扩印成照相版的书本式目录。

5.1.3.6 机读式

机读式目录（machine-readable catalog）是将书目情报转换成机器可读的数字形式（即将文字或图像转换成二进制数字代码），记录在磁带或磁盘等磁性载体上，阅读时，再由计算机将它输出，转换成文字或图像。20 世纪 60 年代开始研制的 MARC 就是机读目录的代表。

5.2 书目的作用与类型

美国作家 Annie Proulx 在《通向散文之路》（*On the Road to Prose*）中说："我哀叹传统卡片目录的死亡，并不是我守旧，而是说过去的橡木抽屉让研究者可以在相邻的卡片中获得意外的利用和幸运的发现。这种偶然的信息有别于计算机严格的网状秩序。"实际上，只要是有存在的形式，任何书目或目录都有它的独特价值。

5.2.1 书目的作用

5.2.1.1 书目的学术文化作用

书目是某一时期学术文化的缩影，它通过记载某一时期各学科文献，反映各个时期学术文化概貌。

古典书目重在辨章学术。白寿彝认为，中国古代学术史专著有三种形式：一是目录书的形式，二是人物传记的形式，三是目录、传记、言行录混合的形式。王欣夫认为，编目录为了介绍文化遗产，将目录的体例分为四种：一是加叙述，如汉志、隋志；二是记版本，如尤目；三是录叙跋，如《经义考》《小学考》；

四是撰提要，如晁志、陈录。

古典书目通过类序反映学术文化。类序是书目中各大类和各小类的序言，是中国书目的传统方法，是书目的一个重要组成部分。类序分为大序、小序两种，大序叙一学之源流，小序叙一家之源流。书目还具有考辨古籍的作用。其表现在：①以目录著录之有无，断书之真伪；②用目录书考古书篇目之分合；③以目录书著录之部次，定古书之性质；④因目录访求缺佚；⑤以目录考亡佚之书；⑥以目录书所载姓名卷数，考古书之真伪。

当代书目，应当继承和发扬目录学的优良传统，撰写学术提要，通过摘要、书评等多种方法反映学术和文化。

5.2.1.2　书目的情报信息作用

文献的增长促成了书目控制。在今天，要实现书目控制，就要发挥书目的情报作用，广快精准地为科学研究和经济建设传递文献。具体地说，书目的情报作用表现在：

（1）报道科研动态

当前世界上大约有 6000 多门学科，新的学科、新的课题不断涌现，书目，特别是专题书目或索引，比较全面地反映了各学科的文献，比较及时地反映了新学科和新课题的文献。人们常称书目索引刊物为"信号"情报（如法国和苏联）。

（2）报道最新研究成果

书目的年报道量是书目报道最新成果的一个标志。国内《全国总书目》和《全国新书目》的年报道量为 2 万余种（图书）；国外，法国《文摘通报》年报道量 50 万条，美国《社会科学引文索引》年报道量 7 万条。书目的提要和摘要是书目报道成果的又一标志。提要客观说明并评价了文献及其成果，摘要更直接地指明研究的课题、方法和结论。

（3）提供文献线索

科研工作者通过书目查找文献线索是科学研究的必经之路。美国物理学家赫林认为：20 世纪 30 年代，科学家研究课题的文献和科学家阅读的文献相差很小，到 60 年代，科学家研究课题的文献增长了 5 至 10 倍，科学家阅读的文献只是研究课题文献的一部分。例如，关于化学的文献每年四五十万篇，涉及 1.4 万种出版物。化学文献 27% 发表在非化学期刊上。现代物理学中 90% 的知识是 1950 年以后人类新发展的，物理学文献 25% 发表在非物理学期刊上。

5.2.1.3　书目的知识教育作用

（1）指导读书学习

书目是读书学习的基本工具。江藩的《师郑堂集》写道："目录者，本以定其书之优劣，开后学之先路，使人人知某书当读，某书不当读，则易学而成功且速矣。"

（2）进行政治思想教育

通过书目，宣传马列主义，宣传党的路线和方针政策。在书目工作中，应注意推荐优秀图书，通过书目引导读者，影响读者。

（3）指导文艺书的阅读

著名作家老舍说过：对于译本，一本世界名著可能有好几种译本，我们应当告诉读者，哪一译本文笔好，而欠严谨；哪一译本极为忠实，而文笔稍差。通过书目特别是推荐书目指出文艺书的优劣和读法，对于提高读者的文艺欣赏水平和鉴别能力是有作用的。

书目的三个作用在不同的时代其受重视程度是不一样的。古代的书目大多是学者研究的成果，当时强调学术作用；近代由于普及教育的需要，强调书目的教育作用；现代书目由于科学研究的迫切需要，更强调其情报作用。

5.2.2　书目的类型

5.2.2.1　书目类型的划分

所谓类，就是在某一点上相同的一组事物。书目类型就是对众多的书目依据不同的标准区分，把具有共同点的书目归为一组，每一组书目就是一个类型。世界上的事物都是有类可分的，有规律可循的，书目也不例外。

书目类型的划分是书目本身的发展要求。中国古代书目，据汪国垣的《目录学研究》一书的统计以及《贩书偶记》及"续编"的统计，共有 1600 种，中华人民共和国成立后 30 年有书目 7783 种。对各种书目进行划分，有利于人们认识书目的特征，使杂乱的书目条理化。划分书目类型有利于书目编纂。不同类型的书目其编纂方法是有差别的，掌握各类型书目的编纂规律，能够提高编纂书目的速度和质量。划分书目类型有利于书目协调管理。准确地划分书目，能够按类组织排架和编纂书目之书目，进行书目统计，及时反映各类型书目的出版情况，为书目工作选题、决策提供依据。有了书目类型，能进行地区之间、国家之间各类型书目的协调，使各类型书目合理发展。划分书目类型还有利于书目检索，掌握各类型书目的针对性，根据不同的检索课题选择不同类型的书目，并且建立书目检索体系。

总之，书目类型的多样性是由图书文献的变化和读者利用的需要决定的。要不要划分书目类型关系到要不要从根本上认识书目，从理论上加以概括，科学地区分书目，确定书目之间的联系以及书目在整个书目体系中的地位和作用。

划分书目类型，必须确定划分标准。书目划分标准也就是区分书目时的依据，书目划分的多标准是书目发展复杂化的必然。

我们认为，书目可以从5个方面进行划分。

1）按书目的编纂目的和社会职能，可以划分为：登记书目、科学通报书目、专题书目、推荐书目、书目之书目五种，这是书目的基本类型。

登记书目（registrational bibliography）：它是全面记录一个时期、一定范围或一定类型文献出版或收藏情况而编纂的书目。主要有国家书目、藏书目录。

科学通报书目（scientific informative bibliography）：它是及时反映新出版或新入藏的文献的书目。主要有预订目录、在版书目、新书通报。

专题书目（bibliography on specific topic）：它是全面揭示报道某一学科或某一专题文献的书目。

推荐书目（recommended bibliography）：顾名思义，就是推荐图书的目录。

书目之书目（bibliography of bibliogrphies）：又称书目指南，是全面反映各种类型的书目、索引和文摘，揭示报道所有书目文献的一种书目总录。

2）按书目收录文献的内容范围可分为：综合目录、专题书目、地方文献书目、个人著述书目。地方文献书目如蒋元卿的《皖人书录》十卷附录一卷，收录自春秋末年至20世纪30年代安徽人物6600余名，著述17000余部。

3）按照书目收录文献的类型可分为：图书目录、期刊目录、报纸目录、丛书目录、古籍目录、乐谱目录、盲文图书目录、学位论文目录、地图目录等。

4）按照书目反映文献收藏情况，可分为馆藏目录（catalog of collected books）和联合目录（union catalog）。

5）按照文献的出版时间与书目编纂时间的关系，可分为现行书目、回溯书目和预告书目。

现行书目（current bibliography）是报道新出版文献的目录，通常是定期出版。

回溯书目（retrospective bibliography）是收录过去某一历史时期某一范围文献的目录。

预告书目（prospective bibliography）是报道即将出版的文献的目录。

总之，书目类型必须依据标准划分，一部书目按不同的标准划分就属于不同的类型。

5.2.2.2　个人著述书目

个人著述书目（personal bibliography），又称个人著述考。它是为揭示报道特定人物的全部著作以及关于他的文献而编的书目。它能够全面反映特定人物的著作、翻译、编辑、校阅等方面的活动，进一步反映作者的学术成就与贡献；它能够反映作者与学术界、政治各界的联系，进一步了解学术源流和学术流别以及学术活动；它能够反映社会各界对特定人物的评价，从而为学术界、出版界研究作者，编印文集提供线索。

个人著述书目分为两种：一是按年月编排的个人著述编年书目，又称著译系年。这种书目记载作者生平和著译编年情况；二是按专题或著作形式编排的个人著述研究书目，这种书目包括作者生平、著作情况和研究资料。

个人著述书目有四个特点：

其一，完整地反映特定人物各种著述。在个人著述书目中，记载各种著作方式，一般有著、编著、撰著、纂、编纂、译、编译、注、注释、笺注、辑、编辑、校、集校、订、修订、增订、续等。书目中还记载著作形式，一般有手稿、单行本、论文、文集（选集、全集）等。例如，李国俊编《梁启超著述系年》（复旦大学出版社1986年版）收梁启超所写政论时评、学术论著、文艺作品、译述、书信、谈话及其他杂著，不论其是否发表，均予立目。

其二，真实地反映作者著述中的名、字号、别名、行第、笔名，等等。例如，《梁启超著述系年》反映了梁氏各种署名如"梁任公""任公""哀时客""少年中国之少年""饮冰室主人"等33个，把各种署名同作品联系起来。例如，《梁启超著述系年》：

1900年（光绪二十六年庚子）二十八岁

致孙中山书

1月10日作

二十世纪太平洋歌

1月作

1902年2月8日《新民》第1号

《文集》（第16册）之四十五（下）第17页（作光绪二十七年）

少年中国说

2 月 10 日《清议报》第 35 册，署少年中国之少年《文集》（第 2 册）之五第 7 页

复金山中华会馆书

2 月 18 日作

3 月 21 日《清议报》第 39 册

《文集》（第 2 册）之五第 66 页

其三，系列地反映著作发表或著述时间的先后。作品的写作时间与发表时间是不一致的，只有通过个人著述书目表现出来。

其四，详细地反映对于作者作品的考证或推测。

个人著述书目与年谱犹如"姊妹"，都是研究一个人的重要工具，年谱记载一个人的生平史事，而著述书目则记载一个人的著述；年谱只按编年排，而著述书目则有编年、主题等多种方法。

5.3 索引与索引工作

"索引"一词，英文称"index"，来源于拉丁文"indicare"，原意是"指出"或"指点"。日本译为"索引"，中国沿用了日译的这两个汉字。索引也称"引得"，是据英文音译而来。所谓索引，就是记录和指引文献或单元知识，按一定的编排方法组织起来的检索工具。

5.3.1 索引工作的产生与发展

5.3.1.1 中国索引工作

中国古代"索引"一词指牵引，汉焦延寿的《易林》写道："爱我婴女，索引不得。"但具有索引意义的概念和类似于索引的工具早就出现。汉代班固《汉书》列有《古今人表》以备查考远古到楚汉之间的人名。梁元帝《古今同姓名录》标志着人名索引或人名辞典的萌芽。起源于魏晋，到唐、宋两代广泛发展起来的类书，因为它们所辑录的原始资料采撷群书，注明出处，以类相从或按韵编排，已具备索引的部分功能。

索引在中国旧称"通检""备检""韵""录"等。最早的索引是 1575 年北京司礼监刊行的《洪武正韵玉键》，已佚。现存最早的索引是明代崇祯十五年（1642 年）傅山编撰的《两汉书姓名韵》。

　　傅山对于中国索引的开创作了大量工作。据史料记载，他先后编过《春秋人名韵》《地名韵》《国策人名韵》和《两汉书姓名韵》四部索引，前三部已佚。《两汉书姓名韵》分《西汉书姓名韵》和《东汉书姓名韵》两部分，依声分部，比韵排名，并附传略，以四声为纲，按四声分卷册，以韵为纬，每字按韵排列。

　　其后，清初蔡烈先在 1649—1652 年编纂《本草万方针线》，起到了对《本草纲目》索引的作用。乾隆年间汪辉祖编了《九史同姓名录》《三史同姓名录》《史姓韵编》等人名索引。章学诚对索引进行了全面总结，提出了索引编纂的理论，并进行索引实践，编纂了《历代纪元韵览》《明史列传人名韵编》。

　　鸦片战争后，索引较少，只有黎永椿《说文通检》等几部。

　　五四运动以后，提倡科学、新文化的思潮冲击着学术界，作为治学工具的索引得到了发展。1917 年，林语堂在《科学》杂志上发表《创设汉字索引制议》一文，较早将"索引"一词引入中国。

　　20 世纪 20 年代开始发起"索引运动"。1928 年，万国鼎论述索引效用，介绍欧美索引，称赞章学诚等索引研究的"先觉"，提出："盖中国索引运动，已在萌芽矣。他日成绩，惟视吾人如何努力耳。"到三四十年代，这一运动迅速发展。

　　1929 年，钱亚新的《索引与索引法》论述了索引类型，从内容和形式两个方面进行了划分，将索引分为书籍的、杂志的和报纸的三大类型。这一时期，各类索引相继问世。杜定友《学校教育指导法》（1925 年）书末附索引，是现代中文书籍中最早的书后索引。王重民《国学论文索引初编》（1929 年）等是早期的专科杂志论文索引，杜定友主编《时报索引》（1929 年）是最早的报纸索引。1921 年蔡廷干为老子《道德经》而编《老解老》（1922 年刊行）是语词索引的字索引，洪业称"中国人为旧书作堪靠灯（concordance），似当以此为最先"。40 年代，杨殿珣的《石刻题跋索引》（1941 年）是现代第一部有关石刻资料的大型索引。当时的大型索引还有《文学论文索引》《清代文集篇目分类索引》《佩文韵府索引》《十通索引》《二十五史人名索引》等。

　　这一时期文史索引发展较快。哈佛燕京学社引得编纂处在洪业主持下，1930—1950 年共编纂出版了 61 种古典文献索引。原"中法汉学研究所"1943—1947 年先后编辑出版了 8 部古典文献通检，1948—1950 年又以"巴黎大学北平汉学研究所"的名义出版了 6 部古典文献通鉴。

　　这一时期，欧美、日本的索引法在中国产生了很大的影响，但由于汉文典籍的特点，必须探索自己的索引之路，于是开展了索引理论研究。1925 年，《史地学报》发表何炳松的《拟编中国旧籍索引例议》，呼吁："吾国旧日之硕学通儒，号称'腹笥'。聪明者一目十行，资钝者再三环诵。毕生尽力，所得几何。而在不学者观之，已如天上神仙，不可企及。实则所谓腹笥，即系无形之索引。所异者，一书纸上，一记脑中耳。今若将吾国载籍，编成索引，则凡百学子，皆可予取予求。有裨探寻，岂止事半功倍。"1926 年，林语堂在《语丝》76 期发表《图书索引之新法》，提出按韵母编纂书目、人名索引的新方案。接着，刘复（半农）在《语丝》78 期发表给袁同礼的信，指出林语堂的索引新法不够简便，提出一个新方案。袁同礼在回信中，又直率地指出刘复的索引法的弱点。

钱亚新是索引理论的重要贡献者。1930 年他的索引理论著作——《索引和索引法》由商务印书馆出版，详细论述了索引和索引法的定义以及索引的功用、种类、编纂法等，杜定友说它是"我国关于索引和索引法的第一部著作"。1937 年钱亚新又发表《中国索引论著汇编初稿》，全面总结了 1936 年以前的索引编纂与研究。

洪业是索引事业的重要推动者。他发明的"中国字庋撷法"在索引编纂中产生了积极作用。1932 年他的索引著作《引得说》由燕京大学引得编纂处出版，该书分"何谓引得""中国字庋撷法"和"引得编纂法"三大部分，从选书、选本、标点、抄法、校法、编号、稿本、印刷、印本校对、加序等 10 个方面对古典文献索引的编纂原理和方法进行了系统论述。

此外，索引研究的组织受到重视，1925 年中华图书馆协会成立后，专门成立索引委员会，林语堂、赵元任、洪业分别被聘为主任、副主任和书记，胡适、陈宗登、杜定友、王云五、万国鼎、胡庆生、丁绪宝等被聘为委员，积极推动索引事业。在 1929 年召开的中华图书馆协会第一次年会上，成立"索引检字组"，还通过了万国鼎、李小缘提出的《通知书业于新出版图书统一标页数法及附加索引案》。

中华人民共和国成立之后，索引工作进一步发展。中国索引学会 1992 年编印的《中国索引学研究资料目录》索引部分收录了 1991 年以前的汉籍索引 1214 种，其中中华人民共和国成立前 164 种，中华人民共和国成立后 652 种，港澳台地区所编 126 种，外国编辑的部分汉籍索引 272 种。就正式出版的索引单行本而言，1949—1993 年共有 352 种，其中马列著作索引有 17 种，人文社会科学索引有 233 种，科学技术有 72 种，综合类索引有 30 种。

1991 年 12 月，中国索引学会在上海成立。该学会大力开展索引理论研究，推动索引编纂标准化工作；为繁荣索引编辑出版，培训索引编纂人才，举办全国索引学理论和编纂方法进修班，推动着中国索引事业的发展。

2005 年，由侯汉清和黄秀文主持的《索引编制规则（总则）》项目正式启动。2008 年 11 月 3 日，国家标准《索引编制规则（总则）》（GB/T 22466—2008）颁布，于 2009 年 4 月 1 日起正式实施。2018 年 3 月 15 日，国家标准《地方志索引编制规则》（GB/T 36070—2018）发布，于 2018 年 10 月 1 日起实施。

5.3.1.2　外国索引工作

在西方，据 1879 年 H. B. Wheatly 的《什么是索引》说，罗马人首先用"索引"这个词表示某一发现、某一揭示者、通报者。在运用到文献方面时，索引就意味着目录、目次、标题，甚至是书名。赛涅卡曾谈过哲学家西塞罗的索引，当时西塞罗写信给阿迪克斯，请他派两个人来修补他的书，并要他们带一些羊皮纸来编制索引。

在英语中，"索引"的用法是主格而不是宾格，一般意思是"目次表"或"文献指南"。莎士比亚经常使用这个词。最初的"index"和"table"两词交替使用，到 17 世纪中叶前者才处于支配地位。在现代英语用法中，"table"还保留着目次表的意思，"index"一般指按字顺或分类排列的款目，通常见于书末，诸如财产目录、书单目录、日程表、一览表、大纲、概要这一类词已不再与索引同义。

西方第一个专门索引是为《圣经》编制的，根据布沙 1971 年的说法，《圣经》语词索引大概存在于第七和第八世纪。西方最早符合现代索引标准的索引是 1247 年雨果主编的《圣经语词索引》，而到 16 世纪上半叶，才出现正式的书籍索引，1536 年吉普森所编圣经《〈新约〉索引》是最早的英文索引。

大约在 17 世纪，学术性图书中出现了索引。例如 1611 年 John Speed 的《大不列颠的历史》一书中有一个"包括该历史中最重要材料的字顺索引表"，斯科贝尔的《议会法令和条例（1640—1656）》有整部书中的大多数资料内容的字顺目次表，在字顺目次表前面是"包括在表中的书名索引"。

西方现代报刊论文索引的发明要归功于 William Frederick Poole。1882 年他编的《索引》把报刊论文题目中的关键词编成主题款目，这种索引是当代 Wilson 索引的先驱，也是题内关键词索引的先驱。

19 世纪，英国的国会议员甘贝尔建议国会通过一项法案，规定新出版的图书必须附有索引，否则不予出版。这项法案虽未通过，但对于提高学术界和出版界对索引的重视及改善索引编制起了促进作用。

20 世纪以来，国外索引迅速发展，有两个明显特征：一是数量大、种类多。*Bibliographic Index* 和其他类似的指南每年列举数千种新目录索引，而且都是以高度精选为基础的。二是大型化。索引的容量逐渐增大，大部头的索引发展快。如美国著名目录学家和标引家哈西在 20 世纪初编制了两部索引，一部是《美国经济学资料索引》，1907—1922 年分 13 卷出完，另一部是《1828—1861 年美国外交文献索引》，1914—1921 年分 3 卷出版。大型索引期刊不断提高文献数量、文献类型和文献语种的网罗度，如美国《工程索引》收录 48 个国家的 3500 种期刊，年报道量 15 万条。

标准化、自动化是 20 世纪索引工作的发展方向。英国标准学会 1964 年颁布了《图书、期刊和其他出版物索引的编制》（BS 3700—1964），并经过 1976 年、1988 年两次修订。美国国家标准学会 1968 年颁布了 Basic Criteria for Indexes（ANSI Z39.4-1968［R1974］），该标准 1984 年修订。此后许多国家制定并颁布索引的国家标准，如罗马尼亚的《情报与文献工作——出版物主题索引》（STAS 8254—1968）、《情报与文献工作——出版物著者索引》（STAS 8255—1968），葡萄牙的《出版物索引》（NP 739—1969），比利时的《出版物目录或索引》（NBN 3547—1971），印度的《编制字顺索引的规则》（IS 275—1976），德国的《索引的编制》（DIN 31630—1982），等等。在各国索引标准的推动下，ISO 陆续制定、颁布一系列索引标准：《单语种叙词表编制与修订准则》（ISO 2788—1974）、《文献工作——出版物的索引》（ISO 999—1975）、《文献工作——文献审读、主题分析与选定标引词的方法》（ISO/5963—1985）、《多语种叙词表编制与修订准则》（ISO/5964—1985）。1987 年提出了国际标准草案《文献工作——索引的编制》（ISO/TC46/WG46—1987）。

5.3.2　索引的特征与作用

5.3.2.1　索引的特征

一是针对性。索引必须具备四个条件：有一定的记录范围，有确定的检索对象，有一定的编排方法，有出处证明。索引针对一定的范畴进行分析和检索，范围和功能十分明确。

二是分析性。武汉大学、北京大学《目录学概论》编写组对索引的解释为："索引是将书刊中的篇目、语词、主题、人名、地名、事件及其他事物名称，按照一定的方式编排，并指明出处的一种检索工具。"Harrod 的词典（1990）认为索引有以下含义：①是一个系统排列的表，每一条目通过页码或其他符号指明其位置；②针对一书或群书，其主题、人名、地名等的详细字顺表，指出其在各卷的确切位置；③出版物、文献和其他记录中单词、概念和其他项目位置的系统指南；④文献集合中包含事物或引出概念的系统指南；⑤这一术语现在有新的含义，因为使用了机器，索引与目录同义；⑥（情报检索）用于指明一篇文献或一组文献的情报、内容或主题；⑦（动词）组织一系统的目录。

索引分析的对象，既有文献如图书、报刊资料以及其中人名、书名、刊名、篇名、内容主题名等，也有各种事物和对象（如字、词、物品等），或加注释，记明出处页数，按字顺或分类排列；既可附于一书之后，也可单独编辑成册。

三是检索性。索引是专门查寻文献、知识与信息的一种工具。韦尔西希和内韦林称，索引是"文档或文献内容的一种顺序参照表，附有鉴别和查找这些内容的参照"。美国国家标准学会1968年标准将索引定义为："文献集合中包含的事项或从文献集合中引出的概念的一种系统的指南。这些事项或引出的概念是由按已知的或已说明了的可检顺序排列的款目表达出来的。"中国国家标准《索引编制规则（总则）》（GB/T 22466—2008）将索引定义为："指向文献或文献集合中的概念、语词及其他项目等的信息检索工具，由一系列款目及参照组成，索引款目不按照文献或文献集合自身的次序排列，而是按照字顺的或其他可检的顺序编排。"

5.3.2.2 索引的作用

(1) 文献信息分析

索引既可以解释文献的线索，也可以解释文献的内容。它通过对某一文献或文献集合所包含的所有重要主题或特征信息进行分析，使文献中的知识单元、重要概念显现或揭示出来，起到了开发文献资源的作用，使文献增值，也有利于发挥文献的作用。

索引编纂既是一种文献开发活动，又是一种科学劳动，索引有时是科学研究的前期劳动工具，有时是科学研究的副产品。例如，明清史专家孟森，鉴于清代国史馆编写的清人列传与民国间撰写的《清史稿·列传》互为去取，同一人物也有详细异同，于是取国史馆列传的三个本子与《清史稿·列传》合为通检一编，名为《清史传目通检》，在编纂过程中发现了《清史稿》的粗疏。傅璇琮等在编写《唐五代人物传记资料综合索引》的过程中，陆续发现古籍记载的讹误，经考订，写成《谈全唐文的修订》《读全唐诗小札》《宋元方志举正》《两唐书校勘拾遗》等论文，发前人所未发。

(2) 文献信息示址作用

索引的重要功能就是指明文献及其内容的出处，帮助用户有效地确定关于某一主题有哪些相关文献及其出处，或在一部著作中迅速而准确地判断关于阐述某一主题或特征的信息的具体位置，以便快速查寻用户所需要的信息。

索引的示址作用使人们能迅速地获取资料，解决问题，到达目的地，减少盲目性，是科学研究的得力工具。例如，陈乃乾编《清代碑传文通检》，揭示了一千多种清人文集中传记资料的出处。日本学者编《中国随笔索引》和《中国随笔杂著索引》，使分散在百余种笔记杂著中的数以万计的条目得到系统揭示，解决了笔记查找困难。正如洪业所说："图表者，目录者，引得者，予学者以游翔于载籍中之舟车也。舟车愈善，则其所游愈广，所入愈深。"

（3）文献信息检索

索引具有强大的检索功能，这表现在两个方面。一是索引编纂可以组织任何文献中的知识与信息，通过书后索引或专门的索引工具，方便读者检索。二是索引可作为各种检索工具的辅助，从多种角度标引文献，就可以提供多种检索途径，特别是书目、文摘，通过辅助索引提高检索效率。因此索引的应用非常广泛，它不仅出现于各类一次文献中，而且在各类工具书中也发挥了重要作用。

5.3.3 索引的类型

5.3.3.1 按索引分析的对象与功用划分

以索引分析的对象与功用为标准进行划分，索引可分为篇目索引和内容索引。

（1）篇目索引

篇目索引是标引文献的整体主题及局部主题如图书或报刊中的论文篇目，或者标引文献的外部特征，按一定编排法组织起来的供查找篇目位置的索引。篇目索引又称"题录"或"论文索引"，其功能是供人们查找某篇文章以及某一方面的文章。从检索途径看，篇目索引又分为：①报刊篇目索引，如《全国报刊索引》；②史传篇目索引，如《三国志人名索引》；③文集篇目索引，如《元人文集篇目分类索引》；④全集篇目索引，如《斯大林全集篇名索引（第1—13卷)》；⑤丛书篇目索引，如《中国丛书综录》"子目书目索引"。

（2）内容索引

内容索引（content index）是将文献中的字、词、句、人名、地名、主题等具体内容及主题因素作为标引对象，按一定编排法组织起来的供查找具体内容位置的索引，是可以直接检索到事实情报的索引。在内容索引中主要有语词索引和主题索引。

语词索引（concordance）：以书刊中字、词、句为标引对象的索引，每条之下注明出处即书刊页码。语词索引又分为：①以字为目的，如顾颉刚的《尚书通检》；②以词为目的，如《三国志及裴注综合引得》；③以句为目的，如叶绍钧《十三经索引》。

主题索引（subject index）：以书刊中文献主题词为标引对象的索引。如《列宁全集索引（第1-35卷)》上册。

5.3.3.2 按索引标目划分

以索引标目为标准进行划分，索引可分为主题索引、名称索引、地名索引、题名索引、著者索引、代码索引、关键词索引、全文索引、引文索引等。

（1）主题索引

主题索引是指以文献主题或主题因素为标目、提供内容检索途径的索引。索引款目一般按照主题标目的字顺排列，如动植物索引、矿物索引、产品索引、历史事件索引等。

（2）名称索引

名称索引（name index）是指提供文献中包含的事项名称字顺检索途径的索引。如人名索引、团体名索引、会议名索引、商品名索引、系统名索引、软件名索引等。

（3）地名索引

地名索引（geographic name index）是指通过地理名称查找文献或文献内容的索引，包括行政区域地名索引、自然区域地名索引、历史地名索引、名胜古迹索引、作者籍贯索引等。

（4）题名索引

题名索引（title index）是指按照文献题名的字顺排列，提供文献题名检索途径的索引。题名是文献的重要外表特征，包括书名索引、刊名索引、篇名索引、报名索引、影视片名索引、诗歌首行索引等。

（5）著者索引

著者索引又称作者索引（author index），以文献上署名的著者、译者、编者的姓名和机关团体名称作为存储和检索文献标识的索引，通常按著者姓名字顺排列，提供著者检索途径，包括个人著者索引、团体作者索引、专利权人索引等。

（6） 代码索引

代码索引（code index）又称号码索引（numerical index），是指提供按照文献的特定数码标识（如报告号、专利号、标准号、合同号、ISBN、ISSN 号等）检索途径的索引，包括专利号索引、合同号索引、国际标准书号索引等。

（7） 关键词索引

关键词索引（keyword index）是指以文献题名或文摘中的关键词为标目的索引。从关键词入手查找文献的索引，通常有题外关键词索引（KWOC Index）、上下文关键词索引（KWIC Index）和双重上下文关键词索引（D-KWIC Index）等。

（8） 全文索引

全文索引（full-text index）是指按照文献原文中的字、词、短语编制的索引。又称"堪靠灯"或语词索引。

（9） 引文索引

引文索引（citation index）是指利用文献之间的引证关系（引用与被引用的关系），将引用文献显示聚焦在被引文献之下，并按被引文献第一著者的字顺排列的索引。这是从被引文献出发去检索引用它的全部文献的索引。主要有综合性引文索引、专业或专题引文索引。

5.3.3.3 按索引的编排和组织方式划分

以索引的编排和组织方式为标准进行划分，索引可分为字顺索引、分类索引、分类-字顺索引、字顺主题索引、前后关联索引、挂接索引等。

（1） 字顺索引

字顺索引（index in alphabetical order）是指按索引标目词语的字顺排列的索引。

（2） 分类索引

分类索引（classified index）是指将索引款目按某种分类体系或按某种分类标记排列的索引。其中，等级制分类索引是按等级制分类法顺序排列的索引。

（3） 分类-字顺索引

分类-字顺索引（classification-index in alphabetical order）是指先将索引款目

粗略分类，同类款目再按索引标目字顺排列的索引。

（4）字顺主题索引

字顺主题索引（subject index in alphabetical order）是指将文献中的主题按字顺排列起来的索引。

（5）前后关联索引

前后关联索引（precis）又称"保留上下文索引"，是指将文献中作为款目词的关键词进行轮排以保留上下文原意的索引。

（6）挂接索引

挂接索引（articulated index），又称题外关键词相关索引。

5.3.3.4 按索引发表与出版方式划分

以索引发表与出版方式为标准进行划分，索引可分为附录式索引、单行索引、索引期刊等。

（1）附录式索引

附录式索引是指附于某一文献之后出版的索引。如书后索引、文附索引、刊附索引等。

（2）单行索引

单行索引又称单卷索引，是指与被标引文献分开、单独印行的索引。

（3）索引期刊

索引期刊又称检索刊物，是指以期刊形式连续出版的索引。按照所索引的范围，检索刊物往往有附有期索引、卷索引、年索引和多年度的累积索引。

5.3.3.5 按索引的载体划分

以索引的载体为标准进行划分，索引可分为印刷型索引、缩微型索引、电子索引等。

（1）印刷型索引

印刷型索引又称纸本索引，是指存储在纸张上的索引。

（2）缩微型索引

缩微型索引是指存储在缩微胶卷或缩微胶片上的索引。

（3）电子索引

电子索引又称索引数据库，是指制作成数据库、电子图书、光盘、网页等形式，用计算机显示或查找的索引。

5.4　文摘与文摘工作

文摘既是文献信息揭示的一种方法，又是浓缩性揭示的产品或成果。它具有确定的属性、独特的文体、专门的写作技巧。文摘是一种文化现象，是语言、知识、情报相互作用的结果。

5.4.1　文摘工作的产生与发展

5.4.1.1　中国文摘工作

"文摘"作为外来词出现于 20 世纪二三十年代，到 40 年代才普遍使用，但类似于文摘的文献早已出现。1839 年，林则徐在广东主持把外文报纸上有关鸦片贸易和侵略活动的报道摘译成中文，编为《澳门新闻纸》，开中国近代文摘先河。1896 年，英国人傅兰雅（John Fryer）在上海创办《格陵汇编》，可谓中国最早的中文文摘报刊。1897 年 5 月，上海集成报社编辑出版《集成报》旬刊，是中国人创办的第一份文摘报刊，该刊 1898 年 5 月停刊，1901 年复刊，1902 年再次停刊，共出版 83 期。此外，有 1897 年问世的《萃报》、20 世纪初由印度尼西亚泗水桥青年会创办的《群报摘要》（至 1905 年 5 月共出版 110 期）。

1911—1949 年是中国文摘形成与初创时期。1934 年《化学》杂志首次开辟"中国化学摘要"专栏，《史地社会论文摘要月刊》在上海大夏大学创刊，1934—1944 年共创办文摘报刊 40 余种，仅 1940 年就出版 12 种。1945 年新创刊文摘报刊 10 余种，1946 年 17 种，1947 年 17 种，形成了现代文摘工作的第一次高潮。

中华人民共和国成立以来，文摘工作经历了不平凡的发展过程。从 1953 年起，有 4 种生物科学方面的文摘创刊，科学出版社定期出版。1956 年，中国科技情报研究所成立后，即组织力量翻译苏联的《文摘杂志》，并于同年出版了《机械制造文摘》和《冶金文摘》两个分册，至 1961 年共翻译出版了 50 个分册。

1961 年，中国成立中国国外科技文献编译出版委员会（1978 年改称中国科学技术情报编译出版委员会），在其领导下，由全部翻译文摘逐步过渡到自编文摘。截至 1966 年，已自编文摘期刊 30 种 83 个分册，年报道量 35 万条。

1966—1976 年，中国文摘工作遭到严重破坏，绝大部分文摘报刊停刊，仅 1972 年、1973 年新创了 5 种文摘期刊。

1977 年以后，中国文摘工作开始恢复发展。1980 年，全国科技情报编委会颁布了《关于建立健全我国科技文献检索刊物体系的方案（草案）》。1986 年 6 月 14 日，国家标准《文摘编写规则》（GB 6447—1986）发布，1987 年 6 月 1 日实施，这一标准既适用于编写作者文摘，也适用于编写文摘员文摘，促进了中国文摘编写的规范化。

1980—1987 年，共创刊 195 种文摘报刊，1987 年正在出版发行的文摘报刊达 240 余种。到 1992 年，大陆出版的文摘期刊增至 207 种，其中，科技文摘期刊 163 种。到 1994 年 3 月，全国已有文摘报刊 290 余种。

5.4.1.2 外国文摘工作

文摘工作是伴随着科学杂志的发展而产生的。从科学杂志上发表文摘逐步发展为专门的文摘杂志。1665 年 1 月 5 日由法国 Denys de Sallo 创办的《学者杂志》（*Journal des Scavans*）被认为是第一个公开发行的文摘刊物，专门发表图书文摘。此后，类似的杂志有 1684 年哲学家贝尔创办的《文坛新闻》，1687 年，贝尔的朋友、新教教徒和律师德伯瓦尔出版的《学者著作史》。

18 世纪，文摘工具逐渐增多，1769 年到 1776 年德国刊行的《各学院优秀外科论著摘要汇编》被认为是较早的文摘单行本。18 世纪，文摘杂志陆续出现。在德国，1769 年《重要国外科学论文摘要》被认为是西方第一本近代文摘杂志，也有人认为应该是 1714 年霍夫曼创刊的《建设》（*Aufrichtige*）。此外有 1703 年创刊的《文摘月报》、1712—1739 年出版的《德国博士学刊；或学者史，当代欧洲文学概况介绍》、1949 年创刊的《科学现状、变化和进展的可靠消息》、1778 年创刊的《生物学爱好者化学杂志》、1784 年创刊的《生物学、药物学、家政学和制造业爱好者化学年刊》。在英国，有 1747—1844 年出版的《每月评论》、1782 年创刊的《时报文摘与简明编年史》等。在法国，有 1765—1793 年出版的《世界百科全书杂志》和 1754—1790 年出版的《文献年刊》，1772—1815 年、1817—1818 年出版的《法国及外国杂志文摘》，1789—1792 年、1798—1815 年出版的《化学年鉴》等。

19 世纪科学出版物众多，到 1830 年，科学杂志已有 300 余种，随之而来的是文摘杂志的大量出现。1830 年，德国《药学总览》（后改名为《化学总览》，是德国《化学文摘》的前身）问世，被公认为世界上第一个真正的文摘杂志。此后，有美国 1837—1842 年出版的《美国医学情报；医学科学与文献集萃》、1878 年创刊的《美国统计学文摘》、1889—1940 年出版的《会议录文摘》等，有英国的 1845—1873 年出版的《医学科学半年度文摘：英国及欧洲大陆医学及附属科学进展摘要》、1840—1853 年出版的《英国统计学文摘年刊》等，有德国 1845—1918 年出版的《物理学进展》等。1892 年美国心理学会创办的《心理学文摘》（Psychological Abstracts）被认为是西方最早的社科专业文摘杂志。

20 世纪，文摘工作进入了新的阶段。20 世纪上半叶，文摘杂志激增，美国 1907 年创办了《化学文摘》（Chemical Abstract），后兼并了德国的《化学文摘》，1926 年又创办了《生物学文摘》（Biological Abstracts）等。英国出版了《物理文摘》和《电工文摘》。1900 年平均每 46 种杂志中有一种文摘刊物，1930 年上升到平均每 24 种杂志中有一种文摘刊物。第二次世界大战以后，出现了一些跨学科面向任务的文摘杂志，如美国原子能委员会 1948 年创办的《核科学文摘》等。

20 世纪 50 年代后，文摘工作发生了变化，文摘杂志向大型化发展。苏联 1953 年创刊《文摘杂志》，按学科分 153 个分册，年报道量达 140 多万条，包括 22000 种期刊和 45000 种专利说明书。英国 1954 年创办的《分析文摘》、1969 年创刊的《天文学和天文物理学文摘》。各国文摘杂志逐渐形成报道体系，世界文摘杂志数量由 20 余种发展到 2000 余种。美国《化学文摘》报道 50 多种文字的 14000 多种期刊和 26 个国家的专利说明书以及数千种会议录、科技报告等，年报道量 1300 万条（1990 年）。普及性文摘杂志趋向社会化，情报性文摘杂志趋向专业化，如英国德温特出版公司最早出版的是《英国专利文摘》，1963 年以后按专业报道，先后创办有《药物专利文摘》、《农业专利文摘》、《世界专利索引》（1975 年创刊）等。

文摘机构众多，据统计，全世界有文摘索引机构约 1500 个，英国有文摘索引机构 387 个。1968 年编制的《世界科技文摘与索引服务指南》列举了约 40 个国家的 1885 个文摘与索引服务社；后来的新版则包含有 2500 个文摘与索引服务社的说明。

随着文摘与文摘机构在科学中的作用不断提高，早在 1952 年，国际科学联盟理事会文摘委员会成立（ICSUAB），其宗旨是在国际范围内以促进和加速世界科学文献的文摘工作而进行组织协调，促进 ICSU 所拥有的各类科学资料的交流。在 80 年代中期拥有 6 个成员子国际联盟，27 个文摘标引服务处以及比利时、法国、南非、美国 4 个成员国，下设科学数据工作组等 6 个主要工作组，1984 年"ICSUAB"决定改名为"国际科学技术信息理事会（ICSTI）"。此外，美国于 1922 年成立了"全国文摘索引工作联合会"（National Federation of Abstracting and Indexing Services），1958 年改组为"全国科学文摘索引工作联合会"（NFSAIS），主要任务是提高和改进世界各国的科技文献资料的文摘、索引和分析工作。后来，联合会活动范围逐步扩大到包括社会科学和人文科学范畴，因此到 1972 年 10 月，将"科学"一词从会名中删掉，简称为 NFAIS。国际文献工作者联合会在加强国际文摘工作协调方面也做了许多工作，1969 年出版了《世界文摘服务》。

文摘工作向自动化和标准化发展。在自动化方面，世界许多文摘杂志采用计算机技术编制，生产供联机检索的数据库，或生产磁带版、光盘版等。在标准化方面，1949 年 UNESCO 发表《出版物作者自编文摘条例》，1961 年 ISO 通过了《文摘工作——出版物的文摘和文献工作》［ISO214—1976（E）］，1979 年又通过了《文摘工作——连续出版物中的文摘页》的标准，一些国家如美国、日本、苏联、中国等在国际标准基础上制定了国家标准。1970 年美国国家标准学会颁布了文摘工作国家标准（ANSI Z39.14—1971），1978 年修订。1970 年苏联也制订了《情报与书目文献体系、文摘与提要》（Γ OCT 7.9-70），1977 年颁布新标准《文摘与提要》（Γ OCT 7.9-77）。

5.4.2　文摘的特征与作用

5.4.2.1　文摘的特征

文摘是以提供文章内容梗概为目的，不加评论和补充解释，简明、确切地记述文献重要内容的短文。ALA 认为 abstract 是对于一个作品（work）进行缩略而准确地表达，通常不要补充解释或评论。

文摘具有以下特征。

一是浓缩性。文摘是对文本进行高度浓缩，用简洁的语言表达文本的知识与信息。这是文摘的最大优点。

压缩程度是文摘浓缩性的一个标志。文摘把科学文本的词数压缩到 $1/10-1/20$，即一篇 2000 个词的论文压缩为 100 到 200 个词左右。这样，文摘比文本要短得多。

由于自然语言有大量的冗余信息，文摘的重要任务就是排除冗余，通常要删除文本提供的研究历史与背景材料，省略那些众所周知的技术、设备、过程、结论、前提和结果等普通知识，减少冗长的逻辑论证和繁杂的推导证明，保留有用的知识信息。

文摘的浓缩性不仅反映在对文本内容的精练上，而且表现在语言的精练上，要使用简单和流畅的语言，特别是使用缩写词和代号，既不影响对文本的理解，又节省了篇幅。

二是报道性。文摘是对最新科研成果或最新知识的报道。从选择报道的角度，可以成为科学研究"信号"情报，一项新的创造、发明、发现可通过文摘形式迅速报道；也可以成为科学论著的"提炼"情报。从文摘撰写角度看，它特别注意文本的新观点、新思想、新的结果和结论，将文本中的新知识突出出来，呈现在读者面前。

三是保真性。文摘含有较大的信息量，准确地揭示文本中有价值的知识与信息，在某种程度上可以看作是文本的替代品。从本质上说，文摘与文本有着不同的职能，文本中含有大量的有益冗余，而文摘是根据特定读者要求或以一定水平读者为对象，保留对读者最有用的信息。

文摘保真性在于它如实反映文本中的事实、概念、数据、原因、过程、时间等，不加任何评论。它没有失去文本的价值，也不改变文本的特性，在文献信息的真实性、准确性上力求与文本一致。

5.4.2.2　文摘的作用

（1）有助于快速吸收知识与信息的省时作用

由于阅读的时间是有限的，而文献的数量趋向于无限大，任何人都不可能阅读所有的文献。就是对某一领域的专家来说，阅读全部的文献也是不可能的。以生物医学为例，该领域出版社每年出版的论文约 200 万篇，假定一研究人员以每小时两篇的阅读速度阅读这些论文，每天用 1 个小时来阅读杂志，一年连续阅读 365 天，那么，要读完全世界出版的生物医学论文，将需要 27.4 个世纪。在这种情况下，如何节省阅读时间就成为重要的问题，而文摘是一个理想的工具。

文摘节省阅读时间，有利于对文献信息的消化吸收。与阅读文本相比，阅读文摘的时间至少可以节省 9/10。这是由文摘的简洁性决定的。从另一个角度看，文摘实际上是将阅读的范围扩大了 10 倍。读者可以在节省时间和扩大阅读范围之间求得一种平衡。

比节省时间更重要的作用是，文摘帮助读者对文献信息的消化和吸收。读者阅读文本，会遗漏大量的知识和信息，不断阅读又易于遗忘较早的阅读内容。例如，读过第 100 篇文献之后，第 1 篇的内容可能已经遗忘了。如果按阅读文献的遗忘速度阅读文摘，被遗忘的也只有 1/10 左右。

（2）有助于科学文化交流的中介作用

文摘克服语言障碍，有利于科学与文化交流。

文献的多语言环境是科学与文化交流的障碍。一般认为，所有工程和科学方面的研究报告大约用 70 种语言写成，但科学家和工程师平均只能读懂一两种语言。这样，不同语言的文献只要用一种较通用的语言写成，就能使读者通过这种文摘获得各种语言的文献信息，从而克服了语言障碍。

文摘既可以用与文本相同的语言来表述，也可以用与文本不同的语言来表述，这有利于开展国际范围内广泛的情报交流。对于某些不公开发行或少量发行的文献，如寄存文稿、学位论文等，文摘是唯一的交流形式。用外语发表的文摘是向国外报道科研成果，扩大国际科学文化交流的有效途径。

(3) 有助于科学研究的情报作用

文摘提供信号情报，有利于科学研究的参考。

文摘的新颖性决定着它在科学研究中的快速报道作用，科研人员通过阅读文摘，可以掌握最新的研究成果，获取最新的知识与信息，进入某一专业领域的前沿。以化学文摘为例，从 1967—1971 年，由化学文摘各个部门作出文摘和标引的文献达 140 万篇，1972—1976 年达到近 200 万篇。1976 年，美国化学文摘社（Chemical Abstract Service）出版了一种半月刊《化学文摘选编》，向用户提供涉及近 20 个化学领域的最新情报。截至 1977 年年初，化学文摘社化学登录系统已有 370 多万种特定物质、600 万个名称和化合物分子式。在分成几个组的不同国家内，有近 1500 名专业人员从事着文摘的编写工作。化学文摘社还与英国化学情报服务处签订合作协议，该服务处每年编写附有相应索引著录项的文摘近 1.9 万篇。

俄国科学家莱蒙诺索夫说："做摘要的目的和用途，在于更快地向科学界传播图书的情报。"文摘为科研人员提供了研究的"信号"，通过文摘可以了解和掌握文本的基本内容与精华，如果读者要了解详细的研究过程，可以在阅读文摘的基础上进一步阅读文本，因此，文摘有助于读者选择文献。

如果要了解相关学科的研究，文摘是一个极好的手段。通过浏览和阅读文摘，可以了解许多学科的信息，使读者开阔眼界，为科学研究积累材料。

5.4.3 文摘的类型

5.4.3.1 按文摘的性质和用途划分

以文摘的性质和用途为标准进行划分，文摘可分为报道性文摘、指示性文摘。

（1）报道性文摘

报道性文摘（informative abstract）是根据文本的顺序摘述重要的事实情报，较全面完整反映文本主要内容的一种文摘。它概括地叙述文本或一次文献的主要论点、研究对象和目的、研究结果和结论及研究性质、方法和条件有关的各种重要资料，特别是创造性内容及所含重要定量数据，对文本或原文献内容进行最完整的浓缩，使读者获得较大的情报量，使读者对文本基本思想和主要内容有全面的了解，因此，一般读者阅读这样的文摘可以免查文本。报道性文摘适用于小说、论文、技术报告、会议报告等。

例如，Tschinkel《关于植被的保护：四种炉子的性能与经济性》一文的报道性文摘：

在试验室对石油压力炉，石油固定芯炉，石油可调芯炉和丁烷或丙烷气炉的燃料经济性，最大生热量，可调范围和性能特点进行了研究。在突尼斯，考虑到丙烷的价格，石油压力炉最为经济，它的性能最好。

在农村中使用这些取暖方法，可以限制对植被的破坏。

（2）指示性文摘

指示性文摘（indicative abstract）是指明文本或一次文献的主题（论题）、范围、主要论点或结论的一种简明文摘。这种文摘多采用列表式或分段式，扼要指出文本或一次文献中的对象、公式、数字、方法或结论，简要说明文本内容梗概，但揭示内容简单、不具体。这类文摘适用于讨论性、综述性文章或简短论文。

例如，Tschinkel 在《关于植被的保护：四种炉子的性能与经济性》一文中的指示性文摘：

比较突尼斯农村地区使用的烧石油和天然气的四种炉子的物理和经济特征。

5.4.3.2 按作者划分

以文摘的作者为标准进行划分，文摘可分为作者文摘、第三者文摘或文摘员文摘。

（1）作者文摘

作者文摘（author abstract）是由文本或一次文献的原作者针对自己的作品所编写的文摘。由于作者掌握文本的内容，只要掌握写文摘的方法，就能写出最准确最完全的文摘。

例如，Tschinkel 在《关于植被的保护：四种炉子的性能与经济性》一文中的作者文摘：

在一些干旱地区，取暖使用木材和木炭的需要已使植被的破坏达到了令人不安的程度，因而各国政府提倡使用天然气和石油代替木质燃料。为了合理选择最适用于农村地区的炉子，四种带喷火头的炉子在实验室进行了试验，包括：①石油压力炉；②石油可调芯炉；③石油固定芯炉；④丙烷气或丁烷气炉。文章对燃烧的经济性，可产生的最大热量，可调节的范围和性能特点做了比较。文中指出石油压力炉几乎比所有的炉子都好；尽管天然气炉的供热特性与之相似，但在突尼斯丙烷价格高，使用石油压力炉最为经济。

1949 年在巴黎和 1959 年在华沙召开的有关科学情报工作国际会议上，作者文摘受到各国的普遍重视。ISO 已经提出建议，要融合 synopsis 和 abstract 这两个概念，使两者的区别"失去实际意义"。

（2）文摘员文摘或第三者文摘

文摘员文摘（abstractor's abstract）是文本作者以外的第三者包括学科权威、专职的文摘人员所写的文摘。这种文摘有统一的文体和结构，能够客观地反映文本内容。

5.4.3.3 按文摘的表现形式划分

以文摘的表现形式为标准进行划分，文摘可分为文章型文摘、电报型文摘、逻辑文摘。

（1）文章型文摘

这是一种语句连贯、具有短文特点的文摘。

（2）电报型文摘

电报型文摘（telegraphic abstract）是由词序及若干表述词来说明文本内容，具有高度规范化的电报文体特点的文摘。这种文摘将信息量最大的名词或其他词汇罗列出来，由词汇的排列顺序反映语义内容。其简短性质适于进行计算机检索。但因使用不便，这类文摘被标准文摘所取代。

例如，Tschinkel 在《关于植被的保护：四种炉子的性能与经济性》一文中的根据叙词编写的文摘：

经济性．森林．

研究/家用经济性/在/农村地区/对四种炉子做以下比较/烧/适用炉子燃料/

石油

研究/森林保护/避免使用/取暖木材/因而破坏/植被。

例如,《利用 Si-Mn-Zr 强化剂来改变铸铁性能》

顺序号 00190, 作者 C. O. Burgess 和 K. W. Bishop, Trans. Am. Foundryman's Assoc., 预印本 No 44-16, 35 页(1944)。

范围:铁冶金,起始材料,加工材料,给定性能 2.5% - 3.5% C 和 1% - 2.5% Si。

性能:张力强度,横越强度,布氏硬度,冷淬深度。

过程:罐内处理,借用 Si-Mn-Zr 合金,35 磅感应炉。

条件:最大温度 2800℉,过程,最大浇注温度 2600℉。

产品:给定性能,灰口铁含少量的 C. Si. Mn. Zr。

改良了的性能:张力强度,横越强度,冷淬深度。

讨论:罐内处理,灰口铁成分,浇注过程。

(3)逻辑文摘

这种文摘把文本中的分析出来的关键词分为三组,凡属研究对象及其属性的均列入内因组,凡属设备、条件、方法与添加剂等均列入外因组,结果和结论则列入结果组。因而也称为关键词因果文摘。

如上述电报型文摘可改编为:

内因:灰口铁 C 2.5% - 3.5%,Si 1% - 2.5%

外因:35 磅感应炉,最大熔化温度 2800℉,最大浇注温度 2600℉,盛铁水罐,0.25% Si-Mn-Zr 合金加剂。

结果:性能改变,布氏硬度,张力强度,横越强度,冷淬深度。讨论,脱氧处理。

5.4.3.4 按刊载的地方划分

以文摘的刊载地方或位置为标准进行划分,文摘可分为同所文摘、异所文摘。

(1)同所文摘

它是随同文本发表,置于标题和文本之间的文摘。这种文摘是文献的一个组成部分。

(2)异所文摘

它是集中刊载于文本之外,或刊登于文摘杂志之中的文摘。

第 6 章　工具文献编纂法

有些人推测编目员是来自遥远星系的外星人，他们来到地球是为了让东西变整齐一点。

——Will Manley

　　Will Manley 所说的编目员是工具文献编纂工作者的代表，他们必须掌握工具文献编纂方法，这是目录学的实用性所决定的。朱天俊（1993）指出，"目录学是致用之学"。目录学重要实践包括工具文献编纂。工具文献，旧称工具书，是根据特定的需要和编纂目的，汇集某一范围的知识或资料，按照一定的方式编排，供人们查考使用的特种文献。工具文献一般分为检索工具文献和参考工具文献两大类。实践中，由于一些目录工作者从未亲自动手编纂过工具文献，很难体会到编纂工具文献的甘苦及经验，缺乏对中国目录学思想的正确理解、科学评价和认真总结，从而在一定程度制约了当代目录工作的进程。因此，必须加强理论与实践的结合，用科学的理论和方法指导工具文献编纂，促进目录工作的发展。

6.1　书目编纂法

　　当检索和利用各种书目时，读者看到的是书目编纂结果，而不是书目编纂过程，书目编纂方法的科学性决定着编纂过程的规范与科学，也直接影响着结果。

6.1.1　传统书目编纂方法

　　传统书目编纂法就是对原始文献（一次文献）进行加工处理的方法。书目编纂过程，一方面取决于文献客体的范围、形式和内容，另一方面取决于具体的书目需要和特定的目标。

　　一般来说，书目编纂分六个步骤。

6.1.1.1　书目选题

　　爱因斯坦说，提出一个问题，往往比解决一个问题更重要。正确的选题是编纂书目的良好开端。

书目选题要求：①选题要具有现实意义，要考虑社会主义现代化建设的需要、发展科学文化，提高人民群众文化水平的需要。诸如配合政治任务、科研任务、经济建设、文化建设、教学工作的选题。②选题要根据社会读者需要，也就是考虑读者对书目的不同要求。③选题要将近期需要和长远需要结合起来。首先选近期最需要的课题，其次选当前需要未来也需要的课题，再次选未来需要的课题。

以东莞图书馆为例，根据青少年对于漫画资源的需求，2004 年建成漫画馆，积累漫画书 2 万余册，年接待读者达 30 万人次。2014 年编辑出版第一部漫画书目《漫画文献总览：1940—2013》共 6 卷 12 册，收录 1949—2013 年中文漫画文献，2017、2020 年分别编辑出版 2014—2015 年卷、2016—2017 年卷。针对少儿绘本阅读需求，2010 年开始建立儿童绘本数据库，2018 年编辑出版第一部绘本书目《绘本文献总览》6 卷 16 册，收录全国 2016 年以前中文绘本图书书目约 3.3 万条，2020 年又编辑出版《绘本文献总览（2017—2019）》，收录绘本书目 2 万余条。通过编纂书目，既开发了馆藏资源，又满足了读者需求。

选题要广泛地调查，通过信息反馈，了解社会的需求。在此基础上，对各种需求、各种可能的课题进行分析研究，筛选出带有普遍性的，最有现实意义的课题。各单位应互通信息，避免课题的重复。选题还要结合书目编纂单位的特色和可能性。当某一课题既有必要性，又有可能性，课题就基本选定。

选题的完成还需要确定标题，书目的标题要通俗、简明、揭示主题内容。

6.1.1.2　拟定书目编纂方案

选题之后，为确保书目编纂质量，必须制订编纂方案。其主要有两大内容。

（1）确定编纂体例

根据书目的选题，确定书目的读者对象和专门用途，选择恰当的书目类型，进一步确定书目的收录范围。其范围包括：①时间范围，收录哪一个时期的文献资料；②内容范围，收录某学科、某专题的资料；③确定收录文献类型范围；④确定收录地方范围。在此基础上，选择并确定正文的编排方法，决定正文的构成部分，形成粗略的目次。

（2）制订书目编纂计划

一般大中型书目除确定书目体例外，还要进行人力、物力、财力和时间的安排。

对于编纂人员，要精心挑选组成，国家书目和联合目录一般都有专门的编纂班子，这样固定的班子便于书目出版的连续性和著录的一致性及内容的完整性。

对于材料条件，要做调查分析。确定文献源，有两种途径：第一，先检索书目之书目，然后检索书目，再检索文献。第二，先检索馆藏目录，然后检索联合目录，了解本课题的文献分布。在此基础上，确定以哪些单位的藏书为基础，除对资料条件做一恰当估计外，对工作费用、设备也要做相当的估计。

书目编纂一般要分期进行。要拟定各期的具体计划和完成指标。以《中国古籍善本书目》为例，在编纂之前就进行了周密的计划。这个书目的编纂情况如下。第一阶段，善本书的普查及书目体例的确定。1978 年 3—4 月通过了《收录范围》《著录条例》《分类表》三个文件。至 1978 年 11 月，普查完成，进行总结，确定 1979 年安排与部署。第二阶段，编纂体例的深化和善本书的著录。1979 年 3 月，版本鉴定及著录工作会议。第三阶段，总编工作，1980 年 5 月中旬开始，包括汇总排片、审校著录、编辑定稿、出版发行。

6.1.1.3　文献的收集和揭示

收集文献要以收录范围为标准。收集文献的途径：一是从书目中收集文献。可以以国家书目作为主要资料来源，如专题书目据国家书目材料。也可以以已有的书目为基础，例如编纂地方文献书目在前人的书目基础上作补充。二是根据藏书单位的条件收集文献。有些书目冠以"馆藏"字样的必须反映本馆的藏书，一个单位编纂的书目要以本馆藏为主，充分利用本馆藏书目录。三是从原始文献中收集文献，采用追溯法。

在收集文献的同时，要注意接触原始文献，进行文献的书目分析（文献识别）。

揭示文献是书目编纂的重要工作，著录是书目揭示的基本方法，提要、摘要、书评、注释是辅助方法。在书目中，一般是将基本方法和辅助方法结合起来。通常是"著录+提要"或"著录+注释"或"著录+书评"。

揭示文献时要注意：首先，明确各种揭示方法的关系，如著录与注释，提要与注释，摘要与书评。其次，根据书目的需要恰当地利用各种方法。提要、书评的撰写需要较高的水平，且需要时间，一般来说，国家书目、推荐书目，必须撰写提要，其他书目尽量撰写提要或注释。再次，将书目的灵活性和标准化结合起来。书目揭示文献有较强的灵活性，就著录格式而言，早期的书目多采用竖行连贯式，如《隋书·经籍志》《旧唐书·经籍志》等。近现代书目一般采用分段著录，少数书目采用列表式，如《中国地方志综录》《中国丛书综录》中的"全国主要图书馆收藏情况表"。随着书目的发展，标准化是人们的普遍要求，也是书目揭示文献的发展趋势。

通过揭示文献形成书目款目。书目款目一般由书目著录（书名项、著者项、出版项、稽核项、附注项）和提要（或注释、书评）两项组成。

6.1.1.4 文献的精选和编排

文献的收集实质是对文献的初选，在揭示文献后，为保证书目质量，必须对所收文献进行认真地审核、精选。

精选文献的方法是：第一，对文献进行分析，排除与课题无关或关系不大的文献，或删除与读者对象和专门用途不相符合的文献。第二，查重，避免文献不必要的重复著录，处理好丛书和分册、期刊和期刊论文、初版本和增订本等的关系。第三，优选该主题的重要文献，根据需要选取相关主题的文献。第四，检查书目的文献包罗度，及时补充遗漏的文献。

对款目进行编排和组织，一般采用分类编排法、主题编排法、编年编排法、字顺编排法、地域编排法。书目分类通常有两种方法：一是根据分类法（《中图法》）修改而成，取其大类。如《全国总书目》。二是自编分类表，如《古籍目录（1949.10—1976.12）》自分九类：综合、学术思想、历史、文化教育、语言文字、文学艺术、农书、医学、其他科技书。主题编排法多用于专题书目和个人著述研究书目。分类编排和主题编排是以文献的内容特征作为编排依据，而著者、书名等字顺排列法是以文献外部特征作为编排依据，年代、地区编排则以文献的时空特征作为编排依据，各有其特点。

书目编排必须根据书目具体需要选择编排法，以一种方法为主，其他方法补充。

6.1.1.5 编纂书目的辅助索引

辅助索引是检索书目正文的辅助工具。其作用在于：第一，正文中任何一种编排法都有其局限性，必须通过辅助索引弥补正文单途径检索的局限。所以辅助索引是正文编排方式在逻辑上的继续。第二，辅助索引能提供多途径检索，方便读者快速查找资料，提高书目的利用率，满足读者的各种检索要求。

根据具体需要，通常编制著者索引、主题索引和书名索引。例如，《上海地方志目录》正文按地区排，书后附有书名索引（按四角号码排）和索引首字笔画检字（笔画查四角号码）。大量编纂辅助索引，既补充正文的缺陷，又节省读者查找时间。

6.1.1.6　编写书目的序言、序例

古代书目前有总序，说明书目的内容；现代书目一般编写序言、序例。

序言又称前言、引言，主要说明编纂意图、编纂过程和编纂人员情况。

序例也称凡例、编例、编辑说明，是任何一部书目不可缺少的部分。序例主要说明编纂体例，指明检索方法。大致有五项内容：①编纂目的、用途和读者对象；②收录范围说明；③文献编排顺序的说明；④著录格式的说明或举例；⑤辅助索引及其用法。

书目编纂主要有以上六个步骤，实际上，还有其他如编纂目次、附录、审校，封面装帧设计等工作。

书目编纂过程一般分为四个阶段，即准备阶段（第一、二步）、分析阶段（第三步）、综合阶段（第四、五步）、结束阶段（第六步）。

款目和编纂法共同构成书目的内在结构。书目的外在结构就是书目的若干组成部分。一部完整的书目，一般有三个部分：说明部分（包括序言、序例、目次）、正文部分和辅助资料部分（包括辅助索引、附录）。

6.1.2　计算机书目编制方法

自从计算机产生以后，很快用于处理书目的试验并成功开展了计算机书目编制。

计算机编制书目，要建立书目数据库，首先要确定数据库的结构。一条文献款目，是一篇文献的特征的描述，在逻辑上是一个整体，在数据库中被定义为一条记录。一条文献款目内，分若干著录事项，如题名项、责任者项、出版项等等，每个事项在数据库中都被定义为一个字段，成为题名字段、责任者字段、出版项字段等等。某些著录事项（如责任者事项）中，有两个或两个以上的成分，如有两个著者或两个以上著者姓名时，为便于计算机识别和处理，需要在该字段再划分子字段。每个字段和子字段都需要有标识符。标识符可以是数字或文字，但不能相互重复，以便使计算机能根据标识符来判断哪个是题名，哪个是著者姓名等等。此外，还需要确定每个字段的最大长度。在书目中，文献的题名有长有短，字段长度一般按最大的长度来确定，否则，长的题名就不能完整地记录下来。确定记录的各个字段之后，如果还需要数据库具备检索的功能，还应由用户定义该作索引的字段及其索引的方式。书目数据库中，书名字段、著者字段、分类号字段、主题词字段等都可作为索引的字段。

当书目数据库的记录被确定以后，就可以进入下一步的工作，即书目数据

的录入。用户在计算机系统显示出来的表格中，输入相应的数据。对于原始编目来说，这一工作比较繁重。而对于套录或已有全文数据的基础上，则可以采用计算机处理的方法，具体是让计算机提供定义隐含值的功能，提供对字符串的切割与粘贴的功能，提供对录入数据的报错功能，提供批处理的功能等，结合智能输入与处理，节省书目工作者的录入时间，从繁琐的人工劳动中解放出来。

数据录入完成后，在建库软件或系统的支持下，计算机能够自动地形成书目数据库。

计算机编制书目要根据一定的书目标准，不同的标准有不同的要求与特征。国际上书目编制的 MARC 格式，既有 UNIMARC，也有各国自己制定的 MARC 格式。

在计算机上建成的书目数据库，既可提供线上检索，也可以多种形式输出。如可输出数据制作光盘版书目，也可输出数据打印为书本目录，或者排版印刷的书本目录。

一般来说，计算机编制书目并不复杂。可以充分利用计算机的优势，进行文献多样化的整理与加工，如在生产数字化综合书目基础上，生产加工为数字化专题书目或按读者个性化需求定制数字化个人书目。

6.1.3　书目编纂实践案例：推荐书目编纂

6.1.3.1　推荐书目的特征

推荐书目，也称为"导读""选读""举要""学习""阅读"等，是为特定的目的和特定的读者，围绕某一范围或某一专门问题对文献进行选择性推荐而编纂的书目。《中国大百科全书》将推荐书目（recommendatory bibliography）定义为"为指导读书治学或普及文化知识，选择适合特定读者群需要的文献而编成的目录。又称选读书目、导读书目。常见的形式有重要著作选目、读书计划、专业阅读书目"。

推荐书目内容精炼，形式灵活，具有三个鲜明的特征。

（1）指导性

推荐书目的指导性表现在编纂目的上：它引导读者学习某一方面的知识，显示出某种政治导向和文化导向。它目的明确、思想性强，有教育意义和社会效果。它指导读者阅读，侧重在读什么和怎样读，是阅读方法指导和读书指南。五四运动以后，中国出现传播马克思列宁主义的推荐书目。《中国青年》杂志 1924 年发表了冰冰的《一个马克思学说的书目》。作者在书目前言中说："有许多青年问我，研究马克思学说，在中国出版界要看些什么书？这是一个很难答复的问题。"作者通过推荐 23 种有关马克思学说的书刊，用推荐书目回答了青年们的提问。

（2）选择性

推荐书目的选择性表现在收录文献上：它围绕特定的目的和读者对象选择一定数量的文献。要对大量的文献进行筛选，选出最必需、最恰当和最优秀的文献。最必需，是指基本的、不可少的、对读者有用的文献。最恰当，是指适合特定读者阅读、符合读者阅读能力的文献。最优秀，是指有价值，在内容和形式上达到较高水平的文献。

推荐书目要求适当的文献量。从小型推荐书目来说，要求文献精选；从大型推荐书目来说，要求文献优选。如《一个马克思学说的书目》选书少而精，既有《共产党宣言》《工钱劳动与资本》等马克思主义经典原著，也有《资本论入门》等解释读物，还有《俄国共产党党纲》《第三国际议案及宣言》《社会主义讨论集》等现实文献。书目编排简单且反映书籍之间的内在联系，先列有关社会主义在中国传播的书籍，接着介绍社会主义史、近世政治、经济思想史方面的图书，然后推荐马克思主义概论、唯物史观、阶级斗争学说、马克思主义经济学说的书籍，最后选介研究马克思学说的参考期刊。

（3）评价性

推荐书目的评价性表现在揭示文献上：它对收入书目中的每一文献都有评介；而且，将评介与指导阅读和推荐相结合，以影响读者。书目中提要注意揭示一书的社会影响，推荐内容性质相同的书，深入浅出，富有思想性和推荐性。美国著名节目主持人、专栏作家和报人 Clifton Fadiman 著有《一生的读书计划》（*The New Lifetime Reading Plan*），是作者为 18—80 岁的读书人推荐的一份大规模读书计划。他根据多年的读书经验，采取与读者对话的方式，为读者精选并评介了 100 多种古今世界名著，内容包括戏剧、诗歌、小说、散文、历史、传记、自传等，始于荷马，迄于现代。每书之下有 500—1000 字的介绍或评价。该书前言说："这份书单的目的很单纯，只是希望能帮助我们避免精神破产，并让西欧传统中最伟大作家所思、所感、所想的，逐渐充实我们的心灵。"

6.1.3.2　推荐书目的类型

（1）按编纂目的和职能划分的推荐书目

推荐书目，按编纂目的和职能划分，有两大类型。

Ⅰ.普通推荐书目

普通推荐书目是为配合政治思想教育、普及科学文化知识、推荐优秀文艺读物而编纂的书目。它以为社会教育服务为特点，表现在三个方面。

一是为政治思想教育服务的推荐书目。

随着新文化运动的兴起产生了普通推荐书目。在《一个马克思学说的书目》之后，《中国青年》还发表了恽代英的《读什么书和怎样读书》、施存统的《研究社会科学——也是一个书目》。这些推荐书目在传播马克思主义，辅助进步青年阅读中发挥了巨大的教育作用。

当代普通推荐书目要宣传党的方针政策，宣传马列主义、毛泽东思想和邓小平理论，开展道德和素质教育是社会主义推荐书目的重要任务。

二是为普及文化知识服务的推荐书目。

普及文化知识，有利于全民族文化素质的提高，推荐书目是一种好方法。在国外，推荐书目受到重视。苏联大型综合性推荐书目《书的书》1969—1970 年由列宁图书馆、谢德林图书馆、俄罗斯加盟共和国的历史图书馆和中央综合技术图书馆合编，收录图书 5500 种。美国大型推荐书目《读者顾问：大众读物指南》初版于 1921 年，1974—1977 年第 12 版有三个分册，收录英美优秀文学作品以及综合性参考书、传记、宗教、哲学、心理学、自然科学、社会科学、历史、政治、艺术、传播学、民俗与地理、旅游等书籍。另一大型推荐书目《读好书：阅读指南》初版于 1932 年，1978 年第 21 版收书 2500 种，包括各种文学体裁的书，以及艺术、人文科学、社会科学、自然科学和综合性参考书。

三是辅导文艺书阅读的推荐书目。

文艺书，特别是小说作品，是大众读者的阅读选择。它既是丰富人们业余文化生活、供人们欣赏、品味、消遣的读物，又是教育人们的艺术化了的教科书，是供人们借鉴、思考的读物。例如，黄立振编的《八百种古典文学著作介绍》1982 年由中州书画社出版。它收书 815 种，分六个部分：神话、先秦散文、传记文学；诗歌、楚辞、诗文集；诗文评论；词曲、变文、小令；笔记、小说；戏曲、传奇。

季羡林主编有两部文学推荐书目，一部是《中外文学书目答问》（中国青年出版社 1986 年版），推荐优秀文学图书 266 种，包括文学理论（25 种）、西方文

学（53 种）、东方文学（20 种）、俄苏文学（27 种）等，中国古典文学部分有
106 种，中国现当代文学部分仅收 1965 年以前的 35 种。另一部是《东方文学名
著题解》（1989 年版），介绍亚洲和北非以及古埃及、古巴比伦、古希伯来的 167
个作家的 219 部作品。该书目对于中国青年出版社出版的《外国文学名著题解》
（上下册）译自俄文同类著作并限于欧洲、北美、拉美、澳大利亚的范围，是一
个很好的补充。

四是青少年读物推荐书目。

例如，方洲主编的《青年必读书手册》（中国青年出版社 1997 年 11 月版）
分为四个部分：首选书系中国传统文化、中国文学与世界文学首选书；常备书系
若干职业与行业的入门书、工具书；必读书系"处世与修养"等 16 个学科或类
别的 130 部书；候选书。

Ⅱ. 专业阅读书目

专业阅读书目是为配合各级专业教育、各种职业技术教育而编纂的专业阅读
书目。

按专业编纂是专业阅读书目的一个特点。以汉语言文学专业为例，1986 年，
南开大学中文系编的《中国语言文学系学生阅读书目》，由南开大学出版社出
版。该书目收录语言学和文学重要图书 500 多部，是学习汉语言文学专业的
指南。

大学生导读书目是专业阅读书目的主要类型。有配合大学本科、专科教育的
导读书目，如 1985 年《书林》杂志编辑部编的《大学文科书目概览》由上海人
民出版社出版，该书目分哲学、文学、语言学、历史学、经济学、法学、社会
学、教育学、心理学、图书馆学十个学科，介绍大学文科必读书和参考书千余
种。其他导读书目还有《大学生导读书目》（周莲芳主编，1990 年）、《师范专
科学校专业课程导读书目：文科分册》（福建师专图书馆协作组编，1990 年）、
《大学生必读名著导读》（关健主编，1990 年）、《大学文科指导书目》（李玉、
吴宗同主编，1991 年）、《大学生导读书目系列丛书》（李君主编，1993 年）等，
都是大学生课外阅读和素质教育的推荐书目。

随着大学素质教育的蓬勃开展，素质教育导读书目兴起。1997 年 8 月，由武
汉大学近四十位教授推荐撰稿的《大学生文化素质教育百部名著导读》由武汉
大学出版社出版。一些高校也推出自己的导读书目，如北京大学百年校庆推出的
《北京大学学生应读选读书目》由北京大学校内外 50 位著名教授推荐，有应读书
目 30 种，选读书目 30 种，1998 年出版。张岂之、徐葆耕主编，清华大学教务
处、人文社会科学学院 1997 年 9 月编印《清华大学学生应读选读书目（人文部
分）》参考了清华大学校内外专家意见，提出供清华大学本科生试用书目 80 种，

包括中国文化、外国文化、中国文学和外国文学四类，每类 20 种。

（2）按编纂者划分的推荐书目

按编纂者划分，推荐书目有机构推荐书目和个人推荐书目两大类型。

机构推荐书目是为配合某一活动，由活动的组织者编纂的推荐书目，有政府组织编纂的推荐书目，也有图书馆组织编纂的推荐书目。政府重视有利于推荐书目的有组织编纂。1955 年 7 月，文化部关于加强和改进公共图书馆工作的指示指出，"要分别地编制和利用各种推荐书目、索引及图书评价等"为各部门服务。1979 年和 1980 年，共青团中央提出少年暑期推荐书目。随着群众性读书活动的开展，配合读书活动的推荐书目大量涌现，随着图书评奖活动的开展，各种获奖书目成为推荐书目的新类型。

个人推荐书目大多为名家编纂，特别是学术名家推出的书目有较大的学术影响力。个人推荐书目具有数量多、内容新、大众化、多样化、小型化等特征。

6.1.3.3 推荐书目的选题

推荐书目的选题要有鲜明的现实性和指导意义。

（1）围绕不同水平读者对象的迫切要求进行选题

在读者群中，有各种各样水平层次的读者。一般而言，中等或中等以下水平的读者需要普通推荐书目，而高等文化水平的读者更需要专业阅读书目。

（2）围绕不同专业的读者要求进行选题

由于专业或职业的不同，需要初学或进一步学习某专业的知识，这时就应选择与专业相符的课题。

例如，给农民编纂的书目主要围绕农业方面、文化知识的普及方面；为工人编的书目围绕工商业、城市文化方面；文艺工作者需要懂一些理科知识，为创作服务，这样就可以为他们编一个普及科技知识的书目；科技工作者也需要懂一点文学艺术常识，如从事科技普及和推广工作的需要懂语言文学、传播学知识。

（3）围绕不同年龄的读者要求进行选题

青少年读者有他们的心理特点和读书要求，要为他们选择适当的课题，使他们尽快步入文化科学之门，如"科技常识""文化常识""哲学入门""美学入门""法学入门"等课题，对他们而言都是急切需要的。

儿童具有好奇心理，但又在启蒙阶段，为他们编纂的推荐书目要小巧，选题也不宜大，多选一些有趣味、简单的课题，如"你知道地球吗？""连环画推荐"等。

中年读者的需要比青少年的需要专深些，为他们选择的课题就不应太容易。如为他们选择"你知道地球吗？"显然不恰当。因此，要为他们选择各专业的课题，特别是新课题，如"软科学入门书举要""管理科学推荐书目""中年保健推荐书目"对他们是恰当的。

老年读者的读者量明显减少，更需要读书少而精，这时推荐书目也应当是少而精，如"老年人问题推荐书目""退休之后读书""养花养鸟推荐书目"等。

(4) 围绕特别任务进行选题

在围绕特别任务（如重要节日、纪念日、纪念活动、社会教育、假期学习等）进行选题的同时，应当确定推荐书目的读者对象及其用途。要对读者社会职业、教育程度、阅读兴趣和能力进行调查研究。

6.1.3.4 推荐书目的理论依据

推荐书目不是围绕一个主题选几个书这么简单，为什么要推荐，推荐什么，怎么推荐，都要有科学依据。特别重要的是，要在选题研究的基础上，确定推荐书目的理论依据。

以《读书分年日程》为例。宋代以后，书院发展，家塾扩大，教育的发展使推荐书目水平得以提高。元代初年，程端礼总结朱熹、真德秀以来在书塾教学中所创造的方法经验，于1315年编成《读书分年日程》。

6.1.3.5 推荐书目的选书

(1) 推荐书目选书的实例分析

在西学东渐的同时，出现了崇尚古籍、抵制新思想传播的古籍推荐书目，龙启瑞的《经籍举要》、张之洞的《书目答问》就是推荐古籍书目的代表。

(2) 根据选题确定收录范围

推荐书目的图书选择性强，应根据选题确定收录范围。例如，"大学文科"选题，在选书时不宜选理科的书，也不宜选太容易的书如"儿童诗选"，选择的书必须适合大学文科的读者。

在主题确定后，首先要系统地了解本课题并系统了解本课题的所有图书，了解有关本课题的各种参考读物。例如，要编一个"元宇宙入门书目"必须自己懂得什么是元宇宙，元宇宙的发展过程以及现状怎样，元宇宙的理论与应用怎样，关于元宇宙有哪些书，哪些是国内的，哪些是国外的，哪些是通俗的著作，哪些是专深的著作。

其次，选书要认真、慎重。不能根据第二手资料，要亲自阅读并浏览这些图书，在此基础上决定选不选用。因此，选材之前一定要做周密的调查，广泛地阅读和分析，不能见书就推荐。只有透彻地了解书目选题及有关的各种书，才知道哪些书值得向读者推荐。

（3）选书标准

推荐书目应当有严格的选书标准。一般来说，选书要考虑以下几个标准。

1）选择与课题紧密相关的图书，为达到这个标准就要了解本课题及所有图书。

2）选择适合读者对象阅读的图书，选择的书要适合读者对象的专业、年龄与水平，为达到这个标准，要掌握读者需求，研究读者心理。

3）选择优秀图书，即思想健康、文笔流畅、内容丰富的图书，为达到这个标准，要认真研究图书。

4）选择有特色的图书。例如，关于唐诗的书很多，关于唐诗三百首就有很多版本、有的有译文、有的有分析，这就是特色。而有的出版社出的唐诗三百首既无注释，又无译文，没有特色不宜推荐。又如，关于美学的书，有的重理论，如蔡仪的《美学原理》；有的重实用美学，如《大众美学》；有的以对话形式写的，如《美学对话》；有的以讲演形式写的，如《美学讲演集》；有的介绍中国美学，有的介绍西方美学，掌握它们的特色，便于选择有特色的书。

5）选书应掌握图书的深浅程度。不同类型的书目有不同的深浅程度要求。普通推荐书目的选书一般较浅，要通俗易懂，是各种主题的基础读物。但是，这些书中有浅、较浅、很浅、最浅之分，应根据具体情况挑选。专业阅读书目的选书相对较深一些，不宜选太深的书，也不宜选太浅的书。要既能深入浅出，又能有一定的代表性，即围绕课题的各个方面都应注意到。例如，美学的专业阅读书目，既要选美学理论，又要选美学史；美学史的推荐书目，既要选中国美学史，又要选外国美学史；关于中国美学史推荐书目，既要选古代美学史，又要选现代美学史。

6）选书要少而精。选书的数量不宜太多，对于同一类图书进行比较，从中挑出最好的图书。为避免重复，同种书不同版本宜选最新版本；同类书不同种书宜选最有阅读价值的书；内容相近、深浅相同的多种书，宜选1—2种。选出的书应考虑到是常见版本，易于获得。

6.1.3.6　推荐书目的文献揭示

（1）著录

推荐书目的著录有一定灵活性，不少书目采用简化的著录形式（只著录书名、著者和版本）。如没有必要注明作者的可不著录。如《大学文科书目概览》"《世界地名词典》上海辞书出版社，1981 年版"。

（2）提要

推荐书目的提要要揭示推荐优秀图书，主要依赖提要，所以推荐书目对于提要的要求较高。

普通推荐书目的提要应详细，要系统介绍图书内容特点，介绍作者创作意图，评价图书价值，特别是说明此书与彼书的关系，以及说明读此书注意的问题。

专业阅读书目的提要较简略，常常是用注释代替，或说明阅读范围（读该书某章某节、与某书对照读），或说明版本（读某版、读某人注本），或说明读者对象（此书为某些人专读、某些人可略读）。

6.1.3.7　推荐书目的编排

推荐书目可以按分类编排，更多地采用按主题或内容之间的关系编排的方法。

当代推荐书目的编排要求突出马列著作、党和政府的指导性文件，具体方法如下。

1）一般以主题为主，也有分类或著作者为主的。

推荐书目按读书的进度或按专题的进度排，可分为各个部分，这些部分不是孤立的，而是紧密相连的，使整个书目形成一个清晰的系统的读书计划。在编纂时，可列入阅读阶段，第一阶段读什么，第二阶段读什么，第三阶段读什么，这就是读书方法的应用。

2）按图书内容的深浅，以循序渐进的方法编排。

根据图书的内容，先易后难，由浅入深的排列。

3）采用从一般到个别或从个别到一般的编排方法。

一般到个别：在各主题之下，可以先选综合性的书，再选具体内容（专门）的书，如《美学入门》。

一般：美学讲座

个别：实用美学

　　　　美学理论

　　　　美学史

这种编纂适合为中学生推荐。

个别到一般：可以先选具体（专门）的书，再选一般的书，如《美学入门》。

实用美学

美学理论　　　　　　　　　　（个别）

美学史

美学概论（论文集）　　　　　（一般）

这种编纂适宜为大学生推荐。

4）按图书之间的关系灵活地排列。

如历史书一般按史书涉及的时间排列，而不应按创作时间先后排。

《元史》明宋濂等修；

《明史》清张廷玉等修；

《新元史》民国柯劭忞修。

应将《元史》与《新元史》排在一起。

5）文艺作品按体裁或作家集中，按创作时间先后排列，但当文艺作品作为说明主题的辅助读物时，可按作品题材涉及的历史时期排列。

6）层层紧扣，上下衔接，有系统地排列。

6.1.3.8　推荐书目的说明

推荐书目的说明要说明本书的读者对象及编纂体制。①说明编纂该书目的意义。②说明读者对象。③收录内容与编纂。

说明要采用多种手段吸引读者。

1）可以选录名人名言，作为推荐书目的点缀，例如，《大学文科书目概览》"哲学"部分说明中引用德国哲学家黑格尔的名言："我知道很多美妙的科学，但我不知道有比哲学更为美妙的科学了。"

2）语言要有吸引力，可以用文学语言表达。

6.1.3.9　推荐书目的表现形式

推荐书目采取多种表现形式，目的在于增强吸引力。

（1）纸质推荐书目

从封面装帧上，设计要体现艺术性。从内容排版，插图、字体都要既科学又艺术。

(2) 网上推荐书目

1) 以网站或网页的形式，形式多样化，吸引读者，此类书目很多，如"中国作家网——好书过眼"等。

2) 以书影为主，增强读者对被推荐书的印象，如"考易——新书目推荐"等。

3) 揭示文献清新活泼。

4) 综合或专题推荐，不考虑特定读者和阅读阶段，如"小学品德社会教学网——推荐书目"。

5) 推荐数量较多。

6) 多种功能，指导阅读，如"福州大学导读中心——导读书目（青年必读书目）"等。

6.2　索引编纂法

在计算机出现以前，编纂索引是极其艰苦的一项工作。叶圣陶曾"一语弗悉其源，则摊书寻检，目光驰骤于纸面，如牧人之侦亡畜，久乃得之，甚矣其惫"，于是发愤编《十三经索引》，为使读者"乍睹经语，展卷而得其出处"，而甘于"寒夜一灯，指僵若失，夏炎罢扇，汗湿衣衫"，人力不足，发动家人，其母、妻、内姑母等共同参与编纂，"友人戏谓此家庭手工业也"，以一年半时间完成了一部1700余页的索引，在学术界产生了很大影响。计算机编纂索引以后，将索引员从繁杂的手工劳动中解放了出来，但索引编纂的基本原理仍然发挥着作用，随着技术的进步，索引方法不断创新和发展。

6.2.1　传统索引编纂方法

索引编纂是一项细致而繁重的劳动，编纂索引要经过周密的计划，严格按照编纂程序进行工作。它主要有五个环节。

6.2.1.1　选题和确定索引法

(1) 选题

索引选题是指编什么课题或者何种被索文献的索引。选题要了解科学研究的动态，编纂各种专题的索引，反映最新的文献情报；要了解文献的现状，对各学科文献数量、分布情况、利用情况有一个全面的了解，以决定编纂索引的条件、必要与可能，同时，还要了解现有索引的面貌，已有哪些索引，正在编纂的有哪些索引，其内容、形式、质量和效果如何，能否从补编、重编、创新等角度选题，避免课题的重复。

索引的选题围绕两个方面：一是为查阅利用古代文献而编纂的古籍索引；二是为传递最新文献情报而编纂的篇目、著者和主题索引。

古籍索引。现存古籍8万至10万种，并非每种古籍都编索引，已编索引仅占极少数，潘树广《古籍索引概论》附有古籍索引要目，反映已编索引550余部，被索引的古籍约有2000余种。古籍索引选题首先要考虑为最常用的基本古籍编纂索引，其次要注意发展富有学术价值的索引新品种，如图谱索引、宗谱索引、笔记野史索引、诗话与戏曲论著索引、地方志索引等。

现代文献索引。现代文献数量大，增长快，为解决阅读文献的困难，一方面大量编纂综合性的或专题性的索引；另一方面，不少文献中附有著者索引或主题索引，特别是学术性专著。书后附主题索引是十分重要的，还要注意编纂工具书索引和内容索引。

（2）确定索引范围和索引法

在选题同时，逐步确定被索文献、读者对象、编撰目的，以及采用什么方法（索引语言）和取什么款目标题。索引方法（索引语言）是由被索主体和读者对象决定的。

一是要明确索引的对象范围，主要是学科范围和文献范围。编纂索引，尤其是编纂主题索引、分类索引、引文索引时，应该明确索引的学科或主题范围，包括核心学科或相关学科。要清晰地描述和规定所覆盖的学科领域及被标引的文献主题（或特征）的种类，排除那些不在规定范围之内的主题或特征。

索引的文献范围和载体需要明确。正式编纂索引前，应该对被标引文献的类型、对象、级别、语种、格式、国别（出版地）、时间（出版或收藏时间）等进行选择，并做必要的描述和规定。例如，编纂篇目索引，可采用各种载体，包括印刷品、缩微品、电子媒介（如数据库、光盘、多媒体）等，选择载体时必须结合用户的需求、喜好和习惯以及必要的技术条件进行考虑。编纂内容索引，通常印刷在纸张之上，也可刻录在光盘上，或集中发表在某一网站或索引数据库中。

二是要明确是否编纂专门索引。将全部索引款目统一排列成一个综合索引（又称单一索引），还是按照语种及款目的特点分编成几个专门索引（又称多重索引），往往取决于文献或文献集合的种类、范围和用户的使用需要。对规模不大的内容索引来说，宜选择综合索引而不宜选择同时设置几个专门索引，而规模较大的索引是否编纂多个专门索引，应该考虑下列情况：①对文献的特定部分（如广告或评论）等具有特别的兴趣；②对被标引材料的某一方面有特别的兴趣，例如人物或被引用的法律案例；③难以将非语词标目（如专利号或化学式等）融入一个主要由语词标目组成的序列；④具有相当数量的同类索引款目，足够单独建立一种索引。

三是要明确索引词汇的管理。索引用词（标目）是直接采用文献中的语词（抽词标引），还是采用名称规范档或词表中的主题词（赋词标引）；是自建名称规范档或词表，还是利用现有的名称规范档或已出版的词表等，这些均属索引词汇管理的范围，都需要在索引编纂前予以考虑。一般来说，内容索引的索引用词应该尽量使用文献中的术语和用户可能使用的语词，不必采用词表。为文献集合编纂的篇目索引必要时可采用名称规范档或词表，以规范索引用词。

（3）拟定编纂计划

选题之后，要拟定编纂计划。编纂计划时，要考虑索引规模。索引规模通常与被标引文献或文献集合的数量与规模、索引项的类型与数量、标引深度、索引语言词汇的数量和专指度、索引出处项的类型、索引版式等因素直接相关。如果索引规模必须控制在预定的范围内，就应当考虑以上因素。

6.2.1.2　文献标引

文献标引是索引编纂中最关键的一步。

文献标引是分析文献内容并用索引语言来表示文献内容的某些特征的过程。美国国家标准学会 1968 年标准中"标引"的定义是"分析知识记录中的情报内容并用标引系统的语言表示情报内容的过程"。标引系统就是从事文献标引工作的一套设备和程序（包括手工和机械化）。

标引工作要运用多种方法。常用的标引方法有原始资料标引、关键词标引、相关标引、组配标引、引文标引等。

标引工作有以下步骤。

（1）根据可标引内容的范围，分析文献内容

可标引内容的范围即索引的可标引材料源，是指文献或文献集合中哪些部分需要做索引（予以标引）和哪些部分不需要做索引（不予标引）的规定。原则上应该根据用户的需求，力求做到索引包含被标引文献中所有具有检索意义的项

目，并排除冗余的内容。

在此基础上，通过阅读或浏览原文或文摘进行分析，找出文献所论述或描述的对象，处理对象时所用的方法、设备和手段，以及其他有关的因素。

（2）确定主题、形成概念

即根据文献的主题选择可供标引的概念。首先要确定主题，标引员的任务是从文献的全部思想和概念中正确地选出主题。如果一篇文献有多个主题，标引时应归纳出相应数目的主题。钩标对标引员有较高的要求，既要有丰富的学科知识，又要对标引文献中情报知识价值有足够的判断能力。标引员必须对文献进行认真分析，掌握选钩标准和标引深度。选钩标准是根据读者需求、被索文献性质、索引的篇幅等方面做出的钩标的规定。

标引深度，又称穷举度，通常是为一篇文献或某一索引单元编纂索引款目（或给出标引词或词串）的数量。标引深度反映制定的索引词和文献内所论述的概念广深相同的程度，反映标引主题的详尽程度，使标引达到更高的详尽性，因而也成为引得深度或网罗度。一般来说，标引深度越大，对文献或文献集合的揭示就越全面，提供的检索途径就越多。

标引深度不仅取决于索引项的类型和数量多少，而且还取决于标引的索引单元的大小。一般来说，标引的索引单元越小，标引深度就越大。

在具体标引过程中，要根据索引目的和规模，选择索引项和索引单元，控制标引深度，乃至索引的最终规模。

（3）编写标引词句

即用索引语言表示选定的文献概念——事项或内容。当文献的主题确定后，要用适当的词语去描述主题，编写出表达主题的标引词句。对标引词句的要求是含义明确、措辞精练、专指性强。标引员可以自己创造标引语句，也可以从正文、文摘或题目中选取合适的语句做标引语句。标引语句可以是带语法结构的结构语句，如：

"光的能量、质量和速度的均衡"。

"食用尿素对水牛血液成分的影响"。

标引语句也可以是没有语法结构的无结构语句，无结构语句由若干个关键词或词组构成，词或词组之间用逗号隔开，如：

"光，能量，质量，速度，均衡"。

"尿素，水牛，血液成分，影响"。

（4）选择标目

标目是索引款目的识别部分，包括索引标目和副标目，用以识别标引文献或文献集合的概念和特征等。因为标引语句的开头词或其他词不一定都适合作索引款目的标目，即不一定都有检索意义，所以编好标引词句后，要选出若干有检索意义的词来做标目。

标目是索引每条款目的开头，文献中的人名、篇名、地名、年号、数据、动植物名、字、词、句、主题、分子式等都可以成为标目。标目的来源一是文献的外部特征，一是文献的内容特征。篇目和作者索引一般来自文献外部特征，而语词索引、主题索引一般来自文献的内容特征。

索引标目的选择著录要求统一、完备、准确。为满足用户的需求，索引标目应该尽可能专指。识别同一概念或特征的索引标目，应该前后一致地用同一个词语，同时尽量为该词的同义词或替换词编纂见参照。

篇目索引的标引，可能采用不同的词语表达同一概念时，需要特别注意将有关同一概念的各种材料集中在一个标目之下。而制作时间跨度较长的篇目索引时，需要在旧名和新名、俗名和学名、商品名和系统名、简称和全称、不同译名、不同拼写形式之间进行选择，并编纂必要的见参照，以便用户查找（参看《汉语叙词表编制规则》（GB/T13190—1991））。

6. 2. 1. 3　索引款目的编纂

索引单元可以是一文献乃至文献库的整体主题、局部主题或有检索价值的主题因素。一个索引单元构成一个索引款目。

索引款目（index entry）是索引的基本单元，是对某一文献或文献集合的主题内容、涉及事项或外部特征加以描述的记录。H. Borko 和 C. L. Bernier 说："款目的目的是把检索者引向著作的内容，而不是向检索者通报著作的内容。"

索引款目一般由两个部分组成：①标目和说明项，②出处项。

（1）标目和说明项

标目（heading）：用来表示文献或文献集合中的某一概念或事项，并决定款目在索引档中的排档位置的词、词组或符号。标目是每条款目的开头词，通常称为主标目，或称为索引词。标目也是识别特定款目的主要标志，因此也成为标识。标目通常采用名词或名词词组形式，必要时还可采用形容词、连词或数词。

标目示例：八大山人

　　超大规模集成电路

　　网络信息检索

　　信息检索

　　一阶谓词

　　一元二次方程

　　战争与和平

　　如果索引标目属于同形异义词，就应该为之添加限义词加以区分。标目的限义词（qualifier）通常置于标目后用圆括号围起，是对标目的解释性语词，也称为限定词，是标目的组成部分，主要是为了区分标目中的同形异义词和多义词，或表示特殊含义。

　　示例 1：模特（广告）

　　　　　　模特（文学）

　　　　　　模特（艺术）

　　示例 2：疲劳

　　　　　　疲劳（金属）

　　可以在标目之下设置副标目、次副标目等。

　　索引副标目（subheading）是从属于主标目、用来表示从属或限定关系的标目。

　　标目与副标目之间可以采用连号或逗号区分，也可以采用分行缩格的形式来代替连号，有时副标目也可采用名词词组（短语）形式，跟在逗号之后被称为说明语。

　　示例 1：长篇小说

　　　　　　—美国

　　　　　　—日本

　　　　　　—中国

　　示例 2：中国—历史—清朝

　　　　　　美国—历史—南北战争，1861—1865

　　示例 3：苯甲酸

　　　　　　吸附

　　　　　　　用炭黑

　　　　　　　用水银

　　　　　　制备

　　　　　　　废水分离

　　　　苯甲酸，离子化，有机溶液

索引标目和副标目的书写形式，可以使用汉字，也可以使用非汉字，也可以二者混合。

示例：机读目录

ISBN

MP3

T 恤衫

JAVA 语言

汉字索引标目不得采用异体字，少用生僻字，尽量采用简化字。被标引文献（属于古籍、文字学、考古学书籍等）如有特殊需要，可以考虑采用繁体字或繁、简体并用。

外文索引标目的单数和复数、正写和倒置形式、大小写形式等的用法（参看《信息和文献内容、结构和索引介绍指南》（ISO999：1996））。

副标目在何时出现？通常有以下情况时需要设置副标目。

一是在索引标目下聚集了众多材料，设置副标目可以使其分组排列；二是为了限定或扩展索引标目的含义，设置副标目可以使其含义明确；三是把同一主题概念的不同方面集中起来，便于检索。

示例 1：茶叶

　　　　—种植

　　　　—炒制

　　　　—销售

　　　　，福建

　　　　，江苏

　　　　，绿色产品

示例 2：高等数学

　　　　—18 世纪

　　　　—19 世纪

　　　　—20 世纪初

　　　　—20 世纪 30—40 年代

　　　　—20 世纪 50—90 年代

　　　　—21 世纪

副标目应该表示标目的某一方面、某种属性或特征，通常副标目与标目不应该构成属种关系。

示例 1：计算机–笔记本（错例）

示例 2：计算机–微型计算机（错例）

示例3：计算机–小型计算机（错例）

正确的标引形式应为

示例4：计算机，笔记本

示例5：计算机，微型

示例6：计算机，小型

说明项也称修饰语或说明语，置于标目之后，用以说明、解释或限制索引标目含义的词、词组或短语。其中，标目注释（heading note）专门说明标目的范围、涵义、历史演变或使用方法的文字。在索引标目、副标目下设置注释，有助于用户了解标目的含义及范围。但是，注释不属于索引标目的组成部分，应该通过排版（例如印成楷体或其他字体）予以区别。

副标目或说明项都是使标目含义更为专指，可以限定索引标目的义域，使标引的主题更准确，提高索引的专指度。

说明项可以使出处项的指向更明确，提高检索命中率，减少检索次数，缩短检索时间。

说明项在索引款目中有承上启下的作用，但并非一定要有说明项，在组配式索引和关键词索引中，不需要说明项。组配式索引靠多个主题标题的关联来提高专指度；关键词索引篇名中除关键词以外的其他部分起到了说明语的作用。

编纂索引款目除选定标目外，还要做好以下工作。

1）编写说明语。

在标目确定后，看标目是否明确，如不明确，必须编写说明语。说明语可以来自标引语句，即在标引语句中选一个词作标目，剩下部分作说明语。说明语也可以来自题目。

说明语的形式通常有以下几种：①以文献名称（图书书名、文章篇名等）作说明语；②以改写或压缩的文献名称作说明语；③以自编的短语或短句作说明语；④以若干个关键词或重要的概念名称作说明语；⑤以有关机构的名称作说明语；⑥用副标目代替说明语。

编写说明语要制定一些句法规则，供标引员遵守以保证编写说明语前后一致。例如，编写英文说明语的句法规则有：①尽量使用标引语句中的词语；②若标目是表示某种行为或动作涉及的对象，就以表示该行为或动作的词作说明语的导词；③若表示动作的词不直接作用于标目，则往后放；④若标目是源于一个表示动作的词，说明语就应先列出该工作所涉及的事物的名称；⑤说明语中保留一切必要的介词；⑥避免累赘和重复，删去冠词、代词、副词和动词；⑦说明语中并列出现的词可按字顺排列。

2) 做标目注释。

标目注释,即索引词注释,包括范围注释和涵义注释两种,是直接指导读者和提醒索引员的一种有效措施。标目注释与说明语不同,说明语是索引款目中一个正式的项目或部分,而标目注释只是标目部分的附加材料,分为范围注释和含义注释两种情况。

范围注释:指从时间、地域、学科、特征等任何一方面对标目或索引词的概念范围进行说明或限定,主要用于区分同形(音)异义词,使标目含义明确而专指。

常用的注释方法是使用带括号的限定词,并把这种限定词看作标目的一部分,如:

环 (代数)

环 (化学)

Mercury (Metal)

Mercury (Planet)

哺乳动物

　　(专指陆上品种)

铜合金

　　(以铜做主要成分的合金)

涵义注释:指从用法上或含义上对标目或索引词作出必要而简略的说明和补充,以消除标引和检索过程中可能出现的误差。它分为指示性注释和定义性注释,前者指导人们如何使用该标目,告诉某标目下包含或不包括什么材料、标目的排序方法,或建议人们使用其他更合适的词,等等。后者是一种辞典式注释,用来解释某些疑难词或外来语。

涵义注释方法可用简短文字,也可用限定词,如:

磁镜

　　(包括最小 β 位形系统)

白化 (遗传学)

十三行

　　注:鸦片战争前广州港口官厅特许对外贸易的商行

Finland (including periods under Sweden and the Russian Empire)

(2) 出处项

出处项(locator)也称参照项或索引地址,一般在标目或副标目之后,指明所标引的文献或情报在被标引的文献集合或文献中的位置。篇目索引的出处项指论文在原文集、期刊、报纸、论丛中的卷册或刊期、年月。内容索引的出处项一般是语词或主题所在的原文献正文中的页码。

Ⅰ. 关于印刷型文献的出处

图书、小册子、期刊以及其他印刷型文献，通常由一组或多组连续编号的书页码组成，装订成一个或多个单元。

内容索引一般选择页码或章节号（用章节号代替页码）作为出处，并用逗号隔开。如果印刷型文献的页面划分成若干部分，例如分成几栏，可以通过标示页码、栏数或假想的分区提高检索的专指性。

示例：词典 38a

　　　词典学 38a，484f

　　　词法 484f

　　　词类 178b，469c

以上实例表示页码的数字后的拉丁字母表示《中国大百科全书》设定的版面区域。

某些种类的印刷型文献，对出处有特殊的规定。例如，剧本使用幕、场以及台词行数作为出处。

如果文献的段落标有编号，可以使用这些段落编号作为出处。如果文献由一系列单独标号、短小和分立的摘要、引语、条规、案例报告等组成，可以用这些编号来代替页码作为出处。但若出版物有两个或更多以不同方式分别编页码的部分（例如，法律著作中正文部分用阿拉伯数字编页码，引用案例部分用罗马数字编页码），应该区分这些不同部分的出处。

在标引同一期刊不同卷期时，从期刊的原卷期编号中选取出处。

示例：第 51 卷第 4 期第 28 页可以用下列三种方式标示：

51（4）：28　　卷（期）：页码

51：28　　　　卷：页码

4：28　　　　　期：页码

编纂篇目索引，必要时可以在出处项中标示出文献的完整信息。例如对期刊论文而言，通常包括论文的著者、题名、刊名、卷期号和出版日期、文章所在期刊的起讫页码等特征。实际上，这些增加的特征信息并不是出处，可以列入索引款目的附加信息之中，以帮助用户判断、筛选这些文献。

示例：人际网络分析

胡蓉，邓小昭．基于结构洞理论的个人人际网络分析系统研究．情报学报，2005，24（4）：485～469．

Ⅱ. 关于非书资料、电子文献的出处

根据标引的目的，非书资料、电子文献可分为三类。

第一类：由一组或者多组序列（可以是连续编号的）的单元组成，用户可以通过这些编号查找。这类文献大致可用"印刷型文献的出处"中的方法处理。例如幻灯插片、幻灯卷片、唱片、机读数据库，可以分别用幻灯片的编号、帧号、唱片的面和轨道号、记录识别符（例如控制号）等作为出处。

第二类：由一组或多组不能用编号来区分，但却是由连续的单元组成，例如连续存取的视听资料（包括电影胶片、录音带、录像带等），因为用户无法通过编号查找，所以必须为它们设计出指示相对地址的出处，例如从某一特定的起点计时的播放时间。这时应该考虑到用户可能使用设备的技术性能。

第三类：由不成序列的单元组成。例如图表、图片、地图、示意图、实观教具等。在某些情况下，可能存在着特殊的惯用方法，例如对地图而言，可以用地图中的坐标方格或经纬度作为出处。而电子资源（例如光盘、网页等），出处项应该包括发表日期或引用日期（联机文献必备，其他电子文献任选）、获取和访问路径（联机、网络文献必备）。

Ⅲ. 关于强调某些出处的方法

如果一条索引款目包含几个出处，则可以通过排版方式（例如用黑体）强调其中最完整或价值最大的信息的出处，以区别于其他信息的出处。

示例：47, **49**, 51-52。

文献中某些特殊内容的出处，例如图表、插图，也可以用缩写字母标示在出处的末尾。

示例1：23T   （"T"标示图表）

示例2：10I   （"I"标示插图）

示例3：152M   （"M"标示地图）

Ⅳ. 关于出处项的直接地址和间接地址

为了节省索引篇幅，出处项除采用直接地址（在参照项直接注明何卷何期或年月或册、页）外，多用间接地址，主要方法有如下四类。

一是用简称表示文献。如《十三经索引》的简称：周易（易）、尚书（书）、毛诗（诗）、周礼（周）、仪礼（仪）、礼记（礼）、春秋左传（左）、春秋公羊传（公）

贤者识其大者　　论张 22

二是用数字表示文献和地址。如《马克思恩格斯全集主题索引》第 299 页：

科学分类

中文本：4 号 1, 46, 207—215。

——各种科学的相互关系之延续与中断

　　中文本：4 号 211

——科学三大类

　　中文本：3 号 89—92

三是用字母表示文献和地址。有的索引用"B"表示图书，用"R"表示评论。在哈佛燕京学社的引得中，多用 a 表示上半页或正面，用 b 表示下半页或反面。

四是用符号表示文献地址。常用的符号有：

"○"表示字词的位置。

"——"表示副标题标识，页码的连接符。

"/"表示地址区分标识。

"＊"《〈解放日报〉人名索引》用来表示此文是有关此人的文章，未冠"＊"的是本人写的文章。

例《杜诗引得》

稍

晨光○朦胧 78/7B/19

出处项用的简称、数字、符号、字母都是事先规定的。单本书只记标识所在页码和栏（上下、左右），多卷书要表明卷数。丛书要注明某书某卷某页，连续出版物要著录某刊、卷、页。国外期刊出处项取决于期刊出版时的卷期编号，可以由下列几部分组成，如：

卷：部分：页码	17：4：38
卷：日期：页码	23：May，47：2
卷：页码	40：85
日期：页码	January，1911：21
部分：页码	7：85

6.2.1.4　索引系统的组织

（1）建立参照系统

组织索引系统的第一步是做好索引的交叉参照，形成参照系统。交叉参照（cross-reference）是从一个索引标目或副标目指向另一个或多个索引标目或副标目的指示，有索引标目、参照词（"见"或"参见"）、参照目标（另一个索引标目）组成。交叉参照可以增强相关索引标目之间的联系，目的是充分揭示文献并控制款目数量。交叉参照通常分为见参照、参见参照两大类，实际是索引的连接系统。

参照主要适用于下列情况：①确保标引的一致性；②便于标引和用户使用索引；③压缩、减少索引的篇幅。参照应该醒目，区别于索引款目，可以空一格书写，也可以单独起行。

见参照（see cross-reference）：从一个不带任何出处项的索引标目指向其他带有相关出处项的索引标目，或由非规范用词的索引标目指向规范用词的索引标目，或从选用的同义标目或被替换标目指向选用的标目，是一种反映等同关系的规定性参照，这里的等同关系是指概念相同的同义词，内容有紧密内在联系的准同义词，以及一小部分反义词。见参照主要用于控制同义词、准同义词。英文示例如下：

Bonaparte, Napoleon see Napoleon 1, Emperor of the French esthetice see aesthetics

Flower names see botany：nomenclature

Great Bear see Ursa, Major

Moths see butterflies and moths

Peking, see Beijing

Pennimann, Richard see little Richard

Storage see cold storage；Warehouses

中文示例如：引得 见 索引

河南梆子 见 豫剧

政协 见 中国人民政治协商会议

镭射 见 激光器

石头记 见 红楼梦

丑学 见 美学

在图书及其他单独出版的印刷型文献的索引中，若某索引款目的出处不多，可以采用重复款目，即用重复编纂索引款目代替见参照。

示例1：马歇尔计划 124，265

欧洲复兴方案 124，265

而不宜处理成：

示例2：马歇尔计划 124，265

欧洲复兴方案

见 马歇尔计划 （错例）

见参照主要用于以下情况：①同义词之间（如 liberty/freedom）；②俗名与学名之间（如 Lie detectors/polygraphs）；③缩写、缩略语与全称之间（如 UNESCO/United Nations Educational Scientific and Culture Organization）；④反义词之间（如

roughness/smoothness）；⑤不同的拼写形式之间（如 aeroplanes/airplanes）；⑥倒置与正装或其他词序之间（如 table，mathematical/mathematical tables）；⑦旧名与新名之间（如 horseless carriages/amtomobiles）；⑧组和词组中的成分之间（如 youth/children and youth）。

参见参照（see also cross-reference）：从一个带有一个或多个出处项的索引标目指向其他带有相关出处项的索引标目，或由一个索引标目或副标目指向一个或多个相关的索引标目与副标目，是一种反映等级关系和相关关系的建议性参照。它可以是读者指向那些按理不能集中在一个标目下的相关材料。如：

economics

    see also assets；banking；business firms；commerce；…transport；wealth

economics ［location references］

    bibliographies ［location references］

    mathematical models ［location references］

    statistics ［location references］

参见参照主要分为两大类：

一类是大概念词与小概念词之间（即具有属种关系、整体与部分关系的词之间），可以考虑编纂由上位词指向下位词的参见参照。

示例1：公共图书馆 参见 上海图书馆

示例2：牛 参见 菜牛；黄牛；奶牛；水牛

示例3：血液 参见 白细胞；红细胞；血小板

示例4：联合国 参见 国际法院；联合国安全理事会；联合国大会；联合国秘书处等

示例5：中国医学 参见 中药学

另一类是含义密切关联的词之间（即具有语义交叉关系或相关关系的词之间），可以考虑编纂参见参照。

示例1：二十一条 参见 五四运动

示例2：经济区 参见 区域经济

示例3：超声波 参见 超声波疗法

示例4：孙中山 参见 辛亥革命

在期刊索引、报纸索引等检索情报源的索引中，索引员应该注意词语和术语的变化，并为此编纂必要的参照。例如，1990年某期刊用"激光"代替"镭射"，因此，在1990年的索引中，索引员应该增编以下参照：

示例1：激光（1990年前各卷）见 镭射

    镭射 见 激光

若是累积索引，索引员应该采用新术语，并作"旧术语 见 新术语"参照。

示例2：镭射（1990 年以前各卷）见 激光

参见参照主要用于以下情况：①准同义词之间（如 barbers/hairstylists）；②具有属种关系的词之间（如 alloys/copper alloys/copper-zinc alloys）；③语义交叉的词之间（如 agriculture/food）；④先组词与先组词中的语素之间（如 rate/flow rate；flow/flow rate）。这几种关系被合并处理为参见参照，也可以准确地细分为属项参照、分项参照和参项参照。

属项参照（BT）把读者从一个标引词指向一个范围比它更宽泛的词，分项参照（NT）把读者从一个标引词指向一个范围比它更狭窄的词。二者常常是互逆的，如：

alloys　　　　　　　　　NT　　　　　　　　copper alloys

copper alloys　　　　　　BT　　　　　　　　alloys

参项参照（RT）把读者从一个标引词指向另一个读者可能感兴趣的标引词，但它们之间不具有属分关系，参项参照通常是互逆的，如：

agriculture　　　　　　　RT　　　　　　　　food

food　　　　　　　　　　RT　　　　　　　　agriculture

虽然一部分受控词表收录交叉参照的数量在理论上没有限制，但是在某一部索引中，存在着一个临界点，超过这个临界点，继续增设交叉参照是没有用处的。虽然难于确定这个参照点，但显然向读者提供过多的交叉参照是累赘冗余的。例如，在一部收录了许多药物的索引中，编纂一条从"药物"这一标目指向每一种药物的交叉参照，显然是徒劳无益的。如果在各种药物的标目下编纂指向各种药物所属类别的交叉参照，以及提供一条下列的说明参照，将是有用的。

药物

　　参见　　　各种特定的药物

"见至"（see under）项参照：用于指引读者从一个下位类概念去查他的上位概念，表示有关前者的材料放在后者的下面，前者不能作为正式标目使用，是"见"分理出的一种参照。

反参照是按照与上述几种参照相反的方向来指引有关标目或索引词的一种参照。它一般不出现于索引中，主要供索引员使用。目的在于防止索引中出现垂悬参照、循环参照以及其他错误或遗漏。反参照包括"见自""参见自""见至自"参照。

要控制参照的数量。向用户提供的参照不是越多越好，因为过多的参照会让索引显得冗余，并造成混淆，反而不利于用户选择合适的标目。

（2）建立索引档

索引档是索引款目和交叉参照组成的体系。

Ⅰ. 按标目与说明语排序

首先，全部索引款目和参照款目先按标目排列，以普通语词或事物名称做标目的索引，一般按字顺排列；以某种代码做标目的索引，按代码的字顺和数顺排序。其次，标目完全相同的款目再按说明语排序。如：

Information systems, automated intelligence, 645

    For automated on-the-job training, 3294

    Automated or mechanized, 1001

        Bibliography on, 67

        Classification and, 2145

        Effect on authors, 1007

        Library education and, 3213

    For automatic abstracting, indexing and

        Retrieving technical documents, 252

    Automatic equipment for, 211

Ⅱ. 字符排序基础和规则

不论是计算机排序还是人工排序，所有的字符都应该按既定的排序值排序。排序值可以来源于现有的标准 ISO/IEC 10646—1：2000。索引款目的排序应该参照国际标准 ISO 7154：1983 和国家标准 GB/T 13418—1992。

关于汉字字符排序规则：《索引编制规则（总则）》（GB/T 22466—2008）推荐汉语拼音排序、笔画排序和四角号码排序三种排序规则，供用户选用。索引一般应该采用汉语拼音排序，必要时附设条目首字笔画笔形检字表和/或四角号码检字表。

关于非汉字字符串排序规则：索引标目中若包含非汉字字符，如标点符号、数字、拉丁字母、希腊字母等，均应按照它们在汉字编码字符集中顺序排列，通常排于中文汉字款目之前。至于数字排序，历史事件索引按照纪年次序排列时索引标目如由数字构成，按数字所表示的数值从小到大排列。

示例：欧洲

    1000-1500. 史学论文集

    300-1500

    300-1500. 史学论文集

    476-911

    B. C. 500- A. D. 1973

    ca300-ca1450 丛书

    to 1935

当一、二、三……，壹、贰、叁……这些汉字作为序数词使用，并按照其数值顺序排列更便于索引检索时，可以不按其汉语拼音排序，而是按汉字所表示的数值从小到大排序。

    示例：北京一中

        北京二中

        北京五中

至于拉丁字母排序，标目由多个拉丁字母单词构成时，一般使用逐词排序（参看 ISO 999）。

关于汉字和非汉字字符混合出现时排序规则：通常情况下，按照汉字编码字符集中字符的排列顺序，确定以下排序的先后次序：空格—序号—阿拉伯数字—罗马数字—拉丁字母（大写、小写）—日文假名（平假名、片假名）—希腊字母—俄文字母—汉字。

    示例：1949 年

        20 世纪 80 年代

        211 工程

        VB 族元素

        APEC（亚太经济合作组织）

        DNA 鉴定

        安全管理 ABC

        病理学

Ⅲ. 索引标目的排序

索引标目可以按照或主要按照下列一种次序排列：汉字字顺或拉丁字母顺序；汉字和非汉字字符混合出现顺序；分类排序；编年顺序；数字顺序。

索引标目的编排应该采用众所周知、通用易懂的方法。索引标目的编排方式应该是有章可循的（即任一索引标目的排列位置应该是明确的）和可以预见的（即索引中用于排序的每一个字符都符合编排规则）。索引标目的排序方法一经采用，不要轻易更换，要保持前后一致。

汉字和非汉字字符混合排序最为常见。某些特定的索引必要时可以采用其他排序方法，例如，一部技术性著作可以根据需要配备按数码顺序编排的专利号索引或报告号索引。

在同一部索引中，副标目允许采用不同于主标目的排序方式。

如果索引的编排方法复杂难懂，应该在索引的前言中予以说明。

以相同词语起始的索引标目应该采用逐字排序法，采用必要的标点符号，并按下列顺序排列：①空白；②-副标目（也可不带连号）；③，说明语或倒置标题；④：组配词；⑤（）限义词。标目中的标点符号，各有不同涵义，用于揭示或限定标目的涵义，并形成不同的分组，便于依次排序。

示例：葡萄

　　　　-病虫害

　　　　-嫁接

　　　　-种植

　　　　，阿富汗

　　　　，日本

　　　　，吐鲁番

　　　葡萄：种植规划

　　　葡萄：庄园

　　　葡萄（中国画）

　　　葡萄酒

　　　葡萄糖酸

Ⅳ. 索引副标目的排序

通常情况下，副标目排序方法与主标目相同。为了更好地揭示原文中明显存在的或隐含的排序方式，或者为了区分大量的同形异义词，副标目也可按照数序的、编年的或其他排列方法排列。

Ⅴ. 参照的排序

见参照或者参见参照的排序应该不影响原标目在字顺排列中的位置。见参照和参见参照指向多个标目时，其排序应与索引标目自身排序一致，并用分号隔开。

示例：人工智能 144，259，363-372

　　　　参见 仿生；机器人；语义网络；专家系统

6.2.1.5　编辑加工和出版

编辑加工是对索引正文进行检查，消除错误，并配备索引附件，提高索引质量和利用率的一道工序。

（1）审查索引正文

审查索引正文要审核标目，删去不必要的标目，纠正错误的标目，合并某些标目以限制相关材料的分散性，改善某些标目的专指性。要审核说明语，重新安排说明语以减少相关材料的分散性，消除标目下说明语排列的混乱性，改善说明语的专指性。要审核出处项，补上漏掉的出处项，纠正出处中的错误。要发现并纠正格式、拼写法、标点法、出处、款目排序等方面的错误。

（2）缩格或用符号，代替相同部分

如果索引款目的排列把具有相同索引标目的款目聚集在一起，应当把他们的全部出处项都列在一个索引标目之下，把他们压缩成一个索引款目。

如果一个索引标目之后带有若干副标目，可以不必重复印出索引标目，而用缩格或短横等替代。如：

个人生活
  ——个人信用调查机构
  ——与计算机的利用
  ——与税务工作
  ——经历答复
  ——与情报公开

（3）编写索引附件

索引的编纂应当基本上达到无需任何附加的解释就可以使用。如果达不到这一点，必须用索引的使用说明来解释，使用说明可以包括以下内容：①索引的目的；②索引与文献之间的关系（如完整的程度、收录标注、对正文的依赖）；③采用的标准词表（如叙词表）；④组装索引款目的方法（如手工操作规则、关键词方法、自动编制）；⑤索引款目的结构；⑥索引标目的排列，如专门字符的排列；⑦索引款目中采用的缩写、专用字符、图示符号等的解释；⑧出处项的说明。

附录中常用检字表，提供多途径检索，如《尚书通检》正文以笔画编排，附录有中国字庋撷检字、四角号码检字、分韵检字、拼音检字。用四角号码编排的索引，一般附有"四角号码检字法"条例或新旧四角号码对照。传记索引常附字号索引、异名表，如《唐五代人物传记资料综合索引》附字号索引，《清代碑传文通检》附异名表。此外有些附录中还有参考文献。索引附录比较灵活，一般置于书后，也有置于正文之前的。

（4）索引员的署名和索引前言

出版者应该给予索引员在文献中署名的机会，通常可以印在索引的末尾。图书的书后索引如果不是由图书的作者编纂，应当在书的前言或后记中予以说明。

如 Pearson《科学的规范》（1998），作者在序中最后说明了索引的编纂者："最后，作者必须感谢他的朋友和先前的学生、伦敦贝德福德学院（Bedford College）的示教员爱丽丝·李（Alice Lee），感谢她编写索引并对几个重要之处作了校正。"

索引应该简单明了，尽量做到无需附加任何解释和说明，用户就可以使用。如果达不到这一点，可以编写索引前言（或称使用说明或凡例），说明索引可标引内容的提取范围及采用的缩写或符号，交待索引中采用的技术或词表等。

（5）排版印刷

索引排版一般采用分行式（line-by-line）和连排式（run-on）两种版式。

Ⅰ. 分行式版式

又称为行式。每个索引款目都单起一行，同一标目下，每一副标目、次副标目和每条说明语均应另起一行，副标目、次副标目等应该渐次缩排。

示例：索引

　　　定义 2

　　　功能和性质 3

　　　类型 4.2

　　　历史 5

　　　质量 3.3

　　索引款目

　　　定义，9

　　　构成，10.2

　　　句法，11.2-11.5，13.2

　　　排序，12

Ⅱ. 连排式版式

又称凝聚式或段落式，每个标目都单起一行，但从属于主标目和副标目的子标目不另起一行用缩排标示，而是用标点符号（如分号）代替（如以下实例）。也可以在标目下的副标目仍然保留分行式，但是副标目之下的子标目则采用连排式。

示例：索引

　　　定义，2；功能和性质，3；类型，4.2；

　　　历史，5；质量，3.3

　　索引款目

定义，9；构成，10.2，句法，11.2-11.5，13.2；
排序，12

索引款目应该优先使用分行式。虽然连排式节省索引篇幅，但是不如分行式便于理解和浏览。

除上述两种版式外，还有的索引采用混合式和表格式。混合式指同时采用上述两种排版格式。而表格式一般用来排检较复杂的资料。

排版印刷要注意字体。欧美国家一般根据标目的种类，分别使用斜体字、黑体字或大号字体。当使用的子标目数量较多时，仅靠缩格排列，则必然发生跨栏或跨页现象，使用户难以分清。因此在排主标目时，可考虑用其他铅字。卷末索引（辅助索引）可使用比正文字体小一号铅字，能节约版面。

（6）助检标志

助检标志可以在很大程度上方便索引的使用。索引的助检标志包括：①页头标题，说明该页的范围，例如该页上的第一个及最后的一个索引标目。②空行，在一组相同首字母或其他字符的索引标目之前应当空一行。但是，如出现非字母索引标目（如一组以数字开头的索引标目），可以在非字母标目与字母标目之间空一行。③用黑体印出的索引标目，例如当索引标目后面跟着许多副标目时。④缩格。

6.2.2 计算机索引编制方法

计算机编制索引，通常有两种类型：一是利用计算机编制索引刊物并生产数据库；二是利用计算机生产图书索引或书后索引。

计算机编制索引的基本原理：计算机对图书全文的文本或文献款目进行扫描，将已标引的人名、地名、关键词等有检索价值的项目或指定要做索引的项目自动抽出，并记录其地址（即在文本中出现的位置，或在哪条文献款目及在款目中的第几个字符位置），对相同的索引项进行合并，按索引项的标目进行字顺排序，最后打印出来或制版印刷。

这里的索引项（indexing item）即文献或文献集合中被标引对象的类称。凡是文献中论及的主题（整体主题或局部主题）和事项，诸如人名、地名、团体名、事件名、物品名、著作名，文献中的字、词、句，文献的某种功用，以及文献与文献之间的关系等，只要具有检索意义，都可以用来作为索引项，制成索引标目。

6.2.2.1　计算机标引

计算机自动标引是利用计算机对原文进行主题分析，然后自动地进行索引词的抽取工作。按照 Lancaster 的理论，原文中每个词都具有表达文献主题内容的能力，越是频繁出现的词，表达文献主题的能力越强。据此，自动标引的过程：将文献转换成机器可读形式；根据停用此表（stopword list），排除文献中代词、冠词、连接词等停用词；对那些不能作为索引对象但又频繁出现的词也作为停用词排除掉；将剩下的词按字母顺序排列，计算出各个词的出现频度，然后编成出现频度顺序表；将原文中出现过一定次数且相互邻接的两个词或三个词的组合体抽出，并计算它们的出现频度；设定一个阈值，凡出现频度高于该阈值的词或词群，就选出来作为该文献的索引词。

从 20 世纪 50 年代研究机器标引开始，自动标引的方法主要有统计标引法、句法分析法和语义分析法。统计标引法又称正文统计分析法，是 1957 年 H. P. Luhn 提出来的，它通过统计各种词在文献中的出现频率，分析词的频率与词的区分文献内容功能之间的关系，使计算机识别对标引有用的词。句法分析法是利用计算机自动分析句子的表层结构和深层结构，以鉴别词在句子的语法作用和句子中词与词之间的语法关系。语义分析法是分析词与词之间的词形变化或等级关系，使词与简单概念联系起来，以识别文献中那些与主题内容相关的词。

用计算机标引中文文献，要解决两个问题。首先是汉字文本的词如何自动切分出来的问题，已有两种方法，一种是机器词典法，即把词典存储在计算机中，凡文本中的字符串（即若干个汉字）与词典中所列的词相符，则被认为是合适的标引词。由于文献中词汇太多，而词典中的词有限，以及一词多义的问题，使这种方法不理想。另一种方法是构词分析法，即分析各种词的可能构词规则，确定一些划分标志，并将这些规则存储在计算机中。这种方法起点较高，但也有许多问题。

单汉字标引是为了避免自动切分词所遇到困难的一种方法，通过计算机对文本中的某些指定字段（如题名等），对每个汉字均做标引，使自动标引得以实现。这种方法将困难转移到检索上，如何考虑检索用字及其检索式，成为需要解决的问题。

由于自动标引技术比较复杂，目前还未达到实用阶段，许多问题都有待于进一步解决。

6.2.2.2　计算机排序

设计计算机排序软件时必须要考虑字符排序规则［见《索引编制规则（总

则)》（GB/T 22466—2008）9.2]，满足索引标目排序的要求［见《索引编制规则（总则）》（GB/T 22466—2008）9.3]。计算机自动排序往往难以完全符合排序的要求，有时需要人工对排序结果稍作调整，其中包括：

1）即使计算机排序软件有区分同音字或同声字的功能，对于一字多声、一字多音的汉字标目，也要用人工逐一检查。

2）汉字标目中带有引号或书名号，会影响其正常排序（不带引号或书名号时）位置，应该尽量不用或少用引号或书名号，或规定引号及书名号一律不参加排序。

3）逐一检查索引中出现的生僻字，如果超出了字符集的范围，应该设法解决，要尽量避免人工造字或留空。

4）如果索引的标目或副标目出现因为按照汉语拼音排序规则破坏其数值排序或等级次序的情况，应该用手工予以调整［见《索引编制规则（总则）》（GB/T 22466—2008）9.2.2.1]。

5）应该安排人工校验用计算机自动标引或半自动标引的结果，计算机生成的索引至少应该安排格式校验，以确保质量。

6.2.2.3 计算机索引系统

用计算机生产关键词索引，进而编制主题索引，建立了许多系统，达到了半自动化和实用化。

（1）KWIC 和 KWOC

1958 年，H. P. Luhn 等人用计算机自动抽取标引，生产出一种称为"KWIC（Keyword-in-Context）Index"的关键词索引，译为"上下文关键词索引"或"题内关键词索引"，是最早出现的一种机编索引。这种索引将作为检索标目的词置于一条索引款目的中间位置，其他的词按上下文关系轮排，因而也称为轮排索引。

为改进 KWIC 索引的易读性产生了"KWOC（Keyword out of context）Index"，即题外关键词索引。将作为标识的关键词从题名内抽出，列于首位，其后是索引款目。这就使编制速度加快。此后，出现了上下文关键词索引的变种，如双重上下文关键词索引（D-KWIC Index）、Enriched Keyword Index 等。

（2）ASI

1968 年，M. F. Lynch 和 J. E. Armitage 等人研制成功一种半自动化索引系统，名为"Articulated Subject Index（ASI）"，译为"挂接主题索引"。这种索引由标

引人员负责文献标引工作，计算机承担编制说明语和索引款目的排序等事务性工作。通过人机结合，计算机利用功能词将标引语句转换成索引款目，这种主题索引比 KWIC 和 KWOC 索引的质量要高，是应用计算机编制主题索引的成功尝试。其编制分为编写语句、选择款目、输入计算机、计算机生成款目格式四个步骤。

（3）PRECIS

20 世纪 60 年代，英国国家书目服务处为满足英国 MARC 做主题索引的要求研制了一种计算机辅助标引的新索引方法，名为 PRECIS（Preserved Context Index System），译为"前后关联索引"、"保留上下文索引系统"或"保持原意索引系统"。1971 年 1 月初步建成，1974 年正式投入使用。它采用上下文相关的原意，通过作为款目词的关键词的轮排，而提供用户从不同的关键词进行检索的可能，轮排形式符合逻辑，易读性强，克服了 KWIC 易读性差和 KWOC 易造成误解的缺陷。

从索引结构和编制角度，PRECIS 有词汇、标引规则和程序、计算机生成输入 3 个组成部分。其词汇取自被标文献，一旦采用即加以规范化，并纳入词库。标引规则和程序是 PRECIS 的句法，包括选择标引词、将选出的词构成"上下文从属"的词串（主题陈述）、进行编码、确定领词或非领词并进行编码、补充有助于输出的介词和词组 5 个步骤。计算机生成输出是根据编码和主题陈述，生成索引款目，最后输出索引成品。

（4）POPSI

1965 年，印度巴塔查雅设计研制了"依据假设的轮排主题索引"（Postulate-based permured Subject Indexing）简称 POPSI。它是以 S. R. Ranganathan 综合分类法理论的原则和假设为基础的一种机助索引系统。

POPSI 的基本原理体现在基本范畴、句法、语义、语序等几个方面。其基本范畴是学科（D）、实体（E）、行为（A）和性质（P）。POPSI 设计了一套复合主题的简明引用次序。采用计算机管理的受控词汇，同时运用介词、连词和分词等，以保持语义的准确性。其词序是根据一般序列原则，D 后接 E，再插入或后接 A 和/或 P。其编制步骤有分析、公式化、标准化、调制、编制分类法类目、选定入口词、字顺排序。

（5）NEPHIS

20 世纪 70 年代中期，加拿大西安达略大学的 Timothy Craven 研制成功"嵌套短语索引系统"（Nested Phrased Indexing System），简称 NEPHIS。NEPHIS 的核

心是"嵌套"技术，即根据短语的层次结构，将一个小的短语嵌入一个大的短语中，使每个短语及其成分对短语中心词进行修饰，再运用计算机对短语分层次生成款目。其编制步骤包括：通过主题分析，编写描述文献主题的短语；标明功能符号；轮排，选择索引款目的标目；运用嵌套技术，提取说明语，拼接索引款目；排序，生成索引成品。

NEPHIS 是一种比较简便实用的机编索引系统。特点是输入字符串接近于自然语言，附加特征少，输入量少，适应性强，既简明，又能保证较好的编制质量，既方便标引员和程序设计，又方便用户。不足之处是难以保证标引的一致性，难以处理复杂的主题概念。Timothy Craven 在 NEPHIS 的基础上还设计出"链接短语索引系统"（Linded Phrase Indexing System，简称 LIPHIS），既保留了 NEPHIS 方便标引员、程序员和用户的设计目标，又摒弃了 NEPHIS 的嵌套特点，可用于处理更复杂的主题概念，生成更详细的主题索引，更接近于自然语言。

（6）SCI

20 世纪 50 年代，美国 Eugene Garfield 在"谢波德引文"的启发下研制出用计算机辅助编制的引文索引。Eugene Garfield 主办的费城科学情报研究所（ISI）先后创办了《科学引文索引》（SCI，1963 年创刊）、《社会科学引文索引》（SSCI，1973 年创刊）、《艺术和人文科学引文索引》（AHCI，1978 年创刊）。此后又建立了引文索引数据库。

《科学引文索引》（Science Citation Index）有以下几个部分：

引证索引（Citation Index）：反映某一作者历年来所发表著作的出处，以及引用他的著作的文献出处。按被引作者的姓名字顺排列，被引文献及其出处按发表时间的先后排在该作者姓名下。引证索引分为作者引证索引、匿名引证索引及专利引证索引三种，1965 年起又增加了机构引证索引，1978 年以后机构引证索引分成地理和机构两部分。

来源索引（Source Index）：SCI 款目的具体描绘，由描述来源文献外表特征的来源款目构成。每一款目由第一作者（标目）、篇名、来源期刊缩写、卷期号、起讫页码、发表年份、参考文献总篇数及著者的通讯处等项构成。来源索引不分资料类型（期刊或专刊），统一按作者字顺排列。没有作者署名的文献按出版物名称排在来源索引的最前面。

轮排主题索引（Permuterm Subject Index）：是由计算机对来源索引包括的所有著作题目中的词（除停用词表中的词以外）进行轮排产生的。一个题目中如有 N 个被选的词，就作成 N−1 个词偶。因此它是文献题目中的双词轮排索引。

（7） 索引软件产品

用于计算机编制索引的软件产品很多。成立于 1986 年的 Indexing Research 公司主要为索引人员提供索引软件、文摘服务和转化服务。其软件产品 CINDEXTM 可以帮助索引人员快速准确地为图书、报纸、杂志等建立索引，甚至还可以用来建立术语表和主题索引表。另有一种免费软件 Idxtools，除独立的文字编辑功能外，还包括标题、无限制长度的副标题、粗体和斜体格式、页面索引、交叉索引、符号标引排序，以及自动排列组合等功能。

6.2.3　索引编纂实践案例：关键词索引编纂

编纂一部图书的关键词索引，可根据上述传统索引编纂方法和计算机索引编纂方法，根据实际情况进行选择，完成编纂工作。

在编纂一部图书的关键词索引过程中，要注意以下问题。

6.2.3.1　明确标引内容的范围

关于图书可标引内容的范围，通常图书中可标引的内容（可标引材料源）包括以下几个组成部分：①前言、序言、导言、跋、后记；②正文；③注解；④图解、插图、地图、图表；⑤具有学术意义之符号；⑥补遗；⑦结果、结论；⑧参考书目；⑨附录；⑩文献中隐含的难以确切查获的有用信息。

图书中通常不做索引、即不予标引的内容包括：①书名页；②题辞、献辞、卷首引语、致谢；③目次、图表目录；④章首纲要、篇章标题；⑤提要、文摘、摘要；⑥广告等商业性信息。

实际标引中，应该针对不同的文献类型，决定不同的可标引内容的范围，并将文献中不做索引的内容在索引前言中加以说明，以引起用户的注意。但是，要注意以上规定仅适用于人工编纂的索引，而在计算机编制的索引或电子索引中，以上这些内容如书名、提要、目次等均有可能用作自动标引的标引材料源。

6.2.3.2　人名的标引

在图书内容索引中，应该选择书中人名的使用形式（惯用名），以便利用户查找。如果在原文中用法不一，则选择其中的一种形式作为标目，为其他人名形式编制见参照（或制作重复款目）。选择人名形式时，应考虑姓名的正式化问题。

两个或多个同名同姓的人名，应该附加限定信息予以区分，中国古代责任者，以朝代为首选附加成分；中国现代责任者以生卒年为第一附加，学科/职业为第二附加；外国责任者以姓名原文为首选附加成分。

示例1：巴特勒·塞缪尔（1612—1680）

巴特勒·塞缪尔（1835—1902）

示例2：刘秀（汉光武帝）

刘秀（晋元帝时将军）

关于少数民族人名，根据本民族的习惯及本人著作中所采用的形式，选择最常用的名或姓与名，为其他形式的人名编制见参照（或制作重复款目）。

示例1：乌兰夫（直接采用）

示例2：才旦卓玛（直接采用）

示例3：克里木（直接采用）

示例4：阿沛·阿旺晋美（直接采用）

示例5：班禅十世（直接采用）

示例6：包尔汉·谢依德 见 包尔汉

示例7：赛福鼎·艾则孜 见 赛福鼎

示例8：尤素夫·马本斋 见 马本斋

关于欧美人名的译名，选择姓在前名在后的形式。如系知名度极高的人名，一般只标引姓氏，例如斯大林、罗斯福、丘吉尔、戴高乐等，可直接采用。为避免同姓的人物混淆，在部分人物的姓之后，可以加括号列出姓名原文、生卒年或朝代、国籍或籍贯、职业或头衔等特征予以区别。韩国、日本等东方国家的人名，则列出姓名全称。

示例1：安东尼（古罗马）

安东尼（埃及）

安东尼（波旁）

示例2：莱尼，约翰（1761—1821）

莱尼，约翰（1794—1874）

示例3：斯图尔特，乔治（建筑师）

斯图尔特，乔治（小说家）

6.2.3.3 团体或机构名称的标引

在图书内容索引中，标引团体或机构名称应该选择被标引图书使用的形式。如果原文中用法不一，则选择其中的一种形式作为标目，为其他形式编制见参照（或制作重复款目）。

团体或机构名称所包含的"民办""股份有限公司"等，可以在标目中删除，但是需要为其编制见参照。若可能产生歧义，则不能删除。

示例1：民办厦门南洋学院 见 厦门南洋学院

示例2：上海航空股份有限公司 见 上海航空公司

团体或机构名称有简称与全称时，若选用简称作为标目，则制作简称见全称的参照；若选用全称作为标目，则制作全称见简称的参照。但是必须二者选一，不可同时制作。

示例1：民盟 见 中国民主同盟

示例2：中华全国文学艺术界联合会 见 全国文联

外国团体或机构名称，一般选取中译名。查找中译名有困难，可以直接采用外文名称作为标目。采用外文名称的公司，其后一般加"公司"字样。涉及到国家部门和有关团体或机构时要冠国家惯用名称。公司名称前一般不冠国名，除非该国名是公司名称的一部分。如团体或机构名称完全相同，可以加地名区分（参看《信息和文献 内容、结构和索引介绍指南》（ISO 999：1996））。

示例1：美国国会众议院

示例2：欧盟

示例3：三一学院，剑桥

　　　　三一学院，牛津

示例4：IBM 公司

6.2.3.4　地名的标引

如果同一个地方有不同的名称，则选用正式的地名作为标目，为其他形式的地名编制见参照。

示例1：汉城 见 首尔

示例2：吉首 见 张家界

示例3：扬子江 见 长江

为清晰起见，地名的标引应该尽可能完整。为避免相同地名的混淆，可以附国别或行政区划等加以说明。

示例1：悉尼（加拿大）

　　　　悉尼（澳大利亚）

示例2：应天（河南）

　　　　应天（江苏）

如果一个地名的译名不同，则选择常用的名称作为标目，为其他形式的地名编制见参照。

示例1：翡冷翠 见 佛罗伦萨

示例2：康桥 见 剑桥

省、市、县名可省略"省""市""县",当出现重名或与同名自然特征相混淆时(例如吉林省与吉林市、黑龙江省与黑龙江等),则予以保留。自治区名、特别行政区名用简称(内蒙古、新疆、广西、西藏、宁夏、香港、澳门等)。

6.2.3.5　文献标题的标引

异书同名,即文献标题相同而文献内容不同的,分别用作标目,并注明作者、版本、版次等加以区别。

示例1:ELLE(法国版)

　　　　ELLE(中国版)

文献标题冠有"钦定""增补""影印""最新""实用"等字样,在制作索引标目时一律忽略不用,并为其编制见参照。

示例1:(最新)朗文当代高级英语辞典 见 朗文当代高级英语辞典

示例2:(影印)文渊阁四库全书 见 文渊阁四库全书

文献有别名、改名、原名、译名等多种标题时,则选择常用的标题作为标目,并为其他形式的标题编制见参照。

示例1:石头记 见 红楼梦

示例2:鸳鸯传 见 西厢记

示例3:乱世佳人 见 飘

6.2.3.6　《科学革命的结构(第四版)》索引实例

美国科学物理学家、科学哲学家、科学史家 Thomas Sammual Kuhn(1922—1996)被誉为"二战后最具影响力的一位以英文写作的哲学家"(理查德·罗蒂语)。1949 年获物理学博士学位,后执教于加州大学、麻省理工学院等。其主要著作有《哥白尼革命:西方思想发展中的行星天文学》(The Copernican Revolution,1957 年;吴国盛等译中文版有北京大学出版社 2003 年版)、《科学革命的结构》(The Structure of Scientific Revolutions,1962 年)、《必要的张力:科学的传统和变革论文选》(The Essential Tension:Selected Studies in Scientific Tradition and Change,德文、英文版的论文集 1977 年;范岱年等译中文版有北京大学出版社 2004 年版)、《黑体理论和量子的不连续性》(Black-Body Theory and the Quantum Discontinuity,1978 年)、《结构之后的路》(The Road Since Structure:Philosophical Essays,2000 年;北京大学出版社 2012 年版)。

物理学是科学王国的女王,冷战结束后,物理学便不再是世界的焦点。在 Kuhn 之前,卡尔·波普尔(Karl Popper,1902—1994)是最具影响力的科学哲学家。Kuhn 的《科学革命的结构》是 20 世纪被最广泛阅读、引用、讨论和争论的科学哲学经典著作。《科学革命的结构》最初是作为《国际统一科学百科全书》第二卷第二期发表的。1962 年第一版由芝加哥大学出版社出版后，总销量超过 9 万册。接着于 1970 年、1996 年出版了第二、三版。2012 年第四版由加拿大多伦多大学荣誉教授、法兰西学院"科学概念史与哲学"教授伊安·哈金（Ian Hacking）导读。第四版中文译本由中国社会科学院哲学研究所研究员金吾伦和中国科学院研究生院人文学院教授胡新和翻译，北京大学出版社出版。

该书共 14 章：第一章"绪论：历史的作用"；第二章"通向常规科学之路"；第三章"常规科学的本质"；第四章"常规科学即是解谜"；第五章"范式的优先性"；第六章"反常与科学发现的突现"；第七章"危机与科学理论的突现"；第八章"对危机的反应"；第九章"科学革命的本质和必然性"；第十章"革命是世界观的改变"；第十一章"革命是无形的"；第十二章"革命的解决"；第十三章"通过革命而进步"；第十四章"后记——1969"。

该书书后索引为内容索引。第四版索引做了较大变动，不仅增加较为详细的人名，而且增添了主题和研究内容方面的重要术语。原版索引的出处为原版书上的旁码，中文译本将原版索引照录，在译本正文页面增加了旁码，与书后索引对应。

在 Kuhn 的科学哲学思想中，"范式"（paradigm）是一个核心概念。他在 1959 年《必要的张力：科学研究的传统和变革》一文中首次引进这个概念，后在《科学革命的结构》一书中对它作了许多发挥，引起人们的注意。

Margaret Masterman 发现 Kuhn 在《科学革命的结构》中对"范式"一词有 21 种不同的用法。除第五章专门论述范式外，其他各章也都有关于范式的论述。书后索引起到了汇聚范式主题研究的作用：

paradigm 范式 xi，xvii-xxv，xiin11，xlii：

    as achievement 作为成就 xvii-xxiii；

    and community structure 与共同体结构 19-20，175-186；

    as constellation of group commitments 作为群体承诺 174，181-186：

    current use of 当今的使用 xix；

    divergent articulations of 发散的诠释 83-84；

    focus of attention on small range of esoteric problems 集中注意力于小范围的
        深奥问题 25；

    global sense of 综合意义上的 xxiv；

    govenance of a group of practitioners 支配一群研究者 179；

    and interpretation of data 与资料的诠释 122；

    Kuhn on 库恩的论述 xvi-xxv；

索引中，"paradigm（范式）"标目之下，有 23 条说明语及地址以及 1 个参见参照。还有"paradigm articulation（范式诠释）""paradigm change（范式变化）""paradigm conversion（范式转换）""paradigms（范式）"等标目。该书索引除表达主题的词外，还有书名、人名等，所有标目按英文单词的字顺排列，如：

Q

quantitative laws 定量定律

    emergence through paradigm articulation 通过范式阐明而突现 28-29

quantum theory 量子理论 67-68，95，108，162，184-185；

    emergence of 突现 87-89；

    and Heisenberg 与海森伯 xiv，84；

    and photons 与光子 12：

    and Planck 与普朗克 vii，xiv；

    transition from Newtonian theory 从牛顿理论的转换 48

quasi-metaphysical commitments 准形而上学承诺 41

Quine，W. V. O. 蒯因 xli

R

radiation theory 辐射理论 93

refutations 反驳 xiv

6.3　文摘编纂法

    狭义的文摘也称为摘要，是文献揭示的一种方法。广义的文摘包括摘要在内，是一种检索工具，既包括文摘刊物，也包括文摘单行本。文摘编纂既有传统的方法编纂，也有现代计算机方法编制。

6.3.1　传统文摘编纂方法

6.3.1.1　文摘的编写

（1）文摘的内容

    文摘应包括哪些内容，不同的文摘杂志、不同的编写目的有不同的限定。为统一文摘的内容结构，规范文摘的编写，一些国家制订了文摘的编写规则。

    苏联国家标准ГОСТ7.9-77对文摘编写作了如下规定：著述的主题、对象、性质与目的；进行工作的方法；具体的结果；原始文献中的结论（评价、建议），以及肯定或否定了的假设；应用范围。

    日本科学技术厅制订的标准规定原著论文的文摘内容：前提——研究、研制、调查等的经过、背景、定义等；目的、主题范围——研究、研制、调查等的目的，使用的主题范围；方法——所用的原理、理论、条件、对象、材料、手段、方法、程序、正确度、精度；结果——实验的、理论的结果，数据，被确定的关系，观察结果，得到的效果、性能等；考察、结论——结果的分析、研究，结果的比较、评价，问题的提出，今后的课题、假设、应用、启发、劝告、预测等；其他——虽在研究、研制、调查的主要目的之外，但在有价值的见识和情报方面被认为是重要的东西。同时规定，既要考虑上述标准项目，又要以记述原文献的最新内容为中心。

美国的国际标准规定，文摘应包括目的、方法、结果、结论、附带结果及其他情报。

中国1987年起实施的《文摘编写规则》GB 6447—86中规定：①目的：研究、研制、调查等的前提、目的和任务，所涉及的主题范围。②方法：所用的原理、理论、条件、对象、材料、工艺、结构、手段、装备、程序等。③结果：实验的、研究的结果，数据，被确定的关系，观察结果，得到的效果、性能等。④结论：结果的分析、研究、比较、评价、应用，提出的问题，今后的课题、假设、启发、建议、预测等。⑤其他：不属于研究、研制、调查的主要目的，但就其见识和情报价值而言也是重要的信息。

(2) 文摘的编写步骤

Ⅰ. 分析文本内容

编写文摘之前，要尽快地阅读全文，掌握其主题内容，在此基础上，对文本内容作语义分析。

英国翻译家 Peter Newmark 在《翻译教程》（A Textbook of Translation）中从语言功能的角度将文本分为三类：表达功能（expressive function）类，是以作者为中心的文本，如文学作品；信息功能（information function）类，重点是语言所描写的客观内容，如科技报告等；呼唤功能（vocative function）类，是以读者为中心的文本，如广告。这一文本分类可作为文本分析的借鉴。

国外一些大型文摘编制机构采用组面分析方法进行分析。组面分析法就是从文本论述的主题的各个方面各个角度，将文本划分成若干个面，分别进行分析，删除无用和次要的部分，筛选出明确表达文本主题的事实和概念。王熹（1985）把这些要素归纳为十个方面：物件——结构体及其部分，物质及成分等；事件——现象，事件，事态，问题等；条件——原理，条件，目的，观点，立场，方法，步骤；过程——作用，运动，操作等；属性——特性，状态，机能，用途，归属，由来等；空间——构造，位置，环境，关系，范围等；时间——时候，时代，阶段等；投入——材料，输入，原因等；产出——生成物，输出，结果，结论，效果等；对象——上述各项都可能成为对象。

为了有效地进行文本分析，一般要拟定文本主题分析大纲。王熹列出了关于一般科技文献的主题分析大纲：研究课题、对象或题目，从事这项研究的科学或技术领域，研究的目的，研究的着眼点或着重研究的侧面，研究（研制）项目的用途，研究的类别，研究的方法，所采用的设备，得以进行研究的条件，研究的具体结果，研究结果所能提供的技术效果，所论证或所研制之项目的经济方面和价值。

这些进一步归纳为六个基本面：对象面、属性面、条件面、方法面、过程面、结果面。

Ⅱ．抽取素材

在分析文本之后，要抽取文本中的主要有用材料（或主要语句），排除那些不重要的材料如导言、历史背景、引用语句和数据、无关的过程细节。抽取素材一般是在原文本上做各种标识记忆符号（如在重要语句下打上横线或波浪线）。

Ⅲ．编述文摘正文

将抽取的有用材料进行归纳综合，形成有逻辑联系的短文。一般要先列提纲（或打腹稿），后写短文，写完后再做检查，看是否有遗漏或错误，是否符合文摘标准。

编写文摘正文，要根据具体的文摘刊物和具体文本选择恰当的文摘类型，尽可能正确反映文本的主题和内容。文摘可以由论文作者编写，也可以由本学科的权威人士来编写，较多是由专职文摘员编写。如果文摘员发现文本中有严重科学错误，可用括号加注说明，由编辑部审定后才附印在文摘正文之后。

关于文摘的篇幅，国内外有不同的看法和规定。美国的标准规定，英语文摘为100—250字词为宜。日本的标准规定，以日文200—400字、西文100—200字为文摘长度的标准。法国的甘沙和梅努认为："文摘的长度，一般为几十至几百字，但有时也可超过一千字"。[①] 美国图书馆学家 Borko 和 Bernier 认为："不应该规定文摘的确切长度……一篇文摘应当多长？这个问题的答案和'一段绳子应当多长'的答案相似，……预先规定文摘长度就像预先规定绳子的长度一样可笑。"在检索期刊中，美国《化学文摘》规定文摘在200个单词以内，英国《科学文摘》平均为300个单词，美国《国际学位论文文摘》平均400—600字词，苏联《文摘杂志》平均1200字符，美国《生物学文摘》规定文摘长度为原始文献的3%，苏联规定科技文摘一般为原始文献的1/8或1/10。中国的文摘刊物平均每条300—700字。

---

① 〔法〕C. 甘沙，〔法〕M. 梅努. 1987. 情报与文献科学技术概论 [M]. 焦俊武等，译. 北京：科学技术文献出版社.

（3） 文摘编写的基本要求

根据《文摘编写规则》的要求，文摘编写要注意以下几点：

1）要客观、如实地反映文本的内容，切不可加进文摘编者的主观见解、解释或评论。不论采用哪种文摘类型，都要让读者得到文本的客观情报。如文本有明显错误，可加"摘者注"。

2）要重点反映新内容和作者特别强调的观点。不录在本学科领域已成为常识的人所共知的内容。

3）因文摘短文与文摘标题是一个整体，因此，标题中的信息不要在文摘中重复。一般不录引文，除非文献证实或否定了他人已出版的著作。

4）书写要合乎语法，保持上下文逻辑关系，尽量同作者的文体保持一致。结构要严谨，表达要简明，语义要确切，一般不分段落。

5）要用第三人称的写法。应采用"对……进行了研究""报告了……现状""进行了……调查"等记述方法标明文本的性质和主题，不必用"本文""作者"等作为主语。

6）要采用规范化的名词术语（包括地名、机构名和人名）；如没有规范化的词，可使用文本中采用的术语，亦可使用其他文本中最常用的术语。新术语或尚无合适汉文术语的，可用原文或译出后加括号注明原文。

7）商品名必要时应加学名。缩略语、略称、代号，除了相邻专业的读者也能清楚理解的以外，在首次出现时应加以说明。应采用国家颁布的法定计量单位。要注意正确使用简化字和标点符号。

（4） 注意文摘与提要的区别

在编写文摘时，要注意文摘与提要的区别。提要是对文献内容的介绍或评述，一般是书目情报人员用自己的语言编写的，而文摘是对原文的浓缩，必须忠实原文，多是摘录原文的语言；提要可以评价原文，而文摘只能复述，不能评价；提要具有高度的概括性，概述文献内容，而文摘要压缩文献内容，抽取文献信息的精髓；提要对文献内容的介绍不受文献内容结构的限制，而文摘必须按照原文的顺序编写，不能超越原文的内容范围；提要一般不指明文献的结论，引导读者去阅读原文，而文摘直接指明文献的结论，在一代程度上替代原文。

6.3.1.2 文摘工具的编纂方法

工具是指将若干相关的文摘按一定方法组织起来的一种二次文献，也称为"文摘出版物"（abstract publication），包括文摘单行本、文摘通报（abstract bulletin）、文摘杂志（abstracts journal，abstracting journal）、文摘刊物（abstracting periodical）等。文摘通报是针对特定的读者群由专门图书馆编纂的工具，多用于定题情报服务。文摘杂志一般是某一专门学科或一组学科领域的定期刊物，为读者提供主要的简短的情报资料。

文摘工具按编纂目的和职能划分，分为普及性和情报性两种。

普及性文摘工具是报道一般书刊论文，为普及科学文化知识而编纂的文摘出版物。具有知识性、趣味性和可读性。其文摘比较详细，是原始文献的低度浓缩。

情报性文摘工具是报道有重要学术价值的专著和论文，为提供情报信息和检索途径的检索工具。它具有学术性、情报性、易检性。其文摘比较简略，是原始文献的高度浓缩。

文摘工具的编纂是一项复杂的工作，由于处理的文献量大、编辑的工作量大，表现为技术复杂性；文摘工具编纂特别是文摘刊物编辑一般有专门的机构和人员，表现为工作连续性；由于在编写文摘过程中要具有高度的概括能力，要进行逻辑思维，进行再创造，表现为智力创造性。

文摘工具的编纂要按如下步骤进行。

（1）选题与工作组织

单卷式文摘工具的选题是根据具体的科学研究需要而编纂的。往往在学术性会议后编印论文文摘，在进行定题服务时，也可编单卷式专题文摘。在编纂单卷式文摘时，要注意选新学科、新课题，注意揭示报道新文献。

期刊式文摘选题是随着科学的变化而选定的，往往是淘汰过时的主题分册，根据学科之间的交叉变化将若干主题合并为新的分册，还要根据新学科的出现增加新的学科分册，此外，随着科学的进程，每一学科分册中的类目也是可以变化的，不断增加新类目以保持文摘的新颖性。总之，要密切注视学科的发展、学科研究状况以及学科文献量及增长趋势，根据科学学和未来学及其他理论，结合实际需要进行选题。

选题既要有稳定性，又要有新颖性。

文摘工具编纂要进行周密的工作组织，首先要根据编辑目的和读者对象确定编纂体例和编纂方法，其次要定出具体的工作计划、工作条例，使文摘工作有章可循。

（2）文献的搜集与选择

编纂文摘工具，要确定收录对象和范围。从文献性质来说，文摘收录的对象是各学科具有学术价值和新内容的已发表的文献；从出版物性质来说，文摘工具收录对象以期刊论文为主，此外，专利说明书、会议报告、书评、学位论文、产品说明书等，都是文摘工具的收录对象。

一般来说，社会科学文摘工具注重收录论文（报刊论文、会议论文、学位论文等），科技文摘工具注重期刊论文，一般不收报纸文章；注重专利说明书，一般不收教科书和通俗读物。

选择文献是文摘编纂工作重要的一环，文摘工具必须选择有报道价值的专著和论文。选择文献有两个要求：一是要有针对性，即针对文摘工具编纂目的、文摘工具读者对象、文摘刊物篇幅和文摘报道量要求确定选择标准。选择范围不宜过宽或过窄，选择标准不宜过紧或过松。二是要有一致性，即文摘员要把握选择标准，始终如一，不致使文摘的科学水准发生波动。因此要有详细的统一的选择条例，更要有经过专门培训的固定的文摘员。

（3）款目的编纂

文摘工具的款目由两个部分组成：基本著录和文摘。

款目的基本著录是根据各文摘机构的规定进行的，一般有规定的项目和固定的格式。国外文摘工具著录比较繁杂，著录项目一般有 10 项以上。

期刊论文的著录项目——美国《化学文摘》要求①文摘号；②文摘标题；③作者姓名和合著者；④著者工作单位（用括号括起）；⑤期刊名称（用国际标准"ISO 883—1974"简化）；⑥出版年月；⑦期刊卷期；⑧起讫页码；⑨文种等。英国《科学文摘》要求①文摘号；②题目；③作者；④作者所属单位；⑤出处；⑥卷；⑦期；⑧页次；⑨出版日期。

专利文献的著录事项——美国《化学文摘》要求①摘号；②专利标题；③发明人姓名；④专利号；⑤专利分类号；⑥专利公布或出版日期；⑦专利申请号；⑧专利申请日期；⑨页数。英国《科学文摘》要求①文摘号；②题目；③作者；④专利国别与专利号；⑤专利申请日期；⑥专利公布日期。

其他如技术报告、会议资料、图书的著录，各文摘杂志的项目也有不同。

从上文看，文摘工具的基本著录项目主要有标题、作者、出处、文种、分类号、文摘号等。随着标准化、网络化的发展，文摘的著录项目趋向统一。

为了实现文摘工具款目著录的标准化，现行国家标准 GB 3793—83《检索期刊条目著录规则》（1983 年 7 月 2 日发布，1984 年 4 月 1 日实施）对不同类型文献著录作了具体规定。

在文摘著录中应注意：

1）分类号宜采用《中国图书资料分类法》进行标引，主题采用《汉语主题词表》进行标引。

2）顺序号即流水号，其方法是①两位数字表示年号，用五位数字表示全年流水号，如 8200202；②用两位数字表示年后，两位数字表示期号，四位数字表示期流水号，如 82020800；③由分册代号、年份和流水号组成，分册代号可用两个拉丁字母表示，年份用两位数字，分册顺序号用五位数字，如《地震学文摘》分册顺序号 DX7900048。

3）原文作者三名以下者全部列出，三名以上者不必全部列出，由…表示，且一律写原文，不音译。

4）如原文附有其他文种的摘要时，应在文种一项加以说明，如［英文；摘要；德文］。

5）期刊论文、汇编论文、会议论文、科技报告、学位论文、专利、技术标准、产品样本等著录均按《检索期刊著录规则》。

6）国外文摘著录格式不一，特别是社科文摘过于简略，应采用标准著录。

款目基本著录完成后，要进行文摘的编写。这是文摘工具编纂工作中最重要的环节，它关系到文摘工具款目的质量甚至整个文摘杂志的质量。因为文摘工具通过著录事项揭示文献的外部特征，通过文摘揭示文献的内容。文摘是文摘款目的主体，文摘工具的大部分功能是通过文摘来体现的，所以，文摘在文摘工具中起着决定性的作用。

文摘要根据文献的类型，有针对性地编写。一般来说，揭示著作和论文，多采用报道性文摘，主要内容应包括研究目的（包括研究主题、研究对象、著述目的）、方法、结果和结论，以及附加材料。揭示综述、评述、展望、说明等，可采用指示性文摘，主要内容应包括研究目的、内容特点、结论及必要的附加信息。揭示社会科学文献，文摘主要介绍课题论证的条件、方法、主要论点和论据，研究结果较多反映调查或论证结果，结论表现为论点。揭示科技文献，文摘应主要介绍论文中基本原理、方法、范围、可靠性等，同本课题原有水平、产量、规模、性能诸方面的比较，以及采用的新方法和新设备，研究结果较多反映实验、观察、测量和计算结果，结论常用公式、观点表达。

在文摘工具中，有相当数量的不带文摘的题录款目。《化学文摘》13% 条目无文摘。《燃料文摘》24% 条目无文摘。《生物学文摘》32% 条目无文摘。

（4）款目的编排

文摘工具款目的编排法主要是采用分类编排法和主题编排法。

国际上的文摘工具多是专科或专题的。号称世界三大检索工具的文摘刊物也是按学科分类排列。法国的《文摘通报》（1939 年创刊）按学科内容共出 49 个分册，年报道量 50 万条左右。日本的《科学技术文献速》（1958 年创刊），按学科内容共出 10 个分册，年报道量 45 万条左右，所有文献均按国际十进分类法进行分类，各分册现统一按《科学技术文献速报编制分类表》分类编排。此外英国的《科学文摘》分物理学、电与电子学、计算机与控制三辑，1960 年以前按国际十进分类法进行分类编排，1961 年以后改用自编分类法进行编排。

除分类的和主题的方法外，文摘中还有字顺方法，多用于辅助编排。

（5） 辅助索引的编纂

辅助索引是文摘工具的重要组成部分，一般附在正文之后。每期附有期末索引，年度索引附在每年期末或单独发行，多年累积索引多单独编印。这些索引主要包括：

1）按内容特征编纂的辅助索引：有分类索引和主题索引以及由主题索引派生出的关键词索引。

分类索引：在标有分类号的文摘基础上按分类系统（类号或类目）编排。著录项目有类号或类目——简化题目（也可省略）——文摘号。

主题索引：在标有主题词的文摘基础上按主题词字顺排列。著录项目有主题词——简化题目或题目全名（也可省略）——文摘号。

2）按著者特征编纂的辅助索引：有作者索引和团体著者索引（包括机构、公司名称索引）。著录项目有作者（或团体）——文摘号。

3）按号码特征编纂的辅助索引：有报告号、合同号、专利号与专利对照号、标准号等索引。著录项目有缩写与号码——文摘号。

4）按特殊需要编纂的辅助索引：为满足特别部门和特殊专业要求而编纂，具有特殊性，不是每一文摘都有。这类索引包括书名索引、分子式索引、地名索引、动植物名称索引等。著录项目有书名（或其他）——文摘号。

（6） 编写说明、目次和附录

文摘工具要有说明（编例，凡例），正文前一般有目次，通常是分类表或词表。辅助索引后一般有附录，包括缩略语表、代号表、字母音译对照表等。

文摘工具一般有专人负责总编、总校工作。

文摘工具在编纂上有四个要求：一要全面，全面反映揭示报道重要文献。二要及时，尽量缩短周期，以每一文摘条目距离原始文献出版时间平均值来看，日本文摘从原杂志出版到文摘出版，相距不过 1.5—2 个月，半月一期。三要可靠，文摘要精炼、科学，减少错误。四要方便易查，应通过多种辅助索引，方便查找。

对于文摘工具的用途，伯尼埃列举了以下要点：①翻译成写作原始文献所用语种以外的文字；②便于查找文献；③代替原始文献；④节省时间；⑤比原始文献更便于系统地组织，而且成本更低廉；⑥回溯检索；⑦比仅仅查看篇名或篇名加简介，更准确地选择文献来进行阅读和翻译；⑧通过集中可标引的主题，便于加快标引速度，同时有助于克服语言障碍进行标引；⑨从物质形态上，文摘组织（包括复制、剪贴等）的方便有助于文献的获取、采购和查找。

6.3.2　计算机文摘编制方法

6.3.2.1　计算机编写文摘的步骤

计算机编写文摘一般分四步进行：其一，通过键盘输入或其他方法将待摘文献输入计算机，转换成机读形式。其二，确定抽取"文摘句"的标准，为计量文献中各个词和句子的"重要性"和"代表性"确定一套合理的可运算的计量方法。其三，通过计算每个词和句子的代表性分值，分析已输入的文本，并按预定的文摘长度（句子数量）和抽取线选出一批"文摘句"。其四，将文摘句加以润饰和组织，使之构成一篇语句连贯而完整的文摘，然后打印输出。

在这些工作中，最重要的是两个问题：

首先，必须给计算机提供文摘素材。即事先要把文献的题目、作者姓名、作者所在单位以及目次、前言、后记乃至文献全文输入计算机。这就是文献的书目著录事项以及文献的部分或全部文本。给计算机的素材越充分，计算机编写文摘的质量就可能越高。

其次，由计算机对素材进行处理。词频统计是一种处理方法，即计算机扫描上述素材（储存在计算机中的电子文本），并对各个字（词）进行出现频率的统计。出现频率高的词，可以理解为该篇文献所论述的中心。经过频率加权的统计，将有关的词抽取出来，并按权值排列，然后，计算机确定一批最主要的（即权值较大的）词，再去扫描文本，把文本中包含该词的句子（文摘句）依次取出（以句号、惊叹号等为标志），并依次排列起来。

6.3.2.2　计算机自动编写文摘试验

运用计算机自动编写文摘，始于1958年H. P. Luhn在IBM704机器上进行的自动文摘试验。Luhn提出用频率统计方法来确定词的重要性和句子的可读性，他将文献输入计算机，对读过的每个词进行判定，使所有词分为两种：一种是"通用词"，也称"功能词"或"非实词"，包括连接词、代词、介词、冠词、助动词，以及某些形容词和副词，这些词收录排列在一种事先编制的词典中，供计算机查询用。通用词的重要值被指定为零。另一种是"内容词",是未列入通用词词表中的词,这些词按字母顺序排列,然后加以合并和计算。频率超过某一预定值 V 的内容词被认为是该文章内容的"代表";所用未超过这一预定值的词类则被标记为"非代表"。为测量句子的代表性,他采用了两种指标——频率和位置。按公式 $r_i = p_i^2/q_i^2$ 计算句子的代表值。式中,r_i 表示第 i 个句子的代表值,p_i 为该子句所含"代表"词的数量,q_i 为该子句所含的总词数。后来,IBM 公司的研究人员对 Luhn 的方法进行修正补充,先把文献区分为标准的(normal)、浮夸的(blah)和过细的(detailed),各类文献按不同的取值范围确定代表词,一个句子的分值等于所含代表词的分值与非代表词的分值之和。

基于文本物理信息分析的自动文摘方法,利用物理符号的匹配和统计获取词的出现频率、词在文本中的位置和句子在文本中的位置等文本的表层信息,这种方法用作者原句加以概括,能抓住文献的关键所在,但也存在着文摘质量不稳定、句间连贯性不强、文摘内容冗余等缺点。因此,从 20 世纪 70 年代中期至 80 年代末人们探索了利用自然语言理解技术进行自动文摘的方法。其原理是:在某一特定领域的文章中,必然存在着特定的信息焦点,即读者感兴趣的内容,利用语言学手段将文章中代表这些信息焦点的文字识别出来,用话语加以组织即可形成一篇连贯的高质量文摘。

鉴于传统的文摘技术应用面宽但质量低,而基于理解的文摘技术质量高但应用面窄,20 世纪 80 年代末 90 年代初,人们开始探索基于文本结构的文摘技术。这种技术根据是否包括预测文本结构的知识分为两种。

不包含预测知识的自动文摘方法,利用篇章连接词和关联词语等形式标记可以识别大部分关系,从而确定篇章的结构;将各种关系划分为平等关系和偏正关系两类,即可以方便地识别出篇章中的语意重心;将代表语意重心的段落和句子提取出来,按照原文中的次序和关系连缀在一起即可组成一段连贯的文摘。埃德蒙森提出的线索词法是修辞结构法的前身。80 年代后期,日本 Uasida 基于人脑信号处理的神经元连接机制进行文摘生成的研究。90 年代初,日本 Kenji Ono 等根据连接词推测文章的修辞结构,导出篇章结构树,在此基础上生成文摘。

包含预测知识的自动文摘方法,根据相同类型文本超结构的相似性,而文摘的超结构与原文的超结构的一致性,先根据文摘超结构即文摘框架中的槽将原文切分成若干部分,再从每一部分中用传统方法选出能代表该部分的句子填入相应的槽中。1993 年,佩斯正式提出称为"选择与生成"的文摘方法。这种方法先从原文中提取有关内容填入文摘框架,再利用已有的带有空槽的文摘模板将文摘框架中的短语和句子组织起来生成一篇连贯的文摘。

进入 20 世纪 90 年代,随着 Internet 走向商业化,自动文摘的价值充分显露出来。1993 年 12 月在德国 Wadern 召开以 Summarzing Text for Intelligent Communication 为主题的国际研讨会，1995 年，国际期刊 *Information Processing & Management* 出了一期题为 *Summarizing Text* 的专刊，编者在序言中指出，这一专刊的出版标志着自动文摘时代已经到来。

6.3.3　文摘编纂实践案例：专题文摘编纂

专题文摘有三种类型：第一类为专题汇总式文摘，第二类为专题摘编式文摘，第三类为专题精粹式文摘。

专题汇总式文摘在专题之下，按专题纲目直接收录相关文献的文摘，以报道性文摘为主。以法学为例，中国社会科学院法学研究所《法学研究》编辑部 2016 年开始编纂《中国法学文摘》，旨在从摘选者的角度，尝试对特定时间段内的法学论文成果进行学术价值的再发现。所摘论文的来源期刊主要为"中文社会科学引文索引"所收录的 21 种法学类学术期刊和 1 种综合性社会科学期刊（《中国社会科学》）。这一多卷本文摘每卷设"本卷推荐""精要摘编"和"论文提要"三个栏目。"本卷推荐"摘选论文 8 篇，单篇文摘字数约 10000 字，"精要摘编"和"论文提要"参照二级学科发文占比大致确定论文摘选篇数，"精要摘编"单篇文摘字数约 3000 字，"论文提要"单篇文摘字数约 300 字。绝大多数文摘是对原发论文的缩写或整理，少数文摘是摘取原发文章中的特定部分。

专题摘编式文摘在专题之下，按专题纲目将相关文献的文摘进行编辑加工，以指示性文摘为主。其方法类似于辑录体提要。以法学为例，翁文刚和卢东陵主编的《法理学论点要览》（法律出版社 2001 年版），分为本体论、关系（关联）论、价值论、运行论四篇 24 大主题，每个主题下又分为若干问题。例如，第三篇价值论下分"法的进化""法的功能与法的作用""法的价值""法律文化""法律秩序""法治"六个大主题，其中"法律文化"这一主题下又分为"法律文化概念、特征""法律文化的结构""法律文化的分类""法律文化的社会化""法律文化的运行方式""法律文化冲突"六个问题，每个问题之下选录相关文献的重要论文。例如，"法律文化的分类"这一问题下选录了 13 个论点，现选录部分论点如下。

论点 1："以下是法律文化的十大类型：①地域型法律文化。②国度型法律文化。③宗教型法律文化。④历史序列型法律文化。⑤法系型法律文化。⑥法典型法律文化。⑦文化形态型法律文化。⑧表现及运作方式型法律文化。⑨生产形态型法律文化。⑩社会形态型法律文化。——刘作翔著：《法律文化论》，陕西人民出版社，1992 年 11 月版，第 120-121 页。"

论点 2:"法律文化模式是在对不同时代、不同民族的法律文化进行比较、分类时所使用的一个范畴。——张文显主编:《马克思主义法理学——理论与方法论》,吉林大学出版社,1993 年 1 月版,第 300 页。"

论点 5:"在横向划分时,以'法统'为标准,可以将人类法律文化分为三种类型:宗教主义型、伦理主义型和现实主义型。——武树臣等著《中国传统法律文化》,北京大学出版社,1994 年 8 月版,第 51 页。"

论点 9:"以产生、实现法律规范的基本程序和方式为标准,也可以将人类法律文化分成三种类型:成文法型、判例法型和混合法型。——武树臣等著《中国传统法律文化》,北京大学出版社,1994 年 8 月版,第 52 页。"

论点 10:"在此,我们将法律文化族类分类如下:1. 罗马—日耳曼法系;2. 普通法法系;3. 社会主义法系;4. 非西方法系。——〔美〕埃尔曼著:《比较法律文化》,贺卫方等译,三联书店,1990 年 3 月版,第 29 页。"

论点 13:"传统的法律制度有独特的合法性理论,使他们与现代法律相区分……然而,现代法律把有关法律的基本假定颠倒了。法律不断在变动。——〔美〕弗里德曼著:《法律制度》,李琼英等译,中国政法大学出版社,1994 年 6 月版,第 239 页。"

专题精粹式文摘运用的是文献精髓法,既不像专题汇总式文摘那样展现每篇文献的全部文摘,也不像专题摘编式文摘那样摘录文献中的某些观点和片断,而是去粗取精,去伪存真,摘取文献中的精华。以法学为例,德国 20 世纪最伟大、影响最深远的法哲学家和刑法家之一 Gustav Radbruch(1878—1949)一生著述丰富。他的学生、法国著名法哲学家和刑法学家 Arthur Kaufmam(1923—2001)从 Radbruch 的全集中摘选出名言编辑而成《法律智慧警句集》(*Aphorismen Zur Rechtsweisheit*)。德文版原名为《法律警句集要》,是有关法的根本问题的格言总汇。Radbruch 把它作为《致安塞尔姆的格言集》(*Spruchbuch fuer Anselm*)差人送往俄国战场给唯一的儿子(安塞尔姆·拉德布鲁赫,1942 年 12 月 5 日在俄国阵亡)。该书在 Radbruch 去世后由 Fritz V. Hippel 整理出版,后依据叔本华著作《生活智慧警句集》(*Aphorismen Zur Lebensweisheit*)为蓝本而改为现名。该书分为 22 个主题:生存的悖论;法、法观念、法律感;正义、合目的性、法的安定性;相对主义;实证主义和自然法;事物的性质;仁慈与法;刑法、刑罚和信仰犯;法治国和民主;祖国、民族和世界公民;政治;共同体;战争;人、性格和人性;宗教;生与死;文化;耐性与无耐性;伦理和习俗、权力和自由;求知与问学;短句;法律联业人与法律学术。

全书所摘警句 602 条,例如"法、法观念、法律感"主题下有警句 57 条,如"法在极端对立的紧张之间保持平衡,这种平衡是易变的,经常遭受威胁而又总是被重新创造的。（1932 年）""正确法的概念应是实证的，同样地，实证法的任务在内容上应是正确的。（1914 年）""法意图趋向正义。（1945 年）""法，也包括实在法，只能定义为这样一种制度和规定，即依其本义，它们注定是要为正义服务的。（1946 年）"等。

专题汇总式文摘所收录文摘一般是整篇文摘，以专题为纲，以被摘文献为主线，文摘篇幅有固定要求，文摘编辑相对简单，文献机构的文摘员可以承担这类编辑工作。相比之下，专题摘编式文摘以专题为纲，以论点为主线，所摘录只是相关的主要观点和结论，可能是一句话，也可能是一段论述，一篇文献可能在多处出现，摘录的篇幅可长可短，完全根据内容研究。因此，这种文摘的编辑有一定难度，需要编辑者具有专业知识和一定的对内容进行评判和选择的能力。经精选并编辑的这类文摘参考价值很大，可以采取文摘员与专业人员相结合的方式进行此类文摘的编辑。

6.4　参考工具编纂法

教育部在 1984 年发布的《关于在高等学校开设〈文献检索与利用〉课的意见》的通知，将工具书分为检索性工具书和参考性工具书两大类。参考工具与检索工具具有共同的特点：都是采自一次文献和各种相关资料，都是按照一定的方法编排，都具有工具性质。但是，参考工具与检索工具有较大差别，两类文献揭示的方法和内容各有所侧重，检索工具包括书目、索引、文摘等，又称书目文献，属于二次文献的范畴。参考工具内容丰富，类别众多，既有二次文献，也有三次文献。从使用角度，参考工具广采博收，涉及知识广泛，可查可阅，查找快捷，阅读便利。在编纂方法上，参考工具与检索工具也有异同。

6.4.1　参考工具文献

参考工具文献又分为语言类参考工具文献和知识类参考工具文献两大类。

语言类参考工具文献，又称辞书性工具书，主要包括字典、词典。两者的区别主要在于字典以释字为主，词典以释词为主。

字典有"字书典范"之意。中国最早的字典是《史籀》（"籀"即大篆），相传为周宣王时期太史籀所撰。现存最早的字典为东汉许慎撰《说文解字》。字典主要是对字的形、音、义进行解释。现代字典虽以单字为主，但举例时多包含此字的词语。字典常见的类型有一般字典、古汉语字典、文字形体字典、辨正字汇等。

词典又称辞典，最早的词典为《尔雅》。词典主要是对词语和名物揭示其概念、变迁及用法等。词典往往以单字为字头，其对单字的解释，几乎等同于字典。因此，词典兼有字典的作用，有时两者并无严格的界限，只是详略不同。古代汉语的词大多是单音，即以单字为词，往往对复音词也加以解释。现代汉语的词大部分是复音词。词典常见的类型有一般词典、古汉语词典、虚词词典、成语、典故、方言、俗语词典等。

知识类参考工具文献包括专门（科）性词典、类书、政书，百科全书，年鉴、手册，表谱、图录，法律汇编及条约集，统计资料汇编、数据集等。

专门（科）性辞典是专收某一学科或某一方面词语的辞典。这类辞典数量最多，含人物、地名、学科性专书等，其重在知识性。

类书是辑录古籍中的片断或整篇资料，按照类别或韵目加以编排，供寻检、征引、辑佚、校勘之用的文献。主要有综合性类书和专门性类书两类。类书保存了大量已经亡佚的古书资料，其内容具有百科性，被认为是中国古代的百科全书。《不列颠百科全书》即把三国时的魏文帝曹丕命王象等人所编纂的《皇览》列为中国古代百科全书的第一部。古代类书著名的有隋唐四大类书——《北堂书钞》《艺文类聚》《文思博要》《初学记》，宋代四大类书——《太平御览》《册府元龟》《太平广记》《文苑英华》，明清四大类书——《永乐大典》《古今图书集成》《渊鉴类函》《骈字类编》。

政书是专门记载古代典章制度的工具书，收集历代或某一朝代政治经济、文化制度等方面的史料，加以组织提炼与叙述，全面系统反映历代典章制度的基本内容及其沿革变化，具有制度史、文化史和学术史的性质。古代政书有通记历代典章制度的"十通"即三通（唐杜佑《通典》、宋郑樵《通志》、元马端临《文献通考》）、续三通（《续通典》《续通志》《续文献通考》）、清三通（《清通典》《清通志》《清文献通考》）和《清朝续文献通考》，以及记载断代的"会要"（如《唐会要》）、"会典"（如《元典章》）。

现代"百科全书"（encyclopedia）一词出自希腊文，是汇集一切知识门类或某一知识门类的概述性著作，又被称为"工具书之王"，往往规模巨大。与古代的类书"述而不作"不同，现代百科全书在内容上强调概述的全面性，即系统、全面、融会贯通地介绍历史、现状和发展，并着重反映当代科学文化的最新成就，要求介绍的知识要站在时代的前沿。

年鉴（yearbook）是全面、系统、及时地汇集一年内的重要学科进展、时事文献或各项统计资料的工具书，系编年体史料，逐年编辑，连续出版，为百科全书的修订积累资料。年鉴一般分为综合性年鉴、专门性年鉴和统计性年鉴三类。

手册（manual）是汇集经常需要查考的文献、资料或专业知识的工具书，相对年鉴则具有稳定和常用、分门别类的特点，其名称众多，如指南、要览、便览、一览、必备、大全、全书、宝鉴等。许多资料汇编也具有手册性质。手册集中了常用资料、数据、图表等，作为案头必备，可随时翻检。综合性手册知识面广博，适用于扩大知识面和基本知识的学习。专门性手册专业性、针对性强，适合专业工作者查考，也可供一般读者学习某一专业的参考工具。

表谱（table spectrum）是以表格、谱系、编年等形式反映历史人物、事件、年代的工具书，包括年表、历表和其他历史表谱。年表用以查考不同历史纪年对照和编年史事，分为单纯纪年年表和历史大事年表两类。历表则用来查考不同历法年月日对照，年表和历表都是以表格的形式，着重反映时间和历史概念。其他历史表谱包括史谱、人物表谱、职官表、地理沿革表等。

图录（illustrative plates collection）也称"图谱"，是按照一定的专题或学科辑录有关的图像资料的工具书，包括地图、历史图谱、文物和人物图录。地图一般分为普通地图和专门地图，后者包括自然地理图（地质图、水文图、气候图、植被图等）、社会经济图（经济地图、政区地图、人口分布图等）、专业技术图（航海图等）和历史地图等。历史图谱、文物和人物图录是一种以图形揭示历史文物和事物形象的工具书，汇集各种重要文化遗址、历史文献、古代器物以及重大历史事件、历史人物的图像资料，这类工具书，一般要求有绘图专业能力的出版社印制。

法律汇编是用来查考宪法、法律法令和国家机关制定的规范性文件的汇编本；条约集是国家间规定相互权利和义务的各种协议的总称。它们都是系统文献的汇编本，多按照时间顺序排列。

统计资料汇编、数据集。统计资料汇编系统汇集有关社会经济和社会生活等方面的统计数字和资料，数据集则系统汇集有关科学和生产方面的数据，二者都重点反映统计数字和数据，但内容和范围各有侧重。

参考性工具书是工具文献里类型最多、数量最大的一部分，多数带有科学工作者的前期研究成果，不仅具有参考性，而且具有知识性。

6.4.2　参考工具文献编纂

6.4.2.1　编纂目的

参考工具文献编纂是有目的、有计划进行的一项工作，具有编纂时间长、头绪多、任务重、累积性比较强的特点。编纂者在编纂之时，一般都要明确目的，既有直接必须达到的目的，也会有间接的可能会达到的目的。

个人编纂通常有两种情况，一种是日常工作与研究中注意积累某一问题或某一主题的相关材料，当达到一定规模时，就开始着手编纂，形成参考工具文献，目的在于产生一种成果，发表或出版后提供社会利用。另一种是某一专业工作或研究任务中的基础性工作需要，这时的编纂目的是为直接为专项工作或专门任务服务，在完成工作或任务中，也可发表或出版，以发挥更长远的作用。

组织编纂一般都有鲜明的政治目的、教育目的，以及根据社会需求、机构的使命和任务等确定的具体目的。为了达到这一目的，必须加强编纂的组织领导工作，强化分工与任务落实，使保障不同区域、不同部门、不同阶段的编纂工作保持标准上的统一和任务上的衔接。

6.4.2.2 材料采撷与甄别

参考工具文献要从大量的文献源中选取符合编纂目的、有价值的材料。

甄别材料是参考工具文献编纂的重要步骤，也是决定参考工具文献质量的关键。对于采选的材料进行甄别的原则和方法：一是要确定来源，来源要清楚。为明晰来源，必须阅读原文，或者查实原始出处。二是要鉴别真伪，有的材料即使有确定的来源，也会有不真实的可能，要运用辨伪学的原理，对材料的真伪进行鉴定。避免将伪书内容或赝品材料收入参考工具文献中。三是要辨识作者，有些材料是多人转录，要弄清原始作者和转述者。四是要鉴定材料的价值，分析材料的内容价值、历史价值以及材料产生的社会影响，以材料的价值作为是否入选的重要依据。例如，郭义主编的《教师养生保健手册》，选材有医学保健知识、疾病防治知识、秘方等，这些内容都需要严格审定其真实性以及参考价值，其中有的内容有出处如"夫上古圣人之教下也，皆谓之虚邪贼风，避之有时，恬淡虚无，真气从之，精神内守，病安从来。是以志闲而少欲，心安而不惧，形劳而不倦，气从以顺，各从其欲，皆得所愿。故美其食，任其服，乐其俗，高下不相慕，其民故曰朴。是以嗜欲不能劳其目，淫邪不能惑其心，愚智贤不肖不惧于物，故合于道。所以能年皆度百岁而动作不衰者，以其德全不危也"，选自《素问·上古天真论》，这样的材料因为有出处可以查证。其他如关于慢性疲劳综合征（SFS）"美国国家疾病控制和预防中心将此病视为'21世纪人类最大的敌人'，其在我国的发病率为10%—20%，在教育、科技、新闻、广告、演艺等行业中甚至高达50%"虽无出处，但有线索也可查实，此外，还有大量无法查证的内容，一旦发生错误，就会贻误读者。

6.4.2.3 材料加工与揭示

语言类参考工具文献，通常要对材料作深度加工与揭示。每一词条的撰写通常由个人撰写，必须建立在分析研究基础上，形成文字，要求达到知识的准确性和表达的精炼性。大型语言类参考工具往往有严密的组织和审查机构，围绕辞书体例、词条选择甚至词条撰写展开讨论。例如，《汉语大字典》，《汉语大词典》是中国 20 世纪末期的两大工程，《汉语大字典》由四川辞书出版社、湖北辞书出版社 1986—1990 年出版，是迄今收录汉字最为完备的工具书，全书 8 卷，收汉字 56000 余个。《汉语大词典》，上海辞书出版社 1994 版。1975 年始由山东、江苏、安徽、浙江、福建、上海数百位语言学家组成编纂，收录单字词目 22000 多条，词语 36 万多条，总字数达 6000 余万，共分 12 册及一册附录索引。这两部大型辞书，因为涉及汉字的复杂形体和演变，涉及汉语词汇发展衍变的过程，对有代表性的甲骨、金、篆、隶等字型，尽可能注出现代拼音、中古反切和上古韵目，并分常用字及生僻字的义项作解释，因此需要对每个字的形、音、义进行全面研究，需要对汉语词语进行通史研究，还需要有书证，保证资料翔实可靠，博采古今，考镜源流，最终成为古今字书、韵书、训诂书之集大成者。

　　知识类参考工具文献，对于材料加工和揭示的要求主要是两种方式，一种是综合揭示式，主要对入选的粗材料进行精加工，进行序化描述、压缩精简内容，既要将分散的知识进行整合，形成知识的序列，也要将相对完整的知识碎片化，拆分为知识单元和知识元素。另一种是编辑加工式，将已确定选入的材料进行编辑，增加注释、年份、数字等文字或图表的转换等，如将文字表达转换为图表，将年号、干支纪年转为公历纪年等，还包括文字校勘等，这些工作使得入选的材料符号现代阅读的习惯和出版要求。例如，将希腊文化史的材料按年代线索编辑加工如下（Hollister, C. W., Rogers G. M. 2005）：

c. 600 B. C.	Sapphoof Lesbos, the first great lyric poet, establishes her circle of maiden friends on Lesbos
c. 585 B. C.	Thales, the first important Greek scientist and philosopher, proposes that water is the primary element
c. 582-507 B. C.	Pythagoras：mathematician, mystic, and founder of a quasi-religious brotherhood
c. 550 B. C.	Anaximander proposes that humans are descended from an embryo in the sea
c. 525-456 B. C.	Aeschylus：the first great tragic dramatist
c. 496-406 B. C.	Sophocles：tragic dramatist, author of Antigone
c. 485-406 B. C.	Euripides：tragic dramatist who portrays his characters with unparalleled realism and psychological insight
c. 484-420s B. C.	Herodotus：the first major Greek historian

c. 469-399 B. C.	Socrates, who devoted his philosophical career to the proposition that an unexamined life is scarcely worth living
c. 460-400 B. C.	Thucydides: the first critical historical scholar, historian of the war between the Athenians and the Peloponnesians
c. 469-399 B. C.	Hippocrates: the first major Greek physician
c. 450-386 B. C.	Aristophanes: the greatest Greek comic playwright
432 B. C.	Completion of the Parthenon on the Athenian Acropolis
429-347 B. C.	Plato, student and reinterpreter of Socrates, revolutionizes philosophy
384-322 B. C.	Aristotle, universal scholar and student of Plato, further revolutionizes philosophy

6.4.2.4 材料组织

语言类参考工具文献，一般根据字、词特征和编纂目的选择组织方法。

知识类参考工具文献主要是根据内容进行组织，大多采用主题组织方法。主题细分化是这类工具的编纂特点。例如，虞世南编纂的类书《北堂书钞》160 卷是中国现存最早的类书，虞世南任隋秘书郎时所纂辑，北堂为秘书省后堂，书成于隋大业年间。该书采摘群书名言隽句，供当时作文采撷词藻之用，所引均随以前的书籍。这部类书对于材料的组织详细，形成一个巨大的知识体系。

全书先分"部"，共有 19 部：帝王、后妃、政术、刑法、封爵、设官、礼仪、艺文、乐、武功、衣冠、仪饰、服饰、舟、车、酒食、天、岁时、地。部下分目，共有 851 目。前 22 卷为"帝王部"共设 75 目。

这一类书将帝王的内容通过类目展现得十分充分，后世类书编纂多受它的影响，如宋《册府元龟》分 31 部，首为"帝王部"。

6.4.2.5 凡例与辅助检索

参考工具文献一般是阅读参考之用，写在书前的"凡例"或"说明"十分重要。

第一，凡例，是编纂说明的纲领，也是阅读参考的指引，一般在凡例中不陈述编纂的起源和详细过程，编撰过程可以置于序或跋中。凡例主要解决三个问题：编纂目的，为什么要编纂这一部工具文献，直截了当说明编纂意图；材料的采集范围以及组织方式，介绍重点，简明扼要，让读者了解编纂过程中的基本原则和核心要素；如何利用以及阅读参考中要注意的问题，突出介绍查阅方法，达到指导或指引的目的。

第二，凡例一般采取条目式，条目不宜过多，每一条力求简明，语言通俗易懂。人物工具书编纂，一般有传记体和简历体两种体例。李盛平主编的《中国近现代人名大辞典》有前言和凡例，前言说明编纂目的和编写过程。凡例说明编纂体例和使用方法，共有八条："一、本书选收自1840年至1988年9月30日期间故去，并在中国近现代历史上起过一定作用或有一定影响的历史人物10750人，其中中国人物9904人，外国来华人物846人。二、本书按人物的姓氏笔画编排；同笔画的姓氏按起笔笔形一、丨、丿、丶、乛的顺序编排；同名同姓的按出生年月编排；外国来华人物按中文译名的笔画编排，并作为附录单独排列。三、一人多名的，以最常用名作为正条，其他列为参见条目。四、对学术上有争议的问题，一般以一说为主。五、一律使用公元纪年。六、释文中的旧地名，一般夹注今地名。七、本书所参考的资料，以1988年10月以前发表的为限。八、在笔画索引前，编有姓氏索引，姓氏索引的页码为笔画索引的页码。"每条说明表达准确且简洁，易于理解。

第三，凡例在导介中要说明文献中的缩略形式，介绍使用时可以适当举例说明。如方诗铭、方小芬编著《中国史历日和中西历日对照表》分上、下、附三编及年号索引共4部分。上编从公元前841年—公元1年（西汉哀帝元寿二年），分5表；下编从公元1—1949年，分15表。附编主要是殷日历表、共和元年前西周历日表和1949—2000年历日表。以中历为主，每月列初一、十一、二十一日，也对照干支和公历，并在表下注明异说。目录前的"说明"部分共六条，都很简明，第五条说明"本表凡年号有异说及干支字有改动者，皆加注明，如汉武帝'征和'年号，或作'延和'，即用'征（延）和'表明；太平天国曾改干支字的'丑'为'好'、'卯'为'荣'、'亥'为'开'，亦在有关年份中注明"，这条说明通过举例，使用者便不再产生疑问。第六条说明本表征引各书的简称有8个：《目录》——司马光《资治通鉴》所收刘羲叟《长历》；《辑要》——汪曰桢《历代长术辑要》；《朔闰考》——罗振玉《纪元以来朔闰考》；《日历》——陈垣《中西回史日历》；《朔闰表》——陈垣《二十史朔闰表》；《对照表》——薛仲三、欧阳颐《两千年中西历对照表》；《总谱》——董作宾《中国年历总谱》；《通考》——〔法〕黄伯禄《中西年月通考》。这些简称起到节省篇幅的作用。

第四，凡例通常置于目录之前，序或前言之后。

为增强参考工具文献的检索功能，一般要有辅助检索。由于汉字的特点，通常字、词典的排检法不外部首、号码、音序这几种，通常比较权威的在使用某一种是排检之外，还有另外的一种或两种作为辅助索引，为读者的使用提供了多种检索途径。

第 7 章　书目情报理论

我总是告诉别人，我成为作家并不是因为我上过学，而是因为我妈妈带我去了图书馆。我想成为作家，是因为我想看到我的名字出现在卡片目录上。

——Sandra Cisneros

当小说家 Sandra Cisneros 回忆图书馆的卡片目录时，并不知道目录上出现的每一个名字都是书目情报。书目情报的研究开始于 20 世纪 50 年代，有两个因素影响着书目情报理论的产生。首先要指出的是，Bertalanffy 在 20 年代创立的系统论到 40 年代才得以承认，这时，Shannon 创立的信息论和 Wiener 创立的经典控制论终于找到了自己的"近亲"，这些理论动摇了传统的科学体系，具有普遍的指导意义，这对于目录学的发展也产生了深刻的影响，用这些理论方法去考察目录学，能够找到书目工作在社会、科学中的位置，找到目录学特有的规律。其次，50 年代，情报学迅速崛起，在文献工作的基础上开展了情报工作。美国、苏联、日本等国都建立了科技情报的专门机构，这就使书目工作由以图书馆为阵地伸展到更为广阔的领域。经过对文献工作的深入探索，特别是随着情报概念的渗透，目录学家们才真正找到目录学范畴的基点——书目情报。从 50 年代到 70年代，经过目录学家们对它的理解和讨论，逐渐形成了专门的理论。

7.1　书目情报原理

如果说目录或书目是一种检索工具或二次文献，那么，书目情报形成目录和书目的基本要素。书目情报不仅仅是一个概念，它包括形成机理、基本模式、应用范畴等。

7.1.1　书目情报的概念与特征

7.1.1.1　书目情报概念

"书目情报"一词对应于英文中的 bibliographic information 和俄文中的

"Библиографическая инфомация"，出现了各种不同的翻译和理解，如"目录情报""题录情报""书目信息"。值得注意的是，英文"bibliographic information"与"bibliographic data"相关，后者是"代表一个文献的信息，通常包括各文献的描述著录项，主题标题著录项、索引、权威法定著录名称以及文摘"，仅从字面上翻译这两个词是不妥当的。而俄文"Библиографическая инфомация"—词是 20 世纪 70 年代目录学新概念，经过认真的讨论才得到公认。彭斐章等译的《目录学普通教程》将这一术语译为"书目情报"，已得到国内目录学界广泛的关注和采用。

对于"书目情报"概念的理解关键在于把握它的内涵，从国内外对于书目情报的研究可知，迄今关于书目情报概念有以下观点和定义。

（1）关于出版物的信息

Harrod（1990）的词典将书目情报定义为"为便于订书作出鉴别的有关一出版物的详细情况，包括作者、书名、出版者、出版地、版次、丛书注、卷号、分册和补编以及定价，部分图书还包括编者、译者或者插图者"。有时称之为"trade information"。Parmar（1989）主编的词典亦有同样解释。

苏联国家标准（ГОСТ 7.0—77）将书目情报定义为"为识别和利用出版物所必需的出版物信息（不论这些信息的提供方式是口头的、阅读的或机读的）"。

（2）关于文献的情报

索科洛夫指出书目情报是关于文献内容和形式的二次事实情报，表现为用自然语言或情报检索语言表达的标准目录报道。

科尔舒诺夫 1981 年主编的目录学教科书对 ГОСТ 7.0—77 的定义作了发展和订正，指出"书目情报——是以具体的历史形成的形式，在文献交流体系中发挥检索、交流和评价功能的，关于文献的情报"[①]。在 1990 年他主持修订的目录学教科书中，将定义表述为"书目情报——是以一定的方式在文献交流体系中实现检索、交流、评价的基本社会功能，并以满足和培养社会文献需求为最终目的的，关于文献的有序化（标准的）情报"（Коршунов，1990）。这一新的定义增加了"有序化（标准的）"限定。

（3）关于文献的效用信息

彭斐章（1995）指出："书目情报——关于文献的效用信息。"王心裁和柯

---

① О. П. 科尔舒诺夫〔苏〕. 1987. 目录学普通教程 [M]. 彭斐章等，译. 武汉：武汉大学出版社.

平（1995）也说："书目情报是关于文献的能反映文献存在的效用信息。"

7.1.1.2　书目情报特征

书目情报具有知识、信息、情报的某些特征。压缩性、二次性、知识性是书目情报的基本特征。

1）压缩性：书目情报是对文本或文献进行压缩的结果。列昂诺夫说："书目情报的最一般的特征是具有表现为压缩形式的一次情报，书目情报概念非常重要的特征：第一个特征是，作为二次情报的一种形式，书目情报是一次文献压缩的结果；第二个特征是，具有关于文献的情报即组织文献交流系统面向检索阶段所必要的充分的文献情报"（Леонов，1985）。压缩性表现在信息上是必要充分，表现在语言上是简明，通过将各种文本或文献集中起来，便于反映文本或文献的全貌，也便于人们准确地识别和获取具体的文本或文献。从根本上说，压缩是为了记忆，书目情报是人们用极少时间掌握文本或文献内容的捷径，是原始文本或文献的另一种知识表达，从而建立了一对一的关系，在某种情况下能替代，某种情况下不能替代。

2）二次性：书目情报是关于文本或文献的一种情报，二次性是从书目情报产生的过程而言的。在知识物化为文本或一次文献的过程中，既可以直接从知识中提取书目情报，也可以从事实情报中提取书目情报。在文本或一次文献形成之后，对文本或一次文献进行加工处理，形成关于文本或文献的书目情报。它是原始作品或文献的表征，是人们认识作品或文献、获取文本或文献的信号。由于文本或文献可以一次又一次地被加工处理，二次加工便成为书目情报的一种普遍现象。

3）知识性：书目情报是经过分析和综合的、相对成熟的知识。它不同于一般的信息，一般的信息具有不完全性和动态性。不完全性是指对客观事物运动认识的不完全性。动态性是指随着物质的运动，信息的内容和信息量都会随着时间的变化而得到取舍、更新、充实和积累。相比之下，书目情报反映的知识是确定的。书目情报也不同于一般的情报，一般的情报强调在决策过程中的作用，强调时效性，效果和效益明显，而书目情报虽然有较高的情报质量，但对时效性的要求比一般情报要低，其效果和效益具有明显的滞后性。

通过这些特征可以看出，书目情报是为了更好地传递和利用文本或文献，没有书目情报，文本或文献的利用就会受到影响。增加文本或文献的传递利用价值，这本身就反映了效用。在文本或文献中，知识要经过浓缩以便于传递，知识要有地址才便于记忆。因此，我们把书目情报定义为：为传递和利用文本或文献，经过分析和综合处理并用于浓缩和记忆的知识。

7.1.2 书目情报的结构与功能

7.1.2.1 书目情报的类型及其表现形式

（1）按书目情报产生过程

按照书目情报的产生过程划分，可将书目情报分为文本书目情报和文献书目情报两类。

1）文本书目情报，指在形成原始作品或文献过程中生成的关于文本的书目情报，也可称为原生书目情报，它依附于原始作品或一次文献而存在，具有原生性、依附性和分散性的特点，其表现形态有：

title，title page，series title，headings，subheading，headline，half title，chapter heading 等（文本标题信息）；

author，editor，series author，translator，compilation，adaptation，responsibility，statement of responsibility 等（文本责任者信息）；

publisher，publication date，place of publication，printing date，distributor 等（文本出版发行信息）；

edition、first edition，new edition，reprint，first printing，format of publication，print run，price，book number，serial number，bar code，page number 等（版本特征信息）；

copyright notice，imprint，first serial rights，second serial rights，foreign rights 等（文本版权信息）；

epigraph，foreword，preface，epilogue，frontispiece，front pages，appendix，errata sheet 等（文本创造和文献形成信息）；

table of contents，table of illustrations 等（文本结构信息）；

note，content notes，graphics，image，illustrations 等（文本个别内容信息）；

bibliography，reference，citation 等（文本关系信息）；

index，glossary 等（文本内容分析信息）；

summary，abstract（文本内容说明信息）；

C1（the front cover），C2（the inside front cover），C3（the inside back cover），C4（the back cover），jacket，dust cover，facing pages，hardbound，paperbound，self-cover，simultaneous edition，clothbound，film lamination，bulk，CMYK，coated paper，typestyles，saddle-stitch 等（一次文献形态信息）；

CIP（一次文献附载的编目信息）。

2）文献书目情报，指原始文献产生以后，在文本书目情报基础上生成的关于原始文献的信息，也称为再生书目情报。它独立于一次文献而存在，具有再生性、独立性、集中性的特点，其表现形态有：

book review，book appraisal（文献评价信息）；

recent current literature report，recommendation of new publication，current bibliography，book publicity，advertisement 等（文献出版信息）；

book bibliography，library catalog，union catalog，virtual union catalog，special collection catalog，list of published books 等（文献特征及收藏情况信息）；

title index，title keyword index（文献篇目集合信息）；

content index（文献内容检索信息）；

abstract publication，annotated catalog 等（文献内容综合信息）；

literature survey，survey abstract，annual review，annual report 等（文献内容研究信息）；

textual criticism，edition authentication（文献形式研究信息）；

sci-tech novelty search report（文献查重研究信息）；

bibliography of bibliographies，bibliographical database，guide of information source 等（二次文献综合信息）。

（2）按书目情报信息特征

按照书目情报的信息特征来划分，有特征书目情报和实质书目情报两类。

1）特征书目情报是经过对文本或文献特征的揭示，用一定的规范或标准表达出来的信息集合，表现为各种著录，即书目记录。表征文本或文献的分类号、主题词、文献代码等均是这类信息。由于它通常表现为标准的有序化结构形态，也可以称为标准书目情报。

特征书目情报与目录活动紧密相关，自从人们为查找利用文本或文献而建立目录开始，这种情报就成为书目工作者和读者所关心的对象，书目工作者要对文本或文献进行熟悉、鉴别，进而找出反映文本或文献形式和内容的特征，用规范的语言表达出来，当然，这种规范的语言要受到读者的制约，特征书目情报只有为读者识别并理解后才有效。"G258"并无特别意义，但若把它放在一定的分类体系中作为类号，并与文本或文献联系起来，就能说明某种信息。同样，读者依据索书号可以找到一本书、一张图片的存在，正如按地图找到某一地点，按个人照片和简历找到某个人一样，特征书目情报在文本或文献处理活动和读者服务中都是必需的，它的表征、指引、参考和辅助的特点是任何其他信息所不可替代的。

2）实质书目情报是比特征书目情报更高一层的信息，它深入到文本或文献的内容中揭示文本或文献，对文本或文献的正文进行浓缩，用简明的语言表达文本或文献中的事实情报，抽出对读者最有益的信息。这类情报在语言表达上是非标准的，但它在不同程度上再现了作者的原意，对读者而言，提供了更大的、直接的信息量，因而更有意义。

文摘和综述作为实质书目情报的表现形式，在目录学领域是非常活跃并有发展前途的。它把书目情报上升到知识领域，在当代文献流庞大，读者摄取信息困难的条件下，起到大海淘金和快速摄取知识营养的作用。

7.1.2.2 "文献与需求者"体系中的书目情报

科尔舒诺夫构建了"文献与需求者"体系（Система "Документ — потребитель"），这一体系也称为"文献交流体系"，这里，文献指的是人们为保存和推广（传递）而用以记录了社会情报的一切物质载体。需求者指为了某种（科研的、生产的、创造的和学习的等等）目的而利用各种情报文献的人。用"文献与需求者"体系表达一切文献、情报需求者和他们之间关系的总和，取决于体系的内在属性及其对外功能的社会环境。在这一体系中，存在着各式各样的内部矛盾，既有简单的、表面的（空间的、数量的、语言的），也有较为复杂的（质量的、内容的、心理的）。

任何形式的书目情报都是人创造的，伴随书目情报产生了书目活动（Библиографическая деятельность）。科尔舒诺夫将"书目"（Библиография）与"书目活动"区别开来，这里的"书目"不是指书目劳动的成果（书目资料或书目产品），而是指"保证书目情报发挥社会功能的各类型活动的体系"。科尔舒诺夫的书目功能示意图（图7.1）反映了书目情报"文献与需求者"体系中的作用与地位，书目作为体系有两个"入口"，一个通过书目加工保证对一次文

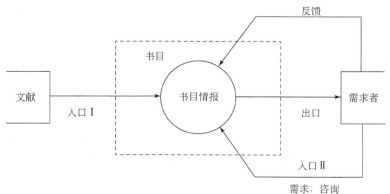

图 7.1　书目功能示意图

献流的反映，从而保证文献的检索和向需求者的通报（即书目情报的检索和交流功能），另一个进入咨询需求，并以各种方式考虑书目情报的现实需求者和潜在需求者对文献的需求，亦即对文献进行评价。体系有一个"出口"，是为需求者提供的各种内容、用途和形式的书目情报流。在需求者和情报保障体系之间的"反馈"以不断校正和全面完善出口流为目的。书目情报是书目体系的重点与核心。其他成分（人、过程、机构、干部培训体系、学科和技术手段等）都只有在它们涉及书目情报的功能时才和书目有关。因此，书目情报是一般书目理论的发端概念。

7.1.2.3 书目情报的结构

按照科尔舒诺夫关于书目情报基本结构和主要形式的认识，书目情报结构以书目报道（Библиографическое Сообщение）为要素，它可以包含的不仅仅是关于整体单个文献的信息，也可以是关于它的一部分的信息，或关于具有统一形式的一组文献的信息。在这里，书目报道的要求是一条完整的信息，而这条信息实质上是由一系列的概念组合而成的。

书目报道通过口头的和文献记录的两种形式传递，用文献的形式记录下来的书目报道称为书目记录（Библиографическая Запись），包括书目著录、提要、分类号、著者号码、出版信息等。书目记录的有序集合形成书目资料（Библиографическое Пособие）。

在结构问题上，由于书目情报与二次文献的联系，二次文献的结构直接影响着人们对书目情报结构的理解。关于目录的结构，刘纪泽（1934）指出："目录之体制，大要有三：一曰篇目，所以考一书之源流。二曰叙录（即解题），所以考一人之源流。三曰小序，所以考一家之源流。三者相为出入，皆所以辨章学术者也。三者不备，则其功效不全。"随着书目工作的发展，传统的目录结构已发生了较大的变化，款目成为目录的主要因素。关于现代目录的结构有两种观点，一种认为目录是由著录单元到著录项目、款目、目录、目录体系、目录网络所构成的，逐一扩大并依次包容的环状结构；另一种认为目录是由众多的款目（含参照）与排检法（编排系统）所构成的链状结构。把这两种观点与科尔舒诺夫书目情报观点联系起来看，有较多的相似之处。

要把作为抽象概念的书目情报与具体事物的二次文献结构区分开来，必须从情报的来源来探讨。情报来源于数据，数据是表示客观事物的物理符号，而情报是数据的内在含义，是经过消化、处理的数据。从这个意义上说，书目情报的基本要素是书目情报数据，即构成任何书目记录的最小单位，可以是某一事项，也可以是某一知识单元，甚至某一代码。

数据的集合有多种形式，按某一标准格式进行组织，形成标准的结构形式：

字段→记录→资料档

机读目录格式是标准的书目情报结构形式，包括三个方面：数据单元——信息的最小单位（如一个 ISBN 编号）；字段——一个单元集合（如关于"作者"的字段，一般包括的数据单元有人名，也可能有生卒日期），可变字段或定长字段；记录——作为一个单位处理的完整的字段集合。通常，机读记录格式由记录结构、内容标识符或标号、记录内容三个部分组成。MARC 格式的头标区、目次区和数据区是目前最有影响的结构形式。

数据间的自然联结是另一种结构形式，它直观、灵活，是传统书目工作所采用的方式。揭示文献的内容和形式可以用各种概念和各种符号表达，概念之间、符号之间联结没有固定的程序，最佳的联结就是简明，易于理解和利用。

7.1.2.4 书目情报的功能

科尔舒诺夫从书目情报的两重性探讨其基本社会功能，书目情报一方面从文献入手，反映并模仿文献和文献流，另一方面以满足需求者的情报需求为目的。在"文献–需求者"（Д–П）体系中有三个关系，对应于三种特定功能：

A（Д←^{1}→П）形式的关系，体现检索功能；

B（Д←^{2}→П）内容的关系，体现交流（报道）功能；

C（Д←^{3}→П）价值的关系，体现评价（推荐）功能。

进一步讨论书目情报的实质功能结构，有两种：

功能形成结构，如图 7.2 所示。

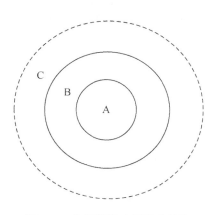

图 7.2 书目情报功能形成结构

这里，书目情报的三个功能呈现出由低级到高级的连贯性，揭示了书目情报社会功能实际历史发展过程的规律性和内在逻辑。

功能逻辑结构，如图7.3所示。

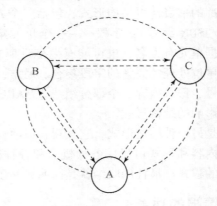

图 7.3　书目情报功能逻辑结构

这一结构反映功能之间的逻辑关系：当一个功能起着主要的和决定的作用，而另一个是从属的和伴随作用时，为优势关系；当各个功能起着大约等同的作用时，表示为相对的功能平衡性或等价性，这种等价关系记为 A≡B。复合功能表现基本功能之间关系，可以是简单的如 AB 或 B≡C，也可以是复杂的如（C≡B）A。

这一理论的意义在于把文献与需求者联系起来，揭示了书目情报的一般规律，表现出书目情报的最基本的作用，形式和内容是文献的两个侧面，需求者对内容的需要，首先表现为对形式的要求，因此，检索和报道成为任何书目情报的必备功能。在此基础上，对文献价值的揭示是书目情报更高层次上的需求，评价功能是书目情报的一个水平标志。"识别"包含在广义的概念"检索"中，所以，检索功能是最基本的，具有相对的独立性。

7.1.3　书目情报系统

狭义的书目情报系统是指书目系统、书目工作系统和书目数据库系统。广义的书目情报系统是以书目情报概念为逻辑起点，包括编目系统、检索系统、书目数据库系统的一个大系统。书目情报系统是为满足书目情报需求，将书目情报从情报源传递给用户，由人员、过程、设备等相互联系、相互作用的要素所组成的综合体。

7.1.3.1　编目系统

传统编目系统主要由编目部门、目录柜、卡片、分编人员、目录室、目录组织管理人员等构成，而现代编目系统主要由编目部门、编目专家、数据库、系统专家或目录管理人员等组成。编目系统根据处理的文献类型有图书编目系统、连续出版物编目系统、非书资料编目系统等。在编目系统的发展中，产生了图书在版编目系统、图书馆编目系统、档案编目系统、专家编目系统等。

图书馆编目系统的发展有两个阶段：一个是集中编目阶段。"集中编目"（centralized cataloguing）最早是美国史密逊研究院的 Jewett 在 1890 年提出来的。中国集中编目始于 1958 年，中文图书提要卡片联合编辑组向全国发行目录卡片。二是共享编目阶段。"共享编目"（shared cataloguing）也称为"分担编目"，来源于"联合编目"（union cataloguing）和"合作编目"（cooperative cataloguing）。

7.1.3.2 二次情报系统

二次情报系统也叫二次情报服务，即 secondary information system 或 secondary information service，是以生产二次文献为中心，开展目录性文摘和索引服务以及情报服务的系统。

第二次世界大战以后，首先产生了面向学科的二次情报系统。20 世纪 60 年代，世界科技情报工作达到相当的规模，印刷和非印刷的二次文献都得以发展，据 1963 年美国全国科学文摘索引服务协会出版的《世界科学技术文摘与索引服务指南》统计，二次文献有 1855 种，其中大约 650 种为英文版。

随着社会各行业对二次文献的需要，面向任务的二次情报系统与机构不仅为科学家和工程师，而且也为各种专业人员中、行政管理人员及实际工作者服务。以任务定向是政府二次情报系统与机构的主要特征。很多新系统新机构的服务方向甚至集中在更狭小的具体问题上如滥用药物、材料处理、防火、精神健康，这些课题都是政府较大的研究任务的从属任务。因此，20 世纪 70 年代以后，一些二次情报系统发展成为面向问题的二次情报系统。

7.1.3.3 联机检索系统

联机检索系统（online retrieval system）是早期检索系统的一种，是通信线路将情报中心和许多检索终端连接起来，由终端装置输入提问并直接得到答案（显示或打印）的检索系统。

20 世纪 60 年代，计算机检索系统是通过磁带以脱机批处理方式操作的系统，70 年代发展为计算机联机，80 年代开始向多机联网检索系统发展。国际联机检索系统成为计算机情报检索的主体。著名的国际联机检索系统有：Lockheed 公司的 DIALOG 系统、SDC 公司的 ORBIT 系统、Bibliography Retrieval Services 公司的 BRS 系统。医学联机分析与检索系统（Medical Analysis and Retrieval System，

MEDLINE）是美国最早建立的联机检索系统之一。

7.1.3.4 光盘检索系统

光盘检索系统是随着 20 世纪 80 年代光盘技术的快速发展而兴起的。光盘分为只读光盘（包括 CD-Audio、CD-I、CD-ROM 等）、写一次光盘、可擦写光盘等。用于书目情报的光盘系统主要有书目光盘检索系统和全文光盘检索系统两类。书目光盘检索系统，既有将传统书目转录为光盘系统，也有基于书目数据库生产光盘系统。全文光盘检索系统有图书光盘全文数据库、报纸光盘全文数据库、期刊光盘全文数据库。

7.1.3.5 信息服务系统

20 世纪 90 年代以后，在网络化、信息化和数字化的背景下，许多专门的系统向综合化多功能发展，成为现代化信息服务系统或平台。美国三大著名的书目中心 OCLC、RLIN（Research Libraries Information Network）和 WLN（Western Library Network）都向信息服务系统发展。

OCLC 最初是 1967 年美国俄亥俄州 54 所大专院校的计算机编目系统，1971 年正式运行，称为"俄亥俄州大学图书馆中心"（Ohio College Library Center）。1972 年成员扩大到俄亥俄州非学术图书馆。1973 年成员扩大到俄亥俄州以外的图书馆，实现联机网络。1977 年改称 OCLC 公司。1981 年改名"联机图书馆中心"（Online Computer Library Center），当时有网络成员馆 2400 个，终端机 4200 台，遍及美国 49 个州、加拿大及其他国家。到 1997 年 7 月 1 日，已拥有覆盖于全球 63 个国家和地区的成员馆 25108 个；完成馆际互借数据库 75667690 次；拥有文献记录 37212965 条，馆藏信息 637524418 条。到 2021 年，文献记录达 5.15 亿条，馆藏信息达 31 亿条。OCLC 是美国最大的联机编目系统，包括了美国国会图书馆的全部 LC-MARC 记录。该系统是非营利性机构，总部设在俄亥俄州的都柏林镇，主要服务项目有：联机编目，包括生产、提供编目卡片，各种书本式图书目录和光盘、磁带等形式机读目录；采购系统；馆际互借系统；期刊管理子系统；提供单个图书馆自动化系统 LS/2000。

7.2 书目情报需求与书目情报源

从本源上，书目情报是客观存在的，它伴随着文献、知识、信息而生，在书目情报源中集中了大量的书目情报，以书目情报源为基础又可以再生书目情报。从应用角度，书目情报是为了用的，针对书目情报需求而用，或者说，书目情报源按书目情报需求的指向而流动，形成书目情报流。

7.2.1　书目情报需求

7.2.1.1　书目情报需求、书目情报意识与书目情报行为

（1）书目情报需求概念

书目情报需求是一种社会需求，是一种社会现象，它是书目情报产生的根源和动力。书目情报需求是社会信息需求的一部分。人自从懂得了语言文字，在与文献接触过程中就有这种需求，它是人们学习过程中的一种需求。人们在不同的成长阶段，对书目情报需求的数量和程度是有较大差别的，不同的个人对书目情报需求也有强有弱。

书目情报需求也是一种心理需求。书目情报需求作为表现人的高级需求的一种形式，不仅受生活环境和生产条件制约，带有客观性，而且受社会风尚和人的个性特征的影响，带有主观性。

（2）书目情报意识

书目情报意识指人们对书目情报需求的自我意识，具有一般情报意识的特征，但更强调对书目情报自觉反映。一般来说，具有情报意识会刺激书目情报意识并转化为需求，具有书目情报意识就已成为潜在的书目情报用户。

书目情报意识对书目情报需求非常重要，它直接影响着需求者的书目情报需求程度。当书目情报意识上升到理性阶段时，书目情报需求随之增加；当书目情报意识停留在随机的感性认识阶段，书目情报需求难以提高。对需求者来说，书目情报意识的主要作用是使他们明确自己的书目情报需求并指引其行为的方向。

（3）书目情报行为

行为是个体对所处情境的一种反应系统，这种反应有内在生理的（如肌肉运动、腺体分泌等）和外在心理性的（如言语、表情等）。行为是在一定的情境下产生的。引发个体反应的情绪因素称为刺激，刺激可以来自外部环境，也可以起于机体的内部。引起行为的刺激通常是以人的心理为中介而起作用的。读者参加的书目情报活动，会形成有益的刺激因素，促进书目情报行为的变化。

心理学研究结果表明，动机是行为的原因，人的需要产生动机（内部心理活动），动机产生行动（外部行为），它们是密切相关的。书目情报用户要求的表

达既是书目情报需求的终结，又是书目情报行为的前奏。用户书目情报行为是非常复杂的，国内外关于情报用户需求的研究大多反映了书目情报行为。

书目情报需求对书目情报行为非常重要，书目情报行为的第一推动力，是书目情报行为的动因、方式、内容、强度的决定因素。书目情报行为是具有广泛社会性的行为，其生产与强化取决于社会的书目情报需求及社会所能创造的运用书目情报的社会环境和满足需求的能力。书目情报需求对书目情报行为具有激励、导向和强化功能。需求者有了书目情报需求后，能推动并指导其朝一定方向的行为转化。书目情报需求向书目情报行为转化的程度取决于需求强度，反之，积极主动的书目情报行为又能激励需求者的进一步要求。

7.2.1.2 书目情报需求的特点

总的来说，书目情报需求有如下特点。

1）伸缩性：要求得以满足后，在层次、项目、程度等方面有所不同。

2）复杂性：随需求者条件不同而异。

3）发展性：随社会经济和技术发展产生新的需求。

4）可变性：随着社会各种条件的变化而变化，或由潜在需求变为显在需求，由微弱需求变为强烈需求。

7.2.1.3 影响书目情报需求的因素

从客观看，影响书目情报的因素有个人和社会两大方面。

个人因素包括需求者的职业、专长、知识结构、个人爱好、兴趣、承担的科研课题需求者的心理活动等，在这些因素中，客观的因素如工作单位、职业等不是决定性的，但常常使潜在需求不能转化。情报意识能够促使需求者提高情报能力，直接增强需求，是十分重要的。个人的知识素养和专长常常起重要作用，影响着需求的数量和持久性。

随着对书目情报需求研究的深入，社会因素愈来愈受重视。它包括两大方面。

第一，一般社会因素包括：①一个国家的民族历史、文化传统及科学技术发展水平对书目情报需求有巨大的影响；②社会政治的影响；③全民族文化水平的提高是使书目情报需求者增加，需求量加大和利用率增多的关键。

第二，社会情报环境：社会情报环境对书目情报需求的影响比一般社会因素的影响更直接，更促使变化。这是指社会的信息化程度和信息的社会化程度影响社会情报需求的物质条件和发展方向。一方面，社会信息量愈大，虽然提供可供选择的余地，但人们获取准确的情报也愈困难，使人们更依赖于书目情报，促使书目情报需求增大。另一方面，信息对人们改造自然和社会的作用愈大，效果愈明显，对书目情报需求的期望和要求也愈高，由此推动推动书目情报的数量与质量的变化。

在社会情报环境中，书目情报机构是一个突出的因素，这一因素包括：①书目情报机构在设计前是否考虑到服务对象、任务、工作量、情报需求等具体情报；②书目情报机构的业务管理水平和物质手段；③书目情报机构的工作人员数量和业务数量和业务水平的程度；④书目情报机构的服务效果是影响书目情报需求最重要的因素；⑤书目情报机构工作人员的文化素养、情报意识和良好的服务态度非常需要；⑥书目情报机构是否与非正式交流的核心科学家、工程技术人员、专家等保持情报交流关系。

7.2.2　书目情报源

书目情报源是开展书目情报服务的重要基础。书目情报源既可以分为直接书目情报源和间接书目情报源，也可以分为传统纸质书目情报源和现代数字化书目情报源，还可以分为机构书目情报源和个人书目情报源。

直接书目情报源是各种已经存在的各种书目文献、书目数据库和数字目录资源。一方面，要根据社会和读者的书目情报需求，结合书目情报机构的收藏特色和任务，编纂各种类型的书目文献。加强书目情报源建设，可以不断完善馆藏书目文献体系，根据书目情报充实完善文献布局和文献资源建设。另一方面，要从用户的知识和信息需求出发，加强书目文献研究，从大量的书目文献和数字目录中发现、提炼最有价值的书目情报，形成书目情报报道，直接为经济、教育、科学、文化各个领域以及社会的各个行业服务，使书目情报产生更大的社会价值和经济价值。

间接书目情报源是社会生产与积累的文献资源和信息资源，这些资源中既有分散和隐含的书目信息或文本书目情报存在，又有海量的信息与知识需要进行揭示与开发。

传统纸质书目情报源主要是以纸质载体为特征的书目情报源，既包括纸本书目文献、卡片等，也包括纸质图书、报刊等。

现代数字化书目情报源是随着现代信息技术的飞速发展和新的网络环境而形成的，包括声频、视频、图像、动画等多媒体信息，以及电子期刊、电子图书、书目数据库、事实数据库、数值数据库和文献数据库等。

书目情报源存在于文献的生产、加工、传播与利用的各个领域。出版社、报社、杂志社、广播电台电视台、图书馆、档案馆、博物馆、信息中心等这些与文献密切相关的机构是重要的书目情报源。对这些机构进行文献揭示与资源开发，是书目工作和书目情报服务的重要任务。

以图书馆为例，图书馆有丰富的馆藏信息需要揭示，其中有很多珍贵的资源需要开发利用。必须运用目录学的方法，将图书馆内多年压架无人问津的书刊变成热门读物，将困在书库未被发现的"死书"变成"活书"，让藏在文献中的知识与信息活起来。

例如，封建时代科举留下来的考试卷子，称为"朱卷"。在一些图书馆、档案馆和博物馆都有收藏，这是古代留下的文献遗产，也是间接书目情报源，如不进行文献揭示与开发利用，就会失掉价值。20世纪30年代末，张元济、叶景葵等创建上海合众图书馆，以重金购得海盐朱氏寿鑫斋所藏朱卷二千余册，后又得吴县潘氏著砚楼捐赠一千余种。中华人民共和国成立后该馆改为上海历史文献图书馆，继而并入上海图书馆。顾廷龙主持馆务，数十年搜集不辍，积藏朱卷八千余种。后经过整理加工，编辑成《清代硃卷集成》，1992年由台北成文出版社出版，共420册。这批从康熙到光绪年间的朱卷共有8235份，其中会试卷1635份，涉及的进士共近12000人；武会试卷4份；乡试卷5186份，武乡试卷34份；五贡卷1576份。朱卷中有大量的信息，每份朱卷由三个部分组成：一是履历，登本人姓名、字号、排行、出生年月、籍贯、撰述、行谊，并载本族谱系，最简为祖妣三代，亦有上自始祖下至子女、同族尊长、兄弟侄辈以及母系、妻系无不载入；凡有科名、官阶、封典，著作亦注入名下；再录师承传授，如受业师、问业师、受知师之姓名、字号、科名、官阶以示学问渊源有自。二是科份页，载本科科份、中式名次、主考官姓名官阶与批语等。三是试卷与文章，除八股文章外，还有考官的评语。将上述信息进行索引加工，还可形成知识图谱，试卷可进行目录加工和文摘加工。此外，八股本身是一种骈散文菁华的文学体裁，这些试卷的信息开发为研究历史、研究八股文等提供重要数据，对于研究古代教育制度亦有重要价值。

除图书馆等文献机构外，还有政府机关、高等学校、科研机构、大型公司企业、互联网上机构网站以及个人建立的主页，都是书目情报源。社会各个机构都有内生文献与信息资源，随着全球网络信息服务业的迅速崛起，网上的信息资源更加丰富。个人在网上发布的各种动态信息，都可以进行目录学的揭示与开发。

值得注意的是，书目情报源从以传统馆藏为主体向以网络信息资源为主体延伸和拓展，为书目情报服务开辟更为广阔的空间。然而，网络书目情报源不能取代纸质书目情报源。纸质文献及书目工具作为一种传统载体，以其具有可视性、便携性、阅读性及亲和力强的优势，将永久存在。网络书目信息资源和纸质书目信息资源共同构成书目情报服务的资源基础。

7.3 书目情报服务

书目工作是对文献的加工整理和有序化过程，是以生产书目情报为目的的活动。而书目情报服务是针对读者或用户的书目情报需求，有针对性地传播书目情报，为满足社会需要和个人任务提供高质量书目情报的过程，是以充分利用书目情报为目的的活动。

7.3.1 书目情报服务的意义与内容

7.3.1.1 书目情报服务的意义

书目情报服务是指书目情报检索和利用的服务。"书目情报服务"这一专业术语是"书目参考服务"概念的进一步发展。

书目参考服务又称参考工作、参考服务、参考咨询。1876 年，S. Green 在《图书馆和读者个人关系》中较早提出书目参考服务的倡议。1891 年，美国 *Library Journal* 索引上出现了"参考工作"（reference work）一词。1920 年，Bishop 在《参考工作原理》一书中指出："参考工作是图书馆为帮助读者迅速而有效地利用图书馆而作的有系统的工作。"1943 年，ALA 术语词典将其定义为"参考工作是图书馆直接帮助读者获得答案，及利用馆藏资料从事学习与研究的工作"。1961 年，印度 S. R. Ranganathan 在《参考服务》（*Reference Service*）一书中指出："参考服务是建立读者与文献个别接触的过程。"

书目情报服务是参考工作，参考咨询服务情报化的结果，是读者服务工作向广度和深度的发展。传统的服务内容、服务方式方法已经不能适应时代的要求，数字时代，人们为解决各种问题，需要信息，更需要知识和情报。因此，传统的参考服务必须向书目情报服务转变。书目情报服务对象扩大，服务多样化、社会化是必然的趋势。在图书情报机构，借阅服务仅是读者服务工作中的低层次服务，只有开展书目情报服务，才能提高读者服务工作的水平。所以说，书目情报服务是高层次的读者服务工作，是衡量读者服务工作及至图书情报工作质量的重要标志。

书目情报服务是现代科技发展的综合分化的结果。科学研究离不开文献，现代科研人员对文献的需求针对性强，要求及时、准确地掌握各科学文献。而传统的服务方法手段满足不了现代科学的需要，只有开展书目情报服务，采用现代化的手段，快速、系统地提供情报，通过广泛深入的服务，才能适应现代跨学科协同、E-Science 以及数据科研范式的发展。书目情报服务在科学研究中有着重要的作用。

书目情报服务是读者书目情报需求的发展结果，知识创新时代，要充分有效地利用文献资料在很大程度上取决于读者自身的书目情报意识的素养、掌握和运用书目文献的能力，取决于他们掌握最新文献进行回溯检索能力。很多读者不仅仅是依赖图书馆工作人员的利用者，而且希望成为具有书目情报知识的独立获取情报的工作者。事实上，现代化、自动化、网络化书目情报服务的发展，要求读者有较强的检索能力。通过书目情报教育可以向读者宣传书目情报知识，培养读者书目情报意识，指导读者利用各种检索工具，真正掌握目录学知识和方法。书目推荐服务，可以宣传优秀书刊、辅导阅读，以充分发挥图书馆的教育职能。所以说，书目情报服务具有教育读者的意义。

书目情报服务是一项以报道文献、传递知识为内容的服务工作，具有报道性、知识性和服务性。书目情报服务要报道最新的文献资料，在情报源和用户之间架起桥梁，通过文献检索、参考咨询等促进知识情报的交流与使用，扩大读者知识视野，使知识情报转化为"再生产"。书目情报服务要以社会为视野，以读者为着眼点，树立读者第一的思想，为社会主义思想教育服务，为国家经济、文化建设服务，为科学研究服务，为各行业服务。

7.3.1.2　书目情报服务的内容

书目情报服务是以书目文献编纂为基础的，是利用书目文献编纂的成果进行检索和服务。它有两大内容。

（1）书目文献报道

文献报道是文献交流系统中的重要组成部分。文献报道包括非书目文献报道（如口头报道、声像报道和文献报道）和书目文献报道。

书目文献报道是文献报道中主要的正式的方式。书目文献报道依赖于书目文献的出版形式，一部完成的书目文献，通过不同的形式出版，会达到不同的效果。

在图书情报机构，书目文献的报道方式有如下 4 种。

1）新文献通报：它是一种将新到馆或新出版的文献传递给读者的最及时、最灵活的方式。

2）回溯性馆藏文献报道：将某一个时期的馆藏文献通过书本式或卡片式等到出版形式报道出来，提供馆藏文献情况。

3）期刊论文索引报道：报道期刊论文，将期刊中信息传递给读者。

4）专题文献报道：通过专题书目索引报道某一课题、学科范围的文献。

（2）情报服务

开展情报服务是书目情报服务的中心内容，可以分为三个层次。

一是问答式服务。指参考咨询工作，即根据读者的要求，解答读者的咨询问题。这是书目参考工具为读者服务的基本方式。问答式的服务一般要经过四个阶段：首先要研究、弄清提问，掌握有关的常识；其次要准备工具、确定检索途径；再次要分析查找检索工具，最后得出结果，整理并解答。

二是启发式的服务。包括读者书目情报知识，进行检索方法指导的一项内容。按资料通报方式有口头教育（如文献检索课）、直观教育（如宣传栏）、文字教育（如辅导材料）；按读者层次有个别教育、集体教育（如参观）、群众教育。其中，利用推荐书目开展服务是直接的书目推荐服务，要注意有针对性地提供合适的书目文献；在一般书目文献中通过提要、注释、书评推荐图书是间接的书目推荐服务。

三是主动服务。包括普通读者提供书目文献检索。定题跟踪服务是为特定的读者特定的课题经常性、有目标性地提供文献情报。主动服务是高层次的书目情报服务。书目报道是情报服务的准备和前期工作，只有掌握了各种文献，才能进行多种情报服务。

7.3.2　书目情报服务的组织与方法

7.3.2.1　书目情报服务的组织

在图书情报机构中设立书目情报服务的相关部门如参考服务部、信息服务部等，是一种集中服务的组织形式。其优点是能集中各种书目参考工具，方便书目情报工作者和读者查考利用；能适应当代学科渗透交叉特点，便于综合利用和追溯检索；能集中人力，开展多种形式的服务。

书目情报服务部门的组织要求包括如下 4 个方面。

第一，组织书目情报源。包括书目文献，主要有全国及地区性联合目录，全国各重要单位馆藏目录，本馆藏书目录，专题目录，报刊论文索引以及其他书目索引；资料型工具书，主要有百科全书、专业手册、词典、年鉴、名录等；其他文献、如专利、标准等。

第二，组织服务队伍，专职人员和兼职人员相结合。

第三，组织书目情报服务档案，包括对服务对象的调查记录、服务工作登记制度、服务工作结果记录。

第四，组织参考阅览室和文献检索室。注意选择恰当的场所、配全资料和设备、建立管理规则。

按学科组织服务或各部门共同担负服务任务是一种分散的书目情报服务组织形式。如学校中各科资料室开展服务，这种形式接近读者，方便读者，便于进行专题服务，便于接收信息反馈。在许多图书馆，未专设书目情报服务部，书目情报服务分散到各部门：采编部门根据本馆任务，搜集有关资料，为情报服务提供文献基础，在分编整理过程中，尽量提供多种检索途径，为文献检索作技术准备。报刊部门观察调查读者需求，解答一般咨询，提供二次文献、报刊论文以及剪辑的报刊资料。图书外借部门调查分析阅读规律、阅读倾向，解答一般咨询，提供有关工具书及各学科资料。

在不同类型的图书情报单位，书目情报服务各有特点。公共系统图书馆服务对象广泛，除解答咨询外，省市图书馆注重为重点科研项目服务，开展二次文献和三次文献服务。县图书馆注重为乡镇企业服务，开展书目推荐服务。高校图书馆要为教学科研服务，服务对象明确，除参考咨询外，要开展文献检索服务和书目推荐服务。科研图书馆服务对象具有一定的水平，需要进行定题服务，提供最新文献情报。

7.3.2.2　书目情报服务的方法

（1）参考咨询服务的方法

传统参考咨询是一次性的提问和解答，按解答方式分为口头咨询和书面咨询。口头咨询是向读者当面或通过电话解答，书面咨询要求填写咨询单，咨询单内容主要包括读者基本信息、课题或问题、服务方式、检索途径与方法、使用检索工具名称、提供文献名称、服务效果、咨询日期、经办人、审核人。

现代参考咨询是以网络为平台开展的数字参考咨询，也称为虚拟咨询。按技术表现形态分为 FAQ（常见问题解答）、案例问答知识库、E-mail 咨询、网络表单、BBS 咨询、视频咨询、交互软件平台等。按交互特征分为非实时数字参考咨询与实时交互式数字参考咨询，后者常见的有 7×24 小时实时数字参考咨询。按组织形式分为机构数字参考咨询与合作数字参考咨询，前者指一个机构独立开展的数字参考咨询，后者指多机构合作进行的数字参考咨询，如 QuestionPoint 就是由全球图书馆合作解答问题的咨询平台。

（2）文献报道服务的方法

文献报道服务通过宣传报道以满足读者的情报需求，主要方法有以下 5 种。

1）文献广告：图书广告、报刊广告等，是吸引读者注意最新文献的方法之一。

2）文献展览：定期举行的新书展览，或专题文献展览，包括展出书目资料。

3）情报日：提供最新情报，开展专题情报宣传。

4）专家日：为特定专家组织的宣传文献的活动。一般有书评资料，允许获取复印件。

5）书评活动：组织读者书评协会，吸引读者读书、评书。

（3）文献检索服务方法

传统文献检索即手工检索，是利用各种印刷型检索工具和参考工具书，针对检索提问查找读者所需要的文献、数据、知识和事实。

印刷型检索工具按收录范围可分为综合性、专业性、单一性三类。综合性检索工具收录文献范围广，包含多门学科和专业，收录文献类型多，语种多。世界上著名的综合性检索工具有日本的《科学技术文献速报》、法国的《文献通报》、美国的《工程索引》和《科学引文索引》等，是检索一般文献的常用工具。专业性检索工具反映某一学科各类型和语种的文献，如美国的《化学文摘》《数学评论》等，是检索专业文献的较好工具。单一性检索工具专门收录某一类型文献，如英国的《世界专利索引》、日本的《特许公报》等，是查找专利的检索工具，其他技术标准、会议文献、科学报告、学位论文等都有专门的检索工具，满足各种特定类型文献的检索要求。

印刷型参考工具包括字典、词典、百科全书、类书政书、年鉴、手册、表谱、图录等，也有综合性与专业性、中文与外文之分，可以解释词语问题，检索参考资料，掌握学术与专业信息，获得各种数据知识。

现代文献检索是以计算机检索为标志的检索，计算机检索是在手工检索、半机械检索、机械检索、光电检索的基础上演化而来的。从检索原理上，计算机检索是模拟人的手工检索，虽然方法不同，但原理是一致的。从手段上，计算机检索是运用先进的计算机技术，在人和计算机的共同作用下完成情报检索，而手工检索只能依靠手工劳动，虽然手段不同，但检索目的是一致的。计算机检索的最大优点是检索速度快、效率高、节省人力，计算机检索可以采用灵活的逻辑运算和后组式组配方式，便于进行多元检索和多途径检索，并可以提供远程检索，快速生产印刷型、磁带磁盘及其他产品，但检索必须依赖计算机及相关设备，检索费用较高。计算机检索虽然具有巨大有优越性，但还不能完全取代手工检索。手工检索的最大优点是检索直观、改变检索策略灵活、费用少。由于目前计算机还不具备人类的思维和应变能力，计算机检索到的文献，手工检索也能查到，而手工能检索到的文献，计算机不一定能查到。目前，手工检索仍占一定比重，两者取长补短，共同发展。

现代文献检索向信息检索发展，信息检索也称情报检索，包括事实检索、概念检索、数值检索、全文检索、语义检索、智能检索、音频检索、图像检索、可视化检索等。

（4）定题跟踪服务方法

定题跟踪服务是专题咨询服务的深入和发展，具有课题价值较大、服务难度较大、服务时间相对较长等特点。定题跟踪服务主要有两种方式：一是接受单位要求开展服务；二是主动了解科研课题，选择重点课题上门服务。

定题跟踪服务的步骤：①了解、确定课题；②调查研究、制定服务计划；③提供、收集资料；④掌握反馈信息，制定新服务计划；⑤反复收集提供资料。

了解课题通常是采用调查表的方式，调查各科研单位的研究课题，进展情况，已经利用过哪些检索途径，存在着哪些亟待解决的音量，本课题的意义。

在定题跟踪服务中，要抓好信息反馈一环，通过深入单位或通过电话、电子邮件等向科研人员了解情况，包括通过已提供的文献，获得多少有价值的信息，课题是否有新进展，有哪些新问题，需要哪些方面的材料。

第 8 章　数字目录学

形而上者谓之道，形而下者谓之器。

——易经

清华大学校训"厚德载物，自强不息"出自《周易·大象传》。冯友兰称《周易》是"宇宙代数学"，虽然"只讲一些空套子，但是任何事物都可以套进去"。德国哲学家和数学家莱布尼茨（Gottfried Wilhelm Leibniz，1646—1716）因为从二进制数学理解了六十四卦图（邵雍的六十四卦方圆图）而高兴地说：几千年不能很好地被理解的奥秘由我理解了，应该让我加入中国籍吧！他在致德雷蒙的信中曾这样叙说他的这一贡献："《易经》，也就是变易之书，在伏羲的许多世纪之后，文王和他的儿子周公以及在文王和周公五个世纪以后的著名的孔子，都曾在这六十四个图形中寻找过哲学的秘密……这恰是二进制算术……在这个算术中，只有两个符号：0 和 1。用这两个符号可以写出一切数字"（廖名春，2012）。从悠久的历史中追溯数字的起源，数字目录学与现代目录学乃至古典目录学都会产生某种有趣的联系。

8.1　数字目录和代码管理

数字目录学的对象是数字资源。数字资源包括网上数字资源和非网上数字资源（光盘、磁带等）两大类；既可以是电子图书、期刊等数字化文献，也可以是一个网页，一个网站，还包括数据库、信息系统，甚至是数字图书馆、数字档案馆、数字博物馆，等等；既有大量的文本，也有大量的多媒体非结构化数据（图像、音频、视频文件等）。Michael K. Bergman 认为，早在 2001 年网上表层可见的个体文献已达到 10 亿条，深层文献达到 550 亿条。数字目录学要对超海量的数字资源进行加工处理、揭示报道，形成数字目录和数据平台，需要建立新的方法论体系。

8.1.1　数字目录与搜索引擎

数字目录，也称为网络目录，有"digital bibliography"等多种名称，诸如

"digital bibliography"，"network bibliography"，"internet bibliography"，"web bibliography"，"e-bibliography"，"d-bibliography" 等。

网络给书目文献以新的发展空间，出现了各种各样的网络书目文献，这便是数字目录的形态。

8.1.1.1　数字目录的主要类型

（1）图书馆数字目录

Ⅰ. 图书馆 OPAC

联机公共检索目录（online public access catalogue，OPAC）是现代图书馆目录的计算机化形态。

与传统图书馆计算机目录不同，OPAC 数据库联结图书馆集成系统，用户在任何一个计算机终端，只要通过 Internet 登录到图书馆 OPAC，即可查询到图书馆的全部馆藏。

Ⅱ. 网络联合目录

网络目录包括 Web bibliography、Web directory 等。网络联合目录是两个以上图书馆的 OPAC 在网上实现联合共享的方式。超大型数字联合目录如 GIL universal catalog、OCLC 联合目录数据库、CALIS 联合目录数据库等。

（2）书业数字书目

网络书业书目在网络上实现图书销售业务，可以直接服务于图书馆采访工作。这类书目快速地报道新出版物，起着新书通报的作用。此外，网络书业书目以多种新颖的方式推荐图书、指导阅读，发挥着阅读推广的功能。

（3）书目网站与书目网页

随着网络信息交流的发展，网站形式的书目特别是开放获取的数字目录（open access webliography）受到网民的欢迎。网页形式的书目如选择性目录（selective bibliography）受到网民的欢迎。

（4）数字索引

数字索引有"网站索引""教案资源索引""课件索引""数据库索引""文件索引""地图索引""新闻索引"等多种类型。大型网络数字索引如 librarian's index to the Internet 是数字索引的发展方向。

除上述类型外，数字目录还包括搜索引擎。

8.1.1.2　搜索引擎

搜索引擎（search engine）本质上是一种网络书目文献，是数字目录学的重要工具。

搜索引擎是网络目录数据库的一种，其实质是一个用于查询网站和网页的数据库。搜索引擎运用了目录学的方法，分门别类地把一些同类或者相关的站点列出来，以方便人们查找资料。搜索引擎比传统书目的优势在于它的强大的信息汇聚能力和快速的资料检索能力，它将千千万万个站点和各种杂乱的信息汇集起来，给人们搜索站点和查找信息提供了极大的便利。例如，Google 2006 年即可搜索 80 多亿网页，超过 10 亿张图片。搜索引擎改变以往书目的单一功能，根据用户多样化的需求提供强大的信息与知识功能，是网络用户发现新网站和新信息的主要手段，其界面友好、功能可扩展使之成为用户的常用工具。

8.1.2　书目文献数据平台

数字目录学的基础是文献数字化与书目工作数字化实践，书目情报的数字化过程具体包括书目情报的电子化、书目情报的网络化、书目情报的集成化和书目情报的智能化。书目文献数据库与数字化平台是书目情报数字化的主要内容。

书目数据库是指在统一的机读目录格式下，按照相应的标准和规范加工而成，并最终以计算机网络系统形式向用户提供相关文献数据资源检索的大型目录数据库。

随着计算机技术的发展和机读编目实践的成熟，国内外书目数据库建设快速发展，有反映馆藏文献的综合性书目数据库，有反映各馆收藏的联合书目数据库，有反映某一学科或某一专题的专门书目数据库，有反映地方文献的地方书目数据库，有反映特藏和特色资源的书目数据库，善本古籍文献书目总库、中文新善本书目数据库、中文舆图书目数据库、地方志家谱书目数据库、金石拓片文献书目数据库、敦煌吐鲁番文献等特色数据库。

数字化和网络化使书目数据库向书目文献数据平台发展。以 OCLC WorldCat 为例，OCLC 编目数据库原称 OCLC 联机联合目录（OCLC online union catalog），1996 年改名为 WorldCat。WorldCat 以 OCLC 联机联合编目数据库为基础，发展为全球最大的统一的书目文献数据平台，包括了世界上有关书目信息的各类数据库，由 9000 多个 OCLC 成员机构共同创建与维护，集中了各个成员馆的书目和所有者信息中的 5300 多万条联机记录。

WorldCat 具有强大数据处理能力和平台功能。它以其庞大的数据量为优势，不断吸引各国图书馆加入其中。WorldCat 中的记录每 10s 中便增加 1 条记录，每月增加 200 多万条记录，覆盖了所有的主题范畴和 8 种主要类型的出版物。每隔 4 秒通过 WorldCat 资源共享。通过 ALEXA 统计，主站加载时间为 0.62 秒，做到了数据的及时更新与共享。为了使用户更快速便捷地进行检索，WorldCat 采用"扁平化"页面设计，构建"一站式"检索平台，用户只需要通过普通检索界面，即可检索到所需要的书目信息。

WorldCat 有完美的标签（tagging）工具，用户通过注册之后，可以对任何文献进行评论或者创建一个新的标签，每个注册用户能建立自己的资料档、喜爱的图书馆、列表、评论、标签等信息。对于在 WorldCat 检索过的信息，则可以通过"保存到"命令进行保存。WorldCat 使用标签技术使得用户参与网站信息的分类，用户既成为网站内容的浏览者也成为网站内容的制造者。在平台上，馆员与用户的可交互社群，WorldCat 网页提供"ask a librarian"服务，即用户可与咨询馆员进行网上交流，享受图书馆提供的预约功能、文献传递功能和馆际互借服务。平台上的 Widget 工具是下载的各式各样的单项服务，是一种迷你应用程序，集合多种网络应用，以其多样的炫酷形态在计算机桌面上单独执行。它通过一些工具，可以连结相关的网络服务，取得所需要的各种个性化信息。

WorldCat identities 是 OCLC 的红绿灯项目（RLG programs）开展的数据挖掘项目。当用户希望关注某一主题或深挖信息时，就可使用深度结果扩展链接功能，每条书目记录中有作者和主题标目链接，使得用户进行相关著者、主题的浏览与检索，帮助用户探索与发掘信息需求，尤其为重点研究某一作者或主题领域内的用户提供便利。

WorldCat local 是一种发现平台或者说是发现工具，也是图书馆下一代 OPAC 的具体体现，同时它也是云计算在图书馆领域的一项具体应用。WorldCat local 是一个系统，该系统是在 OCLC 的服务器上运行，OCLC 为图书馆提供一站式发现和传递服务。读者通过一个检索指令就能搜索到所需的文献资源，包括纸质资源和数字资源。WorldCat local 为图书馆提供了纸质资源和数字资源的一站式检索解决方案，与本地图书馆的编目、流通、资源共享及 OpenURL 解析器等实现互操作，向终端用户提供信息发现和传递的无缝使用体验。这些功能都是在 OCLC WorldCat local 平台上实现，无需图书馆购置任何硬件设备，无需配置专门的技术人员进行系统维护，从而卓有成效地降低了图书馆的运营和管理成本。

8.1.3　代码管理

代码是资源管理的一种有效方式。代码管理是数字目录学的内容，包括文献代码管理与非文献代码管理。

8.1.3.1 文献代码管理

（1）国际文献代码

国际上，重要的文献代码有 ISBN、ISSN 等。

ISBN（international standard book number）即"国际标准书号"是国际通行的图书出版物代码。1966 年 11 月在柏林举行的第三次国际图书市场调查与贸易合理化会议上提出制订国际标准书号的建议。尔后，英国福斯特根据 1966 年美国图书批发商史密斯公司和鲍克公司合作编制的统一书号设计了新型书号。1967 年年底，英国出版者协会开始采用，后经美国、加拿大、澳大利亚等国推广使用，至 1972 年被 ISO 认定为国际标准。ISBN 由 10 位数字组成，分组号（国家、地区、语言的代号）、出版者号、书序号和检验号 4 个部分。2007 年 1 月 1 日起实行新版号码，由 13 位数字组成，分为 5 段，即在原来的 10 位数字前加上 3 位欧洲商品编号（ENA）图书产品代码为"978"。

ISSN（international standard serial number）即"国际标准刊号"是国际通行的连续出版物代码。它以《美国国家标准识别号：连续出版物》为基础，1975 年由 ISO 制订为国际标准。ISSN 由设在巴黎的国际连续出版物数据系统（ISDS）国际中心统一管理。ISDS 是根据 UNESCO 的 UNISIST 计划于 1972 年 11 月建立的。ISSN 由 8 位数字组成，前 7 位为顺序号，最后一位为校验位。8 位数字分为前后两段各 4 位，中间用连接号相连。

CODEN（code number）是一种字母与数字相结合的计算机用刊名代码。由美国布法鲁大学毕晓普 1953 年首创，用四位简单的字母代替每一种科技、医学期刊题名。1954 年出版了包括 3000 种期刊代码的目录。1961 年，美国测试与材料学会接管了登记 CODEN 的工作，将范围扩大到所有主题领域，产生了 CODEN for periodical titles。1975 年 1 月指定 CODEN 工作转给化学文摘服务社，并成立国际 CODEN 服务社，出版 International CODEN Directory。CODEN 主要用于连续出版物，但一些会议或专业会议成卷的文件、专利和专利集丛也指定了 CODEN。

ISMN（international standard music number）是国际标准乐谱编码。最初由国际音乐图书馆暨档案文献中心协会于 1987 年在荷兰阿姆斯特丹会议提出一项有关 ISMN 结构和应用草案，先后经 1989 年在牛津及 1993 年在渥太华和巴黎会议讨论后正式定稿，并由国际标准组织正式将"国际标准乐谱编码"认定为 ISO—10957 国际标准；2009 年新修订版公布，成为唯一能以数字辨识世界各地乐谱的国际编码系统。

ISRN（international standard technical report number）是国际标准技术报告号。1994 年，ISO 以美国国家标准 ANSI/NISO Z39.23—1990《标准技术报告号格式和编制》（*standard technical report number format and creation*）为蓝本，制订并颁布 ISO 10444—1994 ISRN 标准。由于建立一个全球范围统一的标准技术报告号注册、认定系统非常困难，ISO 2007 年撤销了这一国际标准。美国 1974 年制订科技报告编号标准，经过 1983、1990、1995、1997 多次修订，国家标准号为 ANSI/NISO Z39.23—1997。

ISRC（international standard recording code）是国际标准音像制品代码。1986 年由 ISO 根据 ISO 3901 所建立，是用于鉴别光盘上声音和音像制品的国际代码。ISRC 编码由数字和字母组成，长度为 12 个字符，编码包含了国家码、出版者码、录制年码和名称码。

（2）中国文献代码

中国针对国际的文献代码进行了相应的代码管理。主要的现代国家标准有：①GB/T 5795—2006《中国标准书号》（代替 GB/T 5795—2002《中国标准书号》；代替 GB 5795—86《中国标准书号》）；②GB/T 9999.1—2018《中国标准连续出版物号 第 1 部分：CN》（部分代替 GB/T 9999—2001《中国标准连续出版物号》；代替 GB 9999—88《中国标准刊号》）；③GB/T 9999.2—2018《中国标准连续出版物号 第 2 部分：ISSN》（部分代替 GB/T 9999—2001《中国标准连续出版物号》）；④GB/T 3792—2021《信息与文献 资源描述》（代替 GB/T 3469—2013《信息资源的内容形式和媒体类型标识》；代替 GB 3469—83《文献类型与文献载体代码》）；⑤GB/T 7156—2003《文献保密等级代码与标识》（代替 GB 7156—87《文献保密等级代码》）。

8.1.3.2　非文献代码管理

非文献代码有很多类型，这里列出几个常见的代码类型。

（1）空间—时间代码

空间与时间有大量的信息可以编码。20 世纪 80 年代初期，为编纂《中国大百科全书》，中国大百科全书出版社组织对外国地名的翻译编辑，于 1984 年出版了《世界地名录》，收有中外地名近 30 万条，解决了大百科全书各卷的统一译名问题。针对世界上国家和城市的名称变化，全球新建了许多居民点和人工地理实体（水库、堤坝、桥梁）等，对首版地名录进行修订，于 2001 年出版了新版名为《21 世纪世界地名录》，收录国内外地名达 35 万条，反映了十几年来全世界

200 多个国家（地区）的最新信息，增加了世界海底地形名称，全世界 95% 以上的地名均收录其中。这些工作为地名代码管理奠定了基础。

有关"空间—时间"代码的现行国家标准主要有：①GB/T 2659—2000《世界各国和地区名称代码》（代替 GB/T 2659—1994；代替 GB 3304—82）；②GB/T 2260—2007《中华人民共和国行政区划代码》（代替 GB/T 2260—2002；代替 GB/T 2260—1999；代替 GB 2260—86）；③GB/T 7408—2005《数据元和交换格式 信息交换 日期和时间表示法》（代替 GB/T 7408—1994《数据元和交换格式 信息交换 日期和时间表示法》；代替 GB 2808—81《全数字式日期表示法》、GB 2809—81《信息交换用的时间表示法》、GB 2810—81《信息交换用顺序日期表示法》、GB 7408—1987《星期编号》、GB 10167—1988《地方时差表示法》）。

（2）语言—文种代码

世界上的语言约有 5000 种，使用人口在 100 万以上的语言有 117 种，而在 5000 万以上的语言只有 17 种，即汉语、英语、俄语、西班牙语、印地语、印度尼西亚语、阿拉伯语、孟加拉语、日语、葡萄牙语、德语、法语、意大利语、旁遮普语、韩语（朝鲜语）、泰卢固语、越南语。

有关"语言—文种"代码的现行国家标准主要有：①GB/T 4880.1—2005《语种名称代码 第 1 部分：2 字母代码》（代替 GB/T 4880—1991《语种名称代码》）；②GB/T 4880.2—2000《语种名称代码 第 2 部分：3 字母代码》；③GB/T 4880.3—2009《语种名称代码 第 3 部分：所有语种的 3 字母代码》；④GB 4881—85《中国语种代码》。

（3）人—群体代码

20 世纪 80 年代，对于人的基本信息的认识是初步的、分散的，其代码反映了当时的社会条件和认识水平。比如，当时的各种表格要求填写家庭出身与本人成分，就是基于长期以来的成分划分和人事管理形成统一代码体系与标准。1984 年 1 月 1 日经中国标准化综合研究所王晓平、张爱起草，由国家标准局①发布了两个国家标准：GB 4764—84《本人成分代码》和 GB 4765—1984《家庭出身代码》。

GB 4764—84 将"本人成分"界定为"系指本人参加革命工作作或担任国家干部前的社会地位或社会职业"，将"成分"分为 58 种，其代码为：01 工人；02 社员；03 农民；04 雇农；05 贫农；06 下中农；07 中农；08 上中农；09 富裕

---

① 现为国家标准化管理委员会。

中农；10 干部；11 革命军人；13 学生；14 职员；15 城市贫民；16 自由职业者；17 店员；18 小手工业者；19 小商贩；20 商人；21 小业主；22 游民；23 资本家；24 资方代理人资本家代理人；25 房屋出租者；26 小土地出租者；27 高利贷者；28 地主；29 富农；30 富农兼工商业者；31 地主兼工商业者；32 职员兼地主；33 开明绅士；34 破落地主（破产地主）；35 管公堂；36 反动富农；37 恶霸；38 恶霸地主；39 宗教职业者；40 迷信职业者；41 旧职员；42 旧军官；43 旧军人；44 旧官吏；45 旧警官；46 华侨手工业者；50 牧民；51 畜牧业者；52 奴隶；53 农奴；54 领主；55 领主代理人；56 牧主；57 牧主代理人；58 土司；59 土司头人；60 百户；61 千户；99 其他。

GB 4765—1984 将"家庭出身"界定为"系指本人取得独立经济地位前或参加革命工作时的家庭阶级成分（即指在本人取得独立经济地位前供给本人经济来源的父母或其他人的社会地位或社会职业）"，将"家庭出身"分为 45 种，其代码为：01 工人；02 社员；03 农民；04 雇农；05 贫农；06 下中农；07 中农；08 上中农；09 富裕中农；10 干部；11 革命军人；12 革命烈士；14 职员；15 城市贫民；16 自由职业；17 店员；18 小手工业者；19 小商贩；20 商人；21 小业主；22 游民；23 资本家；25 房屋出租；26 小土地出租；28 地主；29 富农；30 富农兼工商业；31 地主兼工商业；32 职员兼地主；34 破落地主（破产地主）；35 管公堂；41 旧职员；42 旧军官；43 旧军人；44 旧官吏；46 华侨手工业；50 牧民；52 奴隶；53 农奴；54 领主；58 土司；59 土司头人；60 百户；61 千户；99 其他。

《家庭出身代码》比《本人成分代码》少了"13 学生""24 资方代理人资本家代理人""27 高利贷者""33 开明绅士""36 反动富农""37 恶霸""38 恶霸地主""39 宗教职业者""40 迷信职业者""45 旧警官""51 畜牧业者""55 领主代理人""56 牧主""57 牧主代理人"14 种；增加了"12 革命烈士"1 种；并将 6 种改名：将"16 自由职业者"改为"16 自由职业"，"25 房屋出租者"改为"25 房屋出租"，"26 小土地出租者"改为"26 小土地出租"，"30 富农兼工商业者"改为"30 富农兼工商业"，"31 地主兼工商业者"改为"31 地主兼工商业"，"46 华侨手工业者"改为"46 华侨手工业"。其余代码及名称两个标准完全相同。

这两个国家标准都是 1985 年 10 月 1 日实施，主要用于使用信息处理系统进行人事档案管理、社会调查、公安户籍管理等方面工作时信息处理系统之间的信息交换。至 2005 年 10 月 14 日同时废止。在该标准实施的二十年中，我国经济与社会快速发展，传统的对"成分"作为身份的标志逐渐被职业等其他重要信息所替代。

虽然这两个国家标准已废止，但已标引过的代码存储于各类资料库中，对于历史资料和档案信息管理来说，这些代码仍有其信息处理与信息检索的意义。

随着对代码的认识与管理的不断进步，有关个人的代码不断完善。中国标准研究中心等相关机构对个人信息进行了全面研究，将常用的个人基本信息分为七类：性别、婚姻状况、健康状况、从业状况（个人身份）、港澳台侨属、人大代表和政协委员、院士。由张爱、赵艳华等人起草，于 2003 年 7 月 25 日发布了这七个国家标准，于 2003 年 12 月 1 日实施。这里，以其中四类个人基本信息代码为例（表 8.1），说明代码的变化体现了管理的改变和新知识的增加。

表 8.1　个人基本信息代码

项目	现行标准		已废止的标准	
	代码	标准号/发布时间/实施时期（年–月–日）	代码	标准号/发布时间/实施时期/废止时间（年–月–日）
性别	0 未知的性别；1 男性；2 女性；3 未说明的性别	GB/T 2261.1—2003/2003-07-25/2013-12-01	0 未知的性别；1 男性；2 女性；9 未说明的性别	GB 2261—80/1980-12-19/1981-07-01/2003-12-01
婚姻状况	10 未婚；20 已婚；21 初婚；22 再婚；23 复婚；30 丧偶；40 离婚；90 未说明的婚姻状况	GB/T 2261.2—2003/2003-07-25/2003-12-01	1 未婚；2 已婚；3 丧偶；4 离婚；9 其他	GB 4766—84/1984-11-26/1985-10-01/2003-12-01
健康状况	1 健康或良好；2 一般或较弱；3 有慢性病；6 残废；10 健康或良好；20 一般或较弱；30/40 有慢性病；31 心血管病；32 脑血管病；33 慢性呼吸系统病；34 慢性消化系统病；35 慢性肾炎；36 结核病；37 糖尿病；38 神经或精神疾病；41 癌症；49 其他慢性病；60 残疾；61 视力残疾；62 听力残疾；63 言语残疾；64 肢体残疾；65 智力残疾；66 精神残疾；67 多重残疾；69 其他残疾	GB/T 2261.3—2003/2003-07-25/2003-12-01	1 健康或良好；2 一般或较弱；3 有病；4 有生理缺陷；5 残废；10 健康或良好；20 一般或较弱；30 有慢性病；31 心血管病；32 脑血管病；33 慢性呼吸系统病；34 慢性消化系统病；35 慢性肾炎；36 结核病；37 糖尿病；38 神经或精神疾病；39 其他慢性病；40 有生理缺陷；41 聋哑；42 盲人；43 高度近视；49 其他缺陷；50 残废；51 特等残废；52 一等残废；53 二等甲级残废；54 二等乙级残废；55 三等甲级残废；56 三等乙级残废；59 其他残废	GB 4767—84/1984-11-26/1985-10-01/2003-12-01

项目	现行标准		已废止的标准	
	代码	标准号/发布时间/实施时期（年–月–日）	代码	标准号/发布时间/实施时期/废止时间（年–月–日）
从业状况（个人身份）	11 国家公务员；13 专业技术人员；17 职员；21 企业管理人员；24 工人；27 农民；31 学生；37 现役军人；51 自由职业者；54 个体经营者；70 无业人员；80 退（离）休人员；90 其他	GB/T 2261.4—2003/2003-07-25/2003-12-01		

由表 8.1 可见，原来的婚姻代码只有一位数字，新代码为两位数字，且对"已婚"进行了细分，分为初婚、再婚和复婚三种情况。健康状况有 1 位数字代码和 2 位数字代码两种，两位数字代码中的第 1 位数字代表大类，第 2 位数字表示小类。1 位数字代码及 2 位数字代码分别单独使用，用户可根据不同需要自选一种。新代码标准取消了原代码标准的第 4 大类"有生理缺陷"及第 5 大类"残废"，增加了第 6 大类"残疾"，体现了术语使用和编码上的不断优化。

有关"人—群体"代码的现行国家标准主要有：①GB/T 4658—2006《学历代码》（代替 GB 4658—84《文化程度代码》）；②GB 4762—84《政治面貌代码》；③GB/T 4763—2008《党、派代码》（代替 GB 4763—84《党、派代码》）；④GB/T 2261.1—2003《个人基本信息分类与代码：第 1 部分：人的性别代码》（代替 GB 2261—80《人的性别代码》）；⑤GB/T 2261.2—2003《个人基本信息分类与代码：第 2 部分：婚姻状况代码》（代替 GB 4766—84《婚姻状况代码》）；⑥GB/T 2261.3—2003《个人基本信息分类与代码：第 3 部分：健康状况代码》（代替 GB 4767—84《健康状况代码》）；⑦GB/T 2261.4—2003《个人基本信息分类与代码：第 4 部分：从业状识（个人身份）代码》；⑧GB/T 2261.5—2003《个人基本信息分类与代码：第 5 部分：港澳台侨属代码》；⑨GB/T 2261.6—2003《个人基本信息分类与代码：第 6 部分：人大代表、政协委员代码》；⑩GB/T 2261.7—2003《个人基本信息分类与代码：第 7 部分：院士代码》；⑪GB/T 6565—2015《职业分类与代码》（代替 GB/T 6565—2009；代替 GB 6565—86）。

已废止的国家标准有：GB 4764—84《本人成份代码》（2005 年 10 月 14 日

废止）；GB 4765—84《家庭出身代码》（2005 年 10 月 14 日废止）。

（4）机构—行业代码

世界上的行业和机构数量巨大，难计其数，从分类上进行编码具有广泛的应用价值。有关"机构—行业"代码的现行国家标准主要有：①GB/T 4657—2009《中央党政机关、人民团体及其他代构代码》（代替 GB/T 4657—2002《中央党政机关、人民团体及其他代构代码》；GB 4657—84《国务院各部、委、局及其他机构名称代码》）；②GB/T 4754—2017《国民经济行业分类》（代替 GB/T 4754—2011《国民经济行业分类和代码》；代替 GB 4754—84《国民经济行业分类和代码》）。

8.2　文本数据分析

数字目录学要运用数字化技术与手段对文本进行数据分析，这既是科学研究的数据研究范式的需要，也是数字目录发展的必然。

8.2.1　国外文本实例：莎士比亚

20 世纪 80 年代，从目录学的角度研究莎士比亚的著作，发现莎士比亚的著作有真伪难辨的问题。

西方有一个作伪者威廉·亨利·艾尔兰（1777—1835）专门伪造莎士比亚作品，他父亲塞缪尔作为一个绘画雕刻师和印刷商，最大的愿望就是找到莎士比亚的亲笔手稿。结果，他的儿子威廉给他提供了一件。威廉在一个老租房的纸卷底下发现了一张羊皮纸，在练习一番莎士比亚的笔迹后，就伪造了一张租约，上面有莎士比亚的签名，威廉从早期文献上弄来旧印章贴上，他的父亲把它当作真品一样保藏起来。威廉还伪造有莎士比亚签名的诗和信，书名页上有莎士比亚名字的早期印刷品，《李尔王》的抄本以及《哈姆雷特》的抽印本。但威廉在作伪拼写时，无意中露出了双重子音，为了解释，他说此件来自一个叫"M.H"的富翁，就这样蒙混过关了。

1795 年 2 月，塞缪尔在家里展出了他收藏的文献，邀请著名学者鉴赏。二十位著名学者，包括亨利·詹姆斯·派伊都认为这些是真正的手稿。不久，威廉在他父亲面前，又玩弄了一个无韵诗剧本《沃提根和罗伊娜》的把戏。他宣称这是莎士比亚亲笔写的悲剧《亨利二世》，他说有一个也叫威廉的人曾救过莎士比亚，便得到莎士比亚赠所有手稿的报答，而这些手稿最后流落到他手里。他的谎言遭到许多人的怀疑，包括考古学家约瑟夫·里特森和莎士比亚学者埃德蒙·马龙。谢里登曾同意给艾尔兰父子 250 英镑，在 Drury Lane 上演《亨利二世》。结果，父子两个被当作作伪家遭到审查，威廉承认了他的罪过，并发表文章为他的父亲辩解，而他的父亲怎么也不相信他的儿子威廉——一个 19 岁的孩子能伪造这么多赝品出来。塞缪尔死于 1800 年 7 月，尽管许多人对他失信了，但他一直声明自己是无罪的（柯平，1987）。

以往，西方目录学中的文本批评（textual criticism）对此类问题难以解决。在信息技术全面发展的数字时代，用数学和计算机等方法对文本进行数据分析，有助于增加对这些问题新的解决路径。

斯坦福大学统计系著名学者 Efron 和 Thisted（1976）研究了莎士比亚的用词类型如表 8.2。

表 8.2 莎士比亚用词类型频率

x	1	2	3	4	5	6	7	8	9	10	行总计
0+	14376	4343	2292	1463	1043	837	638	519	430	364	26305
10+	305	259	242	223	187	181	179	130	127	128	1961
20+	104	105	99	112	90	74	83	76	72	63	881
30+	73	47	56	59	53	45	34	49	45	52	513
40+	49	41	30	35	37	21	41	30	28	19	331
50+	25	19	28	27	31	19	19	22	23	14	227
60+	30	19	21	18	15	10	15	14	11	16	169
70+	13	12	10	16	18	11	8	15	12	7	122
80+	13	12	11	8	10	11	7	12	9	8	101
90+	4	7	6	7	10	15	7	7	5		78

注：条目 x 是 nx，即词型使用次数正好为 x 次。在总计 31534 个单词类型中，有 846 个词型出现超过 100 次。

Efron 和 Thisted 研究发现：莎士比亚写作用了 31534 个单词，其中 14376 个仅出现一次，4343 个出现二次，等等。需要考虑的问题是：有多少单词是莎士比亚知道但没有使用的。研究采用了由 Fisher 提出的参数经验贝叶斯模型和由 Good 和 Toulmin 提出的非参数模型。并用线性规划方法对后一种理论进行了扩充。他们最终得出结论：这些模型相当于假设了莎士比亚至少知道 35000 个单词。

1985 年 11 月，研究莎士比亚的学者 G. Taylor 从 1775 年以来就保存在 Bodelian 图书馆收藏中发现了写在纸片上的九节新诗。新诗只有 429 个词，因为未注作者，不肯定是否是莎士比亚的作品。于是，两个统计学者 Thisted 和 Efron（1987）利用统计方法研究了这个问题，最终得到结论：这首诗用词的风格（规范）与莎士比亚的风格非常一致。

这一研究基于以下统计：已知莎士比亚所有著作的用词总数为 884647 个。而不同单词使用的频数分布：频数 1 的单词数 14376 个，频数 2 的单词数 4343 个，频数 3 的单词数 2292 个，频数 4 的单词数 1463 个，频数 5 的单词数 1043 个……频数大于 100 的单词数 846 个，不同单词的总数为 31534。根据这一统计，假设莎士比亚写一个含有一定数量单词的新作品，他会使用多少新单词（以前作品中未使用过的）？在他以前所有的作品中，有多少单词他仅使用过一次，两次，三次，……这些数字可以用 Fisher 等提出的划时代的法则来预测。在完全不同的领域内，Fisher 利用他的方法估计了未被发现的蝴蝶总数！利用 Fisher 的理论，如果莎士比亚用与他已有的所有作品中出现的单词数 884647 完全一样数目的单词来写他的新的剧本和诗，则估计他将使用约 35000 个新词。这种情形下，莎士比亚的总词汇估计至少有 66000 个单词（在莎士比亚时代，英语语言的总词汇约有 100000 个，目前约有 500000 个）。

据这一假设考察泰勒新发现的九节新诗，其含有的 429 个单词中有 258 个是不同的，新诗的观测值和预测值（基于莎士比亚的风格）的分布由表 8.3（最后两栏）给出。

表 8.3　长度几乎相同的诗中，莎士比亚风格所含不同单词与其他作者风格所含不同单词的频数分布

莎士比亚作品中单词使用的次数	不同单词使用的频数				基于莎士比亚作品的期望值
	B. Johnson（哀歌）	C. Marlowe（四首诗）	J. Donne（狂喜）	新发现的诗	
0	8	10	17	9	6.97
1	2	8	5	7	4.21
2	1	8	6	5	3.33
3 ~ 4	6	16	5	8	5.36
5 ~ 9	9	22	12	11	10.24
10 ~ 19	9	20	17	10	13.96
20 ~ 29	12	13	14	21	10.77
30 ~ 39	12	9	6	16	8.87
40 ~ 59	13	14	12	18	13.77
60 ~ 79	10	9	3	8	9.99
80 ~ 99	13	13	10	5	7.48
不同单词数	243	272	252	258	258
单词总数	411	495	487	429	…

表 8.3 中给出了与莎士比亚同时代的其他几位诗人 B. Johnson、C. Marlowe、J. Donne 长度几乎相同的作品中所使用的单词的分布频数。这些作者作品中单词的分布频数与新发现诗中单词的观测频数，以及与莎士比亚用词风格的期望观测频数之间看起来多少有些不同。Efron 和 Thisted 的文学统计研究曾引起国际轰动，被誉为"一曲统计学的赞歌"①。

莎士比亚文本研究这一统计学上的案例对于今天的文本数据分析具有启示意义。

8.2.2 中国文本实例：红楼梦

在中国，对于《红楼梦》的研究早已形成一个专门领域——"红学"。随着信息技术的应用，对《红楼梦》的深入研究从文献学发展到文本数据研究。

1980 年，美国威斯康星大学召开"首届国际《红楼梦》研讨会"，该校华裔学者陈炳藻首次报告了他的最新研究成果，他将《红楼梦》120 回分为三组，每组 40 回，并将《儿女英雄传》作为对照组进行比较，每组任取 8 万字，挑出名词、动词、形容词、副词、虚词这 5 种词，然后运用统计学方法算出各组之间用词的相关程度，结果发现：《红楼梦》前 80 回与后 40 回所用词汇的相关程度远远超过《红楼梦》与《儿女英雄传》所用词汇的相关程度，由此推断：前 80 回与后 40 回均为曹雪芹一人所作。

华东师范大学教授陈大康（1987）对《红楼梦》人民文学出版社 1982 年 3 月版进行统计研究，全书共有 729604 字，105994 句，将 120 回分为三组，每组 40 回，统计其中所含词、字、句等 88 个项目，发现：这些词在前两组出现的规律相同，而与后 40 回却不一致；在用字特点和句式规律上，前两组也是惊人地吻合，后 40 回则迥异。由此得出陈炳藻相反的结论：后 40 回并非曹雪芹所作（但含有少量残稿）。复旦大学教授李贤平（1987）发表"成书新说"，选择 47 个虚字为识别特征，如"之、其、或、亦、了、的、不、把、别、好"等，利用各种统计方法（主成分分析、典型相关分析、聚类分析等）对它们在书中各回的出现频率进行统计分析，以探索各回写作风格的接近程度，并用三个层次的聚类方法对各回进行分类，得出结论：《红楼梦》前 80 回是曹雪芹根据《石头记》增删而成，而后 40 回则是曹家亲友搜集整理原稿加工补写而成。陈大康（1988）又对李贤平的研究提出质疑。

鉴于陈炳藻、陈大康和李贤平三位学者都是从词汇结构进行统计分析，东南

---

① 〔美〕C. R. 劳. 2004. 统计与真理：怎样运用偶然性［M］. 李竹渝，译. 北京：科学出版社.

大学数学系韦博成（2009）则从情景出发，选择《红楼梦》着力描写的花卉、树木、饮食、医药与诗词 5 个情景指标，去掉那些涉及花卉却不是花卉情景的数据，如 19 回"向荷包内取出两个梅花香饼儿来"（宝玉）、34 回"自羡压倒桃花，却不知病由此萌"（黛玉）、41 回"捡了一朵牡丹花样的小面果"（刘姥姥）、66 回"揉碎桃花红满地，玉山倾倒再难扶"（尤三姐之死）、85 回"前年他送我白海棠时称我作'父亲大人'"（宝玉）、91 回"正露着石榴红洒花夹裤"（宝蟾）等。统计出它们在前 80 回与后 40 回出现的频数如表 8.4。

表 8.4　《红楼梦》前 80 回与后 40 回各情景指标出现的频数

项目	1—40 回	41—80 回	1—80 回	81—120 回
花卉	15	16	31	7
树木	13	14	27	7
饮食	17	17	34	8
医药	13	13	26	8
诗词	22	14	36	12

之后，应用统计学中的"两个独立二项总体的等价性检验"为基本方法来检验二者的差异，如表 8.5。

表 8.5　两种方法对于各个情景指标的检验结果（前 80 回与后 40 回的比较）

项目	U 检验值	p-值	可信概率/%	精确条件检验的 p-值	可信概率/%
饮食	2.4360	0.0074	99.26	0.0114	98.86
花卉	2.3590	0.0092	99.08	0.0140	98.60
树木	1.8622	0.0313	96.87	0.0473	95.27
诗词	1.5811	0.0569	94.31	0.0824	91.76
医药	1.4325	0.0760	92.40	0.1105	88.95

由此得出结论如下：《红楼梦》前 80 回与后 40 回在饮食和花卉的描写上确实存在非常显著的差异，其可信概率不低于 98%；同时在树木的描写上也存在明显差异，其可信概率不低于 95%，说明《红楼梦》前 80 回与后 40 回在某些重要的情景描写上确实存在非常显著的差异。作者没有给出《红楼梦》前 80 回与后 40 回出自不同作者的结论，因为统计学方法并不能分析导致这种差异的原因。作者在结束语中说，可选择其他情景指标，如《红楼梦》中关于哭泣的描写有 260 处；关于笑的描写有 173 处；关于梦境的描写有 32 处；还在死亡人物近 50 人，等等，进一步研究。

关于《红楼梦》文本数据分析文献还有：沈阳化工学院李国强和李瑞芳（2006）运用计算语言学技术分析得出整部《红楼梦》是同一作者所写。浙江大学包辰瑶（2013）将《红楼梦》文本用 Segtag 软件进行分类，并用 Antconc 软件对出现频率较高的词语做了初步统计后，引证了前 80 回和后 40 回在用词和写作风格上确有差异，应该不是一个人所著的结论。

《红楼梦》文本数据分析，仅仅局限于用以判断作者是很不够的，还有很多领域需要开发。《红楼梦》不仅中文有各种版本，其外译也有各种版本，目前已有一些关于人物、内容的质性研究，可在此基础上用数据分析的方法，获得更多的知识发现。

以人物翻译为例，唐均在芬兰赫尔辛基大学访学时，偶然在其亚非文化研究所图书馆发现了 K. J. Gummerus Osakeyhtiö 出版社 1957 年出版的《红楼梦》芬兰语译本，这个译本是 Jorma Partanen 直接译自 Franz Kuhn 的德译本，这个德译本实际是一个《红楼梦》50 回节译本，该德译本颇有影响，已有英、法、荷兰、意大利和匈牙利语据德译本转译。芬兰文译本删除了德译本所附的"大观园中重要人物表"和"贾府世系图"以及 Franz Kuhn 本人的后记和德译本中的所有插图。参考唐均（2011）等人的研究成果，可以通过统计德译本和芬兰译本以及其他文献中的人物频次（如表 8.6），也可以对更多译本的统计或更多文献中的译名统计，进一步深入分析《红楼梦》外译中的文化差异与文化影响。

表 8.6 《红楼梦》人物外译的文本统计

人物	德译本译名	芬兰译本译名	汉语回译	在《红楼梦》译本中的频次	在报刊媒体中的频次
宝玉	Edelstein	Kallisarvoinen Jalokivi		X	X
黛玉	Blaujuwel	Sinijalokivi		X	X
宝钗	kostbare Agraffe	Kallisarvoinen Korusolki		X	X
贾赦	Fürst Scho	ruhtinas She	赦老爷	X	X
贾政	Herr Tschong, Schwager	Tschong, Onkel Tschong Herra Cheng, Chia Cheng	政先生，贾政	X	X
贾珍	Fürst Tschen	Ruhtinas Chen	珍老爷	X	X
贾母	Fürstin Ahne	ruhtinatar-esiäiti	老太太	X	X
元春	Lenzanfang	Keväänalku	春-始	X	X
迎春	Lenzgruß	Kevättervehdys	春-迎	X	X
探春	Lenzgeschmack	Kevääntuntu	春-感	X	X
惜春	Lenzweh	Kevätkaiho	春-盼	X	X

注：X 为运用知识图谱工具进行的统计数据或根据建立的语料库进行统计的数据。

统计数据反映基本量的关系，可以知识图谱呈现出来。但数据分析必须结合背景特别是文化的差异来分析。唐均（2011）发现，芬兰译本基本保留了 Franz Kuhn 德译本正文的所有内容，在形式上紧随德译本，译文部分细节甚至有超越德译而更加接近中文原文之处，这可能是因为芬兰语的结构较之其他印欧语而言更为接近汉语的缘故。表 8.6 中，"宝钗"的德文意译"kostbare Agraffe"首字母并不大写（按照德文正字法，任何名词的首字母都是大写的），而芬兰文译名两个单词的首字母都作大写，这说明德译名未作为专名而芬兰译名作为专名处理，反映出德国在语言上更为严格，与它的文化一致。芬兰译名"宝玉""宝钗"都加了前置的修饰性形容词"Kallisarvoinen"（意为"宝贵的"），"宝玉"和"黛玉"都使用了同一个后置的名词性构词成分"jalokivi"（意为"玉石"），这与中国文化一样，将人名赋予特别的意义。又如，贾母的译名，芬兰译本的翻译"ruhtinatar-esiäiti"并未大写首字母，且称呼为"老太太"（esiäiti），这样的翻译令人难以接受。读过《红楼梦》的人都知道，贾母在贾家乃至在四大家族的地位与影响，用"老太太"这样用于普通人的含义翻译难以体现出《红楼梦》原著的内涵。至于贾家四姝的人名翻译，德文译本使用的"Lenz"（春）是诗歌用词，比春的常用词"Frühling"显得更典雅，芬兰译本的相应译名继承了德译的优点，其中的 kevät-kevään "春"一词在不同人名结构中同一位置地再现，较好地体现了中文原名的文化意蕴。而且，按芬兰语词法则，"元春"和"探春"名字中"春"的后一个元音—ä—处理成双写的长元音形式，这个语言上的巧合暗示出两人同出一父（贾政）的关系。然而，无论是德译名还是芬兰译名，都无法反映出中国人名深刻的文化意义，曹雪芹笔下的贾府四"春"，既以排行的方式反映出传统的宗法制度，也以谶语的方式（串读谐音为"原应叹息"）隐含着四女不同的命运安排。因此，许多这类外译，没有揭示出人物的基本特征，反映人物的地位，更未能很好地体现出对中国文化的理解，从而影响了富有深刻内涵的中国文化的传播价值。从另一个方面看，为什么会有这类的翻译，必须有它自身的文化支撑，进一步可透视其存在的合理性，体现出不同文化的共性与差异。

总体看，虽然这些统计分析研究都存在某种局限性，尚未能得到不可置疑的结论，但对于文本数据分析，开辟了新路，可作为数字目录学研究的一个参考。

8.3　信息技术应用与数字目录学的发展

数字目录学是目录学的发展重点。柯平（2005）指出：21 世纪初是目录学的又一次重大变革期，数字目录学为目录学开辟了新天地，成为目录学的重要发展方向。2008 年《从文献目录学到数字目录学》标着中国数字目录学的建立。

8.3.1 书目文献大数据

20 世纪 60 年代末，利用计算机识读和处理文献编目内容（书目数据）的机读目录开始出现。作为信息技术应用于书目文献的首次尝试，计算机的出现带动了数字化文献的发展，传统的纸质书目文献可以数字化为图像或文本。

随着信息技术的发展和数据生产方式的变化，产生了大数据的概念。大数据（Big Data）指具有数量巨大、变化速度快、类型多样和价值密度低等主要特征的数据。大数据成为一种具有战略意义的信息资源，受到社会和各行各业的广泛重视。大数据出现后，其处理技术改变着计算机的运行模式，从理论研究发展到实际应用，并迅速延伸至各行各业，在目录学领域中日益成为书目文献顺应社会、参与竞争的基础技术和关键要素。

大数据包含着数据、技术和思维三大要素，在目录学中，以书目文献为基础资源及研究对象将转向以书目数据为基础资源及研究对象，依托大数据技术进行书目情报加工。当今的大数据思维从追求精确性、因果性、确定性发展到追求高效率、相关性、概率性，以大数据思维方式为核心和指导依据，发展数字目录学。

大数据时代，数据量庞大且杂乱无序，传统目录学用于组织书目文献的目录、索引和文摘已经可以通过计算机编制来实现，但较难适应互联网、云计算环境下对信息共享和文献信息研究的需要，处理庞大杂乱且复杂类型的大数据成为新的任务。目录学在相关关系分析法基础上，利用关联技术处理书目情报，进一步形成书目文献之间的关联，形成关联数据转化与聚合。例如，最早将书目数据发布成关联数据的瑞典联合目录（LIBRIS）所使用的词汇表就是一个包含着元数据、书目和简单知识组织系统的综合体（虞为和陈俊鹏，2013）。在实现书目文献数字化和有序化的基础上，还要使书目文献数据可视化。

大数据环境下的书目文献不再局限于传统的文献组织和信息揭示，而是转向数据融合和数据分析。大数据分析利用计算机和数字化的工具和方法，把前沿的计算机技术渗透到目录学中，对书目文献进行去冗分类，在云计算处理工具的支持下将海量书目数据和文献信息进行定量分析，形成一簇一簇相关度小数据。将小数据进行整合与融合，开展实时、高效的大数据数据分析，增强书目文献的融合与分析功能。

大数据环境下的书目情报系统加强知识挖掘和预测功能。依托云计算技术手段对书目数据和文献信息进行知识挖掘，从书目文献大数据中挖掘更有价值的信息和知识。利用书目文献大数据可以进行预测，发挥智库辅助和决策支持作用。

大数据环境下的书目情报服务拓展服务领域，促进社会服务价值增值。在书目情报服务的个性化和社会化基础上，提升数据服务效能，开展基于预测分析和知识挖掘的大数据情报服务。

利用书目文献，对文献标题等数据进行统计，可能产生大数据以及研究成果。张桂萍（2002）等对 33 种英语原版杂志中的 264 篇英语科技论文标题的句法进行了统计，发现 7 种句法结构，按频次依次为名词词组式（118 个，占44.7%）、冒号式（67 个，占 25.4%）、联合词组式（48 个，占 18.2%）、句子式（14 个，占 5.3%）、非谓语动词式（10 个，占 3.8%）、介词词组式（5 个，占 1.9%）和破折号式（2 个，占 0.8%）。孙海珍（2011）建立英汉两个语料库，对 12 个学科 2400 条科技期刊标题进行统计，发现短语式标题最多，英文短语式标题分四类，按频次依次为名词词组式（754 条，占 62.8%）、并列名词词组式（123 条，占 10.3%）、非谓语动词式（70 条，占 5.8%）和介宾词组式（23 条，占 1.9%）；中文短语式标题 1116 篇，占 93%，分为四类依次为偏正词组式（824 条，占 68.7%）、联合词组式（257 条，占 21.4%）、介宾词组式（31 条，占 2.6%）、动宾词组式（4 条，占 0.3%）。像这一类的研究，如果将语料库增大至百万条以上，可以形成标题大数据，分学科、分地域、分时代等多维统计分析更有价值。

8.3.2　书目文献智慧化

数字资源的激增导致以纸质书目文献为核心的目录学面临着巨大挑战。大数据处理技术的发展推动了数字目录学的建设，使其成为当代目录学的发展方向。目录学在大数据的影响下发生深刻变革，逐渐向智慧化应用的方向努力。

首先是书目情报处理智慧化。书目工作自动化经历了相当长的过程，自动编目、自动标引、自动文摘等实验已有较多成果。要加强人工智能在书目情报处理上的应用，以智能化为初级目标，实现自动采集关联信息，自动数据编目与检索、智能知识导航、智能推荐与问答等新的功能。依靠 5G 技术设施可以挖掘文献中更精确的信息，新一代智慧技术将使书目工作自动化转型升级，发展新的智慧编目、智慧标引和智慧文摘技术，逐步实现智慧书目情报处理的高级阶段。

其次是书目控制智慧化，在信息环境快速变化的今天，仅仅依靠数字技术较难适应智慧化的变革与建设，数字目录控制必须向智慧目录控制发展。以人工智能和机器学习技术为基础，书目文献数据化和智慧化，新的书目文献大数据有利于量化与分析，也有利于循证与控制。数字目录控制主要解决文献有序化的问题，形成以"元数据"为单位的海量书目文献资源，在实现作为实体对象的文献整体数字化基础上，进一步实现文献单元和文本的数字化控制。而智慧目录控制主要解决知识有序化的问题，形成以"元知识"为单位的海量知识资源，实现从文献单元和文本的有效控制向篇章、段句、字词的有效控制转化，使书目控制不断向精细化发展。在智慧城市建设中，基于文献的智慧目录和基于数据的智慧目录都将发挥重要作用，全球智慧目录控制应当成为数字地球的组成部分。

再次是书目情报服务平台智慧化。促进书目情报系统向服务平台发展，从书目情报系统智慧化向服务平台智慧化发展。一方面，以大数据技术为引擎、用大数据技术打造智慧化的书目文献平台成为迫切需要。要加快建设智慧化的数据分析和服务系统，除了支持关联检索和全库检索外，还应当具有强大的智能检索功能，特别要有智能分析处理功能，系统通过自动进行知识聚类，开展智慧数据服务。另一方面，要利用现有的智慧平台，与相关智慧平台如新的智慧图书馆平台、智慧城市平台等对接，加快建设纸电合一的图书馆联合目录系统，以及图书馆、档案馆、博物馆、信息中心的共享服务平台，消除书目数据共享的障碍，促进智慧书目数据的体验化服务和场景化应用，在经济和社会发展中发挥更大效用。

8.3.3 数字目录学的发展

数字目录学是信息技术发展到一定阶段产生的。19 世纪以来，信息技术的发展变化有以下线索：1844 年—电报；1876 年—电话；1877 年—留声机；1896—无线电广播；1935 年—传真机；1939 年—电视；1945 年—电子计算机；1947 年—晶体管，机器人；1954 年—彩色电视；1961 年—激光；1965 年—电子邮件；1973 年—手机；1974 年—微型计算机；1989 年—万维网；1990 年—网络搜索引擎；1992 年—Web 浏览器；1994 年—掌上电脑；1996 年—Google；1999 年—互联网金融 P2P；2002 年—iPod；2004—博客，Web2.0；2006 年—微博，云计算；2011 年—微信；2012 年—大数据；2021 年—元宇宙。这些都是数字目录学产生与发展的技术基础。

随着社会的发展和技术的进步，纸质文献和数字资源不断增长。基于数字文化的数字目录学将适应新的形势不断发展。

8.3.3.1 数字资源系统

数字资源系统的目录学研究主要解决电子资源的分类编目与检索问题，包括数字图书馆目录、网络编目、联机编目系统、文后电子资源著录、网络资源分类、网络资源组织、网络信息资源的二次开发等问题。

8.3.3.2　数字参考咨询

数字参考服务开始于基于电子邮件的参考咨询服务和网上静态咨询服务（如FAQ）。随着信息技术和数字参考技术在图书馆的应用，基于实时交互技术的数字参考服务和合作分布式数字参考服务发展迅速发展起来。电话咨询、Email 咨询、网页咨询、合作虚拟咨询、7×24 全天候实时咨询服务等广泛应用。关于数字参考咨询的软件、标准规范、体系结构、实用系统如 QuestionPoint、Ask a librarian、专家咨询系统等等都需要深入的研究。

8.3.3.3　数字导读与数字化推荐书目

传统目录学的导读功能对人们利用知识起了功不可没的作用，数字目录学更应该利用信息技术的优势，继承和发扬这种传统。数字导读要充分发挥数字提要、数字索引和数字综述等工具的功能，另外数字导读的成功还要有知识渊博的导读服务工作者。数字导读的实施可以将导读信息分类，建立导航，使读者能迅速知道自己需要读什么书，并且如何找到这些书。数字导读比传统导读更有效率和准确性。

数字化学习需要理论与方法指导。这方面的研究课题包括虚拟学习开发平台、网络书评、网络推荐书目、数字读者教育和学习方法等。作为数字导读工具的网络学科目录在国外迅速发展，为了更好地利用网络学科目录上的信息资源，Alimohammadi（2005）提出了建立作为三次文献的网络学科目录的注释目录（annotated webliography of webliographies）。

8.3.3.4　数字知识控制

数字知识控制是利用数字技术和目录学的方法对知识进行鉴别、评价、筛选、揭示、整序、分析、提炼和浓缩的过程，是使知识从无序到有序、从混乱走向条理的过程，是对知识重新定位、创造新知识、赋予知识新价值的过程，同时也是消除噪声、排除干扰、去伪存真、净化知识环境、加速知识交流的过程。

数字知识控制的实施是建立在一定的条件基础之上的，现代知识的生产、传播和使用和数字化紧密相连，知识之间的逻辑关系常常需要用像目录这样的方法揭示出来，因此数字知识控制就成为数字目录学的研究内容。

数字目录学对知识控制的研究可以从知识主体控制研究、知识客体控制研究、知识过程控制研究和知识系统控制研究四个方面来进行。曾伟忠（2010）对数字科研环境下知识主体、知识客体、知识过程和知识系统四个方面进行了专门研究，将控制论的前馈控制、实时控制和反馈控制方法应用到数字科研环境下的知识控制中，促进了知识控制的完善，丰富了知识控制的功能，将知识控制多角度地服务于科学研究。

数字知识控制包括知识污染控制，简单地说，知识污染是指有问题的知识通过各种方式进入公共空间误导人们的科研、学习和生活，有问题的知识主要包括缺陷知识、错误知识和虚假知识。

8.3.3.5 数据辅助科学

Greenwald（2021）运用数据科学的方法研究了19世纪的绘画艺术，使用数字研究工具揭示了艺术史准则形成过程中的持续不平等现象，开启了数据驱动的艺术史研究。数据辅助科学研究是利用大数据等信息技术，将科研人员需要的数据、资料进行搜集、分类、加工和整理成科研人员能够使用的科学研究原材料，同时对这些原材料进行智能分析处理，从而使科研人员方便地使用。

基于数字目录学的数据辅助科学研究主要着眼于三个方面：一是将科学研究所需要的基础数据、实体和虚拟实验仪器和科研工具方法等有机地整合组织在一起，形成一个功能强大的数据辅助科学研究体系。二是将科研人员的科研成果归纳整理，与科技查新相结合，为科研人员开展导研工作，以适应现代科学研究的新范式——数据科研范式。三是与数字图书馆、智慧图书馆的研究相结合，充分发挥数字图书馆和智慧图书馆的优势，以数字化智慧化方式辅助科研人员掌握信息获取与加工的技术、掌握常用科学研究软件的使用方式，促进科学创新。

第9章　书目控制与目录事业

为天地立心，为生民立命，为往圣继绝学，为万世开太平。

——张载

　　两千多年前，中国出现了人类历史上最伟大的长城。两百多年前，中国产生了世界上最伟大的文化"长城"——《四库全书》及《四库全书总目》。乾隆为这一文化工程定宗旨时引述北宋大家张载的名言："为天地立心，为生民立命，为往圣继绝学，为万世开太平，胥于是乎系。"《四库全书》藏于著名的四库七阁，正本藏于主敬殿（文华殿后殿）后的文渊阁，1776年建成。阁三重，仿天一阁，上下各六楹。阁内正中南向，悬乾隆御笔匾曰"汇流澄鉴"，两旁联曰"荟萃得殊观象阐先天生一，静深知有本理赅太极含三"；北向，悬乾隆题《文渊阁诗》"每岁讲筵举，研精引席珍；文渊宜后峙，主敬恰中陈；四库庋藏侍，层楼结构新；肇功始昨夏，断手逮今春；经史子集富，图书礼乐彬；宁惟资汲古，端以励修身；巍焕观诚美，经营愧亦频；纶扉相对处，颇觉叶名循"（丙午仲春月御题），两旁联曰"璧府古含今籍以学资主敬，纶扉名副宝讵惟目仿崇文"。文渊阁四库全书，每册首页盖有"文渊阁宝"，末页盖有"乾隆御览之宝"，封面内均有缮校官姓名，黄签，书皮及带，均以色别。经部绿色，史部红色，子部蓝色，集部灰色，而目录则用香色。

　　自古以来，书目控制与目录事业就是关乎人类与社会发展之大业。Robert B. Harmon 在《目录学的要素》（*Elements of Bibliography*）1998年第三版的献辞页上将此书献给纪念 Ralph R. Shaw 和 Richard H. Shoemaker 两位目录学家，他们继承了 Evans 30年未竟的目录事业，将 Evans 的14卷本《美国书目》（收录1639—1800年的美国出版物，1903—1967年出版）续编为22卷本的《美国书目：选购书目初编》，收录1800—1820年的文献，于1958—1966年出版；Harmon 还引了一位不具名者的话"目录事业是信息转移过程中的核心，没有它，人类进步或发展都是不可能的"，说明了目录事业何等重要。

9.1　世界书目控制

　　世界书目控制本是人类的一个梦想。从古代到现代，中外目录学家为将人类的共同梦想变为现实，作出了许多探索和努力。

9.1.1　书目控制的起源与发展

9.1.1.1　书目控制概念

"书目控制"（bibliographic control）一词于 1949 年产生，被译为"文献控制"或"书目管理"。人们对它的理解有一个发展过程。随着书目控制认识和实践的不断进步，书目控制概念逐渐明晰。

（1）计算机应用和检索的发展促使书目控制发挥检索功能

早在 19 世纪 20 年代，在国际联盟知识分子联合委员会的一次会议上，H. A. Lorentz 表达了书目控制的目的思想，认为应该从图书的利用角度来编制书目，以达到全部、快速地查找文献。

1949 年，美国芝加哥大学图书馆学研究院的 M. E. Egan 和 J. H. Shera 在 *Journal of Cataloging and Classification* 上发表了《书目控制绪论》一文，明确地表达了多年来酝酿的对文献进行控制的思想。然而，Egan 和 Shera 并没有给书目控制下定义，只是规定了它的实际的目标，就是提供内容和物理的可检索手段。

1950 年，UNESCO 和美国国会图书馆指出："书目控制定义是指全部掌握书目提供的书写和出版记录，以达到书目的目的，书目控制与通过书目有效检索是同义的。所以医学书目控制也就是指医学情报资料通过书目有效地检索"（Davinson，1981）。

1954 年，Robert B. Downs 指出，书目控制意即每部书和图书馆有关的其他资料现存和位置的记录。

早期书目控制的诞生是有其特定条件的：一方面文献增长，另一方面书目技术不断进步，计算机的出现给书目控制带来了新的希望。

（2）出版物迅速增长和文献爆炸现象促使书目控制发挥记录功能

文献的大量增长是书目控制产生的主要动因。当"书目控制"这一术语最初出现时，一些人误认为是试图对出版商的出版物进行检查，因此不同意用"控制"一词。其实，提出者 Egan 和 Shera 担心引起误会，曾用"bibliography organization"代替它。但是不久，当人们弄清这一概念时，"书目控制"就广泛地被接受和采用了。

Dorothy Anderson 说："自从出版物大量出现以来——自从印刷术真正问

世——图书馆员就面临着控制出版物的书目记录问题；在这个过程中，发展了书目工具的协调，目的是提供回答各种问题"（Davinson，1981）。

为推动书目控制的研究，芝加哥大学图书馆学院曾多次主持召开有关书目控制的会议，第一次于 1950 年，主题为"书目组织"；第二次于 1956 年，主题为"建立完善的编目规则"；第三次于 1963 年，主题为"图书馆目录：变化的范围"。这些主题的讨论是对书目控制的研究的扩大和深入。

1964 年，英国图书馆协会为其专业考试出了考试提纲，其中一题是"书目控制和服务"，在试卷里附有书目控制的定义：书目控制是各种形式的出版物、非出版物、印刷品、视听资料的完整记录体系的继续发展。

ALA 的词典将书目控制解释为一系列书目活动，包括完整的出版物书目记录，书目描述的标准化，通过联盟、网络或其他合作方式提供物理检索，通过编辑与传播联合目录、专题书目以及书目服务中心等提供书目检索（Levine-Clark and Cater，2013）。

（3）数字环境下的书目控制概念

2007 年 11 月，美国国会图书馆书目控制未来工作组发布了《书目控制未来报告草案》（*Draft Report：Future of Bibliographic Control*）。报告认为在今天的环境下，书目控制的对象不局限于传统的出版物，其领域不局限于图书馆内部，其任务不局限于编目。"书目控制"的含义应更为广泛，包含所有图书馆资料、各种类型的用户以及信息搜索的各种场所。书目控制应该是分布式的，而不是集中式的。

数字环境下，书目控制需要重新定义，以文献为对象的书目控制概念将向以数据为对象的书目控制概念转化。

9.1.1.2　书目控制的内容

据 ALA *"The Librarian's Thesaurus"*（1990），书目控制有六大范畴。

范畴一：书目级别（bibliographic level）。

范畴二：范围（scope），包括目的（purpose）、时期（period）、包罗度（coverage）、功能（function）。

范畴三：物质形态（physical form）。

范畴四：排列（arrangement）。

范畴五：书目记录（bibliographic records），包括两个子范畴。

子范畴一：描述（description）。包括 Title and statement of responsibility；Edition statement；Material-specific information；Publication，distribution，etc.，information；Physical description；Series statement；Notes；Standard number and terms of availability。

子范畴二：检索点（access point）。包括 Entry and heading 和 Types of access points。后者又包括 Derives access points（Names；Titles；Numbers；Key words；Other access points）和 Assigned access point（Subject headings and descriptors；Classification）。

范畴六：书目标准（Bibliographic standards）。

9.1.1.3　书目控制论的基本原理

随着时代的发展，文献的增长与书目记录文献的矛盾日益尖锐，为解决这一矛盾，人们渴求找到一种方法。1948 年美国出版了 Wiener 的《控制论》，给人们以启示。

书目控制论就是控制论运用于书目情报工作的一种理论和方法。目的是探讨书目情报工作规律，进行书目情报工作组织协调活动。其基本原理是把书目情报工作作为系统进行考察，按一定的预期目标，对输入的信息进行处理、约束和调节。包括：①把每一书目情报机构作为与外界相联系的动态系统，而不是孤立静止的工作单元；②研究书目情报系统的动态方式和功能；③任何书目情报系统都可以进行调节和控制。

1980 年，Wellish 发表《书目控制的控制论：文献检索系统的一种理论》，按照控制论的原理设计了一个书目控制开环系统模型 E，如图 9.1 所示。

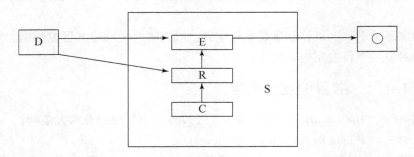

图 9.1　书目控制开环系统模型 I

图 9.1 中，系统输出或目标为○，系统从外部接受输入，获得输出的原料基础，但每一新的输入都构成一种扰动器而影响预期目标○，使其发生不期望的变异。为了使系统输出保持在预期目标○的极限以内，系统必须设计一个控制子系统 S，由控制装置 C 和调节器 R 组成，可耦合到 E 上。S 子系统的目的是控制从 D 到○的不期望的变异。

9.1.1.4 世界书目控制实践

世界书目控制的思想产生较早。文艺复兴时期，人们就梦想着世界书目能记录现存所有的图书。Conrad Gesner（1516—1565）是这一领域的先驱者。1541年，他开始整理当时所见到的各门学科的书籍，于 1545 年编成《世界书目：拉丁文、希腊文、希伯来文全部书籍目录》（*Bibliotheca Universalis*，*Zurich*，1545年）。这部书目收录了用上述 3 种文字写作的近 3000 名著者的书籍约 1.2 万多种，按著者字顺编排。1548 年和 1549 年出版了这部书目的两本分类目录（附主题索引），产生了 21 大类的"分类表"。1555 年又出版了该书目的补编，增补2000 名著者的近 3000 种图书。该书目在范围上没有达到世界性，就在这三门语言范围，收录完成的还不到 20%—25%。

《世界书目》的意义就在于 Gesner 控制文献的思想和大胆尝试对后来世界书目控制的影响。1551 年和 1555 年出版了该书目的两个节略本《世界书目中的主要著作》和《盖士纳世界书目概要》。在 Gesner 去世后 17 年中出版了多种世界书目增补本，如西姆勒、弗里斯、迪韦尔弟的增补本。

继 Gesner 之后的许多世界书目尝试其范围更窄，或是仅限于年代、著述形式，或是其他不足。例如，1826—1838 年 Ludwig Hain 的书目 Repertorium Bibliographicum 企图收罗无遗，结果仅限于古版书即 1500 年 12 月 31 日以前印刷的图书。就是在这个范围内，虽然许多人对这个书目进行补充、扩充或增补，可是这个范围的文献还远远没有收罗完备。只有到 20 世纪，学术团体对文献进行了大规模的整理，在遭受第二次世界大战影响的境况下，才逐步完成了 15 世纪的书目记录。1925 年开始编制的"Gesamt Katalog der Weigendruche"，在收录现存或知见 15 世纪出版物方面作出了重大贡献，但该书目对 1940—1960 年的没有编制，需要填补这一空白。

尽管有许多人成功地完成了实用的书目巨著，然而，编制打破时间、形式和国家界限的世界书目还没有成功。马拉在总结几次大规模编制书目的尝试时指出：即使有国际上的大量财政支持，世界书目的任务也难以完成。

在世界书目控制方面有一个组织作出了巨大的努力，那就是 1895 年 P. Otlet和 La Fontaine 在布鲁塞尔建立的国际目录学组织以及他们的世界书目编制工作。在世界书目控制实践中，指明了国际合作的重要性，并说明世界书目的完成首先取决于国家书目工作质量。二次世界大战后，UNESCO 开始活动，世界书目控制重点是收集文献。

1948 年，UNESCO 在成立仅三年时就提出建立一个世界书目中心，以协调书目工作与图书馆工作，出版书目和联合目录。在此前一年的 UNESCO 会议上也有编制"世界书目"的提议。然而，很快就感到理论与技术的条件都不具备。实现这些计划依赖于对书目控制的研究以及各国国家书目的支持。

9.1.2 国际图联的书目控制

9.1.2.1 UBC

1971 年，联邦德国巴伐利亚国家图书馆馆长 F. G. Kaltwasser 在《UNESCO 图书馆通讯》第 25 期发表《世界书目控制》一文，正式提出了"Universal Bibliographic Control"（简称 UBC）这一术语，这是书目控制的一种全球性表述，也是书目工作国际合作协调的发展趋势，很快被国际图联（IFLA）接受。1971 年，IFLA 建立了编目委员会常设秘书处负责这一工作。1972 年，International Cataloguing 季刊创刊。1973 年在布鲁塞尔第 39 届大会上，IFLA 把 UBC 作为中心议题展开了广泛讨论。特别重要的是，执行委员会将 UBC 作为 IFLA 的第一项核心计划得到了大会的赞同。它标志着 UBC 的实践开始成为国际图书馆界的中心任务。当时的 IFLA 主席 Herman Liebaers 把这一计划称为"IFLA 当前发展阶段的最高表现"。

UBC 计划设立后，编目委员会作为这一领域的专家指导组织，推进 UBC 在发展中国家的实施，并与 IFLA 第三项核心计划——国际机读目录计划（International MARC Programme，IM）合作。

在布鲁塞尔大会召开的第二年，为实施 UBC 计划，IFLA 在编目委员会秘书处的基础上成立了世界书目控制办事处，设在英国图书馆参考部内，试图通过国际协作编制"世界书目"。办事处负责各国书目活动的协调，并具体执行 IFLA-UBC 计划。1977 年 12 月，IFLA 执行委员会成立了"世界书目控制组织业务指导委员会"，制订了世界书目控制的有关方针和计划重点。

自第一个核心计划以后，IFLA 于 1974 年第 40 届大会通过了与 UBC 计划相配合的 UAP 即世界资源共享计划，目标是任何人可获得任何形式、任何地方出版的任何资料，促进出版物的利用。这两大计划共同发展，一度成为 IFLA 的两大奋斗目标。1979 年 5 月，执行委员会决定建立计划管理委员会，以协调和管理 IFLA 的专业核心计划并促进这些计划与各部、组工作的联系。1979 年 8 月 UBC 指导委员会解散，该计划管理工作改由计划管理委员会直接负责。

到 1983 年，IFLA 理事会批准了包括核心计划的重要文件"IFLA 的希望"，预示着新核心计划的产生与发展。

随着计算机编目的发展，联合国内设有国际机读书目中心。IFLA 也非常重视 MARC 的应用研究，国家图书馆馆长会议自 1975 年起为探讨机读目录网络化成立了"国际 MARC 网络研究筹划指导委员会"。在此基础上，由联邦德国资助，世界书目控制办事处于 1982 年在法兰克福的德国图书馆着手国际机读目录工作，目的是将其他国家的图书馆目录数据直接和自动地输入到世界书目控制里。1983 年，IFLA 将国际 MARC 纳入核心计划，成立 IMP，该计划包括两个部分：法兰克福德国图书馆负责 MARC 的应用，包括技术研究和 MARC 的测试；而英国图书馆负责 MARC 的修订工作。

9. 1. 2. 2　UBCIM

由于 UBC 和 IMP 活动的密切联系以及许多共同问题的研究，1986 年 IFLA 执行委员会决定将 UBC 和 IMP 两项计划合并为 "Universal Bibliographic Control and International MARC" 即 UBCIM 计划，中心设在英国图书馆内。负责该计划的 D. W. Roberts 说："书目控制是一个为记录和描述图书馆资料于目录或数据库中，以促进其在图书馆或文献中心便利使用的系统。"1988 年，国际编目杂志更名为 *International Cataloguing and Bibliographic Control*。

UBCIM 不仅把书目控制与图书馆情报活动紧密联系在一起，而且把书目控制与机读目录结合起来，具有更大的目标。

1990 年 3 月底，UBCIM 办事处从英国图书馆迁到法兰克福德国图书馆。

为推动实施 UBCIM，IFLA 的相关机构组织召开了一系列重要会议，如 1998 年 3 月在马来西亚吉隆坡召开的 UBCIM 地区研讨会、1998 年 6 月在立陶宛维尔纽斯召开的全球信息基础结构中书目控制的功能会议、1998 年 9 月在莫斯科召开的 UBC 国际研讨会、1999 年 4 月在莫斯科召开的国际编目原则大会、1999 年 10 月在格鲁吉亚比利斯召开的高加索山脉地区 UBC-IM 研讨会等。

UBCIM 最初由英国国家图书馆承办（1973—1989 年），后来由德国国家图书馆承办（1990—2003 年）。该计划于 2003 年结束。

9. 1. 3　世界书目控制标准

书目情报标准化是世界书目控制的主要内容，1974 年成立的 ISO 是最大的国际标准化组织，该组织的第四十六技术委员会（ISO/TC46）是文献工作技术委员会，在书目著录、文摘索引、主题词表、出版物格式和文献等方面做了大量的工作。IFLA 为实现 UBCIM 制订了一系列的标准和规则，目的在于促进各国书目情报的互换性和易识性，促进书目情报的国际交流。

9.1.3.1　国际文献著录控制

统一编目规则是书目控制的首要条件，编目原则、著录标准化以及书目著录系统是国际书目控制的重要内容。

（1）ISBD

继 1961 年国际编目原则会议（International Conference on Cataloging Principles，ICCP）和 1969 年国际编目专家会议（International Meeting of Cataloging Experts，IMCE）后，70 年代由工作组专门制订《国际标准书目著录（ISBD）规则》。1971 年出版了《ISBD（M）》初版，英国、法国、德国很快将这一规则分别用于《英国国家书目》、《法国书目》和《德国书目》，1973 年 IFLA 第 39 届大会前召集了 ISBD（M）修订会议，1974 年出版了"标准初版"。为连续出版物编制的 ISBD 也于 1974 年出版，1977 年出版了为地图资料编制的 ISBD 和为非书资料编制的 ISBD。随着专门的 ISBD 增多，1975 年决定编制一个"总体制"，即《国际标准书目著录总则：说明本》，于 1977 年出版。80 年代，工作组继续制订新的规则，并开始大规模修订，形成了较完善的 ISBD 体系。为致力于 ISBDs 的推广与应用，IFLA 于 1988 年出版了《ISBD 应用于单元著录的准则》，作为制订 ISBD（CP）的根据，1990 年编辑出版了新的《ISBD 参考手册》。

ISBD（G）《国际标准书目著录（总则）》：1977 年初版，1987 年第 2 版，1992 年修订版。该标准是制定各种 ISBD 的框架，其大纲明确规定了著录项目、著录单元的内容、顺序及其著录用标识符。它规定文献著录的 8 个项目如下：题名与责任说明项（Title and statement of responsibility）；版本说明项（Edition area）；资料（或出版物类型）专用项（Material［or type of publication］specific area）；出版发行等项（Publication，distribution，etc.，area）；载体形态项（Physical description area）；丛编项（Series area）；附注项（Notes area）；标准编号与获得方式项（Standard number［or alternative］and terms of availability）。

ISBD（M）《国际标准书目著录（专著出版物）》：1971 年推荐本，1974 年第一标准版，1978 年二版，1987 年修订版，2001 年修订版。

ISBD（S）《国际标准书目著录（连续出版物）》：1977 年第一标准版，1987 年第二版。

ISBD（CM）《国际标准书目著录（地图资料）》：1977 年第一标准版，1987 年第二版。

ISBD（NBM）：《国际标准书目著录（非书资料）》：1977 年公布，1987 年第二版。

ISBD（PM）《国际标准书目著录（乐谱）》：1980 年公布，1987 年第二版，1989 年修订版，1991 年二次修订版。

ISBD（A）《国际标准书目著录（古籍）》：用于著录 1801 年以前出版的专著，1980 年初版，1989 年修订版，1991 年二次修订版。

ISBD（CP）《国际标准书目著录（分析著录）》：1982 年公布。

ISBD（CF）《国际标准书目著录（计算机文件）》：1990 年初版。

ISBD（ER）《国际标准书目著录（电子资源）》：1997 年公布。

2011 年 7 月，ISBD 正式推出统一版。2022 年 2 月，IFLA 发布 ISBD 2021 更新版。

（2）AACR

1907 年在 ALA 的主持下推出了 AACR（Anglo- American Cataloguing Rules，即英美编目条例），但由于它与欧洲大陆的图书馆书目著录传统有一定差别，因而在很长的历史时期并未能被欧洲的非英语国家所接受。为解决这一问题，1967 年 IFLA 在《国际编目会议原则声明》的基础上，制订出了新版的《英美编目条例第一版》即 AACR Ⅰ，这一编目条例不仅被北美和西欧的一些国家接受，也很快被北欧、东欧和亚洲的一些国家接受。

AACR2 即《英美编目条例（第二版）》是在现代编目理论指导下紧密配合 ISBD 而产生的最有影响的编目条例，由美国图书馆协会、美国国会图书馆、英国图书馆协会、不列颠图书馆、加拿大编目委员会联合提出，由 Michael Gorman 和 Paul W. Winkler 负责编辑，1978 年出版。

AACR2 是一部综合性的著录条例，不仅适用于普通图书，也适用于连续性出版物及各类型文献。它不仅为英语文献编目提供了标准化工具，而且为各国编目规则制定树立了典范，推动了世界编目标准化，出版后被译成多种文字广泛传播。1986 年，澳大利亚编目委员会加入了其常设委员会，1988 年出版了 AACR2 修订版。

AACR2 修订版与 AACR2 的结构基本相同，共分 19 章，由三部分组成：

第一部分是"著录"，依据 ISBD 的各分则，规定了各类型文献的著录项目、著录项目的顺序、标识符号的使用以及著录方法等。包括以下内容：general rules for description；books，pamphlets and printed sheets；cartographic materials；manuscripts；music；sound recordings；motion pictures and video recordings；graphic materials；computer files；three- dimensional artefacts and realia；microforms；serials；analysis。

第二部分为"标目、统一题名与参照"，对检索点的选取、个人著者与机关团体标目、地理名称、统一题名和参照的著录分别作出了明确规定。包括以下内容：choice of access points; headings for persons; geographic names; headings for corporate bodies; uniform titles; references。

第三部分是"附录"，包括 4 个附录：capitalization; abbreviations; numerals; glossary。

随着电子文献，特别是网上资源的不断增加，1993、1998 年对 AACR2 又进行了一些重要的修订，特别是对 AACR2 的第 9、12、21 章，进行了修改和扩充。

到了 2001 年，随着信息技术的飞速发展，原有的"计算机文件"（computer files）一词已不能涵盖所有的电子资源。第九章计算机文件不得不改名为电子资源，并作了大幅度修改，补充了大量例子。电子资源的发展又同时影响到了"连续出版物"，因为许多电子资源特别是网络资源都是连续性的。为此，2002 年《AACR2》修订时，第十二章连续出版物（serials）更名为"连续性资源"（continuing resources），并相应增加了许多关于更新版的散页（up-dating loose leafs）以及更新版的网站（updating web site）的例子，统称为"一体化资源"（integration resource）。

2002 年 9 月，AACR2—2002 年修订版由美、英、加、澳等国的图书馆协会同时出版，美国国会图书馆也于同年 12 月开始采用并实施新规则。北京图书馆出版社 2006 年出版了由吴龙涛、叶奋生、吴晓静翻译补充的《最新详解英美编目规则（第二版 2002 修订本)》。

（3）FRBR

FRBR 即"书目记录的功能需求"，全称为"*Functional Requirements for Bibliographic Records*"，1998 年出版。FRBR 不是一个编目规则，而是一个概念模型，包括书目记录的实体、属性、关系、用户任务、国家书目记录的基本需求。

Ⅰ. 实体

实体是书目数据用户关心的关键对象。FRBR 分为三组实体。

第一组实体（w=作品　e=内容表达　m=载体表现　i=单件）包含智力或艺术创作的作品，在书目记录中定义为作品（work）、内容表达（expression）、载体表现（manifestation）和单件（item）。例：

w1　J. S. Bech's Six Suites for Unaccompanied Cello.

　　e1　1963 年和 1965 年录制的史塔克演奏曲录音

　　　　m1 1965 年由 Mercury 制作的转速为 33 1/3 rpm 的唱片

　　　　m2 1991 年由 Mercury 制作的压缩唱片

　　e2　1983 年录制的马友友演奏曲录音

m1 1983 年由 CBS 制作的转速为 33 1/3 rpm 的唱片

m2 1992 年由 CBS 制作的压缩唱片

第二组实体（p＝个人　cb＝团体）包含对智力或艺术产品的创造、物理生产与传播或保管负责的个人（person）和团体（corporate body）。

第三组实体（c＝概念　o＝物体　e＝事件　p＝地点）包含揭示智力或艺术产品内容的主题集合，即概念（concept）、物体（object）、事件（event）和地点（place）。

第一组实体是书目记录的对象，是 FRBR 模型中的核心内容，与传统编目中的书目描述相关，在编目实践中，"作品""载体表现"和"单件"分别与传统编目中的规范记录、书目记录和馆藏记录相对应；后两组实体属于书目记录中的检索点部分。第二组实体由名称规范进行控制，第三组实体由主题词表、分类法等主题规范进行控制。

Ⅱ. 属性

FRBR 模型中的每一个实体都有与之相联系的一组特征或属性。实体的属性基本上分为两大类。第一类是实体所固有的属性，第二类是外部所赋的属性。固有属性不仅包括实物的物理载体与尺寸等物理特征，还包括诸如题名页、封面或容器说明等标识信息的特征。外部赋予的属性则包括分配给一个实体的标识符和背景信息。实体的固有属性可通过检查实体本身确定，外部赋予的属性通常需要参考外部来源。

对应上述三组实体，每个实体要素都有相应的属性。

作品的属性：title of the work；form of work；date of the work；other distinguishing characteristic；intended termination；intended audience；context for the work；medium of performance；numeric designation；key；coordinates；equinox。

"内容表达"的属性：title of the expression；form of expression；date of expression；language of expression；other distinguishing characteristic；extensibility of expression；revisability of expression；extent of the expression；summarization of content；context for the expression；critical response to the expression；use restrictions on the expression；sequencing pattern；expected regularity of issue；expected frequency of issue；type of score；medium of performance；scale；projection；presentation technique；representation of relief；geodetic，grid，and vertical measurement；recording technique；special characteristic；technique。

"载体表现"的属性：载体表现的题名（title of the manifestation），指命名载体表现的词语、短语或一组字符，载体表现可以有一个或多个与之相关联的题名，包括所有出现在载体表现中的题名，如题名页、题名框题名等，封面题名、附加题名页题名、卷端题名、逐页题名、书脊题名等，书尾或后记的题名等，封套上的题名、缩微平片上端的题名等，还有为了进行书目控制而分配给载体表现的题名，如识别题名、扩展题名、翻译题名、补充题名等；其他还包括 statement of responsibility；edition/issue designation；place of publication/distribution；publisher/distributor；date of publication/distribution；fabricator/ manufacturer；series statement；form of carrier；extent of the carrier；physical medium；capture mode；dimensions of the carrier；manifestation identifier；source for acquisition/access authorization；terms of availability；access restrictions on the manifestation；typeface；type size；foliation；collation；publication status；numbering；playing speed；groove width；kind of cutting；tape configuration；kind of sound；special reproduction characteristic；colour；reduction ratio；polarity；generation；presentation format；system requirements；file characteristics；mode of access；access address。

"单件"的属性：item identifier；fingerprint；provenance of the item；marks/inscriptions；exhibition history；condition of the item；treatment history；scheduled treatment；access restrictions on the item。

"个人"的属性：name of person；dates of person；title of person；other designation associated with the person。

"团体"的属性：name of the corporate body；number associated with the corporate body；place associated with the corporate body；date associated with the corporate body；other designation associated with the corporate body。

"概念"的属性：term for the concept。

"特体"的属性：term for the object。

"事件"的属性：term for the event。

"地点"的属性：term for the place。

Ⅲ. 关系

FRBR 模型强调书目关系，阐述了三组实体之间的关系。

关于作品、内容表达、载体表现和单件之间的关系，存在三种关系：作品必须通过内容表达来实现；内容表达必须通过载体表现来体现；单件是载体表现的个别例证，与载体表现的连接关系是唯一的。第一组实体之间的关系是一个以作品为基础的具有层次结构的书目关系模型。

关于个人和团体间的关系（责任关系）：第二组实体的个人和团体与第一组实体之间存在一种责任关系，即一个著作可由一个或多个个人或团体创作，反之，一个个人或团体也可创作一个或多个著作；一个内容表达可由一个或多个个人或团体来实现，反之，一个个人或团体也可使用多个内容表达；一个载体表现可由一个或多个个人或团体制作，反之，一个个人或团体也可制作一个或多个载体表现；一个单件可由一个或多个个人或团体拥有，反之，一个个人或团体也可拥有一个或多个单件。它们与第一组实体通过"被创建""被实现""被制作""被拥有"四种方式发生关联。

关于主题关系：FRBR 模型中的任何实体与独立实体"作品"之间还存在一些"主题关系"，即一个作品可以有一个或多个概念、物体、事件和/或地点作为自己的主题，反之，一个概念、物体、事件和/或地点也可以是一个或多个作品的主题，这种关系使图书馆目录的知识组织功能进一步加强。

关于第一组实体中的其他关系："其他关系"指未在以上高层实体关系中描述的关系类型，用以识别相同实体或不同实体之间的主要关系类型，也包括特殊类型的实体关系。第一组实体之间的其他关系包括作品与作品之间的继承、增补、改编、重置、模仿关系，内容表达与内容表达之间的缩略、修订、翻译、改编等关系，内容表达与作品之间的继承、增补、提要、改写、重置、模仿等关系，载体表现与载体表现之间的复制、交替关系，载体表现与单件之间的复制关系以及单件与单件之间的重置与复制关系。

Ⅳ. 用户任务

FRBR 确定了四个基本的用户任务，即"查找（find）"（查找符合用户检索要求的实体）、"识别（identify）"（识别一个实体）、"选择（select）"（选择符合用户需要的一个实体）、"获取（obtain）"（获取所描述的实体）。

Ⅴ. 国家书目记录的基本需求

FRBR 用列表的方式详细描述了一个基本级国家书目记录的数据需求，将最低数据要求进行汇总，重新整合为著录单元和组织单元两个组，将这两组的数据结合在一起，推荐出基本级国家书目记录的数据要求。

FRBR 包括文字、音乐、地图、视听、图形等各种记录形式，纸质、胶片、磁带、光存储载体等各种载体形态的书目记录的需求，研究假定书目记录具有广泛的应用范围，包括馆藏的开发、采访、编目、编制检索工具和书目、典藏、保存、流通、馆际互借、参考咨询和信息检索，既适用于图书馆内，也适用于博物馆、档案馆等其他信息机构；书目记录的使用者包括读者、学生、研究人员、图书馆工作人员、出版者、发行者、零售商、信息经纪人、知识产权的管理者等等。

（4）RDA

RDA 全称为"resource description and access"，即"资源描述与检索"，是由美国、英国、加拿大及澳大利亚联合编制的元数据内容标准。RDA 源于英美编目规则，AACR2 虽然经过多次的修订，但由于 AACR2 是为手工卡片目录设计，侧重印刷型文献，过于偏向英美，特别是不能完全适应数字化编目环境的要求，以及其结构难以扩展性和对规范控制的难以处理，促使修订英美编目规则联合指导委员会 1997 年发起相关问题的国际讨论并按照 FRBR 的结构对 AACR2 进行修订。2004 年起修订工作全面展开，并于次年更名为 RDA。2009 年完成编制工作，2010 年 6 月发布 RDA 网络版。

AACR2 是一部适用于英语国家图书馆界详细具体的编目规则，而 RDA 是用 FRBR 的概念模型对 AACR2 进行改造的产物。RDA 遵循国际编目原则声明，以 FRBR、FRAD 为理论基础，目的是成为国际性的各种媒体书目记录与检索的内容标准。与 AACR2 相比，RDA 的使用范围更广、兼容性更强，更强调编目机构的政策和编目员的判断。

RDA 的主要内容共有 37 章，分为 10 个部分，它们按照 FRBR、FRAD 模型定义的实体、属性和关系来组织，1—4 部分涉及 FRBR 和 FRAD 定义的实体属性；5—10 部分涉及 FRBR 和 FRAD 定义的关系，每个部分的各章集中支持特定用户任务——查找、识别、选择、获取的元素。

（5）MARC

1973 年，ISO 审核 MARC Ⅱ 后，将其定为国际标准，即 ISO 2709《书目信息交换用磁带格式》。中国于 1982 年将其转为国家标准，编号为 GB 2901，1992 年又公布了修订二版即 GB 2901—92《文献目录信息交换用磁带格式》。该格式由记录头标（固定长 24 个字符）、目次区（可变长）、数据区（可变长）、记录分隔符四段组成。

国际上被广泛承认和接受的文献数据库执行格式标准是《UNIMARC 国际机读目录格式》、《UNISIST 世界科技情报系统著录参考手册》和《CCF 公共交换格式》三种。UNIMARC 是 IFLA 依据 ISO 2709 制定的书目记录内容标识符，要求各图书馆作为机读目录的国际交换格式。UNISIST 是许多文摘索引机读使用的格式，虽然它也是依据 ISO 2709 制订的，但其包含的数据内容和标识符与 UNIMARC 不同，从而造成了图书馆与文摘索引机构之间书目数据交流的障碍。为解决这一问题，UNESCO 成立了一个特别小组，研制一种通用的机读目录交换格式，于 1984 年正式发表公共交换格式（common communications format，CCF），1988 年发行了 CCF 的新版。

国际上普遍采用的机读目录格式为 USMARC 和 UNIMARC，二者共同之处是将格式本身划分成记录和字段两个层次，因而不利于描述实体间的关系。美国国会图书馆网络发展和 MARC 标准办公室对 FRBR 和 MRARC21 的关系进行了分析研究，建立了 MRARC21 和 FRBR 四种映射表。FRBR 模型为 MRARC 格式的修订，特别是在揭示"内容表达"和"关系"方面提供了一些启示。RDA 是 FRBR 化的编目内容标准，作为格式标准的 MARC21 为使用 RDA 增加了许多相关的字段和子字段。与此同时，UNIMARC 的 FRBR 改造工作也正在进行。

RDA/MARC 工作组研究采用 RDA 所需扩充的 MARC21 格式，使之包容 RDA 的新增字段和元素。在 RDA 中，一般资料标识已被媒体类型（RDA3.2）、载体类型（RDA3.3）和内容类型（RDA6.10）所取代。MARC21 最重要的变化是取消了记录一般资料标识的 245 \$ h 子字段，新增了 3 个重要字段：336 内容类型、337 媒体类型、338 载体类型。336 字段记录作品的表达形式；337 字段记录资源内容的查看、播放、运行等所需要的中间设备的一般类型；338 字段载体类型记录与媒介类型相关的存储介质与载体格式。其中对资源内容类型和载体类型的描述为 RDA 的核心元素。FRBR 模型的采用使得 RDA 能够适于对各种类型内容和媒体的资源进行描述与检索。

（6）元数据

元数据规范很多，如 DC（Dublin core，都柏林核心）、PICS（platform for internet content selection，因特网内容选择平台）、RDF（resources description frame，资源描述框架）、EAD（encoding archival description，编码档案描述）、TEI（text encoding initiative）等。此外，还有应用于各专业领域的元数据标准，如用于政府信息定位而创建的元数据格式 GILS（government information location service）、用于网上生物资源描述的 NBII（national biological information infrastructure）等。

万维网联盟（W3C）是 WWW 上最有影响的因特网标准的认定机构，在网络信息组织领域，该机构认可的网络资源描述语言为 XML，资源描述框架为 RDF，元数据标准为都柏林核心元数据，日期与时间格式为 W3CDTF。国际信息与图像管理协会（AIIM）和数据交换标准协会（data interchange standards association）则分别负责图像信息、信息交换相关标准的制定。

DC 也称为都柏林核心元素集，是为描述网络资源、支持网络检索而建立的元数据格式。它起源于 1995 年 3 月 OCLC 和 NCSA 在美国俄亥俄州都柏林市召开的元数据研讨会，当时只设定了一个包含 13 个元素的核心元素集。1996 年 9 月的第三次元数据研讨会上，增加了两个元素。这样，未限定的 DC 形成了由 15 个元素组成的元素集（表 9.1）。

表 9.1　都柏林核心元素集元素

元素	标识	定义
title 题名	title	赋予资源的名称
creator 创作者	creator	创建资源内容的主要责任者
subject and keywords 主题和关键词	subject	描述资源主题或内容的关键词、词组短语或分类号
description 描述	description	对资源内容的说明
publisher 出版者	publisher	使资源成为可获得和利用状态的责任者
contributor 其他参与者	contributor	对资源内容创建做出贡献的其他责任者
date 日期	date	与资源的创建或可获得性相关的日期
type 类型	type	有关资源内容的特征和类型
format 格式	format	资源的数据格式
resource identifier 资源标识符	identifier	用来标识资源的字串或数字
source 来源	source	资源的出处信息，而当前资源源于这一出处
language 语种	language	资源内容中所使用的语言
relation 关联	relation	该资源与相关资源的关联
coverage 覆盖范围	coverage	资源内容的时空特征
rights management 权限管理	rights	有关资源本身所有的或被赋予的权限信息

这 15 个元素不含子元素、命名域或其他限定词。在 1997 年 10 月的第五次元数据研讨会上，Stuart Weibel 和 Juha Hakal 将这 15 个元素依据其所描述内容的类别和范围分为 3 组：资源内容描述类（title、subject、description、source、language、relation、coverage）；知识产权描述类（creator、publisher、contributor、rights）；外部属性描述类（date、type、format、identifier）。

1998 年 9 月，IETF（internet engineering task force，因特网工程任务组）正式接受了 DC 这一网络资源的描述方式，将其作为一个正式标准予以发布（RFC2413）。

1999 年颁布了 DC1.0，2000 年 8 月又推出了 DC 修饰词标准。DC 的维护和发展由 DCMI（Dublin core metadata initiative）组织负责。

2003 年，都柏林核心元数据元素集（Dublin core metadata element set，简称DCMES）的 15 个元素正式成为国际标准 ISO 15836：2003《信息与文献 都柏林核心元数据元素集》（*Information and documentation—The Dublin core metadata element set*），并于 2009 年修订为 ISO 15836：2009。

2001 年，DCMES 成为美国国家标准 ANSI/NISO Z39.85—2001，并于 2007 年修订为 Z39.85—2007；2010 年，DCMES 被批准成为中国国家标准 GB/T

25100—2010《信息与文献 都柏林核心元数据元素集》。此外，DCMES 也是英国、澳大利亚、芬兰、丹麦等国家的国家标准。

（7）RDF

由于元数据格式与内容的多样性需要建立一个通用的体系架构来帮助表述、交换与利用元数据，经过对现有各种元数据格式的考察，W3C 在 1997 年 10 月正式发布了资源描述框架（resource description framework，RDF）。

RDF 通过声明三元组的形式来完成不受领域限制的资源描述，并通过"主体-谓词-客体"中的属性和属性值来使资源之间建立关系。其中，主体代表一个由 URI 地址标识的资源，该资源可以是作者、书籍、地点、人、房间或查询请求等；谓词代表资源的属性，用来描述资源的一个特定方面、特征、品质等；客体代表属性的属性值。RDF 并没有定义用哪些词汇来描述资源，RDF Schema 就是用来描述相关资源和这些资源之间的关系，即定义某领域的词汇集及其词汇的含义和用法。

RDF 提供了一种强有力地表述、交换与利用元数据的机制，同时可不限定于某个领域或语言等对各种资源及元数据进行描述。自从 2008 年第一家图书馆瑞典国家图书馆基于 RDF 来表示书目数据并于 DBPedia 关联之后，到 2010 年已有二十多个图书馆，包括国际、国家级的书目数据、分类法、规范数据等都开放了基于 RDF 表示的关联数据服务。另外，基于 RDF 表示的 RDA 词表、DC 元数据、BIBO 书目本体等都可作为语义工具。

（8）BIBFRAME

作为 MARC 的创建者和维护者，美国国会图书馆为适应以 FRBR 为基础的新编目规则 RDA，将图书馆资源推向更广泛的关联数据环境，2011 年发布将取代 MARC21 以适应更广泛社区和用户需求的书目数据框架转变声明，2012 年底发布 BIBFRAME1.0 版本。

（9）CCO

ALA 于 2006 年推出了文物编目标准 CCO（cataloguing cultural objects: a guide to describing cultural works and their images）。CCO 是美国视觉资源协会（visual resources association，VRA）数据标准委员会（data standards committee，DSC）的一个项目成果，目的在于推动艺术品等文物及其影像描述的标准化。

艺术品等文物及其影像存在于博物馆、档案馆、图书馆和视觉资源馆，不同环境、不同文化行业的馆藏特征有所不同，对于文物描述有着不同的要求和实践探索。图书馆和档案馆以文字资料为主，大多为创作或印刷的出版物或非出版物。图书馆对于艺术品等文物及其影像的编目，一般采用 AACR 第 4 章手稿、第 8 章图示资料和第 10 章立体工艺品与实物。20 世纪 80 年代有专门为特定视觉作品设计的 VIM（MARC format for visual materials），90 年代的 USMARC 中也整合了视觉资料元素。1997 年 ALA 出版有 ArtMARC Sourcebook 一书。

1982 年，美国国家信息系统工作组（NISTF）出版 *Data Elements Used in Archives, Manuscripts and Records Information Systems: A Dictionary of Standard Terminology* 一书，这本书后来成为美国国会图书馆 1984 年出版的"美国档案机读目录格式"（USMARC/AMC）的基础。

与图书馆、档案馆收藏不同的是，博物馆以实物为主，其中不少为创作的非出版品，而视觉资源馆专门收藏艺术品等文物的影像（如照片、幻灯片、数字影像等），有的视觉资源馆附设在大学或大学图书馆内。Getty Research Institute 较早开发出艺术与建筑词表（art & architecture thesaurus，AAT）。1987 年，美国国会图书馆出版 *Thesaurus for Graphic Materials*（TGM）。Getty Research Institute 与 College Art Association of America（CAA）联合成立的艺术信息工作组（AITE）于 1995 年推出"艺术品描述类目"（categories for the description of works of art，CDWA），以此为基础产生了 Object ID 和 VRA Core。Object ID 是 CDWA 的子集，分 10 个类目。VRA Core 针对艺术、建筑作品及其影像替代物而设计。

由于网络环境下视觉资料更加复杂，美国 VRA 成立 DSC 专门制订标准，1997 年推出 VRA Core1.0，1998 年推出 VRA Core2.0 分作品及视觉文件两个类别，2000 年将两类合一，推出 VRA Core3.0，与 Dublin Core 相对应。2001 年 12 月，VRA 的 DSC 向数字图书馆联盟（Digital Library Federation，DLF）提出研制文物编目标准的专项计划，2004 年完成 CCO 草案，2006 年由 ALA 出版。

CCO 的文物范围包括建筑作品、油画、雕刻、版画、手稿、照片及其他视觉媒体、表演艺术、古迹遗址、遗物及各种来自物质文化领域的功能性物件。CCO 分三个部分：第一部分"一般指引"列出编目的十项原则。第二部分"数据元素描述"是具体的编目规则，按描述文物及其影像所需数据元素分为 9 章：物品命名，创作者信息，形体特征，风格、文化及时期信息，位置与地理，主题，分类，描述，显示。第三部分"规范文档"（authorities），包括概念、主题、名称及地名四类规范，概念规范指的是类型概念的规范，包括作品类型（如雕刻）、材质（如青铜）、活动（如铸造）、风格、创作者角色（如雕刻师）及其他属性或抽象概念之用词规范，主题规范即创作者对作品或影像想要表达的意图、诠释、含义或象征的用词规范。

CCO 的数据元素有：①作品类型，指作品的实体形式、功能或媒介的材质与内容；②题名，分为实际题名、传统题名、无题名作品、地区及拥有者题名、系列题名五种方式，由于文物大多没有题名，需要编目员自行建构题名（命名），一个作品允许有多个题名存在，如索引用题名、展示用题名及各种"又名"；③创作者，分为创作者名称、角色及修饰语等；④风格、文化及日期；⑤位置与地理，包括文物现今、以前、创作及发现的位置；⑥形体特征（测量、材料与技巧、状态与版本）；⑦主题；⑧类目，指分类表的类目；⑨描述，关于作品的主题、功能及重要性等；⑩显示，指影像或图像的显示。

CCO 与美国 SAA 2004 年出版的"档案描述内容标准"（describing archives：a content standard，DACS）既有相关性，也有区别。DACS 以 APPM 为基础制订，是数字环境下第一个全国性档案描述标准。CCO 和 DACS 都是由于 AACR 不能满足文物描述需要而产生的，同属于数据内容标准。两者有各自推荐的基本数据元素，只有题名、创作者、日期三个元素完全相同，CCO 描述对象为文物及影像，而 DACS 的描述对象为档案馆藏。CCO 与 DACS 都可与其他标准组合使用，CCO 既可连结于视觉资源界或博物馆界的 CDWA Lite 及 VRA Core，也可应用于图书馆界的 MARC，DACS 也可与 MARC、LCSH 等组合使用。

9.1.3.2　国际规范控制

规范控制（authority control）一般指在检索系统中保证文献检索点标准化配置的操作。在编目系统中描述、分析和控制名称标目（name heading）、主题标目（subject heading）、丛编标目（series heading）或其他标目的规范形式的记录称为"规范记录（authority record）"，规范记录号（authority record number）是规范记录的唯一控制号。由规范记录组成的计算机文档称为"规范文档（authority file）"，包括主题规范档（subject authority file）、名称规范档（name authority file）和丛编规范档（series authority file）。

规范控制起源于 1904 年美国图书馆学家 Charles Ammi Cutter 在《印刷本字典式目录规则（第 4 版）》中提出的用著者全称形式建立字顺目录的思想。

随着编目自动化的发展，编目规则所要求的主要款目和附加款目在计算机编目中没有重要意义。然而为国际书目情报交换的书目数据库要求确定标准的款目形式，因此 UBCIM 致力于款目形式的研究。

1999 年 4 月，IFLA 成立了规范记录的功能需求和编号工作组，依照 FRBR 的模式，定义规范记录的功能需求，并从事国际标准规范数据号（ISADN）的研究。2005 年 6 月，工作组公布《规范记录的功能需求》（*Functional Requirements for Authority Records*，FRAR）草案并征求意见。2007 年 4 月，为澄清草案描述的是规范资料，接受各界意见将 FRAR 更名为 FRAD 并推出新草案。2009 年，

FRAD 正式出版。

FRAD（规范数据功能需求）全文分为两部分：第一部分是概念模型，包括 FRAD 的目的、范围、实体——关系图与定义、属性、关系、用户任务；第二部分是规范数据的当前实践，包括图书馆环境中的规范数据、规范数据转移。其概念模型集合了所有类型的规范资料，包括名称规范（个人、家族、团体、地名）、题名规范（统一题名、集合统一题名）、名称——题名规范、主题规范（主题标目、索引用词及分类表）和识别码（标准号码、代码等）。FRAD 中的实体较 FRBR 扩展到 16 个：作品、内容表达、载体表现、单件、个人、团体机构、概念、实物、事件、地点、家族、名称、识别码、受控检索点、规则、代理机构。

FRAD 是 FRBR 模型的扩展，也是描述实体——关系的模型。所不同的是，FRBR 的研究范围局限于书目记录，而 FRAD 扩展到规范记录，把焦点放在规范记录的实体上，在实体——属性关系描述的深度和广度上都有了明显的补充和完善，为制定编目规则、确定规范记录中的标目形式、参照范围以及附注内容提供了依据，为建立各种实体关系、参照关系及连接方式提出了解决办法。

9.1.3.3 名称规范控制

名称规范文档中的名称包括：个人名称、国家名称、机关团体名称、会议名称、地理名称和统一题名。

（1）个人名称规范控制

在个人著者方面，UBCIM 于 1963 年、1967 年和 1977 年出版了三版《个人著者》，1980 年补充本包括了 80 个国家的个人姓名本名及引用名。

（2）团体名称规范控制

在团体著者方面，IFLA 编目委员会的维劳娜负责研究这一标准，于 1975 年出版了《团体标准》，明确了团体著者与个人著者的关系及团体著者款目形式与结构，同年出版了她的《团体标目：用于图书馆目录和国家书目的比较、评论研究》。在此基础上，1980 年出版《团体标目形式与结构》。

（3）题名名称规范控制

在统一标题的款目形式方面，UBCIM 于 1978 年出版了《佚名经典著作：欧洲文学统一标目一览》。关于宗教作品的统一标题，1981 年完成了《天主教拉丁语礼拜作品统一标题一览》第二版。

9.1.3.4 主题规范控制

FRSAD 是《主题规范数据的功能需求》（*Functional Requirements for Subject Authority Data*）的简称。2005 年 4 月，IFLA 成立主题规范记录功能需求工作组，准备制定《主题规范记录的功能需求》（*Functional Requirements for Subject Authority Records*，FRSAR）。2009 年 6 月，FRSAR 发布了 FRSAD 的第一版全球评估草案。2010 年 6 月正式发布 FRSAD 最终报告（包括背景资料、目的和范围、实体、属性、关系、用户任务、结论 7 个部分以及附录）。2011 年 5 月 FRSAD 正式出版。

FRSAD 在是 FRBR 模型的基础上开发的一个实体——关系概念模型，进一步解释由"作品、知识或艺术创作主题"构成的第 3 组实体在书目世界里如何相关和受控。它为第 3 组实体定义了两个实体：Thema 和 Nomen，前者指用于作品主题的任何实体，后者指任何符号或符号系列（字母数字字符、符号、声音等），通过它可以知道、指示或称谓一个 Thema。Thema、Nomen 各自带有一组属性。FRSAD 模型建立了两组关系：一个是不同实体类型之间的关系：作品—Thema 和 Thema—Nomen；另一个是同一类型实体之间的关系：Thema—Thema 和 Nomen—Nomen。

（1）分类标引

国际上通用的分类法最有影响的是 DDC（杜威十进分类法）、LCC（美国国会图书馆分类法）、UDC（国际十进分类法）、BSO（概略分类法）。国际上通用的专业分类法主要有 ICS（国际标准分类法）、IPC（国际专利分类法）、ISIC（国际标准工业分类法）、ISONET Classification（ISO 情报网络分类法）、NLM Classification（国家医学图书馆分类法）等。

针对网络环境下的分类标引，1991 年美国研制发布了 USMARC Classification Format，2000 年，IFLA 在 USMARC Classification Format 基础上修订发布国际标准 Concise UNIMARC Classification Format。在中国，1999 年《中国图书馆分类法》编委会办公室根据 USMARC Classification Format 的设计思想草拟出《中国图书馆分类法》机读数据格式即 CLCMARC，建设完成《中国图书馆分类法》第四版机读数据库。2002 年，又根据 IFLA 推出的国际标准 UNIMARC Classification Format，制订中国分类法的 MARC 格式，与 UNIMARC 规范格式结合，建设完成《中国分类主题词表》第二版"分类号–主题词对照表""机读数据库"。

（2）主题标引

主题标引是使用主题检索语言，通过文献的分析而选用确切的检索标识（类号、标题词、叙词、关键词、人名、地名等），用以反映该文献内容的过程。主题标引分为受控标引与非控标引。

主题标引标准有两类：一类是不用规范词表的关键词标引法或自由词标引法；另一类是用规范的语言进行的主题标引，主要分为先组式的主题标引法和后组式的主题标引法。

ISO 情报文献工作标准技术委员会（ISO/TC46）制订公布了 ISO 2788《单语种叙词编制规则》、ISO 5963《主题分析和选定标引词的方法》、ISO 5964《多语种叙词表编制规则》、ISO/DIS 12083《电子文本的准备和标引》等后组式主题词表的国际标准。

9.2　国家书目控制

国家书目控制是世界书目控制的基础。国家书目有着悠久的历史，以国家书目为中心，地方文献书目和联合目录等形成支撑，构建起了国家书目控制体系。

9.2.1　国家书目控制的产生与发展

9.2.1.1　概况

国家书目控制思想来源于国家书目。早在 1896 年，坎贝尔就提出了"国家书目系统"（national system of bibliography）的概念，包括国家级的所有图书馆的馆藏目录，反映经版权登记的所有图书及政府出版物。

20 世纪 50 年代，国家书目控制思想正式确立。1950 年，UNESCO 在巴黎召开"关于改善书目服务工作会议"，最早提出"NATIS"（national information system）的概念。这次会议强调在国家圆满获得现行国家书目控制（NBC）之前必需的目录和索引。所有成员国必须尽早考虑现行国家书目和下列目录的出版，无论是否已有这些目录，包括各国出版和销售的所有图书、小册子的总书目，出版但非销售的图书和小册子书目，期刊包括报纸中重要文章的索引，地图和地图集书目，音乐著作书目，视听资料目录，未出版的论文和学会出版物书目，地方政府出版物书目，近期出版的报刊指南，出版商和书商指南，学会、机构、图书馆和其他机关组织指南。

此后，UNESCO 先后于 1955 年在德黑兰、1964 年在马尼拉、1966 年在基多、1967 年在科伦坡召开了关于国家图书馆和图书馆服务规则的会议。在 1958年维也纳召开的"欧洲国家图书馆专题会议"上确定了国家图书馆在国家书目控制中的作用。

70 年代，国家书目控制迅速发展。UNESCO 于 1971 年开始实施"世界科学情报系统"（UNISIST）计划，推动科学情报有效配合国家发展，1974 年另外提出"国家情报系统"（NATIS）计划，扩大范畴，UBC 为国家行动的 12 项目标之一。1977 年，UNESCO 将两项计划合并为"综合情报计划"（general information programme）。

1974 年美国成立全国书目控制协调委员会（CCNBC）。目的是促进各类型书目的标准化、连续出版物转换计划和协作性机读目录的实现，并在此基础上建立全国统一的书目数据库。

IFLA 于 1974 年对国家级书目控制提出了要求：①具有确保每一种新的出版物一出版就能够进行书目记录的方法（如呈缴制或类似的政府法规、或自发的民间协议）。②具有能够进行书目记录的机构，即建立国家书目机构，它将建立每种在本国出版的新出版物的权威书目记录；用最短的时差在定期出版的国家书目上刊载这些书目记录；编制和发行标准的物质形式的书目记录（卡片、机读磁带或可接受的替代物）；在本国内接受和发行由其他国家书目机构编制的类似记录；如情况允许的话，还要编制一部该国全部出版物的回溯性国家书目。

在此基础上，UNESCO 和 IFLA 于 1977 年联合召开了国家书目国际大会（ICBN），通过了为国家书目的标准提出建议书，为编制国家书目的机构商定准则以及为资源共享和国际合作提出建议等。据 1977 年统计，已有 90 个国家编印了国家书目，10 多个国家开始采用 ISBD，18 个国家同意 MARC 磁带交换，26 个国家成立 ISBN 国内中心，22 个国家建立 ISSN 国内中心，8 个国家进行在版编目。

此后，国家书目特别是第三世界国家书目得到发展。非洲的贝宁、喀麦隆、冈比亚、坦桑尼亚、肯尼亚、纳米比亚，拉丁美洲的委内瑞拉、巴拉圭、秘鲁，太平洋地区的斐济、巴布亚新几内亚等国家和地区都有了国家书目。1981 年 12 月在冈比亚举行了非洲书目控制常备会第三次大会。

IFLA 致力于国家书目控制，1981 年莱比锡大会上书目小组通过了《关于现行国家书目反映文献的推荐意见》。1982 年与 UNESCO 在渥太华举行了 CIP 国际大会。1987 年书目控制部在布赖顿召开了国家书目讨论会。1990 年第 56 届大会前召开了书目记录讨论会，专门讨论了新型载体对国家书目和回溯书目利用的影响。在 1991 年第 51 届大会上，美国 B. Bell 以《今天的国家书目，明天的国家记忆：问题与建议》为题，分析了国家记忆遭受损坏的一系列表现，为此，提出改善国家书目编制条件的更新与"重忆"策略，建议国家图书馆应注重引导书商参与国家书目，采取全球行动，在巴黎大会 20 周年之际举行第二次国家书目国际会议。

首次 ICBN 大会 20 年后，1998 年 11 月，在丹麦哥本哈根召开了第二次 ICBN 大会，71 个国家的 117 名代表参会，UNESCO 于 1999 年 11 月批准了此次大会的建议文件。

IFLA 书目组 2004 年 4 月进行了"拉丁美洲国家书目现状调查"，2004 年 8 月进行了"国家级在版编目项目调查"，并成立了国家书目指导方针工作组（IFLA working group on guidelines for national bibliographies），2009 年发布《数字时代的国家书目：指南和新方向》（*National bibliographies in the digital age: guidance and new directions*）。2009 年，IFLA 发布《国际编目原则声明》（ICP）。2011 年，IFLA 国家书目中心主题检索指南工作组发布《国家书目主题检索指南》（*Guidelines for Subject Access by National Bibliographic Agencies*）。

9.2.1.2　中国书目情报标准化

自 1979 年中国成立全国文献工作标准化技术委员会（ISBTS/TC4）以来，制订和颁布了一系列的情报与文献工作标准。TC4 是 ISO 文献工作标准技术委员会 TC46 的国内对口单位，下设档案工作、文字音译转写、自动化、信息文献统计、识别与描述 5 个分技术委员会。原 TC4 于 1980 年设立的缩微摄影技术分技术委员会于 1984 年分出，成为与 ISO/TC171 相对应的"全国缩微摄影技术标准化委员会"，1999 年改名为全国文献影像技术标准化技术委员会（TC86），下设质量、缩微摄影技术应用、电子影像技术应用、技术绘图应用、一般问题 5 个分技术委员会。这些组织制订和颁布了与书目情报相关的标准。2008 年 10 月成立的全国图书馆标准化技术委员会（SAC/TC389）积极参与书目情报标准化工作，制订和颁布了相关行业标准。

（1）书目情报产品标准

这方面的标准有：①GB 3468—83《检索期刊编辑总则》；②GB 6447—86《文摘编写规则》等。

（2）文献生产标准

关于图书的标准有：①GB 11668—89《图书及其他出版物的书脊规则》；②GB/T 12450—2001《图书书名页》（代替 GB 12450—90《图书书名页》）；③GB/T 12451—2001《图书在版编目数据》（代替 GB 12451—90《图书在版编目数据》）等。

关于期刊的标准有：① GB/T 3179—2009《期刊编排格式》（代替 GB/

T 3179—92《科学技术期刊编排格式》；代替 GB 3179—83《科学技术期刊编排规则》）；②GB/T 13417—2009《期刊目次表》（代替 GB/T 13417—92《科学技术期刊目次表》）。

其他文献标准有：GB/T 7713.1—2006《学位论文编写规则》（部分代替 GB 7713—87《科学技术报告、学位论文和学术论文的编写格式》）。GB/T 7713.3—2014《科技报告编写规则》（代替 GB/T 7713.3—2009《科技报告编写规则》；部分代替 GB 7713—87《科学技术报告、学位论文和学术论文的编写格式》）。

其他如信息处理与交换标准，包括字符集的标准、字符转写的标准、交换格式的标准众多，均可参考，在此不一一列举。

9.2.1.3　中国文献著录的国家标准

20 世纪 80 年代至 21 世纪初期，围绕各类型文献制订了一系列中国文献著录的国家标准。根据《中华人民共和国标准化法》的有关规定，标准在实施一段时间后，应根据具体情况对标准进行修订。GB 3792 系列标准修订情况如下：

总则——GB 3792.1—83《文献著录总则》（1983 年 7 月 2 日发布；1984 年 4 月 1 日实施；2010 年 2 月 1 日废止）；GB 3792.1—83 被修订替代为 GB/T 3792.1—2009《文献著录 第 1 部分：总则》（2009 年 9 月 30 日发布；2010 年 2 月 1 日实施；2021 年 10 月 1 日废止）。

普通图书——GB 3792.2—85《普通图书著录规则》（1985 年 1 月 31 日发布；1985 年 10 月 1 日实施；2007 年 2 月 1 日废止）；GB 3792.2—85 被修订替代为 GB/T 3792.2—2006《普通图书著录规则》（2006 年 6 月 30 日发布；2007 年 2 月 1 日实施；2021 年 10 月 1 日废止）。

连续出版物——GB 3792.3—85《连续出版物著录规则》（1985 年 2 月 12 日发布；1985 年 10 月 1 日实施；2010 年 2 月 1 日废止）；GB 3792.3—85 被修订替代为 GB/T 3792.3—2009《文献著录 第 3 部分：连续性资源》（2009 年 9 月 30 日发布；2010 年 2 月 1 日实施；2021 年 10 月 1 日废止）。

非书资料——GB 3792.4—85《非书资料著录规则》（1985 年 2 月 12 日发布；1985 年 10 月 1 日实施；2010 年 2 月 1 日废止）；GB 3792.4—85 被修订替代为 GB/T 3792.4—2009《文献著录 第 4 部分：非书资料》（2009 年 9 月 30 日发布；2010 年 2 月 1 日实施；2021 年 10 月 1 日废止）。

档案——GB 3792.5—85《档案著录规则》（1985 年 5 月 10 日发布；1986 年 1 月 1 日实施；2005 年 10 月 14 日废止）。

地图资料——GB 3792.6—86《地图资料著录规则》（1986 年 6 月 19 日发布；1987 年 1 月 1 日实施；2005 年 10 月 1 日废止）；GB 3792.6—86 被修订替代

为 GB/T 3792.6—2005《测绘制图资料著录规则》（2005 年 3 月 23 日发布；2005 年 10 月 1 日实施；2021 年 10 月 1 日废止）。

古籍——GB 3792.7—87《古籍著录规则》（1987 年 1 月 3 日发布；1987 年 10 月 1 日实施；2009 年 1 月 1 日废止）；GB 3792.7—87 被修订替代为 GB/T 3792.7—2008《古籍著录规则》（2008 年 7 月 16 日发布；2009 年 1 月 1 日实施；2021 年 10 月 1 日废止）。

2021 年 3 月 9 日，全国信息与文献标准化技术委员会（SAC/TC4）将上述标准重新修订整合，经国家市场监督管理总局、国家标准化管理委员会发布新的标准 GB/T 3792—2021《信息与文献 资源描述》。该标准给出了一整套覆盖各种类型资源的通用描述规范，规定了数据元素被记录或转录的顺序以及用于识别和显示数据元素的标识符号。该标准适用于书目机构对各种类型资源的描述，包括图书、连续出版物、集成性资源、电子资源、图像、地图资源、乐谱、录音录像资源、古籍、拓片、手稿、学位论文等。

9.2.1.4 中国的文献编目规则

由于文献著录国家标准 GB 3792 系列仅限于对文献实体的客观描述，为解决款目规范化问题，1996 年由广东人民出版社出版了《中国文献编目规则》。2002 年对《中国文献编目规则》进行全面修订，这次修订主要面向信息化、面向世界、面向社会需求，依据 ISBD 最新版、GB 3792.1 最新版、AACR2/2002 年版等，实现与国际书目情报顺利交流，使中文书目数据为全世界所共享。2005 年《中国文献编目规则（第二版）》由北京图书馆出版社出版。

在西文文献编目方面，1961 年，由西文图书卡片联合编辑组制订的《西文普通图书著录条例》完成，这是中国第一部全国性的西文图书编目条例，该条例基于 50 年代的英美编目体系，对一般图书的描述特别是款目标目的选择和著录做了系统的规定，被全国各类文献机构广泛采用。针对 ISBD 以及 AACR 根据 ISBD 的修改，中国西文编目也必须与国际接轨。《西文文献著录条例》于 1985 年 8 月问世，该条例主要参照了 AACR2，也适当考虑了中国的西编工作实际。

9.2.1.5 中国机读目录格式（CNMARC）

在中国，1986 年，北京图书馆等单位参照 UNIMARC 第二版编写了《中国机读目录通讯格式（讨论稿）》（简称 CNMARC）。经过试用并参照 UNIMARC 手册，于 1991 年出版了 CNMARC 的修订稿。1994 年在对 CNMARC 修改的基础上，编印了《中国机读目录通讯格式使用手册（上、下册）》。经过修订，增加了地图、乐谱、非书资料、计算机文档及拓片等内容，定为《中国机读目录格式》

（China MARC format），于 1995 年 4 月通过鉴定评审，1996 年被确定为文化部行业标准是 WH/T0503—96。2016 年 12 月 13 日被批准为国家标准《中国机读书目格式》（GB/T 33286—2016）。

该标准由北京图书馆负责管理与维护，它是与国际标准《UNIMARC 格式》相对应的，由以下字段或功能块组成：

0——标识块：主要由记录控制号、国际标准书号（ISBN）、统一书刊号等字段构成。共定义了 20 个字段。

1——编码信息块：主要由描述作品的各个方面的编码数据，如一般处理数据、作品语种、出版国别等编码字段构成。共定义了 27 个字段。

2——著录信息块：主要由包括 ISBD 和中国国家标准《文献著录准则》规定的除附注项和文献标准号码以外的全部著录项目，如题名与责任者项、版本项、出版发行项、载体形态项、丛书项和文献特殊细节项等字段构成。共定义了 10 个字段。

3——附注项：著录内容与 ISBD 中规定的 8 个著录项目中的第 7 个著录项目（附注项）相对应。共定义了 35 个字段，主要包括对作品各方面的文字说明，由一般附注、内容附注、提要和文摘、采访信息附注等字段构成。

4——连接块：主要包括以数字和文字形式对其他记录的标准连接。连接块主要用来描述层级关系、并列关系、版本关系、先前与后续款目关系。共定义了 36 个字段。

5——相关题名块：主要包括可作为检索点的题名信息，由统一题名、并列题名、其他题名、编目员补充的附加题名等字段构成。共定义了 18 个字段。

6——主题分析块：主要由分类、主题标识、非控主题词等字段构成，用来揭示文献内容主题特征，共定义了 21 个字段。

7——责任者块：主要包括对作品负有责任的个人及团体的规范名称。并区分为主要责任者、等同责任者及次要责任者等字段构成。共定义了 11 个字段。

8——国际使用块：主要包括对负有责任的机构标识，包括电子资源地址与检索，由记录来源字段构成。共定义了 6 个字段。

9——国内使用块：主要包括馆藏信息等。

9.2.1.6　中国的规范控制

在中国，1982 年，北京图书馆、北京大学图书馆等少数图书馆开始尝试在西文文献描述中实施规范控制。1985 年出版的《西文文献著录条例》简单地说明和规定了规范款目的格式。1990 年北京图书馆完成《规范数据款目著录规则（草案）》。1996 年出版的《中国文献编目规则》首次提出了规范款目的概念。

2002 年,《中国机读规范格式（WH/15—2002）》作为文化部行业标准颁布并开始实施。

中国国家图书馆和高校 CALIS 进行了中文名称规范控制工作。国家图书馆 1995 年成立名称规范组专门从事名称规范的理论研究和规范数据的制作工作,其规范数据库包括个人名称、团体名称与题名名称三个部分。2003 年 4 月国家图书馆引进 Aleph500 图书馆集成软件后, 名称规范数据制作完全融入编目流程,实现对书目记录标目的规范控制和规范数据库的实时维护, 截至 2007 年 10 月,国家图书馆规范记录已达 70 余万条。高校 CALIS 于 2003 年开始着手规范数据库的筹建工作, 主要是通过计算机软件对书目数据库中的名称检索点进行过滤、筛查来推导规范记录, 并制定相应当编目规则, 尚处于规范数据库的初始建立阶段。2003 年, 中国高等教育文献保障系统管理中心、国家图书馆和香港地区大学图书馆协作咨询委员会联合发起成立 "中文名称规范联合协调委员会", 协调有关中文名称规范工作的规范与研究, 推进数字图书馆规范工作, 实现地区间的规范文档建设的合作与共享。

中国目前采用《中国图书馆图书分类法》对文献进行分类。

全国情报文献工作标准化技术委员会第五分会和《中国图书馆图书分类法》编委会共同讨论定稿的《文献分类标引、规则》（报批稿）于 1989 年报送国家技术监督局审批, 该报批稿对各种类型的文献分类标引做了专门的规定。同年,全国情报文献工作标准化技术委员会第五分会完成了《文献分类颜色标识规则》（报批稿）并作为国家标准报送国家技术监督局审批, 该报批稿以组配有序的颜色体系、辅助文字及符号, 表示文献的内容及类目, 以加强文献表示的助记功能。

为促进中国主题标引的标准化, 全国信息与文献标准化技术委员会根据 ISO 国际标准制订出了 GB/T 13190.1—2015《信息与文献 叙词表及与其他词表的互操作 第 1 部分: 用于信息检索的叙词表》（代替 GB/T 15417—1994《文献 多语种叙词表编制规则》）; GB/T 13190—1991《汉语叙词表编制规则》）; GB/T 13190.2—2018《信息与文献 叙词表及与其他词表的互操作 第 2 部分: 与其他词表的互操作》; GB/T 15418—2009《档案分类标引规则》（代替 GB/T 15418—1994《档案分类标引规则》）; GB/T 3860—2009《文献主题标引规则》（代替 GB/T 3860—1995《文献叙词标引规则》; 代替《文献主题标引规则》）等国家标准。此外,《汉语主题词表》及各专业词表也有广泛应用。

中国国家图书馆在中文主题规范控制方面, 1994 年正式出版了《中国分类主题词表》。针对儿童文献, 由北京图书馆出版社出版了《中国少年儿童文献分类主题词表》。此外, 还编写了《中文图书主题规范款目著录规则》, 建立了 12

万余条中文主题规范记录的数据库。

元数据规范列入全国图书馆标准化技术委员会归口管理的文化行业标准有：《网络资源元数据规范》（WH/T50—2012，2012 年 8 月 6 日批准）、《图像元数据规范》（WH/T51—2012，2012 年 8 月 6 日）、《管理元数据规范》（WH/T52—2012，2012 年 8 月 6 日）、《图书馆数字资源长期保存元数据规范》（WH/Z1—2012，2012 年 8 月 6 日）、《音频资源元数据规范》（WH/T62—2014，2014 年 1 月 6 日）、《视频资源元数据规范》（WH/T63—2014，2014 年 1 月 6 日）、《电子连续性资源元数据规范》（WH/T64—2014，2014 年 1 月 6 日）、《电子图书元数据规范》（WH/T65—2014，2014 年 1 月 6 日）、《古籍元数据规范》（WH/T66—2014，2014 年 1 月 6 日）、《期刊论文元数据规范》（WH/T67—2014，2014 年 1 月 6 日）、《学位论文元数据规范》（WH/T68—2014，2014 年 6 月 12 日）。

9.2.2　国家书目

国家书目（national bibliography）是全面系统地揭示报道一个国家某一时期所有出版物的一种登记性书目。它是国家图书文献的历史记录（保存文献的作用），是世界文献、科学甚至政治经济状况的体现（学术文化史作用），是国内和国际文化交流的"桥梁"（文化交流作用），是世界书目控制的基础（书目控制作用），是基本目录，是编制其他书目的主要资料来源和基础（"母目"作用）。

9.2.2.1　国家书目的特征与类型

（1）国家书目的特征

一是收录齐全、著录详细而准确。国家书目主要收：图书、连续出版物以及其他形式的文献。国家书目多采用标准著录。

二是有稳定的资料来源。国家书目的资料来源有三种：①呈缴本；②版权登记；③书商出版商赠送和馆藏。

三是有较固定的编纂机构。国家书目的编纂者主要是国家图书馆或出版机构。1970 年，UNESCO《关于图书馆统计国家标准化的建议》明确规定国家图书馆是国家书目情报中心，负责出版国家书目。

（2）国家书目的类型

国家书目分为两种：一种是揭示报道一个国家最新文献的现行国家书目；另

一种是反映一个国家一定历史时期所有文献的回溯性国家书目。

9.2.2.2 中国现行国家书目

中华人民共和国成立后，建立了呈缴本制度，设立了出版物登记机构，出版国家书目。

1949 年出版总署成立，由该署的图书期刊司负责征集图书。1950 年根据征集到的图书样本编纂了内部刊物《每周新书目》，后编印公开发行了《1950 年全国新书目》创刊号一期，1951 年编印四期季刊本，1952 年改半年刊，1953 年 10 月改《每月新书目》。

1955 年初，出版总署撤销后，《每月新书目》5 月起改由文化部出版事业管理局版本图书馆编印，定名为《全国新书目》（月刊）。1955 年 12 月，新华书店总店编辑出版第一部《全国总书目》（1949—1954）。

1957 年 9 月新华书店总店出版第二部《全国总书目》（1955）。1958 年总书目的编辑工作转交版本图书馆，从 1956 年本起，按年编辑。《全国新书目》1958 年 8 月改为旬刊，1961 年 4 月第 10 期改为半月刊。

1966 年总书目编辑工作中断，1966 年 7 月第 14 期后"新书目"编纂中断。1971 年总书目恢复，编出《1970 年全国总书目》，从 1972 年本起按年编辑。《全国新书目》1972 年复刊，1973 年改为月刊。1994 年第 8 期起全部收录在版图书。1995 年因故暂时停刊。1996 年《全国新书目》由新闻出版署信息中心改版复刊。

1978 年，根据周恩来总理"尽快地把全国古籍善本书总目编出来"的指示，国家文物局在南京召开全国古籍善本书总目编辑工作会议，成立了全国古籍善本书总目编辑领导小组。此后，进行了全国善本书普查、版本鉴定、编目著录工作。该书目著录全国（除台湾省外）782 个藏书单位的古籍善本 6 万多种，13 万部。每一种古籍，不仅著录其书名、篇卷、行格、版本类型、批校情况，而且分别标出所收藏的单位。该书目由顾廷龙担任主编，分经、史、子、集、丛五部，由上海古籍出版社出版。1985 年出版了"经部"，1989 年出版了"丛部"，1991 年出版了"史部"，1994 年出版了"子部"，1997 年出版了"集部"。

1978 年秋，北京图书馆正式成立《民国时期总书目》编辑组，以北京图书馆、上海图书馆，以及抗日战争时期的重庆图书馆藏书资料为基础，再补入其他图书馆的书目资料，收录 1911 年至 1949 年 9 月各正式出版机构、政府机关、政党和社会团体及个人出版发行的所有图书。该书目 1986 年起由书目文献出版社陆续出版。

20 世纪 80 年代中期，北京图书馆开始承担编辑出版《中国国家书目》的任务，1986 年成立了编委会和专门机构。《中国国家书目》于 1987 年问世，先后出版了"1985""1986""1987"年印刷本。1986 年本增加了丛书索引。后因故搁置。1994 年恢复出版，编印 1992 年本，从此每年出版上年度的国家书目。

《中国国家书目》从 1988 年起采用计算机编制，建立中文文献数据库，生产的产品有 CNMARC。1990 年 9 月，《中国国家书目机读目录》（速报版）开始发行，每月两期。1995 年 6 月，《中国国家书目光盘》第一版正式发行。回溯版为 1988—1995 年度数据软盘，此外，北京图书馆联合上海图书馆、中山图书馆、深圳图书馆共同制作了《中国国家书目回溯光盘（1975—1987）》，数据量 15 万余条。

9.2.3 在版编目

9.2.3.1 图书在版编目的概念与特点

图书在版编目（cataloguing in publication，CIP）是指在图书编辑出版过程中，由出版社填写一张包含各项编目元素的表格，连同该书的全份校样，或该书的书名页、前言、内容简介等样张，由集中或分散的编目机构，依据一定的标准、规则或条例，将标识该书的规范化书目信息提供给出版部门，以便将此书的书目数据排印在该书的书名页的背面，供图书馆、出版社、图书发行部门在编目时选用，并可同时为各类文献工作部门及用户包括书店、图书馆、信息部门、书目工作人员和读者利用。

CIP 的特点主要有：①图书在版编目是出版和书目标准化、规范化的要求，为出版、发行和图书馆等业务部门实现书目信息的自动化管理，为书目信息的交换与资源共享奠定良好的基础。②图书在版编目是在图书正式出版之前，向出版商提供编目数据，以便使这些数据可以在同时被图书馆、书商、书目编纂人和其他需要这一数据的人们所利用。③图书在版编目的依据是出版过程中的校样，是在图书的出版过程之中，即图书尚未完成印刷装订时进行的编目，是对正在出版中的图书进行编目。④由集中的或分散的专门从事在版编目的机构依据一定的标准（包括编目标准、分类方法和主题标引方法）对出版商提供的校样先行编目，并将著录款式印在正式出版的图书书名页背面，以便图书的书目数据随书一起流传。⑤图书在版编目数据具有规范性、权威性、准确性、统一性、通用性、完全性等特征。图书在版编目数据遵循国际相关标准，执行国家标准，著录内容规范，著录格式标准；通过国家标准体系颁布，强制执行，在行业领域具有权威性；数据准确是保证数据质量的关键；分散编目，集中审核，时间跨度大，前后保持一致是保证;数据在各类图书馆、出版社、文献信息机构中可以通用,亦可用来编纂各种类型书目;数据元素完整,著录项目完全。

利用图书出版前编纂出的完整、规范和通用的在版目录数据,可以在图书出版之前和出版之后形成多种多样的报道性的、检索性的和商业性的目录,可以将国家目录、书商目录和图书馆目录统一起来,可以通过计算机和通信网络建立多家联合的书目数据库,满足进行图书管理、传播与利用的多种社会需要。

9.2.3.2 在版编目的产生与发展

CIP 由来已久,图书出版前编目的设想早在 1853 年就由美国的 Charles Coffin Jewett 提出了,而作为正式建议第一次提出则是 1876 年美国的 Justion Winsor。1958 年 6 月,美国国会图书馆和国家农业图书馆合作试验"书源编目"(Cataloging in Source)。1963 年,澳大利亚国家图书馆和澳大利亚书商协会合作"在版编目"(Cataloging in Publication,CIP)。

1982 年 8 月,IFLA 与 UNESCO 在温哥华召开 CIP 国际会议,建议各国考虑由国家书目机构或与之相应的组织制订本国的 CIP 计划。1985 年 6 月,IFLA 制定了国际 CIP 记录的推荐格式和用于计算机处理的 CIP 数据工作单的推荐格式。1987 年 6 月,ISO 公布了新的图书书名页国际标准(ISO 1086—87),详细规定了 CIP 的内容、格式以及印刷的位置。随着图书馆事业的发展,美、澳、加、英等国的在版编目已和机读目录结合在一起。

国际在版编目会议原则要求指出了在版编目数据由书目著录、书目检索、主题检索三部分组成,其中书目著录部分应遵从国际标准书目著录 ISBD,CIP 数据包括主要款目标目形式、正题名、责任说明、版本说明、丛编说明、附注、LC 分类号、DDC 分类号、ISBN 号等著录内容。IFLA 提出的图书在版编目标准格式中将书目著录数据分为四类:①必须有;②若有即取;③适用即取;④可以选择取舍。

中国图书在版编目始于 1985 年 4 月的研讨。1986 年,北京图书馆与书目文献出版社、北京大学图书馆与北京大学出版社分别进行了图书 CIP 试验。1986 年11 月,国家出版局(今新闻出版署)和国家标准局(今国家技术监督局)联合召开了实行图书在版编目工作计划方案讨论会。1987 年,图书在版编目领导小组和图书在版编目标准起草小组先后成立。1990 年 7 月 31 日,国家技术监督局批准《图书在版编目》《图书书名页》两项标准为强制性国家标准,自 1991 年 3月 1 日实施。

新闻出版署于 1992 年 11 月设立新闻出版信息中心,由中国版本图书馆负责中国 CIP 中心的具体工作。中国版本图书馆编辑出版的《全国新书目》从 1993

年第 6 期起，陆续刊登《在版编目图书信息》。1995 年起，CIP 工作全面展开。新闻出版署已在 1999 年 3 月 8 日发出的"关于在全国各出版社实施图书在版编目（CIP）有关问题的通知"中，要求自 1999 年 4 月 1 日，在全国推广实施《图书在版编目数据》国家标准。截至 2000 年 8 月中旬，CIP 中心已经累计为全国 500 余家出版社编制 CIP 数据 27 万余条。

2001 年 12 月 19 日发布了新的国家标准 GB/T 12450—2001《图书书名页》和 GB/T 12451—2001《图书在版编目数据》，两项标准均于 2002 年 8 月 1 日实施。

9.2.3.3 中国在版编目的著录内容与格式

根据现行国家标准为 GB/T 12451—2001《图书在版编目数据》，中国的图书在版编目标准将 CIP 数据分为著录数据和检索数据两个部分。

著录数据是对图书识别特征的客观描述，包括 6 个著录项目：书名与作者项、版本项、出版项、丛书项、附注项、标准书号项。

检索数据提供图书的检索途径，包括图书识别特征的检索点和内容主题的检索点。前者有正书名、其他书名信息、第一作者、译者、其他作者，后者有主题词、分类号。

图书在版编目数据由图书在版编目数据标题、著录数据、检索数据、其他注记 4 个部分组成。CIP 印刷格式如下：

图书在版编目（CIP）数据

正书名＝并列书名：其他书名信息/第一作者；其他作者. —版次及其他版本形式/与本版有关的第一作者. —出版地：出版者，出版时间

（正丛书名＝并列丛书名/丛书主编，ISSN；丛书编号·附属丛书名）

附注

国际标准书号（ISBN）

Ⅰ. 书名　Ⅱ. 作者　Ⅲ. 主题　Ⅳ. 分类号

其他标记

9.2.4 地方文献书目

9.2.4.1 地方文献

地方文献（local collection）是指反映某一地方自然和社会各方面情况，具有历史、艺术和科学价值的文字与非文字记载。它具有地区性和资料性两个本质特

征。地区性是指地方文献以一个地区为记述范围且反映本地特色。资料性指地方文献内容广泛丰富，主要有地方自然地理资料、生产与经济资料、历史与政治资料、文化艺术资料。

地方文献按著述形式，有 20 类：地方志、族谱、地方图片、地方论著、地方年谱、地方资料汇编、地方辞书、地方书目文献、地方年鉴概况、地方文告、地方档案、地方笔记、地方墓志碑刻拓本、地方传记、地方印章票据、地方信札、地方文物介绍、地方丛书、地方讲话录音、地方纪录电视电影。

9.2.4.2　地方文献书目

地方文献书目（local bibliography）是为揭示有关一地方各方面的文献的书目。它分为两种：一是地方文献综合目录，一是地方文献专题目录。

地方文献书目与地方著述目录、地方出版物书目是交叉关系。地方著述目录包括方志艺文志、家族艺文志和乡贤书目。地方出版物书目是反映本地各种出版物的书目。布钦科夫说："地方文献和地方出版物之间的主要分别，就在于前者是按内容属于本地的，后者是按出版地属于本地的。那些涉及某一地方或包含有关某一地方的材料的出版物，既反映在地方文献书目里，也反映在地方出版物书目里。"

地方文献书目，是地方各部门制订规划的参考，是开发地方文献资源的工具，是一地百科文献指南，对读者了解地区历史、编史修志进行爱国主义教育，对地方科学研究有重要作用，特别是在地方史、民俗学、方言、地方经济、地理、地方病、农业、水利等领域的研究中有突出的意义。

9.2.5　联合目录

联合目录（union catalog）是以反映文献收藏处所为特征，为揭示报道若干个藏书单位的文献而编纂的统一的目录。联合目录通过报道文献分布状况，为读者提供多单位藏书信息。它便于图书馆之间开展馆际互借和图书交换工作。联合目录是进行图书复制特别是孤本复制的工具。它可以协调各图书馆的书刊采购、促进馆际关系及著录编目的一致化。联合目录是编纂回溯国家书目的基础，是开展书目情报服务的重要工具。

全国性联合目录有三大平台：CALIS 联合目录、国家科学图书馆联合目录、国家图书馆联合目录。

1998 年，中国高等教育文献保障系统 CALIS 正式启动，是我国高等教育"211 工程""九五""十五"总体规划中三个公共服务体系之一。CALIS 联合目录建设参与成员馆主要为"211 工程""985 工程"高校图书馆，全国范围参加 CALIS 项目的高校达 1834 所（成员馆），其中本科院校 1117 所。CALIS 元数据资料总量达 3.4 亿条，其中联合目录书目数据总量为 785 万种，8000 万条，年度书目数据下载均量为 1000 万条次。CALIS 联合目录数据库书目内容囊括了教育部颁发的关于高校学科建设的全部 71 个二级学科，226 个三级学科。从资源组织的方式看，CALIS 将资源分为中文资源和外文资源，对古籍四部类目等特色资源重点凸显。已形成内容涉及全部学科，覆盖中文、西文和日文等语种，统一检索界面的 OPAC 系统，为中国的高等教育和国家信息资源的共建共享政策的快速实现发挥着日益重要的作用。

2000 年，根据国务院领导批示组建的 NSTL 即国家科技图书文献中心，是由中国科学院文献情报中心、工程技术图书馆（中国科学技术信息研究所、机械工业信息研究院、冶金工业信息标准研究院、中国化工信息中心）、中国农业科学院图书馆、中国医学科学院图书馆组成的一个虚拟的科技文献信息服务机构。2006 年 3 月，由 4 个中国科学院院级文献情报机构整合而成中国科学院国家科学图书馆，分为总馆及兰州、成都、武汉 3 个分馆，国家科学图书馆联合目录依托的资源是全国期刊联合目录成员馆等图书情报机构收藏的中、西、日、俄文等期刊馆藏，包括 480 多家成员馆的资源。为自然科学、交叉科学和高端技术领域的科技自主创新提供文献信息保障、战略情报研究服务、公共信息服务平台支撑和科学交流与传播服务。

2005 年，中国国家图书馆启动国家数字图书馆工程全国联合编目子项目，是基于 Aleph 图书馆自动化系统设计和开发的新一代联合编目系统。该系统平台实现了区域图书馆联盟成员的图书馆业务集成管理、联合编目、联合馆藏以及馆际互借等一体化建设。系统为国家图书馆、各级各类图书馆成员、普通数据用户成员，分别提供了合适的工作入口和界面，以实现功能、数据、流程的集成和最佳工作效率。借助该平台，中心不仅实现了日常的上传、下载流程的多角色多层级控制，而且开始全方位收割和管理成员馆馆藏，实现了由单一的书目共享向共建文献资源联合馆藏体系的巨大转变。馆藏库总量超过 2360 万条，涉及近 50 家骨干成员馆，全国公共图书馆联合馆藏体系初见规模。依托国家图书馆丰富的馆藏资源和国家数字图书馆工程资源建设联盟成员的特色资源，联合博物馆、美术馆等单位，探索与版本图书馆的数据资源共享模式，发布了包括中文图书、博士论文、民国专栏在内的九大类共 31 个专题库。内容涉及文学艺术法律科技教育旅游等各类信息，媒体形式有文本、图片、音频、视频等，并实现了各个资源库间的无缝跨库连接。

9.3 目 录 事 业

目录事业是关系人类文化和社会发展的重要事业，是千秋万代为理想而奋斗的崇高事业。

9.3.1 国际目录学组织

9.3.1.1 国际目录学会

1890 年，22 岁的 Paul-Marie-Ghislain Otlet（1868～1944）在布鲁塞尔自由大学获得法律学位后，对法律行业无多兴趣，渴望从事具有社会和知识价值、鼓舞人心的工作，这时开始接触目录学，与比他年长 15 岁且在律师界颇有名望的 Henri La Fontaine 合作，致力于目录学的研究与发展。1893 年，两人建立"国际社会学目录研究所"（International Institute of Sociological Bibliography）。1895 年，两人在比利时布鲁塞尔正式创办"国际目录学学会"（International Institute of Bibliography，IIB）并主持召开了第一届国际目录学大会，决定编制《世界书目》（*Bibliographia Universalis*）。Otlet 和 La Fontaine 试图将人类全部出版物系统编排起来，最初采用《杜威十进分类法》，但并不适用，便试图将 DDC 修订扩充以用于世界书目编制，但和 Melvil Dewey 联系后，未获成功。于是，他们自行创制分类法，在 1905 年用法文出版了《世界书目手册》（*Manuel du Répertoire Bibliographique Univerel*）第一版，1927 年法文增订第二版改名为"国际十进分类法"即 UDC。Otlet 和 La Fontaine 利用国际书目办公室，建立了世界书目储备库（universal bibliographic repertory），收集的卡片在 1903 年有六百万张，到 20 世纪 30 年代达到 1200 万至 1500 万之间。

编制世界书目的工作遇到两大困难：一个是世界出版物的大量激增，当时从印刷书目、书商目录和图书馆目录中抄录了 1600 万张记录资料并按分类排列，但出版物增长太快。另一个是经费短缺，工作一开始就面临经费困境，比利时政府提供的经费反复无常。当时这一工作只能靠将书目副本卖给图书馆、其他组织或个人来维持，这在今天就是计算机数据库的印刷输出。

由于第一次世界大战带来的困境，出版世界书目的尝试失败，世界书目控制的宏大目标未能实现。但在 IIB 的支持下，UDC 得到了发展，后来被译为 20 多种文字，被许多国家所采用。20 世纪 80 年代后期，全世界有 50 多个国家使用 UDC，用户总数超过 10 万个。

IIB 继首次大会之后，国际目录学会分别于 1897 年、1900 年召开了第二、三届国际目录学大会。在发展过程中，国际目录学会创建了"文献工作"（documentation）新概念。1908 年，在第四届国际目录学大会上，首次公开使用了 Otlet 的"文献工作"一词，但这时 La Fontaine 和 Otlet 在《当代目录学现实问题和文献工作的国际组织》一文中使用的"文献工作"差不多等同于 5 年前 Otlet 所称的"目录学"。之后，1910 年召开了第五届国际目录学大会。

1924 年，国际目录学会扩大成为各成员国的联合协会。1931 年更名为国际文献工作协会（International Institute of Documentation），法国雅克·肖米埃说："国际目录学会改名为国际文献工作协会，这不仅仅是名称的简单更换，而是反映出文献工作在世界上所起的新作用。"

在国际目录学组织以及发展为国际文献组织过程中，Otlet 和 La Fontaine 作了杰出的贡献。他们有更宏大的理想，要把国际上的所有学术团体联合起来，于是 1906 年开始成立国际学会组织中心办公室，1910 年组建了国际协会组织联合会（Union of International Association），1911 年召开首次大会（World Congress of International Associations），在这次会议上，许多学会都支持 Otlet 提出的建立一个国际大中心——"世界宫"（Palais Mondial）的计划，包括国际图书馆、博物馆、各学会秘书会以及 IIB 的书目服务，并设立国际性大学等。Otlet 一生为目录事业和国际学术大联合事业而奔走，但这一计划因第一次世界大战爆发而中断。Otlet 本人也遭受一生中的重大挫折，几乎倾家荡产，在战争岁月里，身处逆境的 Otlet 仍与 La Fontaine 携手奋争，组织领导曾经几度中断的 IIB 的工作。他于 1934 年和 1935 年分别出版了《文献工作专论》（Traité de la Documentation）和《世界：论共同特征》（Monde：Essai d'Universalisme）两部重要著作，其国际目录事业的精神广受学界称道，在 1937 年国际文献大会上高度评价了他在文献学领域做出的杰出贡献，被誉为"文献学，尤其是分类理论方面的真正开路先锋"。

1937 年，国际文献工作协会改名为国际文献联合会（Federation Internationale de Documentatio，FID）。至 1989 年 FID 有 67 个国家会员、5 个国际组织会员、12 个国际组织联系会员以及 261 个团体和个人联系会员。1980 年，中国科学技术情报研究所被正式接纳为国家会员。FID 从 1895 年至 1988 年共召开了 44 届大会，出版物有《国际情报文献论坛》《FID 通讯》等。1988 年改名为国际信息和文献联合会（International Federation for Information and Documentation，FID）。FID 下设 5 个地区委员会（亚洲太平洋地区、拉丁美洲地区、北部非洲和近东地区、欧洲地区组织、全球信息基础设施和信息高速公路促进组织）和 7 个专业委员会（分类、工业信息、信息政策与规划、知识产权、信息基础理论、社科信息和文献、教育与培训）以及 8 个特别兴趣小组（档案和记录管理，银行、金融和保险信息，环境信息，行政信息系统，公共管理信息，现代信息人员的任务、职责和发展，组织优势，安全控制和风险管理）。

自 2000 年起，FID 因财政问题停止活动。FID 曾在国际范围内联合科学、技术、艺术、人文科学等方面的文献工作有关团体和个人开展学术交流，组织文献工作研究，交流文献工作经验，促进文献情报领域的国际合作，发挥了重要作用。

9.3.1.2　外国目录学会

早在 19 世纪末，国外就出现了目录学学会，这些学会吸引了大学教授、图书馆馆员、教师、古旧书商和收藏家。有的目录学学会关注文献研究、图书制作艺术、图书保存或收集图书，也有的目录学学会侧重于图书的历史研究。

在法国，1868 年，法国成立了历史上第一个目录学会（Société Bibliographique），最初定位为天主教作家们的信息中心、青年人的研究中心、科学及文学作品的制作与传播中心。该学会每月定期出版学会月刊，刊登天主教作家们、法国国内重要的科学出版物、文学作品等的书目信息。随着学会的工作暂停，学会月刊也在 1920 年宣布停刊。该学会分别于 1878 年、1880 年和 1898 年举行了三次国际目录学代表大会。1906 年，法国目录学会（Société Française de Bibliographie）成立，不定期出版了一些文献目录学书刊，尔后该学会停止了活动。1911 年，法国书目和文献协会（Association de Bibliographie et de Documentation）成立，以 Bulletin 作为其官方出版物。1948 年，法国国际古典书目学会（Société Internationale de Bibliographie Classique），简称 SIBC，在巴黎正式成立，其前身是法国目录学会（Société de Bibliographie Classique）。该学会作为新的目录学会开展活动，出版年度索引 L'Anée philologique。SIBC 隶属于法国国际古典研究联合会，其会员一方面来自于参与编撰《年度文献学索引》的成员，另一方面来自于各学科的优秀学者。2015 年，名为 "Société bibliographique de France" 的法国目录学会成立，雷恩大学（University of Rennes）的历史学家 Malcolm Walsby 担任学会主席。该学会旨在法国推广图书史的新组织，鼓励以书目、图书史、装订、排版、出版、书店以及任何与图书相关的主题为对象的研究，并向研究人员和公众传播有关它的知识。

在英国，第一个目录学会成立于 1890 年，在苏格兰建立了爱丁堡目录学会（Edinburgh Bibliographical Society），每两年出版一期（*Transactions*）。1892 年，一批对早期印本有兴趣的研究者在伦敦创办了目录学学会（Bibliographical Society, London），主要研究 16、17 世纪的图书。首任会长 W. A. Copinger 认为以图书作为物质对象研究的目录学正在迅速成为一门严谨的科学（Tanselle，

2009）。该学会出版学报一直持续到 1920 年开始发行 Library 杂志为止。1901 年，兰开夏目录学会（Bibliographical Society of Lancashire）成立。同年，威尔士目录学会（Welsh Bibliographical Society）成立。1918 年，爱尔兰目录学会（Bibliographical Society of Ireland）举行了它的首次会议并开始出版它的学报。1923 年，牛津目录学会（Oxford Bibliographical Society）成立，除年刊 Bibliography in Britain 外，开始发行 Proceedings and Papers。1949 年，剑桥目录学会（the Cambridge Bibliographical Society）成立，出版年报 Transactions 和不定期刊物 Monographs。

在美国，美国目录学学会（Bibliographical Society of America）创办于 1904 年，其前身为 1899 年创办的芝加哥目录学学会（Bibliographical　Society of Chicago）。美国目录学会的任务是促进目录学研究和出版目录学书刊，为全社会书目出版物研究和发展而努力。学会每年 1 月中下旬举办会议，学者们围绕学科研究热点进行讨论，对年会中重要的观点和具有突破性思考的内容总结成文章进行发表，还举办各种商务会议等。学会的第一期简报发表在 1907 年 5 月。学会出版季刊 Papers。此外，1930 年，美洲国家目录学协会（Inter-American Bibliographical Association）在华盛顿成立，于 1934 年更名为美洲国家目录学与图书馆协会（Inter-American Bibliographical and Library Association）。1947 年，弗吉尼亚大学目录学会（Bibliographical Society of the University of Virginia）建立，重点关注对于书籍（包括手抄本）、地图、印刷术和目录的研究，每年出版 Studies in Bibliography。1966 年，目录学和编辑研究所（Institute for Bibliography and Editing）在肯特州立大学成立，以促进英美文学书目和文本研究。1971 年，北伊利诺伊目录学会（Bibliographical Society of Northern Illinois）在北伊利诺伊大学成立，出版季刊 AEB：Analytical and Enumerative Bibliography。1978 年，历史目录学会（Association for the Bibliography of History）在纽约州立大学成立，其成员来自历史、目录学和图书馆界。

在俄罗斯，俄罗斯目录学协会前身是 1850 年 2 月通过的关于公共图书馆管理的新文件补充和发展了 1810 年和 1812 年的第一部俄罗斯图书馆法《帝国公共图书馆管理条例》，M. A. Korf 建议建立的名誉会员和名誉通讯员协会，1899 年成立莫斯科大学书目小组。1957 年，祖耶娃负责建立了俄罗斯苏维埃联邦社会主义共和国"图书馆学和书目学科学研究所"，1993 年改为俄罗斯图书馆协会和俄罗斯目录学（书目学）协会至今。2001 年 3 月 23 日，俄罗斯联邦政府第 226 号法令《俄罗斯国家图书馆章程》中俄文书籍目录作为国家图书馆和俄罗斯人民文化遗产的特别宝贵对象的地位再次得到确认。2008—2009 年，"关于图书馆管理"的联邦法律中确保了俄罗斯联邦总统图书馆，该法第 18 条满足社会的普遍信息需求，组织图书馆、书目和科学信息活动，以维护俄罗斯联邦所有人民的利益，发展国内和世界文化、科学、教育。2010 年 9 月，俄罗斯图书馆协会及目录分会主办了第一届国际书目大会。2010 年 9 月和 2015 年 10 月，俄罗斯图书馆协会召开了第一届、第二届国际参考书目（目录学）大会。

此外，还有 1895 年成立的意大利目录学会（Società Bibliografia Italiana）和智利圣地亚哥目录学会（Sociedad Bibliográfica de Santiago, Chile）、1946 年成立的加拿大目录学会（Bibliographical Society of Canada）、1969 年成立的澳大利亚和新西兰目录学会（Bibliographical Society of Australia and New Zealand）等，在此不一一列举。

9.3.1.3 外国索引学会

为加强对索引工作的指导，国际上产生了索引组织。早在 1877 年，英国索引学社在伦敦成立，被誉为"英国索引之父"的 Wheatly 被选为该学社的干事长，他著有《什么是索引》的专著，是国外较早出版的索引理论著作。目前，国际上出现了一批有影响的索引学会。

在英国，1957 年，在著名索引家 G. Norman Knight 的倡议下，英国索引家学会（Society of Indexers, SI）成立，其宗旨是改进索引编制的标准与技术，推动索引业的发展，成为一个有关索引工作及索引家资格、报酬等问题的咨询机构。1958 年，该学会创办 The Indexer 杂志。1960 年，英国图书馆协会为表彰英国最优秀索引的编制者，设立"惠特里奖"。1976 年，英国召开第一届全国索引家大会，会后召开了英格兰地区索引家大会。1977 年，英国索引家学会为表彰杰出的索引家，设立"卡里奖"。1978 年，第一届国际索引家大会在伦敦召开，来自五大洲的代表参加了会议，进行了索引工作的理论研究和国际交流。

在美国，1969 年，美国索引家学会（American Society of Indexers, ASI）成立，目的在于提高索引工作质量，出版索引论著，1970 年开始出版 Newsletter（1993 年更名为 Key Words），此后与 SI 合作出版每年两期 The Indexer。1979 年，学会设立了 H. W. Wilson 公司索引奖，第一个获奖者 Hans Wellisch 为著作 The Conversion of Scripts 编制索引而获奖，Wellisch 还出版了索引著作 Indexing From A to Z（1991 年）。1986 年，学会有 6 家分会。1994 年，学会设立了海因斯奖（Hines Award）。2008 年，学会改名为美国索引学会（American Society for Indexing）。

在澳大利亚，1972 年，澳大利亚索引家学会（Society of Indexers in Australia）成立，1976 年改名为"Australian Society of Indexers"（AusSI）。

在加拿大，1977 年，加拿大索引与文摘学会（Indexing and Abstracting Society of Canada，IASC）成立。

在日本，1989 年，日本索引协会成立。

在南非，1994 年，南非索引家与目录家协会（Association of Southern African Indexers and Bibliographers，ASAIB）成立，总部设在南非大学信息科学系内。

9.3.2　中国目录学组织

1925 年中华图书馆协会成立时，就开始推动目录学研究，设立分类编目组、索引检字组等开展目录学推广活动。

1949 年中华人民共和国成立，目录学研究得到新的发展。改革开放后，一批目录学相关组织相继成立。

9.3.2.1　中国图书馆学会目录学专业委员会

1979 年 7 月，中国图书馆学会成立，下设目录学专业委员会，委员会由全国著名目录学专家代表组成，首任主任是武汉大学教授谢灼华，第二任主任是北京师范大学教授倪晓建；第三任主任是南开大学教授柯平。该委员会分别于 1983 年（沈阳）、1991 年（南京）、1994 年（太原）、2004 年（天津）、2007 年（重庆）、2013 年（武汉）召开了六次全国目录学专题学术研讨会。

9.3.2.2　中国图书评论学会

1989 年 4 月 20 日，由全国百余家出版社发起成立中国图书评论学会，2006 年正式注册成为新闻出版总署主管的国家一级社会团体，并选举产生了第一届理事会。《中国图书评论》（1986 年创刊）1990 年 1 月起成为该学会会刊。

9.3.2.3　中国索引学会

1991 年 12 月 24 日中国索引学会成立，主管单位为中央编译局，秘书处设在复旦大学。学会成立后即筹划编纂出版大型工具书《二十世纪中国学术论著目录索引丛书》，并由葛永庆等主编《索引研究论丛》，并于 2003 年起出版会刊《中国索引》杂志，2016 年起改为《中国索引》分辑出版。学会参加国际索引联盟峰会，还与英国索引家协会、澳大利亚与新西兰索引协会、南非索引与书目工作者协会、美国索引学会、加拿大索引家学会等建立联系。学会定期召开年会暨学术讨论会，还举行各类成果展评和学术报告会、研讨会等活动。

9.3.2.4 中国历史文献研究会

1979 年 4 月 4 日，中国历史文献研究会在广西桂林成立，学会的发起人和首任会长是著名文献学家、华中师范大学张舜徽教授。1982 年开始出版学术年刊《中国历史文献研究集刊》。学会积极组织与推动中国历史文献的研究、整理和教学工作，促进中国历史文献学的建设和发展。

9.3.2.5 全国高等院校古籍整理研究工作委员会

1983 年，全国高等院校古籍整理研究工作委员会成立，是教育部直属的事业机构。首届委员会由国务院古籍整理出版规划小组副组长周林担任主任委员，时任教育部副部长彭佩云、北京师范大学教授白寿彝、北京大学教授邓广铭担任副主任委员。秘书处设在北京大学，下设古籍信息研究中心，1992 年创刊《中国典籍与文化》。该委员会下设科研项目专家评议组、学科建设与人才培养工作组两个业务工作组，负责组织、协调全国高校古籍整理的科学研究与人才培养工作，包括制定重点古籍整理研究项目的规划、审批直接资助项目、督促检查项目进展情况；指导和协调包括古典文献专业本科生、各单位硕士、博士研究生在内的人才培养工作；组织高校古籍整理研究队伍，推进有关研究机构的建设。

9.3.3 面向文献生产与出版发行的目录事业

9.3.3.1 文献工作与目录事业

1903 年，Otlet 在《目录学和文献工作》一文中首次用"documentation"表示向情报需求者提供文献或参考工具的过程，文献工作便成为包括目录学、著作权、印刷技术、出版业、图书馆工作的新概念。

1920 年，荷兰人 F. D. Duyvis 和 J. A. Prins 创立了荷兰文献登记研究所（NIDER）。

到二十世纪三四十年代，文献工作发展为世界瞩目的事业与科学，1932 年法国文献机构联合会成立，1937 年在巴黎举行第一届世界文献工作大会，在海牙成立以"国际文献工作研究所"为基础的"国际文献联合会"（FID），其前身是国际目录学会。同年美国文献工作研究所（American Documentation Institute）建立。1941 年德意志文献学会成立。

1948 年，S. C. Bradford（1878—1948）《文献工作》出版，认为文献工作是一种有实用意义的技艺，指出："文献工作的技艺，是搜集、分类和便于提供所有学术活动记载的技艺。"

20 世纪 50 年代，伴随着计算机的广泛应用，情报学作为一门崭新的学科诞生了。由于它运用现代科学技术处理文献与信息，在社会和科学交流中发挥着十分重要的作用，比传统的文献工作更具时代性和社会适应性，因此美国文献工作研究所更名为美国情报学学会，《美国文献工作》改称《美国情报学学会杂志》，《文献工作文摘》也改为《情报学文摘》，德国的文献工作扩大为情报与文献工作。受其影响，图书馆学也大量引入情报概念，导致"图书馆与情报科学"的出现。从这一过程可以看出情报学与目录学、文献工作的渊源。

20 世纪 70 年代全球出现了"文献爆炸"现象，情报与文献工作为解决这一现象而采取新的方式方法。法国文献专家估计，20 世纪初，全世界每年大约有 1 万种期刊出版，而 1971 年出版的期刊就达 17 万种，1974 年图书的发行量（57.18 万种）比 1965 年（26.9 万种）增加了一倍多，1970 年每天发表的文献超过 6000 份，一年就达 200 万份，预计到 1985 年这个数字还要扩大四五倍，那时将出版 800 万到 1000 万份科技文献——还仅仅是印刷品（甘沙，C.；梅努，M.，1987）。

9.3.3.2　古籍目录事业

中华古籍数量庞大，如果将世界各地的中华古籍进行系统目录与揭示工作，这是一个巨大的工程，古籍目录事业任重而道远。

中国古代的图书典籍，据不完全统计，自先秦至清的 2000 多年间，共有十八万一千七百多种（武汉大学图书馆学系《中文工具书使用法》编写组，1982）。

现存古籍有多少？方厚枢（1962）估计"我国古书的总数约有七八万之多"。日本吉川幸次郎[1]认为有五万部左右。杨殿珣（1979）作了"可能有十五万种左右"的约略估计。其根据是①《中国丛书综录》的子母统计有 38891 种；②未曾收入《丛书综录》的清以前的单刻本，估计有一万余种；③《丛书综录》未收入的佛经汇刻及新式丛书，以及待补入的丛书，其中子目估计一万种；④孙殿起编有《贩书偶记》，大家认为是清代以来的著述总目，所收有一万余种；在 1959 年新印本《贩书偶记》的出版说明中，谓著者在本书初版印行以后，又积累资料一万种，二者合计有两万余种；⑤在《贩书偶记》未曾收入的清代著述，估计还有一万余种；⑥《中国地方志总录》收入的方志，最近计算有 8500 余种；⑦现存的古医书，估计有八千余种；⑧通俗小说、民间唱本、地方剧本、宝卷、鼓词、家谱，以及在佛经、道经之外的各种宗教书，各种合计，估计有一万余

---

① 参见吉川幸次郎《关于中的书籍》，《展望》1977 年 1 月号。

种；⑨碑帖、舆图估计有一万余种；⑩兄弟民族语文图书及其他，估计一万余种。罗竹风（1981）初步粗略统计，大约在十万种。胡道静（1982）分析有三个依据：其一，《中国丛书综录》提供的一个基本数字 38891 种。其二，佛藏（现存汉文佛教经籍总数约为 4100 多种）与丛书补充复查估计可增一万种左右。其三，单刻本可估计为相当于丛书收录的容量，即五万种左右，具体包括①地方志 12863 种，但在除去已收入《中国丛书综录》方志类的 200 种左右；②收录清代著作单刻本以及宋、元、明著作的罕传本的《贩书偶记》正、续两编的著录17000 种左右，当然也要删除其中以单刻本被著录可是那个品种也曾收入，呈现在丛书中的总数字；③通俗小说、民间唱本、地方剧本、家谱、碑帖、舆图和兄弟民族语文图书估计给两万多种。

1983 年 3 月"全国语言学学科六·五规划会议"在太原召开，会议首次将 3 项计算机与古籍整理研究的课题列入国家重点科研项目。随后，国内开始了古籍整理与计算机结合的实践。

《中国古籍总目》由国务院古籍整理出版领导小组负责组织编纂，自 1992 年以来，从规划筹备、调查清理、编纂审订、校勘定稿到印制出版，有几十家图书馆几百名专家学者参与，历时 17 年，于 2009 年 6 月完成，由中华书局、上海古籍出版社两家专业古籍出版社合作出版。

《中华古籍总目》是"中华古籍保护计划"的重要内容和成果，2010 年 2 月 1 日启动编纂工作。它采取分卷编辑、统一出版、全国不再进行统编、未来统一编制索引的方式进行。收录范围是产生于 1912 年以前，并以稿本、抄本、印本、拓本等形式存世的古籍，以及西学传入后产生的新学书籍等。该总目除按现行 31 个省编纂分省卷外，还将依机构、类型、文种等不同类型分卷编纂。

《中国少数民族古籍总目提要》于 1996 年第二次全国少数民族古籍工作会议上确定编纂，2006 年《国家"十一五"时期文化发展规划纲要》确定《中国少数民族古籍总目提要》为重点文化项目。该总目将收录中国 55 个少数民族以及古代民族文字的现存全部古籍目录和内容的提要，全套书目共 60 余卷，约 110 册，共收书目 30 余万条，每册收书目约 3000 条。

中国古籍工具书数字化在世界汉学索引工作中达到了较高水平。以《古今图书集成》的索引为例，产生了《古今图书集成方舆汇编索引》（俄国瓦伯尔 1907 年）、《钦定古今图书集成索引》（英国翟理斯 1911 年）、《古今图书集成分类索引》（日本泷泽俊亮 1933 年）、《古今图书集成中明人传记索引》（牟润孙等 1963 年）、《古今图书集成索引》（文星书局 1964 年）、《古今图书集成引用书目录稿》（日本桝尾武 1972～1977 年）、《古今图书集成类目索引（油印本）》（复旦大学图书馆 1982 年）等工具。广西大学教授林仲湘以前人研究为基础，1984 年开始主持编纂了规模浩大的《古今图书集成索引》，该索引寻绎出原书结构上经纬交错的特点，分别从经线编出部名索引、类别索引，从纬线上编出图表索引、人物传记索引。1988—1999 年广西金海湾电子音像出版社出版该索引的电子版，2010年该索引开始网上检索。

9.3.4　面向图书情报与档案管理的目录事业

9.3.4.1　图书馆目录事业

1887 年，在英国伦敦召开的第 1 届国际图书馆员大会上，对不列颠博物馆的书本式印刷目录、编目和著录规则等问题展开了讨论。1892 年 9 月，由英、法两国图书馆协会联合主办的巴黎首届国际图书馆大会上，重点讨论了图书馆目录问题，大会决定编制一份 1640 年以前出版并由英法图书馆收藏的英文图书目录。此后，国际图书馆员大会和国际图书馆大会一直推动目录事业，如 1897 年第 2届国际图书馆大会提出加强书目工作的国际合作，尤其是联合出版期刊累积索引。1908 年第 5 届国际图书馆大会提出集中编目、卡片目录等问题。

1927 年 9 月 30 日，英国图书馆协会在爱丁堡召开成立 50 周年庆祝大会，会上由英国、美国、法国、中国等 15 国图书馆协会的代表联合倡议并签署协议正式成立国际图书馆和目录学委员会（International Library and Bibliographical Committee）。1928 年在罗马召开第一次会议，决定在日内瓦设立秘书处，并建立6 个专业小组：分类体系、著录规则、国际书目规则、国际奖学金、图书馆员互聘和图书馆教育制度。1929 年 6 月在罗马和威尼斯召开的大会上，决定更名为国际图书馆协会联合会（International Federation of Library Associations and Institutions，IFLA）。1981 年，中国恢复了与 IFLA 中断的关系。中国图书馆学会成为唯一代表中国的协会会员。截至 2022 年 3 月 1 日，有 139 个国家和地区的989 个协会加入了 IFLA。

IFLA 的首任主席 Isak Collijn 是著名版本学家和中世纪史学家，瑞典皇家图书馆馆长，他为梵蒂冈图书馆制定了古版本的检索和编目规则。第二任主席William Warner Bishop 是一位博学的目录学家。

为推动图书馆目录事业发展，IFLA1970 年将统一编目规则委员会改名为编目委员会（Committee on Cataloguing），1976 年改名为编目组常务委员会（Standing Committee of the Section on Cataloging）。书目委员会于 1977 年改为书目组常务委员会（Standing Committee of the Section on Bibliography）。1981 年 IFLA建立了一个独立组名为"分类与主题标引组"（Section on Classification and

Subject Cataloguing)。

IFLA 建立八个专业部之后，书目控制部（Division of Bibliographic Control）设有四个专业组：书目组（Section on Bibliography，1965 年成立，2002 年由原书目组常务委员会更名）、编目组（Section on Cataloguing，1935 年成立，2002 年由原编目组常务委员会更名）、分类标引组（Section on Classification and Indexing，1981 年成立）、知识管理组（Section on Knowledge Management，2004 年成立，源于知识管理讨论小组）。该部有协调委员会，各组有常务委员会，还建立有特别工作组。这些部门组织各种学术讨论和专门会议，具体研究和实施有关目录事业的各项计划，促进书目事业的国际合作。

书目情报系统是社会的知识记忆器。人类已经历过纸质世界和印刷世界的两次记忆器革命，最重要的改变是将个人记忆集成到社会记忆，记忆载体和记忆方式产生重大变革。今天，数智技术环境下，社会记忆面临着更大的机遇与挑战。书目情报系统在不断变化的社会记忆中，必须承担起知识记忆的角色，保障人类的文明和文化得以永久传承下去。

9.3.4.2　档案馆目录事业

1983 年，美国档案学者 Steven L. Hensen 出版 APPM（*Archives*，*Private Papers and Manuscripts*：*A Cataloging Manual for Archival Repositories*，*Historical Societies and Manuscript Libraries*）。1988 年，美国档案工作者协会（Society of American Archivists，SAA）修订出版 APPM。1986 年，《英国档案描述手册》（*Manual of Archival Description*，MAD）出版，1989 年修订为 MAD2，2000 年两次修订为 MAD3。加拿大也有"档案描述规则"（Rules for Archival Description，RAD）。1993 年，国际档案理事会（International Council on Archives，ICA）制订国际档案描述通用标准 General International Standard Archival Description，简称 ISAD（G）。

档案目录系统是社会的另一种知识记忆器。随着档案开放和档案目录数字化发展，开发档案目录的知识价值，使企业档案目录成为企业的知识记忆器，促进企业知识管理；历史档案目录成为人类的历史记忆器，促进历史知识管理；科技档案目录成为科学技术发展的知识记忆器，促进科技知识管理。

9.3.5　国内外目录学研究

9.3.5.1　国外目录学研究

Henry Bradshaw（1831—1886）研究爱尔兰古物，热衷于目录学和文献学，

1856 年任职于剑桥大学图书馆，从事手稿编目，1867 年担任馆长，熟知英国和欧洲的图书馆书刊目录，1882 年 9 月当选为图书馆协会主席。在文献和目录学方面贡献突出，尤其精通早期印刷术和排字式样（印刷体裁），论著收入 1889 年出版的《论文集》。

20 世纪初，英国开启了"新目录学"研究。著名的目录学家 Sir Walter Wilson Greg、Sir Stephen Gaselee、Alfred William Pollard、Ronald Brunlees McKerrow 等撰写了大量的目录学著述。McKerrow 编撰的专供文学学生使用的教材《目录学概论》（*An Introduction to Bibliography for Literary Students*）初版于 1927 年，该著是考察伊丽莎白时代印刷材料与印刷方法的使用情况，并将此二者与从作者的手稿到印刷图书的文本传递，以及与在后来的版本中出现的变化联系起来的第一部全面的著作（Padwick Eric William，1969）。

大约在 20 世纪中期，由于 1949 年 Fredson Bowers 的《书目描述原理》（*Principles of Bibliographical Description*）的出版和由此引发的许多研究成果的问世，分析目录学或者校雠目录学的研究中心和主要活动从英国转到了美国。20 世纪 70 年代以后，美国出版了许多新的目录学著作，将目录学研究重点从16—17 世纪印刷过程转向 18–20 世纪的印刷与文本研究。其中，最著名的是 1974 年出版的 Philip Gaskell 所著的《新目录学概论》（*A New Introduction to Bibliography*）。

20 世纪中期，在列举目录学或系统目录学领域也产生了一系列重要著作，如 Anthony M. L. Robinson 的《系统目录学》（*Systematic Bibliography*）到 1979 年时已经出版了第 4 版。Donald W. Krummel 1984 年出版的《书目：其目的与方法》（*Bibliographies：Their Aims and Methods*）进一步拓宽了列举目录学或系统目录学的研究领域。

20 世纪 80 年代以后，分析目录学的杰出代表 G. Thomas Tanselle 认为分析目录学不仅是一门辅助学科，而且通过提供有关印刷和出版实践的统计证据，其本身就充满了趣味。他提出应该建立目录学研究与一切有关印刷、出版和图书贸易历史的专业团体之间的联系，并不断发展这种关系。

9.3.5.2　中国目录学研究

中国目录学史有众多的目录学家，据申畅主编《中国目录学家辞典》，明以前488 人，清783 人，近代345 人，现代508 人。申畅《中国目录学家传略》列举著名目录学家 110 位。

20 世纪以来，目录学研究在理论研究与应用研究各方面都取得了很大的进展，其研究范围包括目录学历史的总结、目录学的理论及功能、专科目录学、外国目录学等。

在目录学发展中，产生了一大批有影响的目录学代表人物，也产生了一大批有较高学术价值和广泛社会影响的代表性著作。

第一代目录学人的代表作有：姚名达的《中国目录学史》（1938 年）；余嘉锡的《目录学发微》（1963 年）；汪国垣的《目录学研究》（1934 年）；刘纪泽的《目录学概论》（1928 年）；蒋伯潜的《校雠目录学纂要》（1946 年）；王重民的《中国目录学史论丛》（1984 年）等。

第二代目录学人的代表作有：武汉大学与北京大学合编《目录学概论》（1982 年）；彭斐章等（1986）编著《目录学》、彭斐章著《书目情报需求与服务研究》（彭斐章，1990）、《书目情报服务的组织与管理》（彭斐章等，1996）；彭斐章主编《目录学教程》（2004 年）；谢灼华编著《中国文学目录学》（1986 年）；来新夏著《古典目录学》（1991 年）；朱天俊主编《应用目录学教程》（1993 年）等。

第三代目录学人的代表作有：王锦贵著《中国历史文献目录学》（1994 年）；乔好勤《中国目录学史》（1992 年）；倪晓建著《书目工作概论》（倪晓建，1991）、《目录学与文献利用》（倪晓建，2008）；徐有富著《目录学与学术史》（2009 年）；柯平著《书目情报系统理论研究》（柯平，1996）、《文献目录学》（柯平，1998）、《从文献目录学到数字目录学》（柯平，2008）；郑建明（1994，2020）著《当代目录学》；王新才著《中国目录学：理论、传统与发展》（2008 年）；王国强著《明代目录学研究》等。

9.3.6 目录学教育与人才培养

9.3.6.1 国际图书馆教育体系中的目录学教育

自从 1807 年德国的 Martin Schrettinger 首次使用"图书馆学"一词，到 1887 年美国 Melvil Dewey 创办哥伦比亚图书馆学院，图书馆学以图书馆、图书馆工作、图书馆事业为依托，从目录学中独立出来，尽管到 20 世纪初图书馆学的迅速发展以至于要扩大其范畴，如 1911 年纽约公共图书馆学校校长普拉莫将目录学列入图书馆学，20 年代德国的 C. Leidingen 试图建立以图书学、目录学、图书馆管理学和图书馆史为中心内容的图书馆学体系。

在苏联，目录学教育一直是图书馆学教育体系中的重要部分。1981 年科尔舒诺夫主编、由莫斯科图书局出版的《普通目录学教程》是一部以书目情报为中心的新的目录学教材。1983 年修订的高等院校图书馆学系教学计划规定，将普通目录学课程分为三门：普通目录学、图书馆书目工作组织与方法、苏联书目史。为适应新的教学计划，科尔舒诺夫等将《普通目录学教程》原书中的理论、历史、组织和方法四部分进行压缩修改，于 1990 年出版。新教材包括四个部分：第一部分书目情报理论原理，包括书目情报——文献交流体系的中介、书目情报的外在形式、书目情报的基本社会功能、书目情报的结构、质量和定义。第二部分作为一种活动领域的书目，包括对于书目作为一种活动领域的一般认识、书目活动的基本组成部分、作为活动领域的书目类型划分。第三部分当代世界的书目，包括苏联书目及其基本特征、当代苏联书目的组织、社会主义与资本主义各国的书目、书目活动领域中的国际协作。第四部分目录学——关于书目的科学，包括苏联目录学的结构子内容、相关知识领域的目录学、改造苏联书目科学与实践的基本趋向。

9.3.6.2　中国目录学教育

民国时期，目录学专业教育和社会教育两大途径并行发展。

1920 年创办的文华大学图书科和 1931 年独立的文华图书馆专科学校，在目录科目下设有"中国目录学""西洋目录学（印刷史附）""中文参考""英文参考""中文书籍选评""英文书籍选评"等课程（彭斐章，彭敏惠，2009）。1925年创办的上海国民大学图书馆学系开设有"图书编目"（杜定友主讲）和"目录学"（胡朴安主讲）课程。1941 年建立的国立社会教育学院图书博物馆学系将目录学作为必修课程。

金陵大学文学院图书馆学系有目录学课程（1927 年成立）。其他大学也有设立目录学课程，如余嘉锡在北京各大学主讲目录学课程；郑鹤声、汪国垣在中央大学讲授目录学课程；刘纪泽在暨南大学、大夏大学、安徽大学等大学讲授目录学课程，等等。

中国教育学术团体联合会在 1938 年 11 月的会议上通过了西南联大图书馆馆长严文郁提出的《请教育部指定"目录学"及"参考书使用法"为大学一年级必修课程案》。1939 年，何多源在《教育杂志》29 卷 8 期发表《论"目录学"及"参考书使用法"应列为大学一年级必修课程》。从此，各大学开设目录学课程较为普遍。

民国时期目录学教育进入中学和社会教育体系，如 1926 年宁波效实中学马瀛为励志级暨戊辰级诸生开国学概论课，将目录学纳入其中，列于文字学、音韵学、训诂学、章句学、版本学、文法学、言语学、考据学 8 个学门之后，"以上八种工具，暨经哲史文等种种学术，皆前人遗留之成绩，其成绩之所附丽多在载籍之中，故以目录学殿焉。"①

---

① 见马瀛《国学概论》第十章。

1929 年在中华图书馆协会第一届年会上，李小缘提出《各大学应设实用目录学课程以为指导学术研究之入门案》，后又发表《目录学在教育上之地位》。

1934 年汪国垣说："目录学既为治学之门径，而近时高级中校以上学校，多列为必修果；学子重视，几埒国文。"（汪辟疆《目录学研究》序）

1949 年以后，目录学教育进入新的历史时期。北京大学和武汉大学成为目录学教育基地。北京大学开设"普通目录学""中国目录学史""中文工具书"课程，先后由王重民（1903—1975）、朱天俊（1930—2013）等担任主讲。1956年，北京大学图书馆学函授班开设课程有《普通目录学》。王重民 1962 年为北京大学中文系古典文献学专业所写讲义《中国目录学史》，后在图书馆学系主讲目录学，有《普通目录学》（讲义）以及后来整理的《中国目录学史论丛》（1984年）。朱天俊主讲目录学和中文工具书，出版《中文工具书》（1987 年）、《社会科学文献检索》（1987 年）、《应用目录学简明教程》（1993 年）。孟昭晋于 20 世纪 80 年代主讲"普通目录学"，曾为中专编写教材《目录学简编》（1987 年），邵献图（1929—1998）主讲"西文工具书"并出版《西文工具书概论》（1988年）。王锦贵主讲目录学课程并主编出版《中国历史文献目录学》（1994 年）。

武汉大学开设"目录学"课程，主讲教师先后有徐家麟、吕绍虞、张遵俭、王文杰、陈光祚、彭斐章、谢灼华等。吕绍虞（1907—1979 年）著有《普通目录学》和《中国目录学史稿》。20 世纪 60 年代初，陈光祚在武汉大学开设"中国文学书籍目录学"并于 1963 年编印了校内教材。1963 年武汉大学图书馆学函授班增加《普通目录学》课程。彭斐章 1961 年留苏归国后主讲目录学课程，70年代末获得教育部目录学统编教材立项，先后主编出版目录学教材《目录学》（1986 年第 1 版电大教材，2003 年修订版为本科教材）。谢灼华从 1979 年起主讲文学目录学课程并出版《中国文学目录学》（1986 年），詹德优主讲"中文工具书"并出版《中文工具书使用法（增订本）》（1996 年），王秀兰主讲"英文工具书"课程并出版《英文工具书》（1991 年）。

20 世纪 80 年代，全国电大开设目录学课程。武汉大学彭斐章、乔好勤、陈传夫 1986 年编著出版了电大教材《目录学》。

北京大学和武汉大学两校的目录学教学合作始于 1961 年北京大学、武汉大学合作编写图书馆学讲义《目录学》。改革开放后，彭斐章、谢灼华、朱天俊等组成了武汉大学、北京大学《目录学概论》编写组，1979 年夏完成初稿，1982年由中华书局出版。《目录学概论》成为全国统编教材，各大学广泛使用，影响很大。1988 年获国家教委高等学校优秀教材一等奖。

国家教委高教司将目录学作为图书馆学专业核心课，1996 年，彭斐章主持组织起草了《目录学教学大纲》（高等教育出版社 1998 年版）。教育部图书馆学教学指导委员会组织编写了一套图书馆学专业"面向 21 世纪课程教材",其中《目录学教程》由彭斐章主编,武汉大学、北京大学、南开大学、南京大学、中山大学等校的目录学教师参编,高等教育出版社 2004 年第 1 版,2017 年第 2 版。

20 世纪 70 年代末目录学研究生教育开启。1978 年武汉大学图书馆学专业开始招收目录学方向硕士研究生,1979 年北京大学图书馆学专业开始招收目录学硕士研究生。其他学校如中山大学、南开大学等也陆续培养文献学目录学方向的硕士研究生。全国目录学博士生教育始于 1990 年,1991 年武汉大学图书情报学院开始培养目录学博士。

中华人民共和国成立以后,一些大学历史系和文史研究机构开展古典文献学目录学教学与研究。"文革"结束,百废待兴。许多高校和研究机构纷纷恢复文献学和目录学课程,并开始研究生教育,出版各类文献学目录学著作。如罗孟祯(1907—1998)1954 年入四川师范学院历史系任教,1983 年著有《中国古代目录学简编》。曹慕樊(1912—1993)1953 年后任西南师范学院中文系副教授、教授,汉语言文献研究所教授,1988 年推出《目录学纲要》。倪士毅(1919—2018)在中华人民共和国成立后先后任教于浙江师范学院、杭州师范学院、杭州大学等校历史系,著有《中国目录学史》。来新夏(1923—2014)1951 年入南开大学历史系任教,1978 年在历史系首开"古典目录学"课程,1981 年出版《古典目录学浅说》,1991 年修订成为国家教委七五规划教材《古典目录学》。

自 1984 年教育部关于在高等学校开设"文献检索与利用"课的文件发布后的十余年间,全国各高校有近 200 万名大学生学习了文献检索与利用课程。1986 年成立全国高校文献检索与利用课系列教材编审委员会,之后,通用文献检索和各学科文献检索教材纷纷问世,目录学与工具书的基本知识得以普及。

2019 年,教育部启动"新文科"建设,南京大学郑建明主讲的目录学课程在中国大学 MOOC 上线。2020 年,南开大学柯平开始探索新目录学教学模式,《阅读推广进课堂:新文科背景下目录学教学改革探索》发表于《大学图书馆学报》2021 年第 5 期。

"目录学成为人人所共知的最通俗的常识"(姚名达语),目录学开启每个人的知识与智慧,这是目录学教育的目标,这一目标一定能够实现!

参 考 文 献

白寿彝. 1983. 史学概论［M］. 银川：宁夏人民出版社.

包辰瑶. 2013. 《红楼梦》前八十回和后四十回词频的对比研究［J］. 湖北科技学院学报, 33（9）：61-62, 74.

北京图书馆《文献》丛刊编辑部, 吉林省图书馆学会会刊编辑部. 1982. 中国当代社会科学家［M］. 北京：书目文献出版社.

陈大康. 1987. 从数理语言学看后四十回的作者［J］. 红楼梦学刊, （1）：293-318.

陈大康. 1988. 《红楼梦》"成书新说"难以成立［J］. 华东师范学报, （1）：3-13.

陈梦家. 1956. 殷虚卜辞综述［M］. 北京：中华书局.

程焕文. 1994. 中国图书论集. 中国图书文化的演变及其意义［M］. 北京：商务印书馆.

董鼎山. 1984. 天下真小［M］. 北京：生活·读书·新知三联书店.

范希曾. 1929. 校雠学杂述［J］. 史学杂志, （3）：18-21.

范文澜. 1964. 中国通史简编·第三编［M］. 北京：人民出版社.

范文澜. 2010. 中国通史简编［M］. 北京：商务印书馆.

方厚枢. 1962-3-6. 从目录学入手［N］. 光明日报.

傅乐成. 2010. 中国通史［M］. 贵阳：贵州教育出版社.

龚鹏程. 2006. 中国传统文化十五讲［M］. 北京：北京大学出版社.

顾颉刚, 何启君. 1983. 中国史学入门——顾颉刚讲史录［M］. 北京：中国青年出版社.

顾晓光. 2017. 旅行之阅 阅读之美［M］. 北京：清华大学出版社.

何江涛. 2007. 耕读传家［M］. 北京：北京图书馆出版社.

胡昌平, 邱均平. 1991. 科技文献学［M］. 武汉：武汉大学出版社.

胡道静. 1982. 谈古籍的普查和情报［J］. 历史研究, （4）：3-20.

胡厚宣. 1982. 甲骨文合集序［M］. 北京：中华书局.

黄裳. 1982. 关于"提要"［J］. 读书, （12）：96-102.

黄维樑. 2013. 中西新旧的交汇：文学评论选集［M］. 北京：作家出版社.

黄秀文. 2002. 智者阅读：中外名报名刊名家的推荐书目［M］. 上海：华东师范大学出版社.

季羡林. 2006. 三十年河东, 三十年河西［M］. 北京：当代中国出版社.

季羡林. 2008. 贤行润身［M］. 西安：陕西师范大学出版社.

翦伯赞. 2011. 史料与史学（2版）［M］. 北京：北京出版社.

姜继. 1985. 读书箴言［M］. 北京：书目文献出版社.

柯平. 1984. 旋风装浅说［J］. 赣图学刊, （4）：39-41, 45.

柯平. 1985. 西方"目录学"术语及其定义［J］. 图书情报知识, （1）：34-38.

参 考 文 献

柯平.1987.西方图书作伪 [J].津图学刊,(1):130-134.

柯平.1988.西方书目发展史略 [J].四川图书馆学报,(2):65-69.

柯平.1996.书目情报系统理论研究 [M].北京:书目文献出版社.

柯平.1998.文献目录学 [M].开封:河南大学出版社.

柯平.2005.数字目录学——当代目录学的发展方向 [J].图书情报知识,(3):18-22.

柯平.2008.从文献目录学到数字目录学 [M].北京:国家图书馆出版社.

李国强,李瑞芳.2006.基于计算机的词频统计研究———考证《红楼梦》作者是否唯一 [J].
沈阳化工学院学报,20(4):305-307.

李贤平.1987.《红楼梦》成书新说 [J].复旦大学学报(社科版),(5):3-16.

梁启超.1989.饮冰室合集(第9册第71卷)[M].北京:中华书局.

梁启超.2008a.中国近三百年学术史 [M].北京:人民出版社.

梁启超.2008b.中国历史研究法 [M].北京:人民出版社.

梁漱溟.1987.东西文化及其哲学 [M].北京:商务印书馆.

廖名春.2012.周易经传十五讲(二版)[M].北京:北京大学出版社.

刘纪泽.1934.目录学概论 [M].上海:中华书局.

刘丽芬.2013.俄汉标题对比研究 [M].北京:商务印书馆.

刘梦溪,夏晓虹.1996.中国现代学术经典·梁启超卷 [M].石家庄:河北教育出版社.

刘尚恒.2004.二馀斋说书 [M].石家庄:河北教育出版社.

罗竹风.1981.以管窥天,所见必小——对整理古籍的一点意见 [J].古籍书讯,(3):
305-308.

鲁迅.1973.汉文学史纲要 [M].北京:人民文学出版社.

孟昭晋.2004.书目与书评 [M].石家庄:河北教育出版社.

倪晓建.1991.书目工作概论 [M].北京:北京师范大学出版社.

倪晓建.2008.目录学与文献利用 [M].北京:国家图书馆出版社.

彭斐章.1990.书目情报需求与服务研究 [M].武汉:武汉大学出版社.

彭斐章.1995.世纪之交的目录学研究 [J].图书情报工作,(2):1-5.

彭斐章.1996.书目情报服务的组织与管理 [M].武汉:武汉大学出版社.

彭斐章,等.1986.目录学 [M].武汉:武汉大学出版社.

彭斐章,等.1996.目录学研究文献汇编(修订版)[M].武汉:武汉大学出版社.

彭斐章,等.2003.目录学(修订版)[M].武汉:武汉大学出版社.

彭斐章,彭敏惠.2009.文华图专目录学教育与目录学思想现代化 [J].图书馆论坛,29(6):
9-18.

钱亚新.1948.郑樵校雠略研究 [M].上海:商务印书馆.

沈宝环.1983.图书·图书馆·图书馆学 [M].台北:学生书局.

孙海珍.2011.科技期刊论文标题英汉对比研究 [J].语文学刊·外语教育教学,(1):
46-47.

孙玉明.2007.日本红学史稿 [M].北京:北京图书出版社.

唐均.2011.《红楼梦》芬兰译本述略 [J].红楼梦学刊,(4):53-70.

陶嘉炜 . 2015. 中国文化概要（第二版）[M]. 北京：北京大学出版社 .

图书馆·情报与文献学名词审定委员会 . 2019. 图书馆·情报与文献学名词 [M]. 北京：科学
　出版社 .

王充 . 1974. 论衡 [M]. 上海：上海人民出版社 .

王重民 . 1984. 中国目录学史论丛 [M]. 北京：中华书局 .

王金玉 . 1997. 宋代档案管理研究 [M]. 北京：中国档案出版社 .

王鸣盛 . 2008. 十七史商榷 [M]. 陈文和等校点 . 南京：凤凰出版社 .

王熹 . 1985. 怎样编写科技文摘 [M]. 北京：科学技术文献出版社 .

王心裁，柯平 . 1995. 关于书目情报的几个问题 [J]. 图书情报知识，(1)：23-26.

王余光 . 2002. 读书随记 [M]. 南京：东南大学出版社 .

王余光，等 . 2007. 中国阅读文化史论 [M]. 北京：北京图书馆出版社 .

王子舟 . 2021.《信息与文献 参考文献著录规则》的修订建议 [J]. 图书馆论坛，(3)：
　108-112.

汪辟疆 . 2000. 目录学研究 [M]. 上海：华东师范大学出版社 .

韦博成 . 2009.《红楼梦》前 80 回与后 40 回某些文风差异的统计分析（两个独立二项总体等
　价性检验的一个应用）[J]. 应用概率统计，25 (4)：441-448.

吴光伟 . 1983."文献精髓"——介绍一种文献加工的方法 [J]. 图书馆杂志，(4)：44-45.

吴志攀 . 2004. 移动阅读与图书馆的未来——"移动读者的图书馆"[J]. 大学图书馆学报，
　(1)：2-5, 13.

伍杰，徐柏容，吴道弘 . 1997. 中国书评精选评析 [M]. 济南：山东教育出版社 .

武汉大学图书馆学系《中文工具书使用法》编写组 . 1982. 中文工具书使用法 [M]. 北京：
　商务印书馆 .

武汉大学，北京大学《目录学概论》编写组 . 1982. 目录学概论 [M]. 北京：中华书局 .

夏征农，陈至立 . 2009. 辞海：第六版彩图本 [M]. 上海：上海辞书出版社 .

肖东发，杨虎 . 2005. 插图本中国图书史 [M]. 桂林：广西师范大学出版社 .

谢国桢 . 1985. 史料学概论 [M]. 福州：福建人民出版社 .

谢天振 . 2011. 对《红与黑》汉译大讨论的反思 [J]. 外语教学理论与实践，(2)：12-16.

谢灼华 . 1987. 中国图书与图书馆史 [M]. 武汉：武汉大学出版社 .

徐葆耕 . 2003. 西方文学十五讲 [M]. 北京：北京大学出版社 .

徐召勋 . 1994. 书评学概论 [M]. 武汉：武汉大学出版社 .

许殿才 . 2006. 中国史学史 . 第 2 卷，秦汉时期：中国古代史学的成长 [M]. 上海：上海人民
　出版社 .

许渊冲 . 2015. 西风落叶 [M]. 北京：外语教学与研究出版社 .

杨殿珣 . 1979. 谈谈古籍和古籍分类 [J]. 北图通讯，(1)：73-82.

姚名达 . 1984. 中国目录学史 [M]. 上海：上海书店 .

姚蜀平 . 1988. 科学与社会 [M]. 北京：科学出版社 .

叶继元 . 2002. 南京大学百年学术精品：图书馆学卷 [M]. 南京：南京大学出版社 .

余嘉锡 . 1963. 目录学发微 [M]. 北京：中华书局 .

参考文献

俞君立，陈树年．2001．文献分类学［M］．武汉：武汉大学出版社．

虞为，陈俊鹏．2013．基于 MapReduce 的书目数据关联匹配研究［J］．现代图书情报技术，（9）：15-22．

袁翰青．1964．现代文献工作的基本概念［J］．图书馆，（2）：25-31．

袁咏秋，李家乔．1988．外国图书馆学名著选读［M］．北京：北京大学出版社．

曾伟忠．2010．数字科研环境下的知识控制研究［M］．北京：人民邮电出版社．

张潮．2008．幽梦影．［M］．陈书良点评．北京：中国青年出版社．

张桂萍，韩淑芹，董丹．2002．英语科技论文标题句法结构的调查研究［J］．上海科技翻译，（2）：31-33．

张佳玮．2013．代表作和被代表作［M］．上海：华东师范大学出版社．

张舜徽．2011．中国文献学［M］．姚伟钧导读．上海：上海古籍出版社．

张衍，陈子琪．2021．《信息与文献 参考文献著录规则》中档案著录规则的修订建议［J］．图书馆论坛，（2）：107-111．

郑建明．1994．当代目录学［M］．南京：南京大学出版社．

中共中央党校科社教研室．1982．文明和文化［M］．北京：求实出版社．

中国大百科全书总编辑委员会《本卷》编辑委员会．1993．中国大百科全书·图书馆学情报学档案学卷［M］．北京：中国大百科全书出版社．

朱天俊．1993．应用目录学简明教程［M］．北京：光明日报出版社．

庄锡昌，等．1987．多维视野中的文化理论［M］．杭州：浙江人民出版社．

Alimohammadi D. 2005. Annotated webliography of webliographies：a proposal ［J］. The Electronic Library，23（2）：168-172.

Davinson D. 1981. Bibliographic Control ［M］. London：Clive Bingley.

Efron B，Thisted R. 1976. Estimating the number of unseen species：how many words did Shakespeare know?［J］. Biometrika，63（3）：435-447.

Encyclopedia Britannica. 1966. Volume 3. ［M］. Chicago：Encyclopedia Britannica，Inc.．

Greenwald D S. 2021. Painting By Numbers：Data-Driven Histories of Nineteenth-Century Art ［M］. Princeton：Princeton University Press.

Harmon R B. 1998. Elements of Bibliography：A Guide to Information Sources and Practical Applications ［M］. Third ed.．Lanham：The Scarecrow Press.

Harris M H. 1999. History of Libraries and in the Western World ［M］. 4th ed. Lanham：The Scarecrow Press.

Harrod L M. 1990. Harrod's Librarians Glossary of Terms Used in Librarianship，Documentation and the Book Crafts and Reference Book ［M］. Aldershot：Gower.

Hollister C W，Rogers G M. 2005. Roots of the Western Tradition：A Short History of the Ancient World ［M］. 7th ed. Boston：Mc Graw Hill.

Huizinga J. 1972. America：A Dutch Huizinga's Vision，from Afar and Near ［M］. New York：Harper.

Коршунob О П. 1990. Библиогрфоведение：общийкурс ［M］. Москва：издательство.

Kumar G, Kumar K. 1990. Bibliography [M]. 3rd ed. Delhi: Vikas Publishing House Pvt Ltd.

Lal C M. 1975. Bibliography in Theory and Practice [M]. 2nd ed., rev. Calcutta: World Press.

Levine-Clark M, Carter T M. 2013. ALA Glossary of Library and Information Science [M]. 4th ed. Chicago: ALA.

Parmar P P. 1989. Encyclopedia Dictionary of Library and Information Science [M]. New Delhi: Armol Publications.

Reitz J M. 2004. Dictionary for Library and Information Science [M]. London: Libraries Unlimited, Inc.

Shera J H. 1976. Introduction to Library Science: Basic Elements of Library Service [M]. Littleton: Libraries Unlimited, Inc.

Soper M E, etc. 1990. The Librarian's Thesaurus: A Concise Guide to Library and Information Terms [M]. Chicago: American Library Association.

Tanselle G T. 2009. Bibliographical Analysis: A Historical Introduction [M]. London: Cambridge University Press.

Thisted R, Efron B. 1987. Did Shakespeare write a newly-discovered poem? [J]. Biometrika, 74 (3): 445-455.

William P E. 1969. Bibliographical Method, An Introductory Survey [M]. Cambridge: James Clarke.

Wilson P. 1968. Two Kinds of Power: An Essay on Bibliographical Control [M]. Berkeley: University of California Press.

Young H. 1983. The ALA Glossary of Library and Information Science [M]. Chicago, IL: American Library Association.

Леонов В П. 1985. Библиографическая информапия в структре вторичной информации [J]. Советская Библиогрфия, (2): 56-64.

后　　记

　　我从大学时代就对目录学产生了浓厚的兴趣，研究生考入目录学方向，师从著名目录学家彭斐章先生。之后，我先后在郑州大学和南开大学从事目录学的教学与研究，出版了《书目情报系统理论研究》（1996 年）、《文献目录学》（1998 年）、《从文献目录学到数字目录学》（2008 年）、《目录学读本》（2014 年）等目录学著作。

　　三十多年来的目录学教学与研究，让我见证了时代对于目录学的影响、挑战与改变，使我对目录学有了一次又一次的重新认识和再思考。除了主讲目录学课程，我还开设了知识管理等其他课程，将目录学与许多学科知识联系起来，开阔了目录学教学与研究的视野。我一直在思考着这样的问题：中国目录学的优秀传统如何发扬光大？现代目录学如何在信息化和数字化中立于潮头？目录学教育需要培养什么样的人才？未来的目录学将向何处去？随之而来的是学科振兴发展的责任感和使命感愈加强烈，促使我整理思绪，加紧新目录学的著述。

　　想写一部新的目录学著作，而不是新版的目录学教科书，这一想法已有多年，有两个最直接的动因。一个是目录学教育的需要。虽然已有我参加编写的目录学教程，但与我的目录学教学内容有许多不相匹配之处。这些年来，我一直进行目录学教学改革的探索，已形成了一个创新的内容体系。另一个是目录学社会化的需要。当社会上的许多人问我什么是目录学时，一两句话是很难以说清楚的，不像文学、史学、心理学、新闻学、物理学、化学、生物学、计算机科学等等这些学科的社会认知度比较高。即使我推荐他们阅读已有的目录学著作，要么是专深难懂，要么是枯燥乏味的刻板印象。的确，目录学是一门古老的学问，古树既有可能枯萎，也有可能逢春，关键在于精心养护。目录学有许多有益的知识，酒香既不怕巷子深，也怕巷子深，关键在于竭力推广。我一直认为，目录学不应当是故纸堆里的学问，也不应当是象牙塔里的学科，而应当是关乎社会的门类，让大众受益的知识。

　　这本书在撰写过程中，我参考了国内外众多的目录学著作，大部分已列入参考文献，在此，向所有为目录学发展做出贡献的学者们致以崇高的敬意。写作过程中，博士后邹金汇、博士生包鑫和硕士生张瑜祯、邱永妍、聂吉冉、王昊、王浩霖、于之皓等帮我制作图表，查找、核实了不少资料，对他们所付出的辛勤劳动，表示衷心的感谢。

柯 平

2022 年 3 月 4 日